HANDBUCH DER KULTURGESCHICHTE

HANDBUCH
DER KULTURGESCHICHTE

BEGRÜNDET VON PROF. DR. HEINZ KINDERMANN

NEU HERAUSGEGEBEN VON

DR. EUGEN THURNHER

PROFESSOR AN DER UNIVERSITÄT INNSBRUCK

unter Mitarbeit von

H. G. Beck ,München · Martin Block, Marburg · Thomas v. Bogyay, München · Helmut de Boor, Berlin · W. H. Bruford, Cambridge · Karl Buchheim, München · August Buck, Marburg · Rolf Dencker, Turku · Kunz Dittmer, Hamburg · Emil Ermatinger · Julius v. Farkas · Willi Flemming, Mainz · Leonhard Franz, Innsbruck · Herbert A. Frenzel, Berlin · Wilhelm Giese, Hamburg · Olof Gigon, Bern · Horst Hammitzsch, München · Walther Hinz, Göttingen · Harold von Hofe, Los Angeles · Willibald Kirfel, Bonn · Willy Krogmann, Hamburg · Erich Kunze, Helsinki · Wilhelm Lettenbauer, Bad Krozingen · Josef Matl, Graz · Hugo Moser, Bonn · Rudolf Neumann, Lüneburg · Franz Petri, Bonn · Friedrich Repp, Wien · Hans Friedrich Rosenfeld, München · Heinz Rupp, Basel · Hans H. Schaeder · Emil Schieche, Stockholm · Kurt Schubert, Wien · Dietrich W. H. Schwarz, Zürich · Paul Stapf, Washington · Hans Steininger, Erlangen · Hermann Trimborn, Bonn · Hermann K. Weinert, Tübingen · Friedrich Wild, Wien · Walther Wolf, Münster · Alfons Wotschitzky, Innsbruck · Ernst W. Zeeden, Tübingen

Erste Abteilung

ZEITALTER DEUTSCHER KULTUR

AKADEMISCHE VERLAGSGESELLSCHAFT ATHENAION
DR. ALBERT HACHFELD · KONSTANZ

DEUTSCHE KULTUR
DER GOETHEZEIT

VON

WALTER HORACE BRUFORD

AKADEMISCHE VERLAGSGESELLSCHAFT ATHENAION
DR. ALBERT HACHFELD · KONSTANZ

1. Ansicht von Frankfurt am Main. *Kupferstich von Johann Jacob Koller 1777 (Historisches Museum, Frankfurt/M.).*

EINLEITUNG

Dem Kulturhistoriker bietet die Goethezeit nicht nur eine unausschöpfliche Fülle von großen Leistungen auf vielen Gebieten der Kultur, sondern auch das fesselnde Schauspiel einer Epoche, in welcher gerade in Deutschland Kultur und Bildung das Hauptanliegen des denkenden Menschen darstellen und die führenden Geister unsere heutige Auffassung dieser Begriffe allmählich zur Reife bringen. In den achtziger Jahren des 18. Jahrhunderts sind die ersten deutschen Kulturgeschichten entstanden, die diesen Namen führen, zwei längst überholte Werke von Adelung und Hegewisch, aber auch das bahnbrechende Werk von Herder, die ›Ideen zur Philosophie der Geschichte der Menschheit‹. Schon 1765 hatte der Franzose Toussaint, in einer Abhandlung der Preußischen Akademie der Wissenschaften in Berlin, das französische Wort »culture« anscheinend zum ersten Male im umfassenden Sinne des Ausdrucks »Kultur« gebraucht, als Bezeichnung für die ganze Lebensweise eines Volkes und seiner objektiven Leistungen, sowohl auf dem Gebiete der nützlichen Künste oder, wie man später oft sagte, der »Zivilisation«, als auch in der schönen Literatur und den Wissenschaften; aber das Wort hat sich im Deutschen nur langsam eingebürgert, und noch 1784 hält Mendelssohn »die Worte Aufklärung, Kultur, Bildung« für »neue Ankömmlinge« in der Sprache,

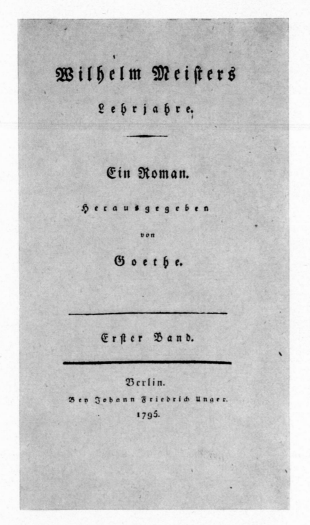

2. Titelblatt zu Wilhelm Meisters Lehrjahre. Erstausgabe 1795
(Schiller-Nationalmuseum Cotta-Archiv).

die »der gemeine Haufe« noch kaum verstehe, obgleich die Sachen bei den Deutschen keineswegs neu seien. Im Französischen behielt das Wort gewöhnlich seine ältere Bedeutung »culture de l'esprit« noch bei, was bei Herder und Goethe entweder »Bildung« oder »Kultur« des Einzelnen heißen konnte. In den ›Ideen‹ hat sich Herder hauptsächlich mit der Geschichte der »Kultur« ganzer Völker beschäftigt, während Goethe in ›Wilhelm Meisters Lehrjahre‹ die »Bildung« eines Einzelnen durch das Leben darstellt. In der Einsicht, daß »die menschliche Natur einige ihrer edelsten Züge nicht bloß in christlichen Ländern kundgegeben habe, sondern auch in der Antike, in Athen, Sparta, Rom, ja, daß auch Barbaren ihre eigene Bildung, ihre eigene Kultur gehabt hätten, die in irgendeiner Hinsicht erfolgreich gewesen seien«, hat John Stuart Mill »das Unterscheidende der Literatur der Goethezeit« gesehen, eine Lehre, der die neueren französischen Geschichtsphilosophen, sowie Coleridge und seine Anhänger, schon weitgehend beigestimmt hätten. Coleridge selbst hatte nach seinen eigenen Worten anerkannt, daß »die Kultur an sich nur eine gemischte Wohltat sei, wo sie nicht auf Bildung gegründet sei, auf die harmonische Entwicklung derjenigen Eigenschaften und Fähigkeiten, die unsere Menschlichkeit ausmachen". Durch diese eigentlich deutsche Einsicht hatte er zur Wertbestimmung der modernen Kultur ein neues und fruchtbares Mittel gefunden.

»Alle Erziehung kann nur durch Nachahmung und Übung, also durch Übergang des Vorbildes ins Nachbild werden«, heißt es bei Herder (›Ideen‹, IX), »und wie könnten wir dies besser als Überlieferung nennen? Der Nachahmende aber muß Kräfte haben, das Mitgeteilte und Mitteilbare aufzunehmen und es, wie die Speise, durch die er lebt, in seine Natur zu verwandeln. Von wem er also? was und wie viel er aufnehme? wie er's sich aneigne, nutze und anwende? das kann nur durch seine, des Aufnehmenden, Kräfte bestimmt werden; mithin wird die Erziehung unsres Geschlechts in zwiefachem Sinn genetisch und organisch; genetisch durch die Mitteilung, organisch durch die Aufnahme und Anwendung des Mitgeteilten. Wollen wir diese zweite Genesis des Menschen, die sein ganzes Leben durchgeht, von der Bearbeitung des Ackers Cultur oder vom Bilde des Lichts Aufklärung nennen: so stehet uns der Name frei; die Kette der Cultur und Aufklärung reicht aber sodann bis ans Ende der Erde. Auch der Californier und Feuerländer lernte Bogen und Pfeile

machen und sie gebrauchen: er hat Sprache und Begriffe, Übungen und Künste, die er lernte, wie wir sie
lernen; sofern ward er also wirklich cultiviert und auf-
gekläret, wiewohl im niedrigsten Grade. Der Unterschied zwischen aufgeklärten und unaufgeklärten, zwischen cultivierten und uncultivierten Völkern ist also
nicht spezifisch; sondern nur gradweise.«

Die soziologische Auffassung der Kultur, die bei
Herder an dieser Stelle und anderswo wenigstens angedeutet wird, wollen wir in unserer Darstellung der
Kultur der Goethezeit soweit wie möglich mit der gei-
stesgeschichtlichen verbinden, indem wir den Wechsel-
wirkungen zwischen der geistig-künstlerischen Kultur
und der Gesellschaft nachspüren, ohne allen Ehrgeiz,
das Schöpferische »von unten« zu erklären. Es handelt
sich vielmehr um die richtige Abgrenzung des Individuellen und des Überindividuellen, wobei dem Historiker der Begriff der psychischen Objektivationen, den
vor allem Nicolai Hartmann aus Hegels Lehre vom
objektiven Geist entwickelt hat, gute Dienste leisten
kann. Aus der absichtgeleiteten Handlung des einzelnen in einer menschlichen Gesellschaft ergeben sich

3. Johann Rudolf Schellenberg, Musikalischer
Almanach auf das Jahr 1782 *(Aus: Schöller,
Die Kunst im deutschen Buchdruck).*

nicht nur vorübergehende Wirkungen, sondern auch dauernde, die man füglich nach Richard
Meisters Terminologie in »Taten« und »Werke« einteilen kann. Die »Taten« führender Persönlichkeiten sind der Stoff der »Ereignisgeschichte«, während »Werke« zum Bereich der Kultur gehören.

»Verselbständigte Gegenstände von Dauer bilden nur einen Teil der Tatbestände«, erklärt Richard Meister, »die man als Kulturobjekte ansprechen darf. Zu ihnen gehören Geräte aller Art,
wie Werkzeuge, Waffen, Gefäße, Kleidung, Gebilde der Plastik und Malerei, aber auch mittels
Zeichensysteme festgehaltene geistige Inhalte in Inschriften, Manuskripten, Büchern, Partituren ...
Aber auch lebende Objekte können als zweckbestimmtes Material zu Kulturobjekten umgeformt
werden, in der Bodenbebauung und Tierzucht, der mannigfachen Verwendung domestizierter Tiere,
der Umwandlung von Naturlandschaft in Kulturlandschaft ... Eine zweite Gruppe der Kultur-
objekte bilden die geprägten und in dieser Form immer wieder reproduzierbaren Vorgänge, wie
Gebräuche, Riten, Zeremonien, Gruß- und Umgangsformen, Tänze, aber auch mündlich weiter-
gegebene Überlieferungen, Dichtungen, Gesänge. Hier sind menschliche Individuen, einzelne oder
Gruppen, mit ihren Handlungen das Material der Gestaltung. Die Gestaltung ist aktuell ein jedes
Mal erneuter Vorgang von gleicher Prägung, potenziell das Wissen und Können um die geprägte
Form in Sprache, Zeremonien, Arbeitsvorgängen. Die Dauer ist an das Gedächtnis und die Lebens-
zeit der Träger dieser geprägten Vorgänge und deren Weitergabe an Glieder der folgenden Generation gebunden ... Der Mensch kann aber auch sich selbst zum »Kulturobjekt« formen und zwar
nicht bloß, wie bereits eben besprochen, in immer wieder reproduzierten Vorgängen als deren Trä-

Aus der Zueignung

Euch, die das Spiel des Witzes noch erfreuet,   *wenn's Euch die Stirn zur Heiterkeit entrunzelt,*
Euch sey von mir dieß Jahrgeschenk geweihet,   *und Ihr dabei recht wohlbehaglich schmunzelt,*
gesammelt wie im Bienenflug;   *so bin ich schon belohnt genug.*

4. Almanache als Dokumente der geistigen Kultur der Goethezeit.

ger und Gestalter, sondern auch als Person selbst, und zwar sowohl als einzelner in seiner Formung durch ein bestimmtes Persönlichkeitsideal und schließlich als Träger einer Kultur, wie als
Gruppe in den sogenannten Sozialgebilden, indem eine Gruppe sich nicht bloß zu einem gemein-
schaftlichen Handeln, sondern zu einer dauernden Gemeinschaftstätigkeit mit bestimmten Zwecken
und nach bestimmten Normen organisierend gestaltet: Vereine und Korporationen aller Art durch
Statuten, in höheren Formen durch Traditionsbesitz an Inhalten und Betätigungsweisen und durch
Verfassungen.«

In einer Kulturgeschichte, die nach diesem umfassenden Schema aufgebaut ist, soll also nicht nur
von Kunst, Literatur, Philosophie, Religion als höchsten Leistungen des menschlichen Geistes die
Rede sein und von den »verselbständigten Gegenständen«, den Bildern, Büchern usw., durch die
allein diese Kulturgüter von Geschlecht zu Geschlecht weitergegeben werden. Auch die in Sitte,
Gebrauch, Volkskunst usw. vorkommenden »geprägten Vorgänge« fordern ihren Anteil, sowie die
überaus wichtigen »Sozialgebilde« im oben angedeuteten Sinne. Gerade mit ausgewählten Aspekten typischer Sozialgebilde im damaligen Deutschland fängt unsere Darstellung an, denn die

politischen, wirtschaftlichen und gesellschaftlichen Zustände sind nicht etwa bloß die Grundlagen der eigentlichen Kultur, sondern ein wesentlicher Bestandteil der Gesamtkultur, der sich so wenig von Kunst und Philosophie abtrennen läßt wie etwa der Gehalt eines Kunstwerks von seiner Form.

TRENNENDE FAKTOREN IN DER GOETHEZEIT

Unser Thema ist die deutsche Kultur der Goethezeit, soweit sich diese Kultur als ein einheitliches Gebilde auffassen läßt. Wir müssen uns fragen, welche Teilgebiete sich hier unterscheiden lassen und in welchem Verhältnis sie zu einander stehen, und weiter, welche Faktoren eine größere Vereinheitlichung entweder begünstigen oder hindern. Zur vorläufigen Orientierung kann man dazu sagen, daß starken trennenden Faktoren zum Trotz schon in der Zeit der deutschen Klassik die Tendenz zur Einheit überwogen hat, vor allem noch wie in der Aufklärung im literarischen und philosophischen Wettstreit mit Frankreich und England, und unter Berufung auf das leuchtende Beispiel der Griechen. Mit der Romantik wurde die Überwindung der alten Spaltung zwischen der Kultur des Nordostens und des Südwestens angestrebt. Man lernte im protestantischen Norden das katholische Deutschland besser würdigen und verstehen. Das wäre vielleicht auch ohne die Französische Revolution geschehen, aber die Revolution hat in führenden Schichten in Deutschland eine Besinnung auf sich selbst und seine eigenen Kräfte und seit der französischen Besetzung deutscher Gebiete allmählich die Anfänge eines ganz neuen deutschen Nationalgefühls hervorgerufen. Voraussetzung für die spätere Einheitsbewegung waren einerseits das wachsende Selbstbewußtsein der Deutschen als Volk, durch das immer weiter um sich greifende Verständnis für die literarischen und denkerischen Leistungen ihrer Landsleute seit Lessing und Kant, andererseits der gegebene, gut organisierte Kern politischer Macht, den die Hohenzollern in Preußen um sich herum aufgebaut hatten. Auch nach der schweren Erschütterung des Jahres 1806 ließ sich dieses »Sozialgebilde« zeitgemäß umgestalten, so daß Preußen bedeutend verstärkt aus dem Befreiungskrieg hervorging. Noch hatte diese nördliche Macht einen starken Rivalen im jahrhundertealten Mittelpunkt des früheren Deutschen Reichs. Dagegen war die Zahl der deutschen Einzelstaaten in erster Linie durch Napoleons Eingreifen auf etwa ein Zehntel der vorrevolutionären gesunken, aber von der wirtschaftlichen Entwicklung, die später zur politischen Einheit so viel beitragen sollte, war vor Goethes Tode noch wenig zu sehen.

Was immer wieder hervorzuheben sein wird, ist wie bei einem Kunstwerk die Wechselwirkung zwischen den Teilen, die sich im Ganzen unterscheiden lassen. Zunächst gilt es aber, sich das Trennende deutlich vorzustellen, mit dem alle Erneuerungsversuche zu kämpfen hatten. Erst dann begreift man die Schwierigkeit der Aufgabe, die sich die führenden Geister in der ersten Hälfte der Goethezeit gestellt hatten, eine deutsche Kulturnation ins Leben zu rufen. Wie man sich das Ziel solcher Bestrebungen vorstellte, das tritt uns kräftig formuliert aus Herders Ode ›An den Kaiser‹ (Joseph II.) vom Jahre 1778 entgegen:

O Kaiser! du von neunundneunzig Fürsten
Und Ständen wie des Meeres Sand
Das Oberhaupt, gib uns, wonach wir dürsten,
Ein deutsches Vaterland,

Und Ein Gesetz und Eine schöne Sprache
Und redliche Religion:
Vollende deines Stammes schönste Sache
Auf deines Rudolfs Thron,

Daß Deutschlands Söhne sich wie Brüder lieben
Und deutsche Sitt' und Wissenschaft,
Von Thronen, ach, so lange schon vertrieben,
Mit unserer Väter Kraft

Zurückekehren, daß die holden Zeiten,
Die Friederich von ferne sieht
Und nicht beförderte, sich um dich breiten
Und sei'n dein ewig Lied.

Kurz darauf hat Lessing in ›Ernst und Falk. Gespräche für Freimaurer‹, auf die drei trennenden Faktoren hingewiesen, die das Freimaurertum – wenn, wie seine Verteidiger behaupteten, wahre Humanität wirklich seine Grundidee sei – unter seinen Mitgliedern, dieser unsichtbaren Kirche in allen Ländern, überwinden müsse, nämlich übertriebene Formen des Standesbewußtseins, der Religion und der Vaterlandsliebe. Im bestehenden Logenwesen in Deutschland vermissen beide Gesprächspartner leider die anzustrebende allgemeine Menschlichkeit, und das ist begreiflich, denn gerade in Deutschland hatten sich diese irrationalen Gegensätze besonders gefährlich entwickelt.

Standesunterschiede

Werfen wir zunächst einen Blick auf die noch im Zeitalter der Französischen Revolution bestehenden mittelalterlichen Standesunterschiede. In den ersten Jahren des 19. Jahrhunderts konnte Mme de Staël mit vollem Recht schreiben: »In Deutschland ist jeder in seinem Rang, an seinem Platz, wie auf seinem Posten, und man hat keine geschickten Wendungen, keine Parenthesen, keine Andeutungen nötig, um die Vorteile der Geburt oder des Titels, die man über seine Nachbarn zu besitzen meint, zum Ausdruck zu bringen.« Wirtschaftliche Umwälzungen hatten es allerdings schon vor dem 12. Jahrhundert dem Bürgertum allmählich ermöglicht, die alte Ordnung der Gesellschaft, die sich ausschließlich auf das Erbrecht aufbaute, zu durchbrechen, und im Zeitalter der Renaissance und der Reformation hatten sich in der Lebensgemeinschaft der Städte die ererbten Standesunterschiede etwas ausgeglichen, um sich in den Wirren des Dreißigjährigen Krieges und in der darauf folgenden absolutistischen Periode nur noch fester zu kristallisieren. Nach der Revolution und dem langsamen Aufstieg des Bürgertums begann Deutschland dann der Entwicklung Frankreichs und Englands zu folgen, aber so langsam, daß Metternich noch hoffen konnte, den alten christlichfeudalistischen Zustand wiederherzustellen, und der Adel, obgleich er sich eifriger als sonst um geistige Auszeichnung bemühte, seine gesellschaftliche Stellung noch in vollem Maße behauptete. Die restlichen Unterschiede zwischen Adel und Bürgertum wurden aber in den neuen Verfassungen nach den Kriegen größtenteils abgeschafft, und in den einzelnen Staaten, wie früher in den Städten, verloren die Einwohner mit dem wachsenden Gefühl der gemeinsamen Staatszugehörigkeit mehr und mehr ihre Achtung vor Rangunterschieden.

Vorrechte des Adels

Zu Beginn der Goethezeit war der Adel vom Bürgertum durch rechtliche Stellung, Lebensweise, gesellschaftliche Sitte und ethische Anschauungen geschieden. Seine Erziehung, sein ästhetischer und literarischer Geschmack und seine Ausdrucksweise waren ganz anderer Art. Die Vorrechte des Adels waren nicht mehr mit den Pflichten verbunden, wodurch ihre Verleihung begründet worden war. »Daß die Ritterbürtigen (in den verschiedenen Territorien in

5. Anne Louise Germaine de Staël (1766–1817). *Gemälde von F. P. Gérard (Historisches Bildarchiv Handke, Bad Berneck)*.

verschiedenem Umfang) Freiheit von direkten Steuern genießen«, schreibt Georg v. Below, »von der Einquartierungslast, den Landfronen, auch, wenigstens soweit es sich um Gegenstände für den privaten Bedarf ihres Hauses handelt, von Zoll und Akzise frei sind – alles dieses ist in den Quellen ausdrücklich damit motiviert, daß sie als Entgelt dafür den Reiterdienst leisten müssen.« Vom 13. bis zum 17. Jahrhundert erklärt die entscheidende militärische Wichtigkeit des niederen Adels seine hohe gesellschaftliche Stellung. In wirtschaftlicher Hinsicht mochte es leicht vorkommen, daß sich seine Lage verschlechterte, nicht zuletzt infolge seiner Forderung eines seigneurialen Lebens, aber es gelang ihm durch seinen Einfluß auf den Landtag, seine alten Privilegien in ein System ausschließlicher Rechte zu verwandeln. Durch Landtagsgesetze voriger Jahrhunderte, schriftlich festgesetzte Normen für Sozialgebilde im oben besprochenen Sinne, besaß der deutsche Adel also im 18. Jahrhundert, auch wenn die Landtage selbst längst keine Rolle mehr spielten, seine Steuerfreiheit wie vorher, Freiheit vor allem von der wichtigen Grundsteuer. Er behielt ferner sein »Indigenatsrecht« auf die wichtigeren Staatsämter bei, oft Sinekuren; der Übergang von Rittergütern an Angehörige der anderen Stände war in den meisten Staaten immer noch verboten, und wertvolle Stiftsstellen waren seit Ausgang des Mittelalters für den Adel reserviert. In Deutschland, wie in England, brachte die Reformation dem Adel viel neuen Grundbesitz, und im Norden und Osten verlor der Klerus seine frühere gesellschaftliche Geltung, während der Landadel sich für sehr viele kirchliche Stellen das Patronatsrecht erwarb. Außerdem besaß der Adel das Vorrecht der »Schriftsässigkeit« vor Gericht und wurde im ganzen wohlwollender beurteilt und bestraft. Mit seinem ausschließlichen Rechte, adlige Güter zu besitzen und Frondienst zu verlangen, waren andere wichtige Rechte verbunden, vor allem das der patrimonialen Gerichtsbarkeit.

Adel und Bauerntum

Im Osten sahen die ländlichen Verhältnisse denen Rußlands sehr ähnlich, während der Westen Frankreich ähnlicher war. Frondienste waren im Westen meist in Geldleistungen umgewandelt worden, denn die Bauern konnten ihre Erzeugnisse in den zahlreichen Städten leicht für bares Geld verkaufen. Ferner war in den kleinen Staaten des Westens und Südwestens mit der Zeit immer mehr Boden aus dem meist zerstreut liegenden Besitz des Adels einzelnen Bauern verpachtet worden. Im spärlich besiedelten Osten dagegen besaßen die Gutsherren große zusammenhängende Ländereien, die durch Bauernlegen und Tausch möglichst abgerundet worden waren. Durch die Verbindung von Gerichtsherrschaft und Grundherrschaft verfügten sie über eine fast uneingeschränkte Autorität, und ihre Bauern, obgleich nicht buchstäblich Leibeigene oder Sklaven, waren in der Praxis nicht weit davon entfernt. Sie mußten ihren Herren meist ungemessene Frondienste leisten, waren an die Scholle gebunden und in jeder Hinsicht an den Willen des Gutsherrn ausgeliefert.

Jagdrechte

Was in Mitteldeutschland und im Westen den Unwillen des durchschnittlich viel besser gestellten Bauerntums erregte, waren die Jagdrechte des Adels. Hier kämpften Landesherren, hoher Adel und niederer Adel viel unter sich um hohe, mittlere und niedrige Jagdrechte, aber wer immer am schlimmsten darunter litt, das war der Bauer. J. M. v. Loen berichtet, wie die Bauern gezwungen wurden, den ganzen Tag Treiberdienste zu tun und dann die Nacht hindurch im Felde liegen mußten, um ihre Saat vor dem Wild zu schützen. Herzog Karl Eugen von Württemberg, der Jagd leidenschaftlich ergeben, hatte nach dem Bericht des Stuttgarter Prälaten Pahl »ein zahlreiches Korps von höheren und niederen Jagdbedienten . . . Seiner Nachsicht gewiß, durften sie sich die rohesten Mißhandlungen und die schreiendsten Ungerechtigkeiten gegen

6. Jagdwagen des 18. Jahrhunderts. *Kupferstich (Aus: Fritz Röbrig, Das Waidwerk in Geschichte und Gegenwart).*

den seufzenden Landmann erlauben. Man zählte in den herrschaftlichen Zwingern und auf den mit dieser Art von Dienstbarkeit belasteten Bauernhöfen über tausend Jagdhunde. Das Wild ward im verderblichsten Übermaße gehegt. Herdenweise fiel es in die Äcker und Weinberge, die zu verwahren den Eigentümern streng verboten war, und zerstörte oft in einer Nacht die Arbeit eines ganzen Jahres; jede Art von Selbsthilfe ward mit Festungs- und Zuchthausstrafe gebüßt; nicht selten gingen die Züge der Jäger und ihres Gefolges durch blühende und reifende Saaten. Wochenlang wurde oft die zum Treiben gepreßte Bauernschaft, mitten in den dringendsten Feldgeschäften,

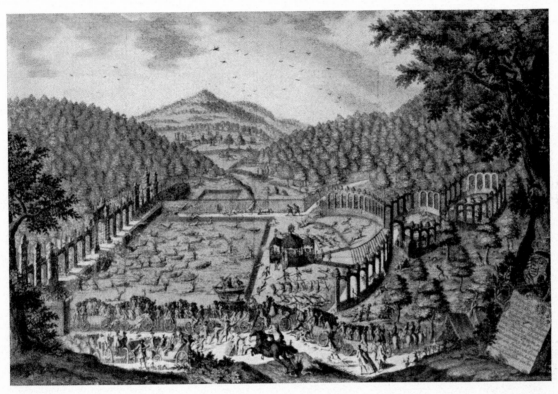

7. Prunkvolle Wasserjagd, abgehalten bei Gelegenheit einer fürstlichen Vermählungsfeier im Jahre 1748. *In den künstlich angelegten und von Kolonnaden umgebenen Teich ist das Wild aus den umliegenden Wäldern getrieben und wird von der in dem Schießhäuschen stehenden fürstlichen Jagdgesellschaft beschossen. Häufig wurden bei solchen Wasserjagden noch allerlei Schauspiele und Vorstellungen veranstaltet. Es trat etwa unter den Klängen einer »sanften Musik« Diana auf, um dem Fürstenpaar zu huldigen, so auf der Schaujagd bei Wusterhausen im Jahre 1787. Ein weiteres Beispiel für die Entartung des edlen Waidwerkes im 18. Jahrhundert sind die sogenannten »Kampfjagden«, bei denen nach altrömischem Vorbild Tierkämpfe aufgeführt wurden. Hierfür waren besonders Bären beliebt, auf welche man Hunde losließ, bis sie sich in bereitstehende Wasserfässer retteten und von da aus »mit vieler angenehmer Lust Ohrfeigen unter die Hunde austeilten« (Flemming). Mit Rücksicht auf den Wert der Tiere und ihre Wiederverwendbarkeit in künftigen Kampfspielen ließ man ihnen diesen Schutz angedeihen.*

ihren Arbeiten entrissen, in weit entfernte Gegenden fortgeschleppt. Ward, was nicht selten geschah, eine Wasserjagd auf dem Gebirge angestellt, so mußten die Bauern hierzu eine Vertiefung graben, sie mit Ton ausschlagen, Wasser aus den Tälern herbeischleppen und so einen See zustande bringen.« Selbst im kleinen Weimar mußte Goethe gelegentlich, wie aus seinen Briefen bekannt ist, gegen die Maßlosigkeit Karl Augusts in dieser Beziehung protestieren, und im Gedicht ›Harzreise im Winter‹ heißen die Jäger »Späte Rächer des Unbills, / Dem schon Jahre vergeblich / Wehrt mit Knütteln der Bauer.«

Adel und Bürgertum

Der Bürger seinerseits litt überall unter der Exklusivität des Adels, dessen Sonderstellung den anderen Ständen gegenüber durch zahlreiche Bräuche und symbolische Zeichen immer wieder behauptet wurde. Darüber tritt uns der Unmut des gebildeten Bürgertums in unzähligen Schriften entgegen, vor allem in bürgerlichen Dramen vom Sturm und Drang bis ins 19. Jahrhundert und besonders wirksam z. B. in Goethes ›Werther‹: »Und das glänzende Elend, die Langeweile unter dem garstigen Volke, das sich hier neben einander sieht! Die Rangsucht unter ihnen, wie sie nur wachen und aufpassen, einander ein Schrittchen abzugewinnen.« Oder: »Was das für Menschen sind, deren ganze Seele auf dem Zeremoniell ruht, deren Dichten und Trachten jahrelang dahin geht, wie sie um einen Stuhl weiter hinauf bei Tische sich einschieben wollen!« Der Höhepunkt ist bekanntlich die von Napoleon getadelte Episode beim Grafen, der seinen Gast sehr ungern auf die Unzufriedenheit der »noblen Gesellschaft von Herren und Frauen« über die Gegenwart eines Nichtadligen aufmerksam machen muß. Auf diesem Gebiet haben wir in Hülle und Fülle wieder »geprägte Vorgänge«, die von Generation zu Generation weitergegeben werden und die gesellschaftliche Kultur jahrhundertelang bestimmen. Erst in der zweiten Hälfte des 18. Jahrhunderts z. B. verlor das Wort »Fräulein« langsam seine ursprüngliche Bedeutung als Anrede an junge Damen von Adel – Bürgermädchen und sogar Augsburger Patriziertöchter wurden früher mit »Jungfer« angeredet – und Anreden wie »Wohlgeboren«, »Gnädige Frau« und dergleichen machten eine ähnliche Entwicklung durch, die immer wieder von konservativen Geistern beklagt wurde. Kleideredikte, durch die man früher gesucht hatte, Standesunterschiede auch äußerlich zu markieren, konnten allerdings eine allmähliche Nivellierung nicht dauernd aufhalten, und jeder bessere Herr ging jetzt bei

8. *Karikatur auf Adel und Titelsucht. Kupferstich aus »Bildergalerie weltlicher Mißbräuche«. Leipzig 1785. Erklärung des Kupferstichs:» Ein hochgeborener Herr wirft einem hochedelgeborenen Gelehrten, der um einen Dienst anhielt, die Bittschrift vor die Füße, weil er darin bloß Herr Graf hieß. Statt des hochedelgeborenen Herrn erhält ein wohledler Handlungsdiener den Dienst, weil er in der Titulatur jedes unbedeutende Dorf angeführt, das schon vorlängst den Gläubigern des Herrn Grafen gehört. Der wohledle Herr küßt dem Hochwohlgeborenen den Schlafrock. Ein Schreiner, der sich gar nicht auf Titulaturen versteht und die Grille hat, daß ein arbeitsamer Bürger dem Staat nützlicher sei als ein hochgeborener Müßiggänger, will mit Gewalt zur Türe eindringen. Die Bedienten drükken den wohledlen Herrn hinaus.*

Gelegenheit in seidenen Strümpfen und mit gepudertem Haar, einen Degen an der Seite, was früher ein Vorrecht des Adels gewesen war, und mußte seine Theaterkarte oder sein Quartier entsprechend teurer bezahlen. Aber in Universitätsstädten kam es noch zu Duellen zwischen Adel und Bürgertum über das Tragen von Federn am Hute, und wenn es sich um besonders hochgeschätzte Privilegien handelte, etwa die Aufnahme an einem Hof oder in einem katholischen Stifte, den Zutritt zu adligen Assembleen und Bällen usw., so wurde noch streng auf Adel gehalten, und zu gewissen Zwecken mußte man sogar sechzehn adlige Ahnen nachweisen können, zur Aufnahme im Trierer Domkapitel, z. B., was sehr beträchtliche Einkünfte für geringfügige Pflichten mit sich bringen konnte, aber auch zum Eintritt in gewisse sehr exklusive Redouten in Mainz. Man wollte natürlich durch solche Maßnahmen die in der Zeit Josephs II. immer zahlreicher werdenden Neugeadelten ausschließen, denn reiche Bankiers und Kaufleute konnten sich bei ihm für eine ziemlich hohe Summe einen Adelsbrief anschaffen.

Im Theater, im Ratssaal, im Hörsaal der Universität saßen die Stände getrennt. Adlige Knaben besuchten selten dieselben Schulen wie bürgerliche. Sie wurden entweder durch Hofmeister erzogen, oder sie besuchten die wenigen für Adlige bestimmten Ritterakademien. Wenn sie aber trotz-

9. Die Karlsschule (Militärakademie) in Stuttgart. *Stahlstich nach Zeichnung von K. P. Conz.*

dem, z. B. in Fürstenschulen wie der Karlsschule, mit bürgerlichen Kameraden verkehren mußten, so trugen sie zur Unterscheidung von diesen silberne Achselschnüre, speisten an eigenen Tischen und badeten im Flusse oberhalb der andern. Es gab natürlich wie in allen menschlichen Gesellschaften auch hier die übliche Spannung zwischen überlieferten und neuen Anschauungen. Einige extrem konservative Geister erwarteten als Adlige auch vom lieben Gott im Jenseits eine ähnlich bevorzugte Stellung wie auf Erden, aber für die Gebildeten aus allen Ständen konnte der Geburtsadlige sich nur dann in Geltung erhalten, wenn er die bürgerliche Bildung der neueren Zeit sich zu eigen machte. Was Goethe 1775 am Weimarer Hofe vorfand, eine »gutmütige Beschränktheit, die sich zur wissenschaftlichen und literaren Kultur emporzuheben suchte«, gilt wohl für viele Höfe. Von den 70er Jahren an machten sich einige Ausnahmen unter den deutschen Adligen die weltliche Bildung zur eigentlichen Lebensaufgabe – das hervorragende Beispiel ist Wilhelm v. Humboldt – und in der Romantik und im Biedermeier spielt der Adel eine wichtige Rolle. Auf dem neugewonnenen gemeinsamen Boden näherten sich die Stände in einzelnen Fällen bis zur vollkommenen Fusion, literarische Freundschaften zwischen Männern verschiedener Herkunft waren eine Alltäglichkeit, und bürgerliche Dichter und Schriftsteller heirateten oft, wie Schiller, in den Adel hinein. Aber selbst ein Goethe hätte sich an einem Hofe auf die Dauer doch wie ein Außenseiter gefühlt, wenn man ihn nicht hätte adeln lassen. In seinem Bilde des idealen Hoflebens im »Tasso« geht Goethe sicher über sein Vorbild in Weimar hinaus, obgleich wir den tiefen Einfluß, den das Höfische auch auf seine Weltanschauung ausgeübt hat, nicht abzustreiten brauchen.

Der Adel nach 1803

Dehio hat recht: »Die ererbten Privilegien des Adels kamen nicht durch veränderte Gesetze zum Fall, sondern dadurch, daß die Nation die Achtung vor ihnen verlor.« Erst mit dem Reichsdeputationshauptschluß von 1803 und der französischen Besetzung nach 1806, die eine eifrige Reformtätigkeit in den Rheinbundstaaten auslöste, wurde mit der offiziellen Abschaffung der Privilegien des Adels ein Anfang gemacht. Es haben damals ihre Unabhängigkeit verloren die Reichsritter und fast alle geistlichen Gebiete, die bis jetzt katholischen Aristokraten unzählige fette Pfründen eingebracht hatten – es verschwanden auf einmal einige 720 Domherrpfründen. Wo dem Adel nach den Reformen noch Rechte vom Staat eingeräumt wurden, waren sie jederzeit widerruflich. Dem Prinzip der Gleichheit aller Stände vor dem Gesetz, der Freiheit der Person und Ablösbarkeit der Fronden wurde in allen süddeutschen Verfassungen nach 1815 Rechnung getragen. In vielen norddeutschen Staaten dagegen, in Hannover, Mecklenburg, Kurhessen z. B., behielt der Adel bis 1848 und darüber hinaus trotz der Bestrebungen des Liberalismus noch viele Vorrechte bei. In Preußen wurden nach dem Versagen des alten Staats im Jahre 1806 wichtige Reformen durchgeführt, im allgemeinen von dem König und dem hohen Beamtentum, teilweise gegen den Willen des Adels. Die bisherige ständische Gliederung der Gesellschaft wurde durch Steins Reformen schwer erschüttert, und die Stände wurden rechtlich gleichgestellt. Aber selbst die Bauernbefreiung hat die Eigentumsverhältnisse in Preußen und die dinglichen Lasten der Bauerngüter nicht berührt. Durchaus im Geiste Adam Smiths wurde dem Individuum freie Bahn geöffnet, aber auf dem Lande hatte der Adel einen großen Vorsprung, und adlige Grundbesitzer wurden in den Stand gesetzt, ihre zwar freien, aber immer noch armen Bauern großenteils zu landlosen Arbeitern herabzudrücken. In ganz Deutschland behielt der Adel in der Restaurationszeit viel von seiner alten sozialen Geltung bei. »Der Adel bestimmte in den konservativen Gattungen (Epos, Roman) zu einem guten Teil die literarische Atmosphäre. Man pflegte nicht nur die menschlichen, sondern auch die literarischen

Von GOttes Gnaden Wir Ernst August, Hertzog zu Sachsen, Jülich, Cleve und Berg, auch Engern und Westphalen, Landgraf in Thüringen, Marggraf zu Meißen, gefürsteter Graf zu Henneberg, Graf zu der Marck und Ravensberg, Herr zum Ravenstein,

Der Römisch-Käyserl. Majestät würcklicher commandirender General über die sämtliche Käyserl. Cavallerie, und Obrister über ein Regiment Cuirassiers, und ein Regiment Infanterie.

Fügen allen Unter-Obrigkeiten, wie auch jedermänniglich, hiermit zu wissen, wasgestalten Wir der Nothdurfft zu seyn befunden, derer herumlauffenden Hunde halber, welche allerhand Unfug in denen Fürstlichen Gehegen und sonsten verursachen, nicht nur in dem An. 1733. emanirten Jagd-Edict §. 12. und 13. behörige Verordnung ergehen zu lassen, sondern auch dieselbe jetzo nochmahlen zu wiederhohlen und respective dahin zu extendiren, Daß keiner derer Unterthanen und Inwohner seine Hunde in denen Städten oder Dörffern, weniger aber auf dem Felde und im Holtze frey herum lauffen lassen, die Hauß-Hunde an Ketten gehalten, die Metzger-Hunde, wenn solche nicht würcklich das Vieh treiben, am Stricke geführet, die Schäfer-Hunde aber mit Knütteln einer Ellen lang versehen werden sollen; Und damit die Hunde desto leichter erkannt werden mögen, so soll denen erstern der Schwantz, denen Schaaf-Hunden die Ohren und denen Metzgers-Hunden sowohl Schwantz, als Ohren abgeschnitten werden. Gleich wie nun jedermänniglich sich hiernach und nach dem bereits An. 1733. publicirten Jagd-Edict behörig zu halten wissen wird, Also haben auch alle Unter-Obrigkeiten dahin zu sehen, daß beydes genau beobachtet werde, bey Straffe 20. Rthlr. so derjenige Beamte, Gerichts-Herr oder Stadt-Rath, der hierunter nachläßig erfunden werden sollte, zu erlegen, und sich hiernechst an den Ubertreter zu halten hat. Urkundlich ist dieses Patent von Uns eigenhändig unterschrieben und mit Unserm Fürstlichen Canzley-Insiegel bedruckt und gewöhnlich publiciret worden. Datum in Unserer Residenz Weimar, den 6. Aug. 1736.

Ernst August, H. z. S.

Verordnung Ernst Augusts von Sachsen-Weimar zum Schutze des Wildes

Aus dem Besitz des Germanischen Nationalmuseums zu Nürnberg.

Beziehungen zu den adligen Schriftstellern. Das läßt sich etwa in dem sonst auf Einfachheit schwörenden schwäbischen Kreise um Uhland, Kerner und Schwab deutlich feststellen«, schreibt Sengle. »Je weniger der Adlige noch zu einem Mäzenatentum fähig war, um so mehr bemühte er sich darum, im Wettstreit mit dem Bürger, selbst als Dichter etwas zu gelten.«

Die Gliederung des Bürgertums

Auch das städtische Bürgertum hatte seine Rechte, die es dem Adel und dem Bauerntum gegenüber eifrig zu verteidigen suchte, aber es zerfiel wiederum in mehrere Schichten, die sich möglichst gegeneinander abschlossen. Die Ausgleichung ererbter sozialer Unterschiede unter dem Einfluß allgemein menschlicher Ideen setzte sich auch hier sehr langsam durch, und bis in die Mitte des 19. Jahrhunderts war auch in den deutschen Städten die moderne dynamische

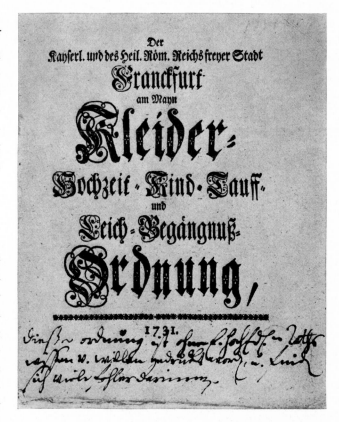

10. Kleiderordnung der Reichsstadt Frankfurt am Main vom 7. Oktober 1731 *(Stadtarchiv Frankfurt/M.).*

Lebensauffassung selten anzutreffen. Im Jahre 1731 hatten man in der letzten Kleiderordnung der Reichsstadt Frankfurt am Main fünf Gesellschaftsklassen unterschieden, die man auch äußerlich erkenntlich zu machen bemüht war. Ein ähnliches Gesetz aus der zweiten Hälfte des Jahrhunderts in Leipzig unterscheidet auch fünf Schichten. Es ist lehrreich, diese Dokumente mit einer neulich durch Hans Eberhardt veröffentlichten »Abschätzungsrolle für die Stadt Weimar« zu vergleichen, welche uns die gesellschaftliche Gliederung der Einwohner Weimars nach den Einkommensverhältnissen in der späteren Goethezeit veranschaulicht. Es ergibt sich für eine größere Reichsstadt, eine große Handelsstadt und eine kleine Residenz zu verschiedenen Zeitpunkten in einem Abschnitt von beinahe hundert Jahren eine im großen und ganzen ähnliche gesellschaftliche Struktur.

In der obersten Gruppe in Frankfurt befinden sich die höchsten Beamten dieser kleinen Republik und der eigentlichen Stadt, der Schultheiß, die Schöffen, die Stadträte, die vier Syndici usw., ferner die Doktoren der Medizin und der Jurisprudenz, d. h. die erfolgreichsten, akademisch gebildeten Vertreter der freien Berufe, und schließlich die Mitglieder der alteingesessenen Patrizierfamilien (Abb. 11). Dieser Klasse entspricht etwa in Weimar die Gruppe mit einem jährlichen Einkommen von über 2000 Talern. Das sind die höchsten Staatsbeamten, nämlich Goethe (mit 3100 Talern Gehalt) und weitere fünf Staatsminister und Wirkliche Geheime Räte, ein Hofbeamter (der Ober-

11. Johann Carl von Fischard, genannt Baur von Eysseneck, 1804. *Schöffe im Rat der Stadt und Geschichtsschreiber. Ölgemälde von Johann Carl Roesler (Historisches Museum, Frankfurt/M.).*

stallmeister), ein Leibarzt, ein Bankier und zwei Industrielle, nämlich Bertuch und Froriep, Besitzer des Landesindustriekomptoirs – im ganzen 11 Personen.

Die zweite Gruppe in Frankfurt umfaßt die Vertreter der Zünfte im Rat, also die besseren Zunftmeister, auch die Großkaufleute und Bankiers mit einem Vermögen von über 20 000 Talern (Abb. 12). Dieser Klasse kann man vielleicht die Weimarer Gruppe mit zwischen 1000 und 2000 Talern im Jahre gleichsetzen. Sie besteht aus 38 Personen, unter denen sich Kanzler von Müller, der Kammerdirektor und das obere Hofpersonal befinden, ferner ein Kammersänger, der Kapellmeister Hummel, und in der unteren Hälfte 16 Geheime Regierungsräte und dergleichen, 5 Schauspieler, der Direktor des Gymnasiums, ein zweiter Bankier und die Gastwirte der Gasthöfe »Elefant« und »Erbprinz«.

In der dritten Gruppe haben wir in Frankfurt die besseren Ladeninhaber, auch Notare, Advokaten und Künstler, und in Weimar etwa die 65 Mittelbeamten, Kaufleute, Advokaten, Mediziner und Gymnasialprofessoren mit zwischen 600 und 1000 Talern Einkommen. Man kann diese drei oberen Kategorien als die Gebildeten und Besitzenden zusammenfassen. Sie stellen in Weimar etwa 4 % aller aufgeführten Personen dar, also wohl mit ihren Familien einen ähnlichen Prozentsatz der Bevölkerung.

In der vierten und fünften Gruppe haben wir schließlich das »Volk«. In der vierten sind es in Frankfurt die »gemeinen Krämer«, Straßenhändler, Ladendiener und Handwerker. Ähnliche Personen verdienen in Weimar 200 bis 600 Taler. Es werden genannt: 116 bessere Handwerksmeister – Bäcker, Fleischer, Seifensieder, Kupferstecher, Goldschmiede usw., aber auch 125 untere Beamte und 105 Hofpersonal, auch die meisten Lehrer, Kantoren, Chirurgen, viele »Kaufleute« und Handlungsdiener und einzelne Bediente, im ganzen 16 %. In der untersten Gruppe haben wir in Frankfurt die Handwerksgesellen, Kutscher, Diener usw. In Weimar verdienen die Entsprechenden unter 200 Taler, machen aber nicht weniger als 80 % der Bevölkerung aus. Das sind etwa Kanzleiboten, Lakaien, Schloßmägde, sehr viele Handwerker und ungelernte Arbeiter, aber auch sechs Privatlehrer.

In Frankfurt als Verkehrszentrum und wichtiger Handelsstadt werden die drei besseren Klassen in der zweiten Hälfte des 18. Jahrhunderts wohl einen etwas höheren Anteil der Bevölkerung dargestellt haben als in Weimar. In der Leipziger Liste befinden sich Kaufleute »in grosso« schon in der obersten Gruppe. Ähnliches gilt wohl auch von Wien, Berlin, Hamburg und einigen anderen größeren Städten. Die drei genannten hatten um 1800 über 100 000 Einwohner, Wien allein über 200 000, aber Frankfurt am Main zählte nur 50 000, Leipzig 33 000 und die große Mehrzahl der Städte unter 20 000. In den größeren Residenzstädten wird der Hofadel entsprechend zahlreicher als in Weimar gewesen sein, und in Weimar hat es adlige Familien gegeben, die nicht vom Hofe zehrten und in der Abschätzungsrolle nicht aufgeführt werden. Trotz dieser Einschränkungen können uns die angegebenen Zahlen als vorläufige Übersicht über die gesellschaftlichen Unterschiede in den Städten gute Dienste leisten. Gut vertreten in der Weimarer Liste ist eine bürgerliche Gruppe, die infolge vom ständigen Ausbau des Staatsdienstes und von der wachsenden Bedeutung der Kopfarbeiter überhaupt im Verlauf des 18. Jahrhunderts gesellschaftlich immer höher

12. Johann Matthias Bansa. *Großkaufmann und Bankier mit einem Vermögen über 20 000 Taler (Historisches Museum, Frankfurt/M.).*

gestiegen ist, die der Beamten und freien Berufe. Diese trennten sich mit der Zeit immer mehr vom übrigen Bürgertum und näherten sich in ihrer ganzen Lebensweise dem Adel. Gleichzeitig hat sich aber auch, wie wir sehen werden, ein stets wachsendes Proletariat von Übersetzern, Zeitungsschreibern usw. gebildet. Bis zum Ausgang der Goethezeit hat sich die gedrückte Lage der Bauern, des Standes, der so gut wie keine Privilegien besaß, trotz der begonnenen »Befreiung« und viel gutem Willen seitens der Herrscher und der Gebildeten, wenig oder gar nicht gebessert. In diesem durchaus agrarischen Lande machten die Bauern aber mehr als dreiviertel der Bevölkerung aus.

Es versteht sich von selbst, daß in der bürgerlichen Literatur des 18. Jahrhunderts immer wieder auf die Standesprivilegien des Adels hingewiesen wird. Es sei hier als Beispiel bloß eine wenig

13. Friedrich Johann Justin Bertuch im Alter von 48 Jahren. *Gemälde von C. Gutbein 1795 (Aus: Albrecht von Heinemann, Ein Kaufmann der Goethezeit).*

beachtete Stelle in ›Wilhelm Meisters Lehrjahre‹ angeführt, einem Werke, das uns unter anderem ein äußerst anschauliches Bild der Geburtsstände in ihrem Verhältnis zu einander zeichnet. Auf dem Grafenschloß zirkuliert ein Gedicht auf den Baron, der im Dramatischen dilettiert. Es veranlaßt Wilhelms Verteidigung der Männer von Stande, die sich mit der Literatur abgeben: »War es bisher in Deutschland ein Wunder, wenn ein Mann von Geburt sich den Wissenschaften widmete, wurden bisher nur wenige berühmte Namen durch ihre Neigung zu Kunst und Wissenschaft noch berühmter, stiegen dagegen manche aus der Dunkel-

14. Kutscherstreit. *Gemälde von Johann Michael Neder, 1828 (Aus der Monatszeitschrift DU, Dezember 1959).*

heit hervor und traten wie unbekannte Sterne an den Horizont, so wird das nicht immer so sein, und wenn ich mich nicht irre, so ist die erste Klasse der Nation auf dem Wege, sich ihrer Vorteile auch zu Erringung des schönsten Kranzes der Musen in Zukunft zu bedienen.« Im Gedichte selbst kommt trotzdem etwas zum Ausdruck, was sonst bei Goethe selten laut wird, das Selbstgefühl des geborenen bürgerlichen Talents vor dem reich privilegierten aber geistig anmaßlichen Adligen:

> Ich armer Teufel, Herr Baron,
> Beneide Sie um Ihren Stand,
> Um Ihren Platz so nah am Thron
> Und um manch schön Stück Ackerland,
> Um Ihres Vaters festes Schloß,
> Um seine Wildbahn und Geschoß.
>
> Mich armen Teufel, Herr Baron,
> Beneiden Sie, so wie es scheint,
> Weil die Natur vom Knaben schon
> Mit mir es mütterlich gemeint.
> Ich ward, mit leichtem Mut und Kopf,
> Zwar arm, doch nicht ein armer Tropf.
>
> Nun dächt' ich, lieber Herr Baron,
> Wir ließen's beide, wie wir sind:
> Sie blieben des Herrn Vaters Sohn,
> Und ich blieb' meiner Mutter Kind.
> Wir leben ohne Neid und Haß,
> Begehren nicht des andern Titel,
> Sie keinen Platz auf dem Parnaß,
> Und keinen ich in dem Kapitel.

Unter »Kapitel« ist natürlich, nach dem oben Gesagten, ein Domkapitel mit seinen Sinekuren zu verstehen, damals ein Gehege des hohen Adels.

Unterschiede in der Lebensweise

Es konnte nicht fehlen, daß die soziale Geltung der oben unterschiedenen Stände sich deutlich in ihrer ganzen Lebensweise abspiegelte. Adel, Bürger und Bauern führten in der Tat in ihrer Wohnweise, ihrer Kleidung, ihrer täglichen Arbeit, ihren häuslichen Gewohnheiten, Vergnügungen und Sitten überhaupt ein ganz anderes Leben, aber in jedem Stande hat es Reiche und Arme gegeben, und örtliche, staatliche und religiöse Unterschiede haben das Ihrige zur Buntheit des allgemeinen Bildes beigetragen. An Hand zahlreicher zeitgenössischer Beschreibungen durch Deutsche und Fremde können wir uns aber immer noch einen ungefähren Eindruck dieser an persönlicher Eigenart so reichen Lebensgestaltung rekonstruieren.

Adelsleben

Über den deutschen Adel am Ausgang des 18. Jahrhunderts schreibt Eichendorff in einem schönen Aufsatz: »Die zahlreichste, gesündeste und bei weitem ergötzlichste Gruppe bildeten die von den großen Städten abgelegenen kleinen Grundbesitzer in ihrer fast insularischen Abgeschiedenheit«, Familien wie diejenige, die Schiller 1787 in einem Briefe an Körner beschreibt: »Da ist auf einem Dorfe Hochheim eine edelmännische Familie von fünf Fräulein und zusammen von zehn

15. Lorenz Quaglio, Schloß Starnberg.

Personen, die die alten Patriarchen- oder Ritterzeiten wieder aufleben läßt. Niemand in der Familie trägt etwas, was nicht da gemacht ist. Schuhe, Tuch, Seide, alle Meubles, alle Bedürfnisse des Lebens und fast alle des Luxus werden auf dem Gute erzeugt und fabriziert, vieles von den Händen des Frauenzimmers, wie die Prinzessinnen in der Bibel und in den Zeiten der Chevalerie zu tun pflegten. Die äußerste Reinlichkeit, Ordnung (selbst nicht ohne Glanz und Schönheit) gefällt dem Auge; von den Fräulein sind einige schön, und alle sind einfach und wahr, wie die Natur, in der sie leben. Der Vater ist ein wackerer braver Landjunker, ein vortrefflicher Jäger und ein gutherziger Wirt, auch ein burschikoser Tabakskompagnon.«

Von den Jagden, den Fahrten zum Jahrmarkt und den Winterbällen, wodurch die Eintönigkeit eines solchen Lebens unterbrochen wurde, entwirft Eichendorff ein anschauliches Bild, und er schildert ihr Alltagsleben dann mit folgenden Worten: »Die Glücklichen hausten mit genügsamem Be-

hagen in ganz unansehnlichen Häusern (unvermeidlich ›Schlösser‹ geheißen), die selbst in der reizendsten Gegend nicht etwa nach ästhetischem Bedürfnis schöner Fernsichten angelegt wurden,
sondern um aus allen Fenstern Ställe und Scheunen bequem überschauen zu können. Denn ein
guter Ökonom war das Ideal des Herren, der Ruf einer ›Kernwirtin‹ der Stolz der Dame. Sie hatten
weder Zeit noch Sinn für die Schönheit der Natur, sie waren selbst noch Naturprodukte. Das Bischen Poesie war als nutzloser Luxus den jungen Töchtern überlassen, die denn auch nicht verfehl-

ten, in den wenigen müßigen
Stunden längst veraltete Arien
und Sonaten auf einem schlechten Klavier zu klimpern und
den hinter dem Hause liegenden Obst- und Gemüsegarten
mit auserlesenen Blumenbeeten
zu schmücken. Gleich mit Ta-
gesanbruch entstand ein gewal-
tiges Rumoren im Haus und
Hof, vor dem der erschrok-
kene Fremde, um nicht etwa
umgerannt zu werden, eilig in
den Garten zu flüchten suchte.
Da flogen überall die Türen lär-
mend auf und zu, da wurde unter Gezänk und vergeblichem
Rufen gefegt, gemolken, ge-
buttert; die Schwalben, als ob
sie bei der Wirtschaft mit beteiligt wären, kreuzten jubelnd
über dem Gewirr, und durch
die offenen Fenster schien die
Morgensonne heiter durch's
ganze Haus über die vergilb-
ten Familienbilder und die
Messingbeschläge der alten
Möbel, die jetzt als Rokoko

16. Gutsherrschaft und Schnitter feiern das Erntedankfest *(Aus: Adolf Bartels, Der
Bauer in der deutschen Vergangenheit)*.

wieder für jung gelten würden ... Diese Edelleute standen in der Bildung nur wenig über ihren
Untertanen, sie verstanden daher noch das Volk und wurden vom Volke wieder begriffen.« Es ist
ein allerliebstes Bild des bukolischen Lebens aus der guten alten Zeit, dem man manches Ähnliche
etwa aus der englischen oder russischen Literatur an die Seite stellen könnte.

Ganz anders geht es in einem zweiten adeligen Hause zu, das Schiller in demselben Brief charakterisiert, denn hier herrscht der höfische Geist. »Hier wohnt der Kammerherr von ––, den Ihr in
Dresden gesehen habt, mit einer Frau und neun Kindern auf einem hochtrabenden Fuße. Hier ist
statt eines Hauses ein Schloß, Hof statt Gesellschaft, Tafel statt Mittagessen.« »Bei diesen Vor-

17. Von mancherley Vergnügungen. *Kupferstich von Daniel Chodowiecki aus dem Elementarwerk von Johann Bernhard Basedow, 1774.*

18. Salon im Schloß Slatinau in Böhmen. *Zeichnung aus dem Jahre 1814.*

nehmen«, heißt es ähnlich bei Eichendorff, »war nun die ganze Szenerie eine andere. Sie bewohnten wirkliche Schlösser; der Wirtschaftshof, dessen gemeine Atmosphäre besonders den Damen ganz unerträglich schien, war in möglichste Ferne zurückgeschoben, der Garten trat unmittelbar in den Vordergrund.« Und dieser Garten war im Rokokostil, eine Nachahmung, wie so viele Züge des höfischen Lebens, von Versailles. Die Bewohner dieser Schlösser »waren, wie ihre Gärten, nicht eigentümlich ausgeprägte Individuen, hatten auch keine Nationalgesichter, sondern nur eine ganz allgemeine Staatsphysiognomie; überall bis zur tödlichsten Langweiligkeit dieselbe Courtoisie, dieselben banalen Redensarten, Liebhabereien und Abneigungen . . . Im Innern des Schlosses schillerte ein blendender Dilettantismus in allen Künsten und Farben, die Fräulein musizierten, malten oder

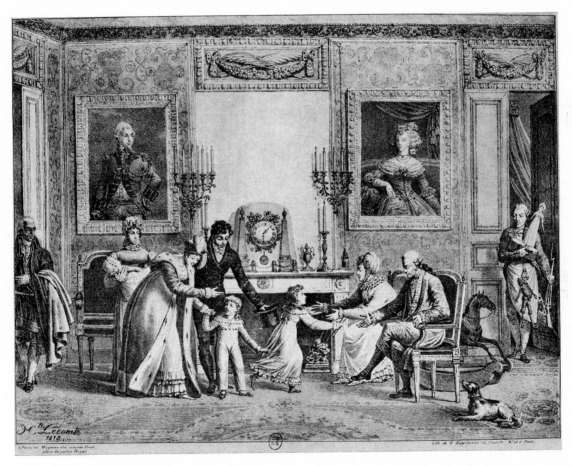

19. Neujahrsbesuch. *Zeichnung von Leconte 1818 (Foto Bibliothèque Nationale, Paris). Die Kleidung der Älteren ist noch die des ausgehenden 18. Jahrhunderts, während die junge Generation die neue Mode bevorzugt.*

spielten mit theatralischer Grazie Federball, die Hausfrau fütterte seltene Hühner und Tauben oder zupfte Goldborten, und alle taten eigentlich gar nichts.« Es ist ein Bild des Hoflebens im Kleinen. Denn der Hofkreis, im Gegensatz zu den Staatsbeamten, die das Land regierten, war nur dazu da, um den fürstlichen Personen Gesellschaft zu leisten und über ihr öffentliches Auftreten möglichst

viel Glanz zu verbreiten. An den großen Höfen, und an den kleineren je nach den Mitteln, die dem
Fürsten zur Verfügung standen, führte man ein Leben, das dem Vergnügen und dem Luxus geweiht
war, und wo man durch eine wohl erdachte Routine der für Müßiggänger unvermeidlichen Langeweile abzuhelfen bemüht war. Die Formen dieses Hoflebens werden uns später beschäftigen.

Bürgerleben

Der Hauptzug des Bürgerlebens dagegen ist »Beschäftigung, die nie ermattet«, ob es sich um
einen Kaufmann in grosso handelt, um einen akademisch gebildeten Beamten oder um einen
einfachen Handwerksmeister. Es hat natürlich in allen Ständen Ausnahmen gegeben, und das Arbeitstempo war ohne Zweifel ein mäßiges, aber wenn Schiller in seiner ›Glocke‹, diesem hohen
Lied des Bürgertums, den Fleiß zum Kennzeichen dieses Standes macht, »Ehrt den König seine
Würde, / Ehret uns der Hände Fleiß«, so ist das keine bloße Idealisierung der damaligen Wirklichkeit. Schon 1752 schildert J. M. v. Loen (›Der Adel‹) einen Frankfurter Großkaufmann, einen von

20. Des Mannes heißer Tag. *Federzeichnung Anfang des 19. Jahrhunderts, Johann Michael Volz (1784–1858) zugeschrieben
(Germanisches National-Museum Nürnberg).*

denen, die sich häufig, und nach Loens Ansicht mit vollem Recht, einen Titel kauften, und seine Frau mit folgenden Worten: »Ich sehe zu Frankfurt in der Messe eine ansehnliche Kaufmannsfrau im Gewölbe sitzen; sie ist wohl und prächtig gekleidet, sie befiehlet ihren Leuten wie eine Fürstin; sie weiß den Vornehmen, den Gemeinen und dem Pöbel, jedem nach Stand und Würden zu begegnen; sie liest, sie verstehet ihre Sprachen, sie urteilet vernünftig, sie weiß zu leben, sie erziehet ihre Kinder wohl. Ihr Mann sitzt indessen auf der Schreibstube, dictiret, schreibet selbst, disponiret über viele tausend, und fertiget öfters in einer Stunde mehr Leute ab, als andere den ganzen Tag über zu sehen bekommen. Hier fragt einer nach Waren, der andere nach Wechsel, der dritte nach Geld; da sollte mancher erstaunen, wenn er dieses so hoch geschätzte Metall, in solcher Menge, in so vielerlei Gattungen und Geprägen vor sich haufenweise aufgetischet, und mit Karren und Schleifen herbei schleppen sehen würde.« Und Loen zeichnet als Gegenstück das patriarchalische Leben eines Landadligen und seiner Frau, und fragt, ob bei den beschriebenen Lebensarten der Unterschied so groß wäre, daß nur das ländliche Paar für adelig gehalten würde.

Bauernleben

Zur Abrundung unserer vorläufigen Charakteristik der Hauptstände führen wir schließlich aus einem späteren Werke desselben Herrn von Loen ein Bild des Bauern an. »Der Bauer«, heißt es, »wird wie das tumme Vieh in aller Unwissenheit erzogen; er wird unaufhörlich mit Frondiensten, Botenlaufen, Treibjagden, Schanzengraben und dergleichen geängstiget; er muß von Morgen bis

21. Ärmliches Dorf. Rötelzeichnung von Johann Georg Wille, 1715–1808 *(Bildarchiv Foto Marburg)*.

Abend die Äcker durchwühlen; es mag ihn die Hitze brennen, oder die Kälte starr machen. Des Nachts liegt er im Felde, und wird schier zu einem Wild, um das Wild zu scheuen, daß es nicht die Saat plündere. Was dem Wildzahn entrissen wird, nimmt hernach ein rauher Beamter auf Abtrag der noch rückständigen Schloß- und Steuergelder weg.« Und später: »Heutzutage ist der Landmann die armseligste unter allen Kreaturen. Die Bauern sind Sklaven, und ihre Rechte sind von dem Vieh, das sie hüten, kaum noch zu unterscheiden. Man kommt auf Dörfer, wo die Kinder halb-nackend laufen, und die Durchreisenden um ein Almosen anschreien. Die Eltern haben kaum noch einige Lumpen auf dem Leib, ihre Blöße zu bedecken. Ein paar magere Kühe müssen ihnen das Feld bauen, und auch Milch geben. Ihre Scheuern sind leer, und ihre Hütten drohen alle Augenblicke über einen Haufen zu fallen. Sie selbst sehen verkannt und elend aus; man würde mehr Mitleid mit ihnen haben, wann nicht ein wildes und viehisches Ansehen ein so hartes Schicksal an ihnen zu rechtfertigen schien.« Das ist natürlich ein besonders trübes Bild vom Bauernleben, aber die Zustände, die uns von deutschen und ausländischen Reisenden geschildert werden, sind sehr selten idyllisch. Auch bei Goethe heißt es im Gedicht ›Ilmenau‹: »Laßt mich vergessen, daß auch hier die Welt / So manch Geschöpf in Erdefesseln hält«, und in seinen Briefen aus den ersten Jahren in Weimar spricht der Dichter wiederholt von dem »Armen, der immer den Sack tragen muß« usw., und er vergleicht einmal die Bauern mit den Blattläusen, denen die Ameisen den filtrierten Saft aus den Leibern saugen, und schließt: »Und wir haben's so weit gebracht, daß oben immer an einem Tage mehr verzehrt wird, als unten in einem organisiert werden kann.« Noch im Zweiten Teil des ›Faust‹ läßt er uns die Holzhauer im Mummenschanz an die physischen Voraussetzungen der damaligen Kultur erinnern:

»Denn wirkten Grobe / Nicht auch im Lande, / Wie kämen Feine / Für sich zu Stande, / So sehr sie witzten? / Des seid belehret! / Denn ihr erfröret, / Wenn wir nicht schwitzten.«

Die religiöse Spaltung

Der zweite, noch bestehende Trennungsfaktor, der religiöse Gegensatz zwischen Nordost- und Südwestdeutschland, ist bekannt, und wir brauchen an dieser Stelle nur kurz auf ihn hinzuweisen. Seine Folgen für die deutsche Kultur im 18. Jahrhundert hat Georg Dehio (Geschichte der deutschen Kunst, III) treffend hervorgehoben: »Noch aber ist die am tiefsten schneidende der Trennungslinien nicht genannt: das war die durch die Religion gezogene. Auch bei den Völkern des Westens war der Zwiespalt dagewesen, aber er war überwunden: in der Weise, daß entweder die eine oder die andere Partei die Herrschaft davontrug und die abweichende ausstieß, zum wenigsten auf eine kleine Minderheit herabdrückte. In Deutschland aber, dem Mutterland der Reformation, stabilisierte sich die Teilung in zwei näherungsweise gleich starke Parteien. Der Gegensatz verlor mit der Zeit seine streitbare Schärfe – nichts von seiner Tiefe. Und man weiß, wie weit über das unmittelbare religiöse Gebiet hinaus er sich entwickelte. Es blieb andauernd für jeden Deutschen eine entscheidende Grundbedingung seiner Existenz, ob er als Katholik oder als Protestant geboren war. Der Katholizismus, nachdem die Zeit der Rückeroberungen für ihn zu Ende ging, verschloß sich hinter einer hohen Schutzmauer gegen das nicht katholische Geistesleben, und der Protestantismus, wenn er sich auch nicht mehr angegriffen fühlte, behielt sein Mißtrauen gegen den alten Gegner. Eine tiefe Entfremdung trat ein. Der katholische Süden und Westen wußte nichts von Bachs Musik und der aufblühenden neuen Dichtung, der protestantische Norden nichts von der Herrlichkeit süddeutscher Klosterkirchen; der Protestant las selten katholische, der Katholik niemals protestantische Bücher; bis in die Sitten des täglichen Lebens hinein erstreckte sich der Unterschied. Und nicht nur das Volk als Ganzes, auch jeder einzelne Stamm ging seiner natürlichen Einheit verlustig. Im protestantischen Württemberg z. B. nahm die geistige Kultur eine ganz andere Farbe an als im katholischen Oberschwaben, in den fränkischen Markgrafschaften eine andere als in den geistlichen Herrschaften am Rhein; selbst dort, wo die beiden Bekenntnisse in derselben Stadt zusammentrafen, wie in Augsburg oder Regensburg, führten ihre Angehörigen ein gesondertes Leben. Die Kirche des Mittelalters war eine universelle, völkerverbindende Macht gewesen, seit der Reformation und Gegenreformation gab es in Europa zwei Kulturen und in Deutschland zwei Arten von Deutschen.«

Der norddeutsche Gebildete hielt den katholischen Süden für kulturell rückständig, denn die Berufsethik Luthers und die harten aber wirksamen Verwaltungsmethoden des Fürstentums, vor allem in Preußen, hatten im Norden ein arbeitsames und bescheidenes Bürgertum herangezüchtet, das einen mäßigen aber stets wachsenden Wohlstand genoß. Eine dünne Oberschicht war unter dem Einfluß des Pietismus und der rationalen Theologie für eine schöne Literatur und Philosophie immer empfänglicher geworden, die einem neuen Publikum die alten Werte in verweltlichter Form darboten, das »weltliche Evangelium«, von dem bei Goethe in ›Dichtung und Wahrheit‹ oft die Rede ist. Was in Süddeutschland von norddeutschen Reisenden wie Nicolai, aber auch von vielen Engländern hervorgehoben wird, das ist die Armut der Handelsstädte, ihre wenig entwickelte Industrie und ihre vielen Bettler. Man unterschätzte aber den Kunstsinn des Südens und hatte vor den Anfängen der Romantik keine Augen für das Malerische der alten Viertel in den Reichsstädten, oder für die noch blühende Schönheit des Barock. Es handelt sich um den Gegensatz, den Goethe einmal mit Bezug auf das Theater zwischen der echt theatralischen »höheren Sinnlichkeit« des Südens und der gutgemeinten aber kunstfremden ethischen Gesinnung des Nordens hervorhebt. Die Aufklärung hatte aber seit der Mitte des Jahrhunderts bei Protestanten und Katholiken eine versöhnliche Stimmung erzeugt. Führende Persönlichkeiten in katholischen Staaten wie Dalberg in Erfurt, Fürstenberg in Münster und die ersten Mitglieder der neugegründeten Bayerischen Akademie der Wissenschaften, die erstaunlich viele Protestanten in ihre Reihen aufnahm, waren offenbar bestrebt, ihre höhere Bildung der im Norden geltenden wenigstens anzugleichen, während Männer wie Herder und Lavater für die Verdienste des Katholizismus gelegentlich warme Worte der Anerkennung gefunden haben.

Die Kleinstaaterei und ihre Folgen

Schon Herder in seinen ›Ideen‹ (9. Buch) betrachtet die politische Struktur eines Landes als einen Aspekt seiner Kultur, denn für ihn sind »die Regierungen festgestellte Ordnungen unter den Menschen, meistens aus ererbter Tradition«. Er ist allerdings auf die Regierungsformen seiner eigenen Zeit schlecht zu sprechen, denn wenn schon Standes- und Religionsunterschiede das Aufkommen einer einheitlichen deutschen Kultur stark erschwerten, so wirkte sich die politische Struktur im

22. Ansicht des Pots-
damer Platzes in Berlin
mit Zollhäusern.
*Blick in die Leipziger
Straße. Um 1815
(Kunstbibliothek
Berlin).*

Reiche und in den Einzelstaaten kulturell noch ungünstiger aus. Ein loser Bund miteinander rivali-
sierender Kleinstaaten konnte selbstverständlich unter seinen vielen Residenzen keine Weltstadt
wie London oder Paris aufweisen, wo »die vorzüglichsten Köpfe eines großen Reiches auf einem
einzigen Fleck beisammen sind und in täglichem Verkehr, Kampf und Wetteifer sich gegenseitig
belehren und steigern, wo das Beste aus allen Reichen der Natur und Kunst des ganzen Erdbodens
der täglichen Anschauung offen steht; wo jeder Gang über eine Brücke oder einen Platz an eine
große Verhangenheit erinnert und wo an jeder Straßenecke ein Stück Geschichte sich entwickelt
hat« (Goethe zu Eckermann). Die allgemeine Bildung, worum der alte Goethe seine französischen
Zeitgenossen beneidete, weil unter ihnen auch junge bürgerliche Schriftsteller, von einer Tradition
unterstützt, leicht ein ansehnliches Niveau erreichten, mußte unter solchen Umständen noch fehlen.
Dreißig Jahre früher in Schillers ›Horen‹ hatte Goethe geschrieben, daß auch das größte Genie in
einigen Stücken von seinem Jahrhundert leide, und daß man »einen vortrefflichen Nationalschrift-
steller nur von der Nation« fordern könne. Dem deutschen Schriftsteller fehlte es noch an Anleitung
und an Tradition. Er werde »immer irre gemacht durch ein großes Publikum ohne Geschmack, das
das Schlechte nach dem Guten mit eben demselben Vergnügen verschlingt«. Man hört allerdings
noch heute, im Zeitalter des Massenmenschen, verblüffend ähnliche Urteile über das Publikum, und
in der Zwischenzeit hatte Nietzsche bekanntlich nach der Gründung des Zweiten Reichs die gleichen
Klagen geäußert. Die Erklärung des unsicheren Geschmacks lag sicher nicht ausschließlich im
Politischen; der Vergleich mit den großen einigen Nachbarstaaten mußte aber einem deutschen
Dichter der Goethezeit eben diese Erklärung nahelegen.

    Seit dem 15. Jahrhundert machte der deutsche Reichstag immer wieder Versuche, das Heilige
Römische Reich ehrwürdigen Angedenkens zu erneuern, immer aber unter der stillschweigenden

Voraussetzung, daß das Reich eigentlich kein Staat sei, sondern ein Staatenbund. Das Reich besaß im 18. Jahrhundert, sagt C. Th. Perthes, »wofern man es als staatliche Einheit betrachtet, nicht einen einzigen Soldaten und nur wenig tausend Gulden jährliche Einkünfte.« Nur die Hausmacht des Kaisers, in Verbindung mit dem guten Willen der Reichsstände, verschaffte dem Reiche noch bis 1806 eine rasch abnehmende Geltung, die infolge des Siebenjährigen Krieges schon vor 1770 beinahe den Nullpunkt erreicht hatte. Das Feudale an der Reichsverfassung und die übermäßige Zahl der Territorien verhinderten eine zweckgemäße Entwicklung zur Konföderation. Der Reichstag, ein Gesandtenkongreß, brachte in den allerwenigsten Fällen einen Reichsschluß zustande, und es war längst Reichsherkommen geworden, die Reichsgesetze entweder gar nicht zu befolgen, oder ihre Befolgung doch als einen Akt der Gnade zu betrachten. Aus diesem Grunde konnten die Verleger z. B. keinen gesetzlichen Schutz vor dem Nachdruck erhalten, und ein Schriftsteller nur mit der allergrößten Schwierigkeit von dem Ertrag seiner Schriften leben. Erst Goethe hat in seinen letzten Jahren vom Bundestag ein Urheberrecht erwirkt. Handel und Gewerbe wurden in ihrer Entwicklung durch Überbleibsel vom Mittelalter schwer gehemmt, etwa durch die unzähligen Zollstationen auf allen Verkehrswegen, die erst im 19. Jahrhundert auf Betreiben Preußens abgeschafft wurden. Auch die Reichsgerichte waren in einem kläglichen Zustand. Aus Geldmangel war die Zahl der Assessoren am Reichskammergericht so oft herabgesetzt worden, daß sich im Jahre 1772 mehr als 60000 Rechtsfälle angehäuft hatten. Goethe schreibt in ›Dichtung und Wahrheit‹ über seine Wetzlarer Zeit: »Man begreift oft nicht, wie sich Männer finden konnten zu diesem undankbaren und traurigen Geschäft.« Wie verwundert war er, als ihm »anstatt einer sauertöpfischen Gesellschaft ein drittes akademisches Leben entgegensprang«, an der fiktiven Rittertafel, wo er als »Götz von Berlichingen, der Redliche« aufgenommen wurde. Nur durch solche Spielereien konnte man sich eine langweilige und unergiebige Tätigkeit erträglich machen.

Nachdem Lessing und die Stürmer und Dränger einige ihrer Zeitgenossen nach einer selbständigen deutschen Literatur begehrlich gemacht hatten, begegnet man gelegentlich der Forderung nach einer kulturellen Gemeinschaft, wie in dem oben angeführten Gedicht Herders an den Kaiser, aber nicht nach politischer Einheit. Deutsch, sagt Wieland, sei in seiner Jugend ein unbekanntes Wort gewesen. »Römerpatriotismus! Davor bewahr’ uns Gott!«, schreibt Goethe 1772. Daß die unzähligen Territorien, die das deutsche Reich damals umfaßte, zu einer wirklichen Einheit gelangen könnten, war in der Tat ein unvorstellbarer Gedanke. Nur durch den Druck der französischen Besetzung in den Revolutionskriegen wurde ein echtes Nationalgefühl ins Leben gerufen. Man nannte seinen eigenen kleinen Staat »Vaterland« und die umgebenden deutschen Staaten »Ausland«. In dieser Beziehung unterschieden sich die Stände nur darin, daß der Adel und das gebildete Bürgertum meist weltbürgerlich dachten und das Volk provinziell und dynastisch. Zur Bildung des Adels gehörte eine große Reise, vor allem nach Paris, wo vor der Revolution in allen Fragen des verfeinerten Geschmacks ganz Europa seine Muster fand. Das Weltbürgertum des gebildeten Mittelstandes war mehr theoretischer Art, ein Erbe der Aufklärung. Aber im Volke und auch beim Landadel und Kleinbürgertum waren die Unterschiede von Provinz zu Provinz noch sehr groß. »Wir sind lauter Particuliers«, sagte Goethe zu Eckermann, »an Übereinstimmung ist nicht zu denken; jeder hat die Meinungen seiner Provinz, seiner Stadt, ja seines eigenen Individuums.« An schrulligen Originalen hat es infolgedessen in keinem Stande gefehlt, denn das Nivellierende der gemeinsamen Volkserziehung und des Militärdiensts fehlte noch ganz.

Die Regierungsform in den Einzelstaaten

Sehr ähnlich dagegen waren in allen Staaten die Regierungsmethoden und der Beamtenapparat, nur von unterschiedlicher Tüchtigkeit. Auch die Reichsstädte, etwa 50 an der Zahl, die der Westfälische Frieden zu Freistaaten gemacht hatte, hatten wenig Demokratisches oder Republikanisches mehr. Die Regierungsform war vielmehr eine oligarchische. Der Rat bestand oft aus zwei Gruppen, die sich gegenseitig ablösten und leer werdende Stellen selbst aus den ratsfähigen Geschlechtern besetzten. Viele Stadtämter waren erblich oder käuflich und wurden von ihren Inhabern nur als Erwerbsquelle geschätzt. In den Landstädten wurden gewöhnlich die Beamten und in vielen Fällen die Ratsherren von dem Fürsten, dessen Herrschaft sie unterstellt waren, ernannt. Am weitesten ging der Staat wohl in der Unterdrückung aller städtischen Autonomie in Preußen, bis Stein durch die Städteordnung diesen Fehler wieder gutzumachen versuchte.

In den Reichsstädten war man wenigstens nicht von den Launen eines einzigen kleinen Despoten abhängig, wie vor 1806 in beinahe hundert Reichsgrafschaften oder in den noch zahlreicheren Reichsritterschaften, wo in vielen Fällen dem Herrscher das Recht zustand, über Leben und Tod seiner Untertanen zu entscheiden. Die große Mehrzahl der kleinen und kleinsten Fürsten scheint ihre Autorität allerdings gutmütig-patriarchalisch ausgeübt zu haben, aber man konnte das im voraus nie wissen, denn entscheidend war immer nur die Persönlichkeit des Herrschers. An Institute zur Vertretung der Untertanen war in kleinen Gebieten nicht zu denken, denn die Macht eines Reichsritters oder -grafen beruhte auf einem Agglomerat sehr verschiedenartiger Rechte und seine Lande aus kleinen zerstreuten Parzellen, wie der Bodenbesitz einer adligen Familie. In den mittelalterlichen Zuständen stecken bleibend sind diese kleinsten Herrschaften derart verkümmert, daß gegen Ende des 18. Jahrhunderts wohl die meisten Reichsritter, wie z. B. Freiherr vom Stein, eine Dienststelle in einem größeren Staat als ihre Haupttätigkeit betrachtet haben.

Die größeren reichsunmittelbaren Herrschaften haben sich im späteren Mittelalter schon zu Territorialstaaten entwickelt, indem sie sich vom Kaiser immer unabhängiger zu machen wußten und ihm immer mehr Regalien abgewonnen haben. Recht anschaulich tritt uns dieser Vorgang in Goethes Darstellung des Staatsrats im Zweiten Teil des ›Faust‹ entgegen. Nachdem er mit ihrer Hilfe im Bürgerkrieg gesiegt hat, erhebt der Kaiser die Fürsten, die ihn am treusten unterstützt haben, zu den höchsten Staatsämtern und erteilt ihnen volle Macht als Landesherren:

> Euch Treuen sprech' ich zu so manches schöne Land,
> Zugleich das hohe Recht, euch nach Gelegenheiten
> Durch Anfall, Kauf und Tausch ins Weitre zu verbreiten;
> Dann sei bestimmt – vergönnt, zu üben ungestört –,
> Was von Gerechtsamen euch Landesherrn gehört.
> Als Richter werdet ihr die Endurteile fällen,
> Berufung gelte nicht von euern höchsten Stellen.
> Dann Steuer, Zins und Beth', Lehn und Geleit und Zoll,
> Berg-, Salz- und Münzregal euch angehören soll.
> Denn meine Dankbarkeit vollgültig zu erproben,
> Hab ich euch ganz zunächst der Majestät erhoben.

Berlin, Unter den Linden

Rechts Durchfahrt zur Neuen Wilhelmstraße. Im Hintergrund das Brandenburger Tor.

Brutord, Deutsche Kultur der Goethezeit

Tafel II

Dergleichen Rechte und Regalien besaßen die Territorialfürsten bis zum Ende des alten Reichs. Die Landstände aber, die sich von ihnen in ähnlicher Weise freizumachen versucht hatten, wie die Fürsten vom König, hatte das Fürstentum überall so energisch bekämpft, daß der Adel als politischer Rival der fürstlichen Gewalt nicht mehr zu fürchten war. Typisch für die damalige Stellung des Hofadels und der Fürsten zu den Landständen ist folgende Beschreibung in den Erinnerungen Karl Freiherr von Lynckers von der Einberufung des ersten Landtags durch Karl August von Weimar, oder vielmehr des Landtagsausschusses, der allein noch alle drei Jahre zusammenkam:

»Die Zeit war herangerückt, wo man glaubte, einen Landtag einberufen zu müssen. Dieser wurde vor Zeiten von einem der ersten Professoren zu Jena unter dem Titel eines Prälaten dirigiert; der eigentliche Landschaftsdirektor, zu welchem weimarischerseits schon seit geraumer Zeit mein Vater ernannt worden war, nahm den zweiten Platz ein. Den Ständen wurde zum Empfang ein großes Mittagsmahl bei Hof gegeben; die vom zweiten Rang speisten an der Marschallstafel. Der dort marschallierende Kavalier sorgte herkömmlich dafür, daß sie gehörig getränkt wurden. Die älteren Landkavaliere und Burgemeister – der Bauernstand war noch nicht vertreten – erschienen oft in komischer Weise, und wenn die Tafel aufgehoben und ein großer Teil betrunken war, gab es viel zu lachen.

Der ernsthafte Beruf dieser Versammlung aber ging wohl dahin, die mancherlei Lücken wieder auszufüllen, die sich in den Kassen vorgefunden hatten, und dies geschah auch, wie es verlautete. Jedoch waren Serenissimus darin entgegengekommen, daß der größte Teil der in der Residenz garnisonierenden Truppen auf eine geringere Zahl herabgesetzt wurde.«

Brandenburg-Preußen

Diese Worte erinnern an Rebmanns Beschreibung des sächsischen Landtags im Jahre 1795 als »eine Farce, die man alle sechs Jahre aufführt, und in der die Akteure nur ›Ja‹ zu sagen haben.« Was der Form halber vor allem bejaht werden mußte, war die Bewilligung der ständischen Steuern. In Brandenburg-Preußen erhob man diese Steuern, die ursprünglich nur zu bestimmten Zwecken verlangt wurden, seit dem 17. Jahrhundert jedes Jahr ohne Befragung der Stände, und berief die Landtage nicht mehr ein. Als der Widerstand des Adels aber gebrochen war, versuchten die preußischen Könige mit Erfolg ihre adligen Untertanen zu neuen Leistungen für den Staat als Offiziere und höhere Beamte anzuspornen. Dafür blieben die Privatrechte und Privilegien des Adels unangetastet, und ihren Bauern gegenüber waren sie auf ihren Gütern völlig autonom und nach wie vor von der Grundsteuer befreit. Obgleich also die Verbindung zwischen Adel, Offizierskorps und Staat im Anfang nur durch Zwangsmaßnahmen durchzuführen war, hat sich allmählich in Preußen durch das Vorbild des Königs als ersten Dieners des Staats, durch seinen Appell an das Standesbewußtsein des Adels und durch die Erziehung der Junker im Kadettenkorps in Berlin eine rational begründete Pflichtenlehre und ein Ehrgefühl ausgebildet, die dem ersten Stand als solchem auch eine gewisse Verantwortung für das Wohl und vor allem für die Machtstellung des Staates auferlegten. Otto Hintze kontrastiert den Staat Friedrichs des Großen in dieser Hinsicht mit den kleinfürstlichen Territorialstaaten, wo es für die Regierung vor allem auf die geistliche und weltliche Wohlfahrt des Landes, in erster Linie natürlich der herrschenden Klassen, ankam. Für Friedrich den Großen dagegen war der Hauptzweck, worauf nach seinem eigenen politischen Testament alles

einzelne bezogen sein mußte, die Macht und Größe des Staates. »Neben der Macht erscheint freilich die Wohlfahrt des Landes, das Glück der Untertanen als Ziel der Verwaltungstätigkeit, aber
ein oberstes Ziel, gleichgeordnet der Macht, ist die Wohlfahrt nicht . . . Die Wohlfahrtsbestrebun-
gen sind harmonisch in die Machtorganisation eingefügt; sie reichen aber nur so weit, wie diese
Harmonie es gestattet.«

Preußen als Vorbild

Wenn in der zweiten Hälfte des 18. Jahrhunderts in vielen deutschen Kleinstaaten eine Wendung
zum Besseren eintrat, so war das einerseits auf die »Forderungen an Regenten, groß und klein,
weltbürgerlicher Natur, ihre Untertanen glücklich zu machen«, von denen Goethe in den Parali-
pomena zu ›Dichtung und Wahrheit‹ spricht. Man forderte »vollkommene Justiz-, Cameral- und
Polizeieinrichtungen«, unter dem Einfluß »Beccarias und überhaupt aller Humanitätslehrer«. In diesem Sinne hat Goethe selbst in seinen ersten Jahren in Weimar zu wirken gesucht, leider ohne
dauernden Erfolg. Noch wichtiger als das Ideal allgemeiner Menschlichkeit war aber das Beispiel

23. Friedrich der Große
auf einer Besichtigungs-
reise durch das Oder-
bruch. *Gemälde von
Joh. Chr. Frisch (Ver-
waltung der Staatlichen
Schlösser und Gärten,
Potsdam-Sanssouci).*

Friedrichs des Großen, besonders nach dem Siebenjährigen Kriege, im Laufe dessen so viele
»Fritzisch«, wenn auch nicht preußisch denken lernten. Der Durchschnittsbürger beneidete die
Preußen um ihren heldenmütigen, tatkräftigen und aufgeklärten König, nicht aber um die drückende
Atmosphäre und die unfreien Lebensverhältnisse in seinem großen Polizeistaat. Die Regenten ihrer-
seits versuchten es in ihrer Innenpolitik Friedrich gleichzutun, mit unzulänglichen Mitteln und ohne
den Antrieb seiner Ruhmsucht und Machtliebe. Was Joseph II. in Österreich, Karl Friedrich in

Baden und kleinere Fürsten in Staaten wie Sachsen-Gotha, Anhalt-Dessau und Weimar, auch einige selbständige Minister in geistlichen Staaten, wie Fürstenberg in Münster, in ihren Verwaltungs-reformen im Sinne hatten, waren die Ideen der Aufklärung, die Rationalisierung des täglichen Le-bens der Untertanen durch kluge Regierungsmaßnahmen. Sie sorgten also vorwiegend für das Wirtschaftsleben und die Finanzen ihrer Lande, und in zweiter Linie für Wohlfahrts- und Erzie-hungsanstalten. Von den Fürsten von Baden wurde gerühmt, »sie besäßen die Ambition, keine Schulden zu haben, keine Prachtfeste zu geben und keine Tänzerinnen zu halten.« Denn bis dahin hatte das verführende Beispiel der französischen Könige die deutschen Kleinfürsten unwiderstehlich zur Nachahmung gereizt. »Die meisten kleinen Fürsten«, schreibt Friedrich der Große in seinem ›Anti-Machiavell‹, »namentlich die deutschen, ruinieren sich durch einen ihre Einkünfte überstei-genden Aufwand, wozu sie die Trunkenheit ihrer eingebildeten Größe verleitet ... Der jüngste Sohn des jüngsten Sohnes einer abgefundenen Linie bildet sich noch ein, so etwas zu sein wie Ludwig XIV. Er baut sein Versailles, er hat seine Mätressen, er hält seine Armeen. Ein gewisser abgefundener Fürst von heute aus einem großen Hause hält wirklich aus sehr fein ausgeklügelter Größe alle Gattungen von Truppen in Sold, welche die Haustruppen eines großen Königs aus-machen; und dieses so sehr im kleinen, daß man ein Mikroskop nötig hat, ein jedes Korps zu erkennen.«

Im Sinne der in unserer Einleitung besprochenen Ideen von Richard Meister lassen sich vielleicht die kulturgeschichtlich wichtigen W e r k e Friedrichs und seines Vaters von ihren politischen T a t e n unterscheiden. Die Taten Friedrich Wilhelms I. waren z. B. geringer Bedeutung, im Vergleich zu seiner Umgestaltung der preußischen Verwaltung und Finanzen durch die Schaffung des General-direktoriums im Jahre 1723. Nun war es zum ersten Mal möglich, einen Etat für den ganzen preu-ßischen Staat aufzustellen, indem die Beamten, welche die beiden Hauptquellen der staatlichen Ein-künfte, die königlichen Domänen und die Steuern, verwalteten, unter eine einheitliche Leitung gebracht wurden. Es handelt sich hier um einen Komplex von neugeprägten Vorgängen, die alle auf Entscheidungen des Königs zurückgehen, und die zusammengenommen eine überaus wichtige Etappe in der Ausgestaltung des bureaukratischen Systems in Brandenburg-Preußen darstellen, eines Systems, das noch deutliche Spuren seines Ursprungs an sich trug und in dem Namen, der den neuen Lokalämtern des Generaldirektoriums, den »Kriegs- und Domänenkammern«, gegeben wurde, weiterhin zur Schau stellte. Es war nämlich ins Leben gerufen worden hauptsächlich um Gelder für das Heer zu beschaffen. »Man könnte sagen«, sagt Schmoller, »die Schaffung der stehen-den Armee habe den Anstoß zur Steuer-, zur Polizei- und andern Reformen gegeben, aus dem Kriegskommissariat sei die Bureaukratie überhaupt erwachsen.«

Die Randbemerkungen

Auch das neue Mittel, wodurch Friedrich Wilhelm seine Anweisungen an seinen Geheimsekretär erteilte, die Randbemerkungen, die er mit eigener Hand auf die Berichte des Generaldirektoriums, die Briefe und Gesuche, die ihm vorgelegt wurden, eintrug, kann man als ein solches »Werk« be-trachten, einen dauernden Niederschlag seines Denkens und Wollens. Diese Arbeitsweise wurde bekanntlich von seinem Sohne fortgesetzt und intensiviert. Seine Selbstregierung bedeutete schließ-lich »die selbstherrliche Bestimmung des ganzen Ganges der Regierung bis in die Einzelheiten hinein und die Herabdrückung der Minister auf die Stufe von Handlangern, die widerspruchslos die Befehle des Königs auszuführen hatten«. (F. Hartung). Diese Randbemerkungen sind also kulturgeschichtliche Dokumente ersten Ranges, denn hier sieht man eine Tradition im Entstehen. Zwei Beispiele mögen diesen neugeprägten Vorgang veranschaulichen.

Auf einen Bericht des Generaldirektoriums betreffend Rekrutengelder schreibt Friedrich die Randbemerkung: »Das ist nichts, wenn sie wahre Beschwerden haben, so müssen sie sich bei die Inspektores melden oder an mihr, da hat das Direktorium nichts mit zu Schafen. Sie seindt Schreibers und die Sache ist ganz Militair.« Und als ein Herr von Marschall um Änderung des gegen ihn in der Berufungsinstanz gefällten Urteilsspruchs bittet, bemerkt der König dazu: »Die gesetze Seynd vor alle Leute, sie mögen Marschall heißen oder nicht und Wenn ihm das nicht ansteht, so kan er aus dem Lande gehen Wie sein Bruder.«

In solchen Notizen von Tag zu Tag, wie in seinen Geschichtswerken und in den feierlichen politischen Testamenten, hat Friedrichs Persönlichkeit,

24. »Die Ehsels würden was Rechtes untersuchen«. Randbemerkung Friedrich des Großen auf eine Verfügung an die neumärkische Kammer *(Aus: Georg Borchardt, Die Randbemerkungen Friedrich des Großen).*

sein Geist, einen dauernden Ausdruck gefunden. Durch solche Äußerungen hat er Entscheidendes zur Bestimmung des preußischen Staatscharakters von sich aus gestaltet und unzähligen Untergebenen das Vorbild eines autoritären Chefs hingehalten, das auf verschiedenen Ebenen eifrig nachgeahmt wurde. Für die psychische Haltung, die sich auch im persönlichen Umgang mit dem König offenbarte, in zahlreichen Anekdoten festgehalten wurde und auf diese Weise wohl zur Bildung einer preußischen Tradition beigetragen hat, ist folgender Bericht des märkischen Kammerpräsidenten von Hoyen bezeichnend. Als er Präsident wurde, soll Friedrich zu ihm gesagt haben: »Mit denen Landräten und dem Lande überhaupt gehe Er gut um, aber denen Kerls, denen Kriegsräten sei Er auf dem Halse. Mache Er mit ihnen keine Umstände, sondern zeige Er mir die faulen schlechten Leute an: ich will sie gleich kassieren. Und überhaupt habe Er absolut mit denen Kerls kein Mitleid: ich fordere es von Ihm. Will Er sich bei mir recht rekommandieren, so sei Er darin

scharf, besonders auf die locorum, revidiere Er sie zuweilen, besonders sehe Er auf die Rich-
tigkeit der Kassen. Die Kriegsräte können nichts als schreiben. relatio ad regem, aber ich
will sie bei regem! Ich hoffe, Er wird nicht schlafen wie andre. Gehe Er in Gottes Namen!«

Vorteile und Nachteile des Frederizianischen Systems

Der alles-wissende, mißtrauische und strenge Landesvater, der uns in den angeführten Äußerungen begegnet, mußte infolge seiner überragenden Autorität als Person und als unumschränkter
Herrscher bis in die entferntesten Ecken seines Landes einen maßgebenden Einfluß ausüben. Man
fragt sich, wieviel der König so zu jener eigentümlich preußischen Mischung von Unterwürfigkeit
gegen höher Gestellte und Strenge gegen Untergebene und das Publikum beigetragen hat, die der
Fremde wenigstens als Atmosphäre noch in diesem Jahrhundert in jedem Postamt verspürte. Die
Gewohnheit, ausgediente Unteroffiziere weitgehend mit kleinen Beamten- und Lehrerstellen zu

25. Lehrgebäude und
Spielplatz der
Cadetten-Anstalt zu
Berlin, *gez. von Brück,
lith. von Trautmann
zwischen 1815–1820
(Kunstbibliothek
Berlin)*.

versorgen, hat den Gebrauch des Kommandotons sicher mit begünstigt. Im despotisch regierten
Rußland zeigte das Beamtentum ein ähnliches Janusgesicht, nur mit dem Unterschied, daß das
russische Publikum sich durch kleine Bestechungen die Gunst der Allmächtigen kaufen konnte
und sich entsprechend freier fühlte. In Preußen ist es den Herrschern im 18. Jahrhundert anscheinend gelungen, die sonst auch dort übliche und in vielen anderen Staaten deutscher Zunge, namentlich in Österreich, noch auf lange hinaus gutmütig tolerierte Bestechlichkeit beinahe ganz auszu-
rotten und eine in mancher Beziehung exemplarische Beamtenehre ins Leben zu rufen. Durch
ein gelegentlich freundliches Wort von oben und vielleicht nach langen Jahren einen Orden fühlte
sich der Beamte für seinen treuen, schlecht besoldeten Dienst genügend belohnt.

Ein System, das den Herrscher zu einem irdischen Gott machte, konnte für die Gottähnlichkeit
seines Nachfolgers keine Sicherheit geben, und Friedrichs Beamte und Offiziere wurden in einem
zu engen Sinne zu treuen Dienern ihres Herrn, um gleichzeitig die Fähigkeit und den Wunsch zu

persönlicher Initiative und positiver Kritik beizubehalten. Gehorsam wurde Selbstzweck, oder jedenfalls das sicherste Mittel, eine gute Laufbahn zu machen, und der übermäßig zentralisierte Staat
konnte auf die Dauer die innere Labilität nicht überwinden, die dadurch entstand, daß seine wesentlichen Organe nicht die Kraft der Selbsterneuerung besaßen. Mit einem Friedrich am Steuer hat die
Verwaltung aber trotz mancher Mißgriffe dauernde Resultate erzielt und die unentbehrliche Basis
geschaffen für Preußens und Deutschlands Entwicklung im Zeitalter des Kapitalismus, namentlich
durch die Rationalisierung und Verstaatlichung des Heeres, des Steuerwesens, der Polizei und
schließlich der Justiz.

Es ist kein Wunder, daß so viele deutsche Staaten in Friedrichs aufgeklärtem Despotismus das
einzig mögliche Mittel sahen, unter ihren eigenen Untertanen Glück und Wohlstand zu verbreiten,
ohne an eine Machtpolitik im Sinne Preußens auch nur zu denken. In Österreich allerdings war es
die Niederlage im Erbfolgekrieg, welche die ersten Reformen auslöste. Der Staat wurde gestärkt
und modernisiert, unter Maria Theresia mit Entschlossenheit und Umsicht, unter Joseph II. seinem
doktrinären Idealismus entsprechend in einem Tempo, dem der zur Verfügung stehende Beamtenapparat nicht gewachsen war. In den schon genannten Kleinstaaten aber wurden die ersten Versuche einer staatlichen sozialen Fürsorge gemacht, indem der Staat allmählich die Aufgabe übernahm, wofür sich früher die Kirche und in größeren Städten der Stadtrat verantwortlich gemacht
hatte. In seinem einige Jahre vor der Französischen Revolution erschienenen Werke ›Über die
preußische Monarchie‹ sagte der Marquis von Mirabeau treffend, daß die deutschen Kleinfürsten,
wenn sie auch keinen Einfall verhindern, keine großen öffentlichen Werke in Angriff nehmen, oder
Handels- und Verkehrshindernisse wie Zölle, Münz-, Gewichts- und Maßverschiedenheiten beseitigen, trotzdem für ihre Untertanen wahre Landesväter sein könnten. Sie besäßen zu wenig Macht, um
wirklich despotisch zu sein. Ferner brauche man überall in allen Berufen gebildete Menschen. Un-
zufriedene hätten deshalb keine Schwierigkeit, aus ihrem Vaterland auszuwandern, und die Presse
sei aus dem gleichen Grunde verhältnismäßig frei.

Die Reformen in den Rheinbundstaaten

Erst in der Rheinbundzeit wurde das Staatsideal des aufgeklärten Despotismus außerhalb Preußens wenigstens vorübergehend mit letzter Konsequenz durchgeführt, und zwar in den auf Napoleons Initiative neu ausgebauten Mittelstaaten. In der Verfolgung seiner strategischen Ziele hat
Napoleon nämlich das linke Rheinufer an sich gerissen, die weltlichen Fürsten, die dadurch Verluste
erlitten hatten, aus geistlichen Gebieten im Reiche entschädigt und einen Länderhandel ausgelöst,
als dessen Ergebnis auf Kosten vieler alter Kleinstaaten eine Anzahl deutscher Mittelstaaten entstanden sind, die zu Trägern der französischen Politik wurden. Das war nur möglich, weil die deutschen Territorialfürsten, die seit Jahrhunderten nach möglichster Freiheit vom Kaiserhause streb-
ten, sich aus dynastischen Interessen willig zeigten, zu Vasallen Frankreichs zu werden und einem
fremden Staate weit größere Militärkräfte zur Verfügung zu stellen, als der deutsche Kaiser je von
ihnen beanspruchen durfte. In den neuen, ganz unhistorischen Aggregaten konnte nur eine Revolution von oben die alten Privilegien, Rechte und Gewohnheiten der aus so verschiedenartigen
Landen zusammengewürfelten Untertanen beseitigen und den Versuch machen, eine neue vernunft-
mäßige Ordnung zu schaffen,

Das Muster, das den Rheinbundfürsten zur Nachahmung dargeboten wurde, war das neue König-
reich Westfalen unter Napoleons Bruder Jérome, wo die Landesverfassung und Verwaltung ganz
nach französischer Art umgestaltet wurden. In Frankreich hatte das Konsulat, auf das Heer und
die Masse des Volkes gestützt, trotz allgemeinem Wahlrecht und Plebiszit eine Diktatur errichtet,
unter welcher eine rational zentralisierte Verwaltung den Willen des Einen über ein wohl durch-
dachtes System von Präfekten, Unterpräfekten und Bürgermeistern bis in die entferntesten Winkel
des Landes geltend machte. Die einzelnen Rheinbundstaaten folgten dem Beispiel Westfalens mit
unterschiedlichem Eifer und Erfolg, Bayern und Baden z. B. in raschem Tempo, aber mit unzuläng-
lichem Beamtentum, Sachsen sehr lässig. Franz Schnabel faßt diese Tendenzen so zusammen: »Die
Staatseinheit wurde erbarmungslos erzwungen, ein hierarchisch gegliedertes Beamtentum – mit
dem Monarchen als dem alleinigen Beauftragten und Vertreter des Volkes an der Spitze – beherrschte alle Zweige des öffentlichen Lebens. In der vollendeten Form des napoleonischen Staates fanden die deutschen Fürsten dasjenige, was sie selbst seit langem erstrebt hatten. Andererseits
aber ist die Zeit Ausgangspunkt einer
neuen Epoche geworden: die Gedanken der Französischen Revolution
wurden auf deutschem Boden heimisch. Unausgeglichen stand in diesen
Staaten Altes und Neues nebeneinander.«

Freiherr vom Steins Reformen

Auch Preußen erlebte nach der Niederlage bei Jena eine Revolution von
oben, aber das Ziel des Freiherrn vom
Stein, das Ideal der Selbstverwaltung,
das er in der Dessauer Denkschrift
umreißt, wurde nur unvollkommen
erreicht. Seit seiner Studentenzeit bewunderte Stein, wie seine Freunde
Rehberg und Brandes, die organische
Gesellschaftsform, die sie alle, zum
Teil durch Burke beeinflußt, in England verwirklicht sahen. Er wollte »die
Regierung durch die Kenntnisse und
das Ansehen aller gebildeten Klassen
verstärken, sie alle durch Überzeugung, Teilnahme und Mitwirkung bei
den Nationalangelegenheiten an den
Staat knüpfen.« »Die Belebung des
Gemeingeists und Bürgersinns, die

26. Freiherr vom Stein. *Sepia-Federzeichnung von Julius Schnorr von Carolsfeld
aus dem Jahre 1821 (Hamburger Kunsthalle).*

Benutzung der schlafenden oder falschgeleiteten Kräfte und der zerstreut liegenden Kenntnisse, der Einklang zwischen dem Geist der Nation, ihren Ansichten und Bedürfnissen, und denen der Staatsbehörden, die Wiederbelebung der Gefühle für Vaterland, Selbständigkeit und National-ehre«, das war ihm das Wichtigste bei den bevorstehenden Reformen, aber das Regierungssystem des Absolutismus ließ sich trotz aller bekannten Schwächen nicht leicht erschüttern. Die per-sönliche Freiheit der Bauern, die Ersetzung des Kabinetts durch ein modernes Ministerkolle-gium, die Beseitigung der erblichen Berufsstände, die Wiederherstellung der städtischen Selbstver-waltung wurden nur unvollkommen durchgeführt, nicht bloß wegen der inneren Spannungen in Preu-ßen, sondern auch aus dem Grunde, daß Stein selbst bei allem Respekt vor dem Prinzip der Selbst-verwaltung eine kräftige Führung von seiten der Regierung immer noch für nötig hielt. Und er kannte seine Preußen, wenn z. B. in der Städteordnung, nach dem Worte Seeleys, »dem Volke nicht gestattet, sondern befohlen wurde, sich selbst zu regieren«. Die Gewohnheiten vieler Jahrhunderte ließen sich nicht leicht ablegen, und Ruhe war immer noch die erste Bürgerpflicht.

Die Restauration

In den Friedensjahren nach 1815 bestanden die Unterschiede zwischen Nord- und Süddeutsch-land, die sich nach 1806 ergeben hatten, einige Jahrzehnte ungeändert weiter. Beide behielten eine ausgesprochen autoritäre Regierungsform bei, denn die Verfassungen, die zwischen 1814 und 1820 im Süden eingeführt wurden, waren keine Zugeständnisse an die Forderungen des Volkes. Die ge-wählte zweite Kammer besitzt eigentlich nicht einmal ein Budgetrecht, und obgleich der Herrscher sich an die Mitwirkung verantwortlicher Minister bindet, bleibt das Wesen ihrer Verantwortlich-keit sehr im Vagen. Von einer liberalen Bewegung im gebildeten Mittelstand wurde aber allmählich ein gewisser Druck auf die Regierung ausgeübt, und in dem Kampf um ein echtes konstitutionelles System zeigen sich die ersten Anfänge politischer Parteien in Deutschland.

Im Norden war das Losungswort Wiederherstellung des Alten, und selbst Hannovers Verfassung, die einzige vor 1830, maskierte eigentlich eine Erneuerung des alten Ständestaats. Erst nach der Pariser Februarrevolution mußte Preußen, wie Österreich, endlich einige Zugeständnisse an die konstitutionelle Bewegung machen. Bis dahin, im Zeitalter Metternichs, konnten die beiden Staaten zu dynastischen Zwecken, unter dem Vorwand der Restauration, die gefährlichen Ideen der Selbst-bestimmung und der Freiheit der Rede erfolgreich unterdrücken. Immer wieder wird von engli-schen Reisenden der Biedermeierzeit, wie schon im 18. Jahrhundert, die für sie erstaunliche Unter-würfigkeit der Deutschen in öffentlichen Angelegenheiten hervorgehoben. »Die Deutschen haben in der Tat kein politisches Leben«, schreibt Howitt 1842. »Die Vorsicht ist ihnen infolge der be-ständigen Überwachung durch eine eifersüchtige Regierung und eine allgegenwärtige Polizei eine angeborene Eigenschaft«, und er findet diese Vorsicht mit einer auffallenden Gefühllosigkeit bei öffentlichen Unfällen und Gewalttätigkeiten verbunden, die er durch zahlreiche Beispiele illustriert.

Ähnliches hatte die temperamentvolle Mme. de Staël eine Generation früher in ihrem berühmten Deutschlandbuch geschrieben. »Es ist der sehnlichste Wunsch dieses friedlichen und genügsamen Volkes«, heißt es dort, »das Leben, das sie jetzt führen, genau so weiter zu führen.« In der Wirt-schaft, wie in der Politik, wird uns bei der großen Mehrzahl der Bevölkerung der gleiche Konser-vatismus begegnen, und das war die Geisteshaltung, die ihnen immer wieder nicht nur von den

27. Erstürmung der Bastille von J. Zoffany nach einem gleichzeitigen Stich von R. Carlom
(*Historisches Bildarchiv Handke, Bad Berneck*).

Regierunden, sondern auch von den Weisesten der Zeit empfohlen wurde, nach der französischen Umwälzung natürlich mehr denn je. »Wir wollen halten und dauern«, spricht Hermann zu Dorothea bei ihrer Verlobung.

>»Fest uns halten und fest der schönen Güter Besitztum,
>Denn der Mensch, der zur schwankenden Zeit auch schwankend gesinnt ist,
>Der vermehret das Übel und breitet es weiter und weiter;
>Aber wer fest auf dem Sinne beharrt, der bildet die Welt sich.
>Nicht dem Deutschen geziemt es, die fürchterliche Bewegung
>Fortzuleiten und auch zu schwanken hierhin und dorthin;
>Dies ist unser! So laß uns sagen und so es behaupten!«

WIRTSCHAFTSLEBEN

Die Grundlagen

Das relativ unbewegliche System hierarchisch abgestufter Befugnisse und Privilegien, die wir in den ständischen und politischen Verhältnissen der Goethezeit charakterisiert haben, hätte sich ohne entsprechende materielle Grundlagen in den wirtschaftlichen unmöglich erhalten können. Volkswirtschaftlich gesehen erscheinen ja die politische Macht und der Glanz des Fürstentums und die ganze höhere Kultur der Zeit als ein prächtiger Überbau auf agrarer Basis. Bis ins 19. Jahrhundert hinein floß in allen deutschen Kleinstaaten, wie oben für Preußen gezeigt wurde, eine gute Hälfte der Einkünfte des Staats aus den fürstlichen Domänen, und die Steuern, die den Rest ausmachten, wurden hauptsächlich von den Bauern und kleinen Grundbesitzern getragen. Der Landadel lebte ausschließlich von dem Ertrag seiner Güter, und auch der Hofadel zum Teil, während selbst die Gelder, die dieser vom Fürsten bezog, »unten organisiert wurden«, um Goethes Ausdruck zu gebrauchen. Mit andern Worten, Industrie, Handel und Verkehr spielten damals im deutschen Wirtschaftsleben eine viel kleinere Rolle als im späteren 19. Jahrhundert oder als im zeitgenössischen England. Dementsprechend waren wie gesagt die Städte klein, und drei Viertel der Bevölkerung lebten auf dem Lande. Unterdessen bereitete sich vor allem in England die neue Epoche einer freien Verkehrswirtschaft vor. Auf allen Gebieten machte die Technik jene Fortschritte, die man zusammenfassend als »industrielle Revolution« bezeichnet hat. Zwischen 1769, als Watt das Patent für seine Dampfmaschine erwarb, und 1830, als Stephensons Dampflokomotive auf der »Baumwollstrecke« zwischen Liverpool und Manchester die erste Eisenbahn ermöglichte, blühte in Deutschland ein Zeitalter der Innerlichkeit. In England nahm das Maschinenzeitalter seinen Anfang, Menschen-, Pferde-, Wind- und Wasserkraft wurden immer mehr durch Dampfkraft ersetzt und auf das vielfache erhöht; statt der

28. Nördlinger Teppich-Webstuhl mit Jaquardmaschine
(Deutsches Museum, München).

Heiz- und Leuchtstoffe, die man bisher der organischen Natur entnommen hatte, standen Koks und Kohle, statt der organischen Werkstoffe Holz, Leder, Hanf jetzt Eisen und Stahl, und statt der einheimischen Kleidungsstoffe Wolle, Leinen und Seide die eingeführte Baumwolle zur Verfügung. 1770 wurde die erste Spinnmaschine gebaut, 1786 der erste mechanische Webstuhl, 1789

wurde zuerst mit Dampfbetrieb
gesponnen. Das Fabriksystem
entwickelte sich schnell in seiner
modernen Form. Bei all dem
wurden neue wissenschaftliche
Entdeckungen zu praktischen
Zwecken verwertet, was im großen nur möglich war, wenn freie,
kapitalkräftige Unternehmer ihre
Energie und ihr Geld an zunächst unrentable Versuche wag-
ten und genügend Arbeiter vorhanden waren, die sich willig
oder gezwungen zu dem Teilmenschentum bequemten, das
eine hochgradige Arbeitsteilung
mit sich bringt.

Es hat natürlich in Deutschland jederzeit aufgeweckte Gei-

29. Lokomotive »Rocket« von Robert Stephenson, die bei der Lokomotiv-Welt-
fahrt bei Rainhill 1829 den ersten Preis errang.
Modell (Deutsches Museum, München).

ster gegeben, die diese englischen Vorgänge aufmerksam verfolgten, und einzelne, Friedrich den
Großen seinerzeit an der Spitze, die eifrig bemüht waren, ausländische technische Errungen-
schaften auch in Deutschland anzuwenden, aber die Schwierigkeiten waren groß und das Ergebnis

30. Friedrich der
Große besucht
eine Seiden-
manufaktur,
1753. *Holzschnitt
von Adolf von
Menzel (Aus:
Bülau, Deutsche
Geschichte in
Bildern).*

erst in der Mitte des 19. Jahrhunderts wirklich beachtenswert. Außer den schon erwähnten kulturhemmenden Faktoren, die sich auch auf wirtschaftlichem Gebiet spürbar machten, namentlich der deutschen Kleinstaaterei und der durch alte Tradition bedingten Uninteressiertheit der einzigen vermögenden Klasse, der Großgrundbesitzer, an Handel und Industrie, kann man aur eine Reihe von Umständen hinweisen, die eine schnelle Entwicklung der deutschen Wirtschaft nach westlichem Muster erschwerten.

Bevölkerungszahlen

Erstens war Deutschland als Ganzes genommen kein übervölkertes Land, wo das Problem der Ernährung besonders dringend war. Im Gegenteil, man brauchte Menschen und hielt sie für Reichtum. Die preußischen Könige hatten bei ihrer Peuplierungspolitik nicht nur das Heer sondern auch Industrie und Landwirtschaft im Auge. Erst nach dem Ende der Goethezeit begann der schnelle Bevölkerungszuwachs in Deutschland, die Verdreifachung innerhalb eines Jahrhunderts, denn das Gebiet, das 1914 das deutsche Reich ausmachte, hatte um 1800 nur etwa 20 Millionen Einwohner, gegen Frankreichs 24 Millionen. Die durch den Dreißigjährigen Krieg verursachten Verluste wurden erst im Laufe des 18. Jahrhunderts gutgemacht, und es begann ein langsames Wachstum der Bevölkerung, aber aus hygienischer Unkenntnis verloren die meisten Familien die Hälfte ihrer Kinder oder mehr in jungen Jahren, etwa ein Viertel im ersten Lebensjahr, und von den Erwachsenen forderten Pocken und Typhus zahlreiche Opfer. Infolge des ackermäßigen Anbaus der Kartoffel, der in Preußen erst in den siebziger Jahren durchgeführt wurde, hat es aber wenigstens keine wirklichen Hungersnöte mehr gegeben, wie in früheren Jahrhunderten. Im dichtbevölkerten Württemberg mit seinem reichen Boden kamen 72 Einwohner auf den Quadratkilometer, in Westfalen 55, in Sachsen und in der preußischen Rheinprovinz 50, in Preußen selbst 30 – und in England und Holland damals 65. Von dieser Bevölkerung wohnte in Sachsen nur 34 % in Städten, in Preußen 28 %, in Baden und Bayern 15 % oder weniger, und von diesen sogenannten Städten zählten selbst in Sachsen nur 4 % mehr als 10000 Einwohner.

Verkehrsmittel

Aus den angegebenen Zahlen wäre schon zu entnehmen, daß das deutsche Wirtschaftsleben seit dem Mittelalter keine großen Umwälzungen erlebt hatte. Die Verkehrsmittel waren noch so schlecht, daß der Handel ein vorwiegend örtlicher sein mußte, zwischen der Marktstadt und dem sie umgebenden Gebiet. Ein Brief brauchte nach Reichards Reiseführer um 1800 von Berlin nach Frankfurt am Main neun Tage, von Frankfurt nach München vier Tage. Eine Reise mit der Thurn- und Taxischen »Postschnecke« nahm damals ungefähr so viel Tage in Anspruch, wie man in der Eisenbahnzeit Stunden dazu brauchte. Über die Langsamkeit und Unbequemlichkeit der »ordinären« Post klagen unzählige Deutsche und fast alle Ausländer. Lichtenbergs und Börnes Äußerungen sind bekannt. Byron behauptet, daß die Post »im langsamen Deutschland« sich so bewegt, als ob man die Passagiere zu Grabe führe. Nur wenige gewöhnliche Postkutschen waren geschlossen und gut gefedert. Die erste Eisenbahn war schon da, ehe das Postwesen sich merklich besserte.

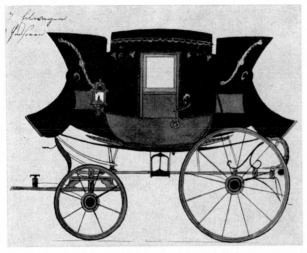

31. Vierspänniger Eilwagen zu zehn Personen, Vorschlag Axthelms
(*Fürstlich Thurn und Taxissches Zentralarchiv, Regensburg*).

32. Titelseite der 3. Auflage von Reichard, Der Passagier auf der
Reise in Deutschland (*Fürstlich Thurn und Taxissches Zentralarchiv, Regensburg*).

In Frankreich und England konnte man schon am Ende der Kutschenzeit wenigstens auf den
Hauptstraßen viel schneller fahren, aber in Deutschland war es eine äußerst schwierige Sache, nicht
nur wegen rückständiger Technik, sondern auch aus Kapitalmangel und Kräfteverzettelung, zusammenhängende Strecken gutgepflasterter Straße herzustellen. Nicolai berichtet 1781, daß die
Straßen im Süden noch unvergleichlich besser seien als im Norden. Mit dem Chausseebau hatte
man dort schon in der ersten Hälfte des 18. Jahrhunderts begonnen. Die Aufgabe war leichter als
im Norden, weil an Steinen kein Mangel war. In den sandigen Ebenen des Nordens fand Howitt
dagegen noch 1842 Wagenspuren, die den Wagen bis zu den Achsen aufnahmen. Im Durcheinander
der mitteldeutschen Kleinstaaten war es bei dem besten Willen unmöglich, längere Strecken auszu-
bauen, weil der Wille zur Zusammenarbeit fehlte. Das war eine der Schwierigkeiten, mit der Goethe
eine Zeitlang als Präsident der Wegebaukommission in Weimar zu kämpfen hatte. Auf dem Wasser-
weg konnte man Massengüter viel leichter befördern als zu Land. Alle schiffbaren Flüsse wurden
wie schon im Mittelalter dazu benutzt, und in Brandenburg-Preußen vor allem hatte man die für
Berlin so wichtigen Wasserverbindungen zwischen Nord und Süd, zwischen Hamburg und Sach-

sen, durch den Bau neuer Kanäle bedeutend verbessert, aber die kostspielige Regulierung des Ober-
rheins z. B. kam erst in der Mitte des 19. Jahrhunderts zustande, und auf allen Flüssen wurde der
Verkehr durch zahlreiche Zollämter behindert.

An Hand der folgenden Beschreibung Karl Geroks von der Landstraße zwischen Tübingen und
Stuttgart kann man sich die Verkehrsverhältnisse am Ende der Goethezeit gut vorstellen: »Das
war damals eine lebhafte Landstraße, ein Stück des alten Verkehrsweges zwischen Ulm und Schaff-
hausen. Da begegneten sich der wandernde Handwerksbursche mit Ranzen und Knotenstock und
der flotte Student auf seinem Klepper, oder in einem der windschiefen Chaischen, welche der erfin-
derische Sattler Weißer aus abgängigen Gartenhäuschen, alten Kanapees und verschiedenfarbigen
Wagenrädern zusammen bosselte. In scharfem Trab rasselte der gelbe Postwagen daher mit dem

33. Wagenbau im 18. Jahrhundert *(Aus: Ernst Mummenhoff, Der Handwerker in der deutschen
Vergangenheit)*.

blasenden Schwager auf dem Sattelpferd, Staubwolken hinter sich wälzend, während der acht-
spännige Frachtwagen mit dem klingenden Blechgehänge seiner stämmigen Rosse sich in gemes-
senem Schritt fortbewegte, den Fuhrmann im blauen Staubhemde zur Seite. Der Bauer im langen
weißen Kittel führte seine Krauthäupter nach der Stadt, und die rotbäckige Dorfdirne trug ihren
Grasbund auf dem Kopfe nach Haus. Über den Kornfeldern aber jubilierten die Lerchen, und am
östlichen Horizont hinter den Kirchtürmen stattlicher Dörfer zog sich die blaue Bergkette der
Schwäbischen Alb hin mit ihren Burgen vom Hohenzollern bis hinab zum Hohenstaufen. Jetzt
wächst Gras auf jener breiten Landstraße. Keine wohlbeleibte Frau Hirschwirtin trägt in Echter-
dingen dem Bruder Studio die dampfende Sauerkrautschüssel mehr auf mit dem saftigen Rauch-
fleisch darin ›wie Venus in den Rosen‹, und der prächtige Eichentisch in der Krone zu Walden-

buch, mit den vielen Hundert eingeschnittenen Burschennamen, steht verlassen, wenn er überhaupt noch steht, in der einsamen Eckstube, in der kein Studentenwitz und kein Burschenlied mehr klingt. Die Eisenbahn hat den Verkehr links und rechts abgelenkt von der uralten Schweizerstraße.«

Selbstversorgung

Mit solchen Verkehrsverhältnissen eng verbunden ist nicht nur die Zählebigkeit der mittelalterlichen beschränkten Wirtschaftsgebiete, sondern auch die Neigung zur Selbstversorgung, die sowohl in den Städten wie auf dem Lande bis weit in das neue Jahrhundert hinein fortbestand. Ein ländliches Beispiel ist in dem Schillerbrief über die patriarchalische Familie im Dorfe Hochheim schon erwähnt worden, aber noch am Ausgang der Goethezeit sind ausländische Reisende über die vielen Arbeiten, die im bürgerlichen Haushalt ausgeführt werden, erstaunt. »Spinnräder sieht man überall«, heißt es bei Howitt, »selbst in den Häusern vornehmer und anspruchsvoller Familien, noch mehr in Bürgerhäusern und natürlich in jedem einfachen Haus. Wohlhabende Damen der Gesellschaft gibt es noch viele, die ihre Morgen in der Küche verbringen, bis über die Ellbogen mit Mehl bestäubt.« Brot, Marmeladen, Eingemachtes jeder Art, selbst Seife und Kerzen wurden noch regelmäßig im Hause hergestellt, und vom Nähen und Stricken war kein Ende. »Manches zu schaffen hat ein Mädchen«, erzählt uns Goethe selber (in der zweiten ›Epistel‹):

Reift nur eben der Sommer die Früchte,
Denkt sie an Vorrat schon für den Winter. Im kühlen Gewölbe
Gärt ihr der kräftige Kohl, und reifen im Essig die Gurken;
Aber die luftige Kammer bewahrt ihr die Gaben Pomonens.

Und wenn sie dann endlich zu lesen wünscht, »so wählt sie gewißlich ein Kochbuch«. Diese Auffassung der weiblichen Pflichten, wie sie auch in Schillers ›Lied von der Glocke‹ oder ›Würde der Frauen‹ zum Ausdruck kommt, war es, die die romantische Emanzipierte wie Karoline Schlegel erzeugte, aus Reaktion gegen Mahnungen wie:

Ehret die Frauen, sie stricken die Strümpfe,
Wollig und warm, zu durchwaten die Sümpfe,

wie es in A. W. Schlegels Schillerparodie heißt.

Statischer Charakter der deutschen Wirtschaft

In England und Frankreich war, außer in entlegenen Dörfern, schon viel mehr von den Lebensnotwendigkeiten im Handel zu haben, und manches Handwerk war in Massenbetrieben untergegangen. In Deutschland wurde beinahe alles, was man nicht selbst herstellen konnte, von einem bekannten Handwerker in der Nähe auf besondere Bestellung gemacht, oder auf dem Lande von einem »auf der Stör« wandernden. Wenn ein Brautpaar etwa Möbel bestellt hatte, zeigte ihnen der Handwerker zunächst die Hölzer, aus denen sie gemacht werden sollten, damit man sich von der Güte des Materials überzeuge, wie später von der Gediegenheit seiner Arbeit. Da nämlich Möbel, Kleider und Leinen einen langjährigen Gebrauch ausstehen mußten, war es nötig, auf gute und dauerhafte Ware zu sehen. Nur wenige Kunden, und diese meist aus dem Adel, verlangten nach Neuheit und Originalität in der Form der Ware, und für den Handwerker auch war der Begriff des

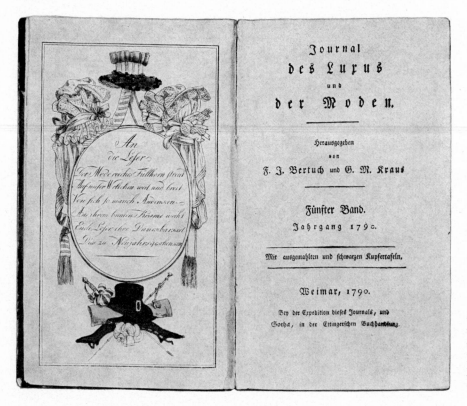

34. Journal des Luxus
und der Moden, 1786
von Friedrich Justin
Bertuch in Weimar ins
Leben gerufen
(Louis Held, Weimar).

Herkömmlichen ausschlaggebend. Reklamen waren beinahe unbekannt, Güte und Preis der Ware wurden von der Zunft überwacht, Zusammenarbeit der Meister und nicht Konkurrenz war ihr Ziel, und ein Zwischenglied zwischen dem Produzenten und dem Konsumenten gab es noch nicht. Grundbedingung für den Bestand des zünftigen Handwerks war eben das schon mehrfach erwähnte Statische im Wesen der Gesellschaft. In einem verkehrsarmen Lande konnte es sich so mehrere Jahrhundertelang erhalten. Erst gegen Ende des 18. Jahrhunderts erscheint in Weimar eine Zeitschrift wie das ›Journal des Luxus und der Moden‹, das höfische Kreise und das wohlhabende Bürgertum gerade auf neuartige Erzeugnisse der meist ausländischen Industrie und des Kunstgewerbes aufmerksam machen, und nebenbei den deutschen Handwerker durch gute Muster zur Verbesserung und Verfeinerung seiner Produktion anspornen sollte. Ein solches Ziel war mit dem Wesen des herkömmlichen Handwerks kaum vereinbar, und diese Zeitschrift war denn auch eine Schöpfung des rührigen Bertuch, des Einzigen, den man im klassischen Weimar als einen modernen Kaufmann und Industriellen ansprechen konnte.

Die Landwirtschaft

Bertuch wurde sehr reich, aber der typische Handwerker wollte sich und die Seinen bloß standesgemäß ernähren, dem sogenannten »Nahrungsideal« entsprechend, nicht besser und nicht schlechter als seine Zunftgenossen. Ebenso sollte der Bauer in der Dorfgemeinschaft nach dem idealen Schema soviel Land haben, als er und seine Familie bestellen und wovon sie leben konnten, und das Dorf

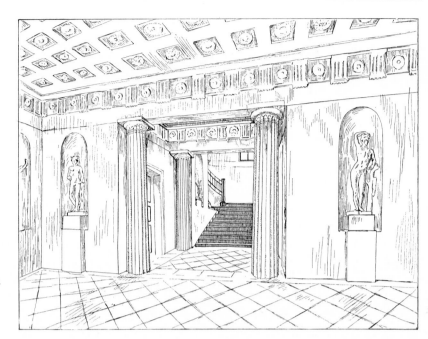

35. Vorhalle in Friedrich Justin Bertuchs Wohnhaus *(Aus: Wilhelm Bode, Das Leben in Alt-Weimar)*.

insgesamt eine genügende Bodenfläche, um seine Einwohner zu ernähren. Diesem Ideal haben sich wohl einzelne Gemeinschaften in verschiedenen Erdteilen von Zeit zu Zeit genähert, aber das erforderte Gleichgewicht, auch wenn es einmal erreicht sein sollte, kann sich nie lange aufrechterhalten. In Deutschland war der Idealzustand nirgends in Wirklichkeit anzutreffen, aber er beherrschte das Denken des Landmanns, der sich so gut es ging mit den historisch gewordenen Besitzverhältnissen, die oben umrissen wurden, abfinden mußte.

Ost-westliche Unterschiede

Dem unterschiedlichen juristischen Verhältnis zwischen Grundherr und Bauer im Westen und im Osten Deutschlands entsprach mehr oder weniger die wechselnde Siedlungsform, die dem Reisenden aus dem Westen in Deutschland auffiel. Kam er von Holland rheinaufwärts, so fand er noch in Kleve und Geldern holländische Verhältnisse, die man zum Teil auch in England nachgeahmt hatte. Seit Jahrhunderten bewirtschafteten hier einzelne Bauern oder Pächter ihren Boden nach eigenem Gutdünken, ob er in verstreuten Parzellen lag oder als kompakte Einheit. Einzelhöfe waren die Regel, große Dörfer selten anzutreffen. Bei Düsseldorf passierte der Reisende nun eine deutliche agrarische Grenze. Er fand hier große Dörfer vor sich, von offenen Feldern umgeben, wo der Boden im Dorfgemenge nach dem jahrhundertealten System der Dreifelderwirtschaft mit Flurzwang bebaut wurde. Der Besitz jedes Genossen in der Dorfgemeinschaft bestand aus einer Anzahl Streifen, die ihm in jedem der drei Felder der Flur zugeteilt worden waren, theoretisch wenigstens so, daß jeder einen gerechten Anteil an dem guten und dem weniger guten Boden bekam. Diese mußte er, in jedem Felde gleichzeitig mit seinen Nachbarn, nach einem gemeinsam beschlossenen Plan bestellen. Nur in seinem Garten, wo Gemüse, Obst und Grünfutter angebaut

36. Mitteldeutsches Bauernhaus –
Einzelhof *(Aus: Adolf Bartels, Der
Bauer in der deutschen Vergangenheit).*

wurden, durfte er also Neuerungen probieren. Auf den Feldern hielt man sich an den herkömmlichen regelmäßigen Wechsel zwischen Sommerfrucht (Gerste und Hafer), Winterfrucht (Weizen
und Roggen) und Brache. Es galt als unnatürlich, ja bei manchen als gotteslästerlich, wenn einer
tief pflügen oder düngen wollte. Sehr langsam wurden Neuerungen wie der Anbau von Kartoffeln,
von Klee als Viehfutter und gegen Ende des Jahrhunderts ein vernünftiger Fruchtwechsel nach
englischem Muster von Reformfreudigen eingeführt, von den Domänenpächtern in Preußen z. B.,
die dem Flurzwang nicht unterstanden.

    Jenseits der Elbe nämlich, oder vielmehr östlich einer zweiten etwas undeutlichen agrarischen
Grenzlinie, die sich etwa von Travemünde südlich bis zum Böhmerwald erstreckte, fand der Reisende in Mecklenburg, in der Mark, in Kursachsen, Schlesien, Posen, West- und Ostpreußen nicht
mehr unzählige Bauernhufen um große Dörfer gruppiert, sondern gewöhnlich große Güter, die um
die Jahrhundertwende oft, und in der zweiten Hälfte der Goethezeit immer mehr, von den adligen
Grundbesitzern selbst bewirtschaftet und nicht verpachtet wurden, wie meist im Westen. Das war
das ursprünglich den Slawen abgewonnene Land, wo der Grundherr das Hoffeld systematisch auf
Kosten des Bauernstandes vergrößert hatte, denn hier rentierte sich Eigenproduktion für den Ex-
port besser als Rentenbezug durch nach der Stadt verkaufende Bauern. Das ist die Zone der Erb-
untertänigkeit, der ungemessenen Fronden, der Schollenpflicht und des Gesindezwangdienstes, von
der oben die Rede war (S. 12). Hier trat früher als anderswo in Deutschland der kapitalistische
Großbetrieb in Erscheinung, der von der Bauernbefreiung in Preußen zwischen 1807 und 1820

dadurch begünstigt wurde, daß der befreite, der bessere Bauer, der sogenannte Spanndienste leistete, dem Gutsbesitzer Land abtreten mußte, was viele so sehr verarmte, daß sie schließlich zu Taglöhnern herabsanken, während die Dienste der kleinen, handdienstpflichtigen Bauern dem Gutsherrn erhalten blieben. In der verwickelten Geschichte der Bauernbefreiung, die sich über das Jahrhundert, das 1848 endete, erstreckte, waren die Beweggründe der Herren wohl überall aus Humanität und Eigennutz gemischt. Das Gefühl für individuelle Freiheit forderte die Bauernbefreiung seit der Aufklärung. Man übersah aber oft die Gefahren und Nachteile, denen der freie Bauer ausgesetzt sein konnte, denn der Grundbesitzer hatte nicht nur Rechte, sondern auch Verpflichtungen seinen Bauern gegenüber, und durfte sie im eigenen Interesse nicht zu sehr vernachlässigen.

Einfluß Thaers

Die Reform der Landwirtschaft auf der technischen Seite datiert man meist von der Veröffentlichung im Jahre 1795 von Albrecht Thaers ›Einleitung zur Kenntnis der englischen Landwirtschaft‹, die zu seiner späteren Tätigkeit in Berlin (1804–1828) führte. Thaer lehrte mit genauen, zahlenmäßigen Vorschriften die rationelle Bodenkultur nach englischem Muster, die man in Großbetrieben, wie den neuen in Preußen, am besten anwenden konnte, aber nur, wenn der Landwirt das dazu nötige Kapital besaß, was leider nicht immer der Fall war. Der Erschöpfung des Bodens durch die herkömmliche Dreifelderwirtschaft sollten richtige Düngung und Bereicherung des Bodens durch Knollen- und Futterpflanzen in einem geregelten Fruchtwechsel abhelfen. Aber erst Liebigs naturwissenschaftliche Erforschung der Bedingungen des Pflanzenwachstums und seine Erfindung künstlicher Düngemittel in den vierziger Jahren ermöglichten die großen Fortschritte des späteren 19. Jahrhunderts. Liebigs exakte chemische Analyse des Lebendigen verdankte aber der deutschen Naturwissenschaft der Goethezeit nur wenig, denn die Naturphilosophie der Romantik vernachlässigte zu sehr, wie zu zeigen sein wird, die induktive experimentelle Forschung, und in den zwanziger Jahren ging ein Deutscher, der sich in der exakten Wissenschaft schulen wollte, am besten nach Paris, wie Liebig das tat. Es ist trotzdem höchst charakteristisch für die Zeit, daß ein junger Gelehrter von 24 Jah-

37. Albrecht Thaer. *Stich nach einem Gemälde von de Lose (Kunstbibliothek, Berlin).*

38. Justus von Liebig in seinem Laboratorium in Gießen *(Historisches Bildarchiv Handke, Bad Berneck)*.

ren sofort von dem Großherzog von Hessen zum Professor an seiner Landesuniversität Gießen ernannt werden konnte, wo er sich glänzend bewährte, auf die alleinige Fürsprache von Alexander von Humboldt hin, der zufällig Liebigs ersten Vortrag über eine analytische Untersuchung in der Pariser Akademie gehört hatte. Wenn die politischen Zustände einerseits die extreme Innerlichkeit der Deutschen hervorrief, ihre Neigung, sich geistig mit dem Wirklichen abzufinden und dem reinen Geist vielleicht Kräfte zuzutrauen, die er nicht besitzt, so war es andererseits für den Absolutismus Lebensbedingung, sich mit tüchtigen Beamten zu umgeben, und ein Großherzog konnte, der Routine zum Trotz, einem Talent im Nu ungeahnte Wirkungskraft verschaffen. In ähnlicher Weise hat Karl August Goethe zum Minister ernannt, oder später den jungen Arzt Hufeland in Weimar zum Professor in Jena nach seinem Vortrag in der Freitagsgesellschaft.

Handel und Gewerbe

Angesichts des numerischen Verhältnisses der Stände zueinander kann man sagen, daß der typische Deutsche noch in dem letzten Jahrzehnt der Goethezeit der Bauer war. Für 1816 haben wir amtliche Zahlen, die in Preußen 73,5 % der Bevölkerung als ländlich bezeichnen. Handel und Gewerbe waren auf die Städte beschränkt, denn man machte einen strengen Unterschied zwischen Stadt und Land, und der Bauer durfte im allgemeinen gewerblich nicht mit dem Städter konkurrieren. Einige Fürsten hatten allerdings die Einrichtung von Hausindustrien als eine Quelle des Nebenverdiensts für ihre Bauern gern gesehen, aber die Art und Zahl der Handwerker, die in jedem Dorfe zugelassen wurden, waren stets beschränkt, in Brandenburg-Preußen z. B. bis zur Städteordnung auf Schmiede, Stellmacher und Schreiner, in Sachsen noch 1840 auf je einen Vertreter von zehn bestimmten Handwerken, je einen Schneider, Schuster, Bäcker, Metzger, Schmied usw. Zünftige Formen der Industrie, in jedem Staat mit der Zeit anders modifiziert, genügten noch den deutschen Bedürfnissen und beherrschten das Bild bis 1848 und stellenweise darüber hinaus.

39. Hausierende Krämer *(Aus: Johann Jacob Hässlin, Berlin)*.

Will man sich vorstellen, wie der Städter in der Goethezeit sich die nötigen Lebensmittel und Gebrauchswaren verschaffte, so muß man von vornherein das täglich Notwendige von Luxusartikeln und von dem, was man nur gelegentlich brauchte, unterscheiden. Lebensmittel kaufte man auf dem Markt, wo Bürger und Bauer wöchentlich oder öfter zu diesem Zweck zusammenkamen, oder vom Bäcker, Metzger usw., die alle zünftig organisiert waren. Gemüse hatten wohl viele in einem Garten am Hause oder vor der Stadt. Nur wenige größere Städte brauchten Lebensmittel aus der Ferne. Die Schneider, Schuster, Hutmacher, Schreiner usw. lieferten Kleidung und häus-

40. Jahrmarkt. *Kupferstich von Daniel Chodowiecki aus dem Elementarbuch von Johann Bernhard Basedow.*

liche Bedarfsartikel direkt aus der Werkstatt, gewöhnlich auf Bestellung. Viel wurde wie gesagt im Hause hergestellt. Wenn man etwas nötig hatte, was über die Kräfte der örtlichen Handwerker hinausging, so mußte man den Jahrmarkt abwarten, oder vielleicht den Besuch eines hausierenden Krämers. Auf dem Jahrmarkt nämlich verkauften Hausierer und Händler Gewürz, Südfrüchte, Kleidungsstoffe, Möbel, Werkzeuge und alles, was nicht täglicher Bedarf war, Spielzeug, Uhren, Schmuck, Toiletten- und Luxusartikel. Der Jahrmarkt war wie in allen Ländern ein großes Fest.

41. Schwarzwälder Jahrmarkt *(Aus: Joseph Bader, Badische Volkssitten und Trachten)*.

Vom Lande strömte alles in die Stadt, um für längere Zeit einzukaufen und nebenbei die Seiltänzer, Puppenspieler oder vielleicht eine wandernde Schauspieltruppe zu bewundern, denn ohne Jahrmärkte und Messen hätten diese selten ein lohnendes Publikum gefunden. Von Zeit zu Zeit erschien auch sonst ein Hausierer in der Stadt und ging von Haus zu Haus. Der altmodische Möser sah im Krämer eine große Gefahr, weil er »einen jeden durch neue Arten von Versuchungen reizt . . . den Handwerker und seinen Markt durch jede neue Mode altfränkisch macht.« Möser war vielmehr für geschlossene Wirtschaftsgebiete und das Statische. Er hielt es für ein großes Übel, daß jedes Jahr »zehn Engländer der Handlung wegen Deutschland bereisten«.

Die großen Messen in einigen günstig gelegenen Städten, vor allem Frankfurt am Main, Leipzig und Frankfurt an der Oder, boten dem Kaufmann und Händler die Gelegenheit, seine Kollegen

42. Gesamtansicht von Leipzig. *Kolorierter Stich der Zeit von Palton (Schiller-Nationalmuseum, Marbach a. N.).*

aus dem In- und Ausland zu treffen, nicht einzelne Konsumenten. Der örtliche Händler, der den Handwerkern und für die Hausindustrie arbeitenden Bauern in seiner Heimat ihre Spezialitäten abkaufte, Schwarzwälder Uhren, Nürnberger Kurzwaren, Thüringer Spielzeug, schlesisches Leinen usw., erfuhr auf der Messe von andren Händlern die Absatzmöglichkeiten für seine Waren und verkaufte sie in grosso. Auch die Verleger der Hausindustrien und die deutschen Kaufleute, vor allem aus Hamburg, die englische und Kolonialwaren in Deutschland vertrieben – Hamburg lebte noch hauptsächlich von diesem Passivhandel – besuchten die Messe. Die Leipziger Messe, die dreimal jährlich abgehalten wurde, hatte bereits in Goethes Jugend die Frankfurter ganz in den Schatten gestellt, nicht bloß im Buchhandel. Leipzig war der Markt für Waren aus Sachsen, damals das bedeutendste Industriegebiet, mit Chemnitzer Baumwollwaren, weitverbreiteter Hausindustrie und Meißner Porzellan, auch für Rohmaterialien aus Rußland und Polen. Goethe spricht in ›Dichtung und Wahrheit‹ von den polnischen Juden, Russen, Griechen, Engländern und Holländern, die in der Messe dort zu sehen waren. Leipzig war bekanntlich auch die ganze Goethezeit hindurch der Hauptsitz des Buchverlags und Buchhandels.

43. Leipziger Messe. Um 1800. *Vermutlich gestochen von Christian Gottfried Heinrich Geißler*
(Aus: Bilderbuch aus der Geschichte Leipzigs).

Aus dem Vorstehenden erkennt man leicht, daß der Laden im modernen Sinn in der Goethezeit
eine Seltenheit war. Das gilt noch im Jahre 1825 für Berlin. »In keiner großen Hauptstadt ist ein
Engländer so überrascht«, schreibt J. Russell über Berlin, »über die Abwesenheit jener prächtigen
und verlockenden Spezialgeschäfte, die in London, Paris und Wien in die Augen stechen und den
Beutel leeren.« Berlin hatte allerdings wie ganz Preußen und die Mehrzahl der deutschen Städte
stark unter den Kriegsverhältnissen gelitten. Nach den Kriegen hatte Deutschland in Handel und
Gewerbe sehr viel nachzuholen, und die Fortschritte der neunziger Jahre konnten erst gegen 1830
fortgesetzt werden. Berlin besaß nur zwei Straßen, wo Spezialgeschäfte dicht nebeneinander standen, und einige weitverstreute Läden in andern Straßen. Noch 1840, sagt uns Paul de Lagarde in
seinen Erinnerungen an Rückert, war in Berlin »die Königsstadt sehr belebt nach damaligen Begriffen, der Sitz des Kolonialwarenhandels, der Tuchläden, der Post, des Stadtgerichts, der Polizei;
davor Straßen nach den Toren sich dehnend, die ganz ländlichen Eindruck machten: Vierfüßler,
Hühner, Enten, Gänse auf den geräumigen Höfen. Die Friedrichstadt unendlich still . . . Garten
an Garten voll Baumblüte und Vogelsang im Frühling, voll Trauben, Äpfeln und Birnen im
Herbste, und nachmittags voller Kinder, welche das Wiesel mitten in der Stadt jagen konnten und
nie ein Bedürfnis fühlten, frische Luft außerhalb der Stadtmauern zu suchen. Die ganze obere
Friedrichstraße von sogenannten Viehmeistern bewohnt, durch welche die Südstadt mit Milch
versorgt wurde, welche ehrerbietigst von den grünen Holzstühlen, den Ruhesitzen ihrer Abende,
aufstanden, wann der von ihnen bediente Honoratiore vorbeikam.«

Wenn es in einer Großstadt so aussah, kann man sich leicht vorstellen, daß Kleinstädte einen
noch ländlicheren Eindruck machten. Viele Einwohner waren dort Halbbauern, oder sie hatten
wenigstens eine ländliche Nebenbeschäftigung. Manche hielten noch Vieh innerhalb der Stadtmauern – in Weimar holte es der Stadthirt und trieb es durch die Straßen auf die Weide und abends

44. Das Grundstück des Verlages
F. A. Brockhaus in Leipzig 1843.
Aus »Hundertfünfzig Jahre F. A.
Brockhaus«. Mit Genehmigung des
Verlages F. A. Brockhaus,
Wiesbaden.

zurück. Die Hausfrau machte ihre Einkäufe auf dem Markt oder beim Handwerker, der seine Werkstätte gewöhnlich im Erdgeschoß seines Wohnhauses hatte. Statt Schaufenster hatte der Bäcker
oder Krämer waagerecht zu schließende Fensterladen. Der untere Laden bildete die Verkaufstheke,
der obere ein Schutzdach – man sieht das z. B. in Ludwig Richters Bilderbüchern. In den Kleinstädten waren die ersten Läden Kolonialwarenhandlungen, die alles führten, was die Kunden weder
leicht im Hause machen noch vom Produzenten kaufen konnten, Kaffee, Tee, Zucker, Gewürz,
aber auch Kerzen, Stecknadeln, Bindfaden und dergleichen mehr, wie heute ein Dorfladen. In
Weimar, einer Stadt mit 6000 Einwohnern, die aber nach Mme. de Staëls Beschreibung eigentlich

45. Droschken-Anstalt
in Berlin. *Lithographie
um 1815. Gegründet
1739. Bis 1794. Wieder-
eröffnet 1815 (Kunst-
bibliothek, Berlin).*

46. Unter den Linden in Berlin 1780. *Stich von Jean Rosenberg (Historisches Bildarchiv Handke, Bad Berneck).*

ein großes Schloß war, gab es vor der Revolution nur zwei Läden, einen französischen
für Parfums und Schminke und einen für feine
Stoffe, Gold- und Silbertressen usw. für Hof-
kleider. Wein kaufte man beim Elefanten-
wirt, Lebensmittel von den vielen Bäckern
und Metzgern und Kaffee wohl in der einzigen Konditorei. Es ist aus Goethes Briefen bekannt, wie freudig er noch in späteren
Jahren Zelters Sendungen von märkischen
Rübchen aus Berlin begrüßte, sogar von
Fischen, die sich in der frostkalten Winters-
zeit offenbar trotz der langsamen Beförde-
rung gut hielten.

47. Auf dem Weihnachtsmarkt. *Holzschnitt von Ludwig Richter.*

Langsame Entwicklung im Gewerbe

Auch in weltgeschichtlich bewegten Zeiten ging im deutschen Wirtschaftsleben alles seinen ruhigen Gang. Bescheiden, traditionsbewußt, neigte der Durchschnittsbürger, wie Goethes Hermann,
dazu, die neuen Fabrikanten und Kaufherren als Emporkömmlinge mit einer gewissen Gering-
schätzung zu betrachten, die von Neid nicht ganz frei war. Trotzdem konnte sich schon vor der
industriellen Revolution ein Justus Möser z. B. nicht verhehlen, daß das Handwerk alten Stils im
Niedergang war. Er selbst bemerkte die wachsende Abhängigkeit der kleinen Städte und ihrer Zunftmeister von den großen Handelszentren. Ein erfolgreicher Meister könne dort bis zu 30 und 40
Gesellen beschäftigen und durch die Einführung einer rationelleren Arbeitsweise mehr Waren für
weniger Geld herstellen, Waren, die dem städtischen Geschmack Rechnung trügen. Möser war ein
Freund des Alten, es war aber nicht zu übersehen, daß der deutsche Handwerker seiner Zeit in einer
ganz andern Welt lebte als seine Vorgänger im Mittelalter. Deutschland als Ganzes, und die deutschen Staaten und Städte, konnten sich nicht von ihrer Umgebung abschließen. Seit dem vorigen
Jahrhundert interessierte sich der Adel lebhaft für das Ausland, nichts ging für ihn über französische Erzeugnisse aller Art, und das bessere Bürgertum ahmte ihn darin nach. Aus merkantilisti-
schen Rücksichten mußten die deutschen Fürsten solche Neigungen bekämpfen; wenn sich aber
eine Gelegenheit bot, technisch überlegene Ausländer wie die vielen protestantischen Emigranten
für ihren Staat zu gewinnen, die dort neue Industrien gründen konnten, so taten es die Hohenzollern von dem Großen Kurfürsten an mit dem größten Eifer, und nach ihnen viele andere. Ohne
das Kapital und das technische Wissen der Emigranten wäre es unmöglich gewesen, die Seidenindu-
strie und die vielen anderen Industrien, die die preußischen Herrscher so lebhaft unterstützten, ins
Leben zu rufen. Die französische Kolonie ließ bekanntlich dauernde Spuren im geistigen und gesellschaftlichen Leben der Stadt zurück und trug viel dazu bei, Berlin zur Hauptstadt der Aufklärung zu machen.

48. Beim Bäcker. *Holzschnitt von Ludwig Richter.*

Die Bestrebungen der Zünfte waren ursprünglich vor allem darauf ausgegangen, Gleichheit und Gemeinschaftsgefühl der Mitglieder zu stärken und zu bewahren und Nichtmitglieder von ihren Privilegien auszuschließen. Dem Konsumenten seinerseits sollten sie gute Waren zu einem gerechten Preis sichern. Es war den Meistern gelungen, im Interesse der Gleichheit die Zahl der Lehrlinge und Gesellen zu beschränken, aber in fast allen Städten stand ihre eigne Zahl um die Jahrhundertwende in keinem Verhältnis zu dem Bedarf, sondern viel zu hoch. Der Lehrling wurde leicht Geselle, und relativ vielen Gesellen gelang es schließlich, als Meister zugelassen zu werden. Aber beim Überfluß an Meistern war vom sprichwörtlichen goldenen Boden des Handwerks nicht mehr viel zu sehen. Viele mußten sich mit kleinen, schlecht bezahlten Gelegenheitsarbeiten begnügen. An manchen Orten arbeiteten 80–90 % aller Meister ohne Gehilfen, und in Berlin im Jahre 1816 kamen auf 100 Meister nur 56 Lehrlinge und Gesellen, obgleich die nichtzünftige Massenfabrikation noch keinen hohen Anteil an der Gesamtproduktion ausmachte. Der Konsument konnte mit der für uns erstaunlichen Beständigkeit der Preise und Löhne wohl zufrieden sein und verlangte im allgemeinen noch nicht allzusehr nach Neuheit.

Anfänge des freien Gewerbes

Lange schon hatte sich der Staat – in Preußen schon zur Zeit Friedrich Wilhelms I. – für die Aufsicht über das Gewerbe, anstatt der Zünfte, aber unter Bewahrung der alten zünftigen Formen, verantwortlich gemacht. Diese Überwachung gehörte zu den sogenannten polizeilichen Aufgaben der Regierungen. Die Polizei umfaßte aber auch die jetzt als wichtiger angesehene Unterstützung neuer, für den Staat einträglicherer Industrien. In Preußen machte man z. B. die eingewanderten Seidenspinner, Uhrmacher usw. zu »Freimeistern« und gab ihnen Konzessionen, die durch auf

49. Glasbläser. *Kupferstich von Daniel Chodowiecki aus Basedows Elementarwerk 1774.*

50. Glockenguß. *Kupferstich von Daniel Chodowiecki aus Basedows Elementarwerk 1774.*

den Einfluß der Zunftideen zurückgehende Verordnungen eingeschränkt waren. Meist erhielt jede Manufaktur eine eigene Verfassung, in der auch die Interessen der Arbeiter berücksichtigt wurden. Es wurde versucht, das Angebot der Nachfrage anzupassen, die technische Güte der Arbeit sicherzustellen, die Konkurrenz einzuschränken und Schiedsgerichte für eine gerechte Lohnhöhe zu bilden. Das klingt vielleicht sehr modern, stellt aber im wesentlichen eine Verstaatlichung des alten Zunftgeists dar. Ähnliche Versuche wurden in andern Staaten gemacht; »wie die Kinder in der Wiege« wollte z. B. der Kurfürst von der Pfalz seine Fabrikanten pflegen, aber nur in Preußen war ein Beamtentum da, das solche Maßnahmen gewissenhaft und mit Erfolg durchführen konnte. Auch in Preußen hörte die ängstliche Überwachung der Reformzeit größtenteils auf. Die Franzosen hatten in den von ihnen beherrschten Gebieten die Gewerbefreiheit schon eingeführt, als mit einer preußischen Geschäftsinstruktion 1808 das Prinzip der Gewerbefreiheit anerkannt wurde. Nach zwei oder drei Jahren wurde das französische System eingeführt, und der Unternehmer bekam einen freien Betrieb gegen Zahlung einer Steuer und Lösung eines Gewerbescheins. Die meisten anderen Staaten hielten an der Zunftverfassung fest.

Hausindustrien

Selbst in Preußen war die Industrie am Ausgang der Goethezeit keineswegs kapitalistisch zu nennen, und im ganzen Deutschen Bund waren große fabrikmäßige Unternehmungen vor 1840 äußerst selten anzutreffen. Es existierten seit der Mitte des 18. Jahrhunderts einige wenige, oft auf staatliche Anregung zurückgehende sogenannte »Fabriken« oder »Manufakturen«, aber das waren sehr selten Fabriken im modernen Sinn, sondern Hausindustrien. Die einzigen gewerblichen Organisationen von Bedeutung waren nämlich lose, von einem für den Absatz sorgenden Kaufmann oder »Verleger« geleitete Gruppen von Heimarbeitern, die selten echte Lohnarbeiter waren. Ihre Webstühle oder sonstige Werkzeuge waren gewöhnlich ihr Eigentum, und sie verschafften sich ihr Material selbst, ausgenommen wenn es sich um überseeische Produkte wie Baumwolle handelte. Wenn es dem Verband schlecht ging, etwa im Kriege, so löste er sich in seine Bestandteile wieder

51. Tuchmacherei in der Reutlinger Gegend, um 1835. *Kolorierte Lithographie von G. M. Kirn. Links Weber am Tuchmacherstuhl, rechts Spulerin.*

auf, und die Handwerker verkauften ihre Waren, so gut es ging, an einen Krämer, oder sie flüchteten sich in die Landwirtschaft, denn viele waren sowieso halb Bauern, die in den Hochlanden von Schlesien, Sachsen, dem Thüringer Wald usw. einen derartigen Nebenverdienst besonders gern begrüßten. Ein bekanntes Beispiel sind die schlesischen Leineweber, deren Leiden in den vierziger Jahren des 19. Jahrhunderts Gerhart Hauptmann in seinem Drama dargestellt hat. Die oben er-

52. Das erste Dampfschiff auf der Donau, 1818 *(Deutsches Museum, München)*.

wähnte Unterstützung neuer Industrien durch die Fürsten galt in erster Linie solchen Hausindustrien, die selbst in Berlin oft Treibhausprodukte waren und in der Franzosenzeit untergingen. Nach dem Befreiungskrieg mußte die preußische Industrie großenteils wieder von vorne anfangen, wobei oft bei englischen Sachverständigen Rat geholt wurde. Ein wichtiger Schritt war die Gründung des Gewerbeinstituts in Berlin im Jahre 1821, nach dem Muster des Pariser »Conservatoire des arts et métiers«, zur Förderung neuer technischer Methoden. Aber noch 1837 besaß Berlin nur 30 Dampfmaschinen von durchschnittlich 13 Pferdekräften. Selbst in der durch die freieren Gesetze und den Straßenbau der Franzosen begünstigten Rheinprovinz konnten vorerst nur langsame Fortschritte erzielt werden. Erst gegen 1840 ging es mit der Industrialisierung Deutschlands wirklich vorwärts, nachdem man mit der Gründung des Zollvereins und dem Bau von Eisenbahnen und besseren Straßen die ersten wichtigen Schritte zur Überwindung der bisherigen Verkehrshindernisse getan hatte.

Langsame Einführung der Dampfmaschine

Die Antriebskraft in den Mühlen, die vor der Dampfmaschine da waren, war fallendes Wasser, Wind und menschliche oder tierische Muskelkraft in den sogenannten Tret- und Rundgangsgöpeln.

53. Johanngeorgenstädter Obersteiger.
Kupferstich um 1830
(Deutsches Museum, München).

54. Bergmann von Königl. Steinkohlenwerken Zankeroda,
Alexander-Schacht. *Kupferstich um 1830*
(Deutsches Museum, München).

Da gab es Getreide-, Säge-, Öl-, Papiermühlen und viele andere, auch nach dem gleichen Prinzip konstruierte Eisen- und Kupferhämmer. Das Eisenhüttengewerbe war folglich dort anzutreffen, wo Erz, Holzkohle und Wasserkraft gleichzeitig zur Verfügung standen, z. B. an den Flüssen und Bächen der waldreichen Eisenerzgebiete links und rechts vom Rhein, vor allem in der Eifel. Die Erzgruben waren in vielen Gegenden seit Jahrhunderten im Betrieb, meist als Eigentum einer Gewerkschaft, deren Mitglieder daneben in der Landwirtschaft tätig waren. Die erste Verwendung

55. Königliche Eisengießerei bei Gleiwitz. Blick auf den Hochofen, 1841. *Kolorierte Lithographie (Deutsches Museum, München).*

Die Parochialstraße in Berlin im Jahre 1829

Gemälde von Eduard Gaertner. Berlin, Nationalgalerie.

fanden Dampfmaschinen zur Beseitigung des Grubenwassers im Bergbau, aber erst gegen Ende der 8oer Jahre. Englische Maschinen waren sehr schwer zu bekommen, aber die Teile konnten manchmal einzeln hinausgeschmuggelt und englische Mechaniker gegen hohe Löhne zu ihrer Bedienung gewonnen werden. Solche »Feuermaschinen« galten lange als eine große Sehenswürdigkeit. Als Wilhelm von Humboldt seine spätere Braut Karoline von Dachröden 1788 bei Merseburg zum ersten Male besuchte, begründete er seine Reise ihrem Vater gegenüber auf ihren Vorschlag hin mit dem Wunsch, die erste Dampfmaschine in Preußen zu besichtigen, die auf dem Hettstedter Schacht schon drei Jahre im Betrieb war. Vor Ende des Jahrhunderts baute man in Oberschlesien zwei Kokshochöfen, einen ersten mit englischem Gebläse und Wasserantrieb, und einen zweiten mit Dampfantrieb, durch Maschinen aus der staatlichen Werkstätte zu Gleiwitz; aber die deutsche Montanindustrie sollte hier wie anderswo noch auf Jahre hinaus, vor allem wegen Transportschwierigkeiten, nur sehr bescheidene Fortschritte machen.

Die Wirtschaftsgesinnung

Auffallend langsam entwickelte sich in Deutschland auf allen Gebieten der Volkswirtschaft die neue kapitalistische Gesinnung. Werner Sombart hat die noch vorwiegende wirtschaftliche Denkweise überzeugend analysiert. »Der vorkapitalistische Mensch«, sagt er, »ist der natürliche Mensch.« Für ihn ist der Mensch das Maß aller Dinge, die Wirtschaft ist noch nicht Selbstzweck geworden, sondern sie dient menschlichen Zwecken. Handwerker und Bauer gehen in ihren Überlegungen immer vom Bedarf aus, der nicht nach der willkürlichen Forderung eines Individuums beurteilt wird, sondern im Verhältnis zu dem herkömmlichen standesgemäßen Unterhalt. »Eines schickt sich nicht für alle.« Die Herren beanspruchen ein seigneurales Dasein. Es verträgt sich nicht mit ihrer Würde, zu ängstlich auf Geld zu sehen, aber sie erwarten vom Leben sehr viel, weil das in ihrem Stande so Sitte ist. Das Volk dagegen geht von der Nahrungsidee aus, und diese ursprünglich bäuerliche Anschauung wird von der Hufenverfassung, wie schon gesagt, auf gewerbliche und kommerzielle Verhältnisse übertragen. Goethe erzählt z. B. von den Handwerkern in Jena, sie hätten »meist den vernünftigen Sinn, nicht mehr zu arbeiten, als sie allenfalls zu einem lustigen Leben brauchen«. Die Arbeitsweise des Handwerkers war demgemäß auch eine natürliche. Man maß sehr ungenau, führte sehr schlecht Buch, war manchmal faul und ungeschickt und nützte die vielen Feiertage eifrig aus, um, wie die Bürgersleute im Osterspaziergang im ›Faust‹, den »Handwerks- und Gewerbebanden« zu entkommen. Das schloß nicht aus, daß die meisten an Werkeltagen in ihrer Arbeit aufgingen und sich Mühe gaben, ein Werk zu erzeugen, das »den Meister loben« sollte. Dabei richtete man sich aber nach überkommenen Vorbildern und legte wenig Wert auf Neuheit und größere Zweckmäßigkeit. Wenn einer von Reichtum träumte, so setzte er seine Hoffnung viel mehr auf reine Glücksfälle im Schatzgraben oder in der Alchimie als auf die Steigerung der Produktion, die dem Zunftethos entgegenlief.

Auf dieses vorkapitalistische Stadium folgt nach Sombarts Schema das frühkapitalistische und schließlich das hochkapitalistische. Wenn der gewöhnliche Handwerker in der Goethezeit noch Züge des ersten aufweist, so finden wir schon bei fortschrittlichen Kaufleuten und Unternehmern

56. Garten- und Frauenarbeiten (Spinnen, Waschen, Plätten), Schuster- und Schneiderwerkstatt. *Kupferstich von Daniel Chodo-*
wiecki aus dem Elementarbuch von J. B. Basedow, 1774.

oder »Verlegern« in der Hausindustrie die Züge des zweiten Stadiums. Der frühkapitalistische
Mensch begnügt sich nicht mehr mit dem Nahrungsideal. Erwerb ist sein Ziel, aber nicht als End-
zweck. Er will durch Arbeit und Spekulation reich werden, wegen der Vorteile, die ihm der Reichtum bringen kann. Er wünscht nicht auf seine Freiheit und den Verkehr mit Freunden zu verzichten, sondern diese Mußestunden freier und reicher zu gestalten und sich rechtzeitig von dem Ge-
schäftsleben zurückzuziehen, um in späteren Jahren, vielleicht auf dem Lande, ein ruhiges Rentner-
leben zu führen. Solche Menschen begegnen uns in Deutschland schon lange vor dem 18. Jahrhundert, vor allem in den Reichsstädten, aber der Typus hat sich wohl in England am reichsten
entwickelt und sich dort am längsten erhalten. Sie waren ein Produkt verhältnismäßig ruhiger Zeiten, als der Kampf um den Erfolg sanftere Formen annehmen durfte als später. Der frühkapitalistische Geschäftsstil entspricht diesen Voraussetzungen. Die Firma, gewöhnlich ein Familienunter-
nehmen, hat eine mehr oder weniger ständige Kundschaft, und der »Kundenfang« ist wie beim
Handwerk verpönt. Man stemmt sich so lange wie möglich gegen die Reklame, gegen das »under-
selling« (wohlfeiler verkaufen), die Qualitätsverminderung, die Einführung arbeitssparender Ma-

schinen und dergleichen mehr. Der moderne Kapitalismus aber hat nach Sombart das Menschliche der früheren Stadien aufgegeben. Ausschlaggebend ist etwas Abstraktes, der grenzenlose Gewinn, die Macht, die Neuheit, die Geschwindigkeit um ihrer selbst willen. Nicht die Zufriedenheit eines bekannten Kundenkreises ist das Ziel, sondern der höchstmögliche Absatz, durch die Anwendung der äußersten Rationalität, durch Mechanisierung ohne Rücksicht auf ihre menschlichen Folgen oder auf Qualität usw., usw. Es ist ein leider allzubekanntes Lied.

Die Wirtschaft im Spiegel der Literatur

Es hat einen eigenen Reiz, sich, mit diesem Schema im Sinne, die Schilderungen wirtschaftlicher Typen, die in der deutschen Literatur der Goethezeit zu finden sind, wieder anzusehen. Bei den Handwerkern alten Stils brauchen wir uns nicht aufzuhalten. Sie sind da in Hülle und Fülle, besonders bei den Romantikern, und noch bei Gottfried Keller, Theodor Storm, Otto Ludwig und vielen andern in der Mitte des 19. Jahrhunderts begegnen uns arbeitsame, mit wenigem zufriedene, aber oft schrullige Handwerker, die ganz dem obigen Schema entsprechen.

Besonders interessant aber sind die Vertreter der zweiten Gruppe, die »frühkapitalistischen« Kaufleute und Unternehmer, über die uns Goethes ›Wilhelm Meister‹ allein schon sehr viel zu sagen hat. Die Auswahl der Gegenstände, die Wilhelm und sein Freund Laertes in dem fiktiven Reisejournal besonders ausführlich behandelt haben sollen – wir wissen das aus Werners Antwort – ist an sich sehr bezeichnend. Werner hebt nämlich hervor: »die Beschreibung der Eisen- und Kupferhämmer, den Brief über die Leinwandfabrikation und die Einsichten in die Bewirtschaftung und besonders in die Verbesserung der Feldgüter«. Man hat offenbar in den 90er Jahren angefangen, in Staaten, wo das für Bürger möglich war, große Güter zu kaufen, sie nach den neuesten englischen Ideen zu verbessern, und nachdem sie in einigen Jahren um etwa ein Drittel an Wert gestiegen waren, wieder zu verkaufen, um ein größeres Gut zu kaufen und mit diesem ähnlich zu verfahren. Man legt freistehendes Geld also am besten in Grund und Boden, nicht in der Industrie an. Werners »Art zu sein und zu denken«, sagt Wilhelm in seiner Antwort, dem berühmten Brief über den Unterschied zwischen Edelmann und Bürger, auf den wir später zurückkommen, »geht auf einen unbeschränkten Besitz und auf eine leichte, lustige Art zu genießen hinaus«, worin Wilhelm nichts finden kann, was ihn reizte.

Das alles paßt vortrefflich zu Sombarts Analyse des frühkapitalistischen Menschen. Wir haben aber ferner in früheren Kapiteln Einzelheiten aus der Geschichte dieser Menschenart und über die Unterschiede, die innerhalb des Gesamttypus vorkommen können, über den Gegensatz z. B. zwischen den Vätern der beiden Freunde:

»Es ist nun Zeit, daß wir auch die Väter unsrer beiden Freunde näher kennenlernen: ein paar Männer von sehr verschiedener Denkungsart, deren Gesinnungen aber darin übereinkamen, daß sie den Handel für das edelste Geschäft hielten und beide höchst aufmerksam auf jeden Vorteil waren, den ihnen irgend eine Spekulation bringen konnte. Der alte Meister hatte gleich nach dem Tode seines Vaters eine kostbare Sammlung von Gemälden, Zeichnungen, Kupferstichen und Antiquitäten ins Geld gesetzt, sein Haus nach dem neuesten Geschmacke von Grund aus aufgebaut und

57. Hochzeit auf dem Lande. *Gemälde von Johann Baptist Pflug (1758–1865), 1829 (Archiv für Kunst und Geschichte, Berlin).*

möbliert und sein übriges Vermögen auf alle mögliche Weise gelten gemacht. Einen ansehnlichen Teil davon hatte er dem alten Werner in die Handlung gegeben, der als ein tätiger Handelsmann berühmt war und dessen Spekulationen gewöhnlich durch das Glück begünstigt wurden. Nichts wünschte aber der alte Meister so sehr, als seinem Sohne Eigenschaften zu geben, die ihm selbst fehlten, und seinen Kindern Güter zu hinterlassen, auf deren Besitz er den größten Wert legte. Zwar empfand er eine besondere Neigung zum Prächtigen, zu dem, was in die Augen fällt, das aber auch zugleich einen inneren Wert und eine Dauer haben sollte. In seinem Hause mußte alles solid und massiv sein, der Vorrat reichlich, das Silbergeschirr schwer, das Tafelservice kostbar; dagegen waren die Gäste selten, denn eine jede Mahlzeit war ein Fest, das sowohl wegen der Kosten als wegen der Unbequemlichkeit nicht oft wiederholt werden konnte. Sein Haushalt ging einen gelassenen und einförmigen Schritt, und alles, was sich darin bewegte und erneuerte, war gerade das, was niemanden einigen Genuß gab« (I. 11).

Wilhelms Großvater, das sagt uns »der Unbekannte« (I. 17), hatte offenbar ein großes Vermögen geerbt, war viel in Italien gereist und hatte »treffliche Gemälde von den besten Meistern« von dort zurückgebracht. Er war »nicht bloß ein Sammler, er verstand sich auf die Kunst«. Sein Sohn hat seinen Kunstsinn nicht geerbt, hat die ganze Sammlung verkauft und »das gelöste Kapital in die Handlung eines Nachbars gegeben, mit dem er eine Art Gesellschaftshandel einging«. Das Vermögen hat sich sehr vermehrt, und beide Partner sind »nur desto eifriger auf den Erwerb gestellt«. Wilhelms Vater hat aber wenigstens einen kleinen Rest vom ästhetischen Sinne des Großvaters beibehalten in seiner Neigung zum Prächtigen, der bei ihm die bürgerliche Vorliebe für das Solide, das Gediegene beigemischt ist.

»Ein ganz entgegengesetztes Leben führte der alte Werner in einem dunkeln und finstern Hause. Hatte er seine Geschäfte in der engen Schreibstube am uralten Pulte vollendet, so wollte er gut essen und womöglich noch besser trinken, auch konnte er das Gute nicht allein genießen: neben seiner Familie mußte er seine Freunde, alle Fremden, die nur mit seinem Hause in einiger Verbindung standen, immer bei Tische sehen; seine Stühle waren uralt, aber er lud täglich jemanden ein, darauf zu sitzen. Die guten Speisen zogen die Aufmerksamkeit der Gäste auf sich, und niemand bemerkte, daß sie in gemeinem Geschirr aufgetragen wurden. Sein Keller hielt nicht viel Wein, aber der ausgetrunkene ward gewöhnlich durch einen bessern ersetzt«.

Der alte Werner hat gar keinen Sinn für das Ästhetische, aber in seinen Mußestunden ist er noch ein lustiger, geselliger Mensch. Der junge Werner ist von einer »Vernünftigkeit«, die das Menschliche beinahe ausschließt. Selbst das Familienleben ist bei ihm auf ein Minimum reduziert, Mann und Frau sollen in öffentlichen Lokalen ihre Freude suchen, und er selbst will eine offenkundige Konvenienzehe mit Wilhelms Schwester eingehen, sobald ihr Vater gestorben ist, um die geschäftliche Verbindung der beiden Familien noch fester zu begründen. Er opfert gern jede Bequemlichkeit auf, um nur Kapital zu häufen, das ihm aber keine Freude macht, wenn es »tot« bleibt und keine Zinsen trägt. Es fehlt nur wenig an der Abstraktheit der hochkapitalistischen Gesinnung, nur die äußeren Mittel, die Technik des Geldmachens sind unzulänglich entwickelt.

»Deine Schwester zieht nach der Heirat gleich in unser Haus herüber«, schreibt er an Wilhelm, »und sogar auch deine Mutter mit.

›Wie ist das möglich?‹ wirst du sagen; ›ihr habt ja selbst in dem Neste kaum Platz.‹ Das ist eben die Kunst, mein Freund! die geschickte Einrichtung macht alles möglich . . . Das große Haus verkaufen wir, wozu sich gleich eine gute Gelegenheit darbietet; das daraus gelöste Geld soll hundertfältige Zinsen tragen.

Ich hoffe, du bist damit einverstanden, und wünsche, daß du nichts von den unfruchtbaren Liebhabereien deines Vaters und Großvaters geerbt haben mögest . . . Wir wollen es anders machen, und ich hoffe deine Beistimmung.

Es ist wahr, ich selbst behalte in unserm ganzen Hause keinen Platz als den an meinem Schreibpulte, und noch seh ich nicht ab, wo man künftig eine Wiege hinsetzen will; aber dafür ist der Raum außer dem Hause desto größer. Die Kaffeehäuser und Klubs für den Mann, die Spaziergänge und Spazierfahrten für die Frau und die schönen Lustörter auf dem Lande für beide. Dabei ist der größte Vorteil, daß auch unser runder Tisch ganz besetzt ist und es dem Vater unmöglich wird, Freunde zu sehen, die sich nur desto leichtfertiger über ihn aufhalten, je mehr er sich Mühe gegeben hat, sie zu bewirten.

Nur nichts Überflüssiges im Hause! nur nicht zu viel Möbeln, Gerätschaften, nur keine Kutsche und Pferde! Nichts als Geld, und dann auf eine vernünftige Weise jeden Tag getan, was dir beliebt. Nur keine Garderobe, immer das Neueste und Beste auf dem Leibe; der Mann mag seinen Rock abtragen und die Frau den ihrigen vertrödeln, sobald er nur einigermaßen aus der Mode kommt. Es ist mir nichts unerträglicher als so ein alter Kram von Besitztum . . . Das ist also mein lustiges Glaubensbekenntnis: seine Geschäfte verrichtet, Geld geschafft, sich mit den Seinigen lustig gemacht und um die übrige Welt sich nicht mehr bekümmert, als insofern man sie nutzen kann.«

Noch in ›Wilhelm Meisters Wanderjahre‹, wo im dritten Buch Lenardo in seinem Tagebuch so ausführlich über gewerbliche Tätigkeit im Gebirge berichtet, handelt es sich ausschließlich um Hausindustrie. »Für die entfernteren Gegenden im Gebirge«, sagt Lenardo, »woher zu Markte zu gehen für jeden einzelnen Arbeiter zu weit wäre, gibt es eine Art von untergeordnetem Handelsmann oder Sammler, welcher Garnträger genannt wird. Dieser steigt nämlich durch alle Täler und Winkel, betritt Haus für Haus, bringt den Spinnern Baumwolle in kleinen Partien, tauscht dagegen Garn ein oder kauft es, von welcher Qualität es auch sein möge, und überläßt es dann wieder mit einigem Profit im größern an die unterhalb ansässigen Fabrikanten.« – »Es war wohl nicht zu leugnen«, heißt es, »das Maschinenwesen vermehre sich immer im Lande und bedrohe die arbeitsamen Hände nach und nach mit Untätigkeit. Doch ließen sich allerlei Trost- und Hoffnungsgründe beibringen.«

Die Weber besitzen ihre eigenen Webstühle im Haus, die von dem »Gevatter Geschirrfasser« gelegentlich zurechtgemacht werden, und von ihrem Leben zeichnet Lenardo ein geradezu idyllisches Bild: »Ich fand überhaupt etwas Geschäftiges, unbeschreiblich Belebtes, Häusliches, Friedliches in dem ganzen Zustand einer solchen Weberstube; mehrere Stühle waren in Bewegung, da gingen noch Spinn- und Spulräder, und am Ofen saßen die Alten mit den besuchenden Nachbarn oder Bekannten trauliche Gespräche führend. Zwischendurch ließ sich wohl auch Gesang hören, meistens Ambrosius Lobwassers vierstimmige Psalmen, seltener weltliche Lieder; dann bricht auch wohl ein fröhlich schallendes Gelächter der Mädchen aus, wenn Vetter Jakob einen witzigen Einfall gesagt hat.«

PRIVATLEBEN UND GESELLIGKEIT DER STÄNDE

Wenn wir uns fragen, wie es sich eigentlich im Zeitalter Goethes lebte, so haben wir wohl meist das Privatleben im Sinne, das Leben der normalen Familie in ihrem geselligen Verhältnis zur umgebenden Welt. In ihren Hauptzügen ändern sich die Lebensbedingungen in einer vorindustriellen Gesellschaft nur außerordentlich langsam, denn gerade auf diesem intimsten Gebiet mehr als auf allen anderen trifft der einzelne fortwährend auf »geprägte Vorgänge«, die er, ohne darüber zu reflektieren, von der älteren Generation übernimmt und die denn auch in einer Kulturgeschichte eine ausführliche Behandlung verdienen. Sehr viel, was in früheren Bänden dieses Werkes steht, ließe sich hier beinahe unverändert wiederholen; wir wollen aber in erster Linie diejenigen Züge berücksichtigen, wo die langsame Modifizierung des Überlieferten durch die besonderen Zeitumstände sich am deutlichsten verfolgen läßt. Gerade bei den Deutschen dieser Zeit spielt das Familienleben infolge ihrer schon notierten unpolitischen und vorwiegend innerlichen Neigungen eine besonders wichtige Rolle. Karl Immermann behauptet z. B. in seinen ›Memorabilien‹: »Ich glaube, daß die Familie nur in Deutschland zur höchsten Gestalt sich durchbildete. Und es wäre auch schlimm, wenn dem nicht wäre, denn eine geraume Zeit hindurch war sie das Einzige, was die Welt besaß, und noch zur Zeit (1840) ist sie wenigstens das Einzige, was einer abgerundeten Bildung am nächsten blieb, während alles Andere sich erst bei uns im Werden befindet. «Was der deutsche Bürger der späteren Goethezeit also nach Immermann am allerhöchsten schätzt, ist allgemeine Bildung, aber ihr zunächst kommen für ihn die Werte des Familienlebens.

Gemeinsame Züge

In mancher Beziehung trifft Immermanns Bemerkung, wie sich zeigen wird, viel weniger für den deutschen Adel zu als für den Bürger und Bauer, aber in den rein biologischen Bedingungen, die dem Familienleben in allen Ständen zugrunde lagen, waren die Unterschiede zwischen den Ständen nicht groß. Bei groß und klein finden wir gewöhnlich kinderreiche Familien und die schon erwähnte große Kindersterblichkeit. Die große medizinische Entdeckung dieses Zeitalters, Jenners Kuhpockenschutzimpfung, 1796 nach langen Forschungen in England veröffentlicht, konnte aus naheliegenden Gründen, vor allem wegen starker Vorurteile, erst im Laufe von Jahrzehnten eine allgemeine Verbreitung finden. Klöden berichtet, daß in seiner Heimatstadt, in Westpreußen, im Jahre 1799 ein Drittel aller Kinder einer Pockenepidemie zum Opfer fiel. Er selbst als ungewöhnlich intelligenter Handwerker ließ sich schon 1803 in dem in Berlin errichteten Impfinstitut die Schutzpocken impfen, aber der Impfzwang besteht in Deutschland erst seit 1874. Die großen Hungersnöte früherer Zeiten kamen normalerweise kaum mehr vor, was eher dem feldmäßigen Anbau von Kartoffeln zuzuschreiben ist als einer Verbesserung der Verkehrsmittel, aber in Kriegszeiten war auch diese Gefahr nicht unbekannt. Der englische Reisende Jacob (1819) fand in Baden und Hessen-Kassel Dörfer, wo vor ein paar Jahren ein Drittel einer Bevölkerung von 1500 Seelen total verhungert sein sollte, weil französische und russische Truppen alle Lebensmittel, auch die nicht geernteten Kartoffeln, verzehrt hätten. Das Elend war in solchen Gegenden so groß, daß das britische Parlament nach 1815 große Summen zum Wiederaufbau der Dörfer votierte, was nach Jacob überall dankbar anerkannt wurde.

58. Schutzpockenimpfung im 18. Jahrhundert. *Kupferstich nach J. D. Schubert von Fr. Boldt (Archiv für Kunst und Geschichte, Berlin).*

59. Der Wasserträger »Hummel«, ein Hamburger Original. *Zeichnung von Moritz Ulfers, 1819–1902 (Historisches Bildarchiv Handke, Bad Berneck).*

Allen Ständen gemeinsam war ferner der Mangel an hygienischen Kenntnissen, die dürftige Versorgung vor allem der Städte mit gutem Trinkwasser und die Primitivität der sanitären Anlagen. Vor dem Stadtbrand (1842) schöpften z. B. die meisten Hamburger ihr Wasser aus den »Fleeten«, die gleichzeitig vielfach zur Abwasserleitung dienten. Aber alle, die es sich leisten konnten, kauften ihr Trinkwasser beim bekannten Herrn Hummel, oder bezogen es durch privat angelegte Röhren von einem Unternehmer. Verdeckte Abzugsgräben waren noch kaum bekannt. Höchstens benutzten Häuser, die, wie in einigen Fällen in Frankfurt am Main, an einem früheren Stadtgraben lagen, diesen als Abzugskanal. Gewöhnlich gab es ein Häuschen im Hofe, das vielleicht vielen Familien genügen mußte, oder ein »Stankgemach«, gewöhnlich im obersten Stock. Nach Mayhew (1860) war es in Koblenz unmöglich, nachts die Tür seines Schlafzimmers zu Lüftungszwecken wegen des Abtritts auf jedem Stockwerk offen zu lassen, und der Hof am Hause war durch eine Abtrittsgrube verpestet. Es mußten unglaubliche Unratsmengen regelmäßig in Wagen abgeführt und außerhalb der Stadt abgelagert werden. Die Versuchung war groß, den nächstliegenden Fluß zu diesem Zwecke zu gebrauchen. Kein Wunder, daß sich Epidemien mancher Art als so gefährlich erwiesen, und zwar für alle Stände, obgleich gebildete Leute sich in hygienischer Hinsicht vermutlich etwas vorsichtiger benahmen als das Volk. Noch in den dreißiger Jahren des 19. Jahrhunderts war die Choleragefahr in Hamburg groß.

Die oben besprochenen Standesunterschiede, die bis über die Goethezeit hinaus für Deutschland charakteristisch waren, machten sich natürlich vor allem in Verschiedenheiten des Lebensstandards geltend, die auch nach der Französischen Revolution und den Umwälzungen der Kriegsjahre fortbestanden. Es fand, wie überall, auch hier das übliche Sinken des Kulturguts statt, das die gesellschaftlichen Grenzen verwischte und nicht mehr so leicht wie früher durch Kleiderordnungen und polizeiliche Maßregeln bekämpft werden konnte, aber man war noch viel mehr als in England dazu geneigt, die Vorteile oder Nachteile seines angeborenen Standes als ein Schicksal hinzunehmen. Madame de Staël hatte den Eindruck, daß in Deutschland nur der Hof als gute Gesellschaft galt und daß man in diesen Kreis nur mit einem Adelsbrief hineinkam. Nur durch eine Standeserhöhung

Arbeitsbescheinigung

für den Drechslergesellen Johann Gottfried Wagner, ausgestellt von der Innung zu Leipzig 1801
(Aus: Ernst Mummenhoff, Der Handwerker in der deutschen Vergangenheit).

60. Weimar um 1805. *Stich von Müller nach einer Zeichnung von G. M. Kraus (Historisches Bildarchiv Handke, Bad Berneck).*

konnte auch ein berühmter Dichter diese Schranke übersteigen. »Lolo ist jetzt recht in ihrem Element, da sie mit ihrer Schleppe am Hofe herumschwänzelt«, schreibt Schiller 1803 an Humboldt, aber ein Jahr früher hatte er Frau von Stein mitgeteilt, daß er schon zwei Jahre in Weimar wohne,

61. Schillers Adelsdiplom mit farbigem Wappen, 1802 *(Schiller-Nationalmuseum, Marbach a. N.).*

ohne nach Hofe eingeladen worden zu sein, und das galt auch für seine Frau, eine Adlige von Geburt. Nur durch seinen Adelsbrief kam sie wieder in ihre Rechte. Bis tief ins 19. Jahrhundert hinein haben einige Fürsten eifrig für die Beibehaltung der alten Scheidewände gekämpft. »Als 1823 bei der Einholung des Kronprinzen und dessen junger Gemahlin«, schreibt Eberty, »die üblichen weißgekleideten Jungfrauen ausgewählt waren, und man dem Könige die Liste derselben zur Genehmigung vorlegte, hatte man als erste ›Fräulein Büsching‹, die Tochter des Oberbürgermeisters, aufgestellt. Friedrich Wilhelm III. strich eigenhändig das ›Fräulein‹ und setzte Mamsell dafür.« Der Streit um die Berechtigung zur Bezeichnung »Fräulein« hatte aber schon in der ersten Hälfte des 18. Jahrhunderts angefangen. Weil man in Deutschland gern klipp und klar darüber entschied, was für Rechte dieser oder jener Stand besitze, kam es dort nicht so leicht zu dem z. B. von Thackeray verspotteten Snobismus, der eine größere gesellschaftliche Fluidität voraussetzt.

Die Residenzen und der Hofadel

Für die Lebenshaltung des Adels gaben die zahlreichen Höfe den Ton an, und für diese war bis zur Revolution wie schon gesagt, das unerreichbare Muster in Versailles zu finden. Wien, Dresden, München, als große Residenzen, galten als luxuriös, und ihnen folgten in einem gewissen Abstand Stuttgart, Kassel und dann mittlere und kleine Höfe wie Braunschweig, Darmstadt, Dessau, Gotha, Weimar und die kleineren sächsischen Höfe. Berlin nahm zur Zeit Friedrichs des Großen begreiflicherweise eine Sonderstellung ein und galt als sparsam und langweilig, aber das änderte sich unter seinen Nachfolgern. Auch die geistlichen Höfe, allen voran Mainz und Köln, übten wegen der

62. Gesamtansicht von Dresden. *Nach einem kolorierten Stich von Patton (Schiller-Nationalmuseum, Marbach a. N.).*

erwähnten Dompfründen bis zum Jahrhundertwechsel eine starke Anziehungskraft aus, und in Hannover spielte der einheimische Adel in der Abwesenheit des englischen Königs eine besonders wichtige Rolle. Von der althergebrachten Idee, daß die Autorität eines Fürsten am besten durch ein pomphaftes Auftreten zu behaupten sei, wichen viele trotz aller fritzischen Kritik auch nach der Revolution nicht leicht ab, ja, viele Fürsten scheinen in diesen unruhigen Zeiten in erster Linie an die Ausdehnung ihrer dynastischen Macht und an ihren persönlichen Glanz gedacht zu haben. Dieser kurzsichtige fürstliche Egoismus war wohl Napoleons wichtigste Handhabe bei seiner Neuverteilung deutscher Länder im strategischen Interesse der Franzosen nach 1803, und einige unter den neuen Monarchen, die er damals schuf, der König von Württemberg und der Großherzog von Hessen z. B., waren noch ärgere Bau- und Jagdnarren als ihre Vorgänger und noch verschwenderischer mit glänzenden Hoffesten.

63. Hofgesellschaft im Freien. *Supraporte von J. C. Seekatz, 1719–1768 (Großherzogliche Privatsammlungen, Darmstadt).*

Aus der Beschreibung des Lebens in Darmstadt von dem englischen Reisenden Dodd (1818) erkennt man leicht, wieviel sich aus der alten Zeit in das 19. Jahrhundert hinübergerettet hat. »Die Residenz eines kleinen Fürsten in Deutschland, die gewöhnlich viel kleiner ist als eine englische Provinzialstadt, weist eine seltsame Mischung von Glanz und Unscheinbarkeit auf, eine Eleganz in kleinem Maßstab, die für einen Engländer vollkommen neu ist. Es ist in England nichts Entsprechendes zu finden. Unsere Großstädte sind älter, imposanter und dunkler, unsere Kleinstädte schäbiger und gewöhnlicher. Eine Residenz in ihrer vornehmen Ruhe ist vielmehr mit einem kleinen Kurort zu vergleichen. Auch die Einwohner haben eine Art Feinheit in der Beschränktheit und einen sparsamen Prunk, als ob es bei ihnen mit der Familie besser bestellt sei als mit dem Vermögen.«

Was man während der Saison in einer Residenzstadt erwartete, war ein bewegtes, lustiges Leben in der Gesellschaft seinesgleichen, nicht die Ruhe des ländlichen Adelslebens oder eines bürgerlichen Haushalts. Dieses Leben drehte sich um den Hof, dessen hohen Beamten es zufiel, auf Kosten des Fürsten die erforderlichen gesellschaftlichen Veranstaltungen zu organisieren. Über Darmstadt und andere Höfe am Rhein sagen englische Reisende, daß an jedem Abend einer oder der andere unter den hohen Adligen und Botschaftern offenes Haus hielt, wobei jeder Gast, der einmal eingeladen worden war, stets willkommen war. Eine der Damen machte den Tee, wie in einer Familie, gelegentlich wurde ein Punsch serviert, aber nur einfache Kuchen usw. dazu, und das dauerte etwa zwei

Stunden, von 7 oder 8 Uhr an. Wenn viele sich einfanden, spielte man Karten, oder man tanzte einen improvisierten Walzer. Große Essen wurden selten in Privathäusern gegeben, weil der Adel nicht reich war, aber nach Dodd speisten ein Drittel der Damen und Herren der besten Gesellschaft täglich bei Hofe, und die übrigen warteten gespannt auf eine Aufforderung des fürstlichen Fouriers. Das war alte Tradition, daß der Landesvater für seinen Hof zu sorgen hatte; jetzt galt sie aber nicht mehr in dem Maßstab wie früher. In Brandenburg mußte z. B. 1537 ein Gesetz erlassen werden, daß nicht mehr als vierhundert Menschen bei Hofe speisen sollten. Es gab dort vier Abstufungen des Essens im großen Saal, für den Adel, die Räte, die Schreiber und die Bedienten. In der Goethezeit unterscheidet man die fürstliche Tafel, wo außer der fürstlichen Familie und den hohen Hofbeamten täglich ein paar hoffähige Gäste speisten, von der Marschallstafel für untergebene Hof- und Staatsbeamte und zufällige nicht-adlige Gäste. In den ersten Monaten in Weimar aß Goethe, bis er Geheimer Legationsrat wurde, bei Hofe an der Marschallstafel, und beim Herzog nur privat auf seinem Zimmer. Im kleinen Weimar speisten täglich etwa zwanzig Personen an der fürstlichen Tafel, oft weniger, in größeren Residenzen fünfzig oder mehr, denn die Hofchargen waren zahlreich, selbst in Weimar um 1806 z. B. etwa 45.

Die Hoftafel in Darmstadt an einem Sonntag, wo es feierlicher als an Wochentagen zuging und die Gäste besonders zahlreich waren, wird uns anschaulich von Dodd geschildert. »Die Gäste versammeln sich um die (für englische Begriffe) altmodische Stunde von zwei Uhr in den großen Empfangssälen des Schlosses. Die Großherzogin tritt ein, macht in einer halben Stunde die Runde der Gäste, dabei höfliche Bemerkungen streuend, die Mitglieder der fürstlichen Familie umarmen einander zärtlich zum Gruß, die Gäste plaudern artig, und dann setzt sich die lange Reihe Arm in Arm sehr zeremoniös in Bewegung, zum großen öden Speisesaal, wo sie der Reihenfolge des Zuges entsprechend Platz nehmen. Die Großherzogin und der Hof nehmen die Mitte der Tafel ein ... Man findet den Tisch gleich anfangs gut mit Schüsseln bedeckt, die aber vorläufig bloß zum ermutigenden Augenschmaus da sind. Im Nu werden sie zum Anrichtetisch hinübergeschafft, von wo aus sie einzeln bereits tranchiert der Gesellschaft gereicht werden. Auf diese Weise werden Messer und Gabel ohne lästige Höflichkeitspausen von einer Reihe von fünfzehn bis fünfundzwanzig Schüsseln eher arbeitend als spielend unausgesetzt in Anspruch genommen. Auf die obligate Suppe und das Suppenfleisch folgen saure Ragouts, französische Gerichte, Kremen, Pasteten usw. und als Hauptgericht ein kräftiger Braten. Jeder Dame und jedem Herrn wird eine Karaffe Rheinwein oder Burgunder vorgesetzt, von der sie sich ohne Umstände bedienen, und die edleren Weine werden im Laufe des Essens herumgereicht. An einem deutschen Tische ist also die einzig mögliche Ablenkung von der vorliegenden Aufgabe eine schöne Nachbarin. Den Schluß bildet ein Dessert, das aber keinen systematischen Neubeginn bedeutet und schnell erledigt wird, und die Gesellschaft steht auf, denn die Herren haben keinen Wunsch, miteinander über Politik zu sprechen, und sie trinken lieber Kaffee und Schnaps in der Gesellschaft der Damen, als daß sie in ihrer Abwesenheit volle Gläser auf ihre Gesundheit leeren.«

Die Sprache, die, wenigstens an den Höfen in Südwestdeutschland, bei solchen Gelegenheiten gesprochen wurde, war noch meist Französisch, was durch ihre geographische Lage und die Gewohnheiten der Rheinbundzeit zum Teil zu erklären ist. In Hamburg und Berlin dagegen stießen unsere Reisenden auf viele Deutsche, die selbst mit Ausländern kein Französisch reden wollten aus patriotischem Gefühl und haßerfüllter Erinnerung an die Okkupationszeit. Am Rhein aber war das

Standesgefühl stärker als der Patriotismus, und es galt als vornehm, französisch plaudern zu können, denn im Bürgertum brachten es wenige fertig. Französisch war also sozusagen »ein Teil des Hofkostüms, genauso wichtig wie Schwert und Schnallenschuhe, das wie diese nach der Gesellschaft beiseitegelegt wurde«. Aber ein interessantes Gespräch hat Dodd in Darmstadt nur mit der Großherzogin Luise von Weimar geführt, die bei ihrem Bruder, dem Großherzog von Hessen, auf Besuch war. Der Eindruck, den die Sechzigjährige hier auf einen jungen Engländer machte, ist sehr bezeichnend für den Unterschied zwischen Weimar und dem normalen deutschen Hofe. Gegen die aufgeputzten Hofdamen stach sie ab, als ob sie eine einfache Bürgerliche gewesen wäre. Sie hatte den leichten Anstand einer hohen Dame, aber dazu die Würde, die der Geist mit sich bringt, und eine schlichte Offenherzigkeit, die zu ihrer fast ländlichen Erscheinung gut paßte. Dodd fand sie des Pinsels eines Hans Holbein würdig, wie sie in ihrer hohen Haube, die unter dem Kinn festgebunden war, und ihrer züchtigen, schiefergrauen Seidenrobe dastand, ein weißes Tuch über den Busen gefaltet.

64. Großherzogin Luise von Sachsen-Weimar (1757–1830). *Pastellgemälde eines unbekannten Künstlers (Deutsche Fotothek, Dresden).*

Die Alltagsatmosphäre eines deutschen Hofes nach den Kriegen wird von demselben Schriftsteller in seiner Schilderung eines Abends bei einer von Luisens Schwestern, der Markgräfin-Mutter, in Karlsruhe angedeutet. »Die Abendgesellschaften im Schlosse sind angenehm und leidlich frei von Zeremonie. Während des Tees unterhält sich die Markgräfin im Kreis, gutmütig und mit viel Freundlichkeit. Darauf setzt sie sich zu ihrem Kartenspiel mit den vornehmsten Anwesenden, und die Zweige und Sprößlinge des Fürstentums sind in Deutschland so mannigfaltig, die zahlreichen Höfe stellen so viele bequeme Absteigequartiere für Fürstlichkeiten dar, daß die Partie Boston der alten Dame selten den Glanz eines gekrönten Hauptes oder ihrer zwei entbehren muß. In Ermangelung anderer findet sich gewöhnlich ein mediatisierter Fürst, der sich für die Vier gewinnen läßt. Die übrigen amüsieren sich je nach ihren Neigungen, ob sie sie dazu führen, ein paar Kreuzer beim Boston, Whist oder Zwingen zu gewinnen oder zu verlieren, sich mit baumelndem Schwert in unbeschäftigter Verlegenheit an die Saaltüren anzulehnen, oder sich für ihren Zeitvertreib auf die Plaudernden um einen runden Tisch zu verlassen, wo für alle Fälle leichte Damenarbeiten, Rätsel und andere Heilmittel gegen erschlaffende Lebendigkeit vorsorglich aufgelegt wurden.« Eine bekannte Zeichnung von Kraus führt uns in einen intimen Kreis im Weimar der neunziger Jahre bei Anna Amalia ein, wo es noch bürgerlicher zugeht, wo aber zugleich die künstlerischen und literarischen Interessen der Weimaraner angedeutet werden. Die Herzogin-Witwe und drei Hofdamen sitzen mit

65. Tischrunde der Herzogin Anna Amalia von Sachsen-Weimar (1739–1807) im Wittumspalais zu Weimar. *Aquarell von S. M. Kraus. Die dargestellten Personen von links nach rechts: Heinrich Meyer, Frau von Fritsch, Goethe, Einsiedel, Herzogin Anna Amalia, Elisa Gore, Charles Gore, Emilie Gore, Fräulein von Göchhausen, Herder (Deutsche Fotothek, Dresden).*

66. Giacomo Casanova (1725–1798) im Alter von 63 Jahren *(Löbrich, Gröbenzell)*.

ein paar Gästen an einem eckigen Tische, dessen Platte mit Malkästen und Skizzenbüchern bedeckt ist. Die Damen malen oder sticken, Goethe scheint der Gesellschaft etwas vorzulesen, und der Maler Heinrich Meyer hat ihnen offenbar Radierungen gezeigt. Die anderen Gäste sind die drei Mitglieder der Familie Gore, ein englischer Kaufmann, der sich mit zwei schönen Töchtern in Weimar niedergelassen hatte.

Bei aller Bescheidenheit war man in den deutschen Residenzen vor und nach der Revolution international gesinnt und ausgesprochen gastfreundlich. James Boswell hatte schon 1764 an verschiedenen kleinen Höfen eine Aufnahme gefunden, die ihn hoch entzückte, und unzählige Reisende haben uns in diesem Zeitalter ähnliches berichtet. Offiziere und Ausländer waren fast überall willkommen, auch wenn sie nicht vom Adel waren. Es genügte, irgendein Empfehlungsschreiben und anständige Kleidung zu haben. Die vorrevolutionäre Epoche war eben auch die goldene Zeit der Glücksritter. Casanova und Cagliostro sind nur die bekanntesten unter einer ganzen Schar von Abenteurern mit erfundenen Titeln, unbegrenztem Selbstvertrauen und den Talenten eines Schauspielers. Zu ihnen gesellten sich verarmte Deutsche von Adel, denen manche Form der ehrlichen Arbeit verboten war, obgleich es ihnen freistand, die Freigebigkeit kleiner Fürsten nach Möglichkeit auszubeuten. Ein guter Teil des Hofadels hielt es für eine Hauptpflicht des Landesvaters, für seine unmittelbare Umgebung zu sorgen. Treue Diener des Herzogs von Weimar wie jener Herr von Lyncker, dem wir die beste Beschreibung des Lebens an diesem Hofe verdanken, erwähnen wiederholte Geschenke des Herzogs, die »tief ergeben« entgegengenommen wurden. In Weimar gereichte allerdings das Mäzenatentum des Herrschers Mit- und Nachwelt zum Segen, aber in Süddeutschland scheint die Literatur noch um 1820 nicht für salonfähig gehalten zu werden. Die Damen, die Herr Dodd kennenlernte, wußten selten die Titel von Schillers Werken, obgleich sie wenigstens den ›Werther‹ gelesen und Stücke von Kotzebue auf der Bühne gesehen hatten.

Kunstpflege

Es versteht sich von selbst, daß die Residenzen als Hauptschauplätze eines verfeinerten Lebens und des Luxus auf Kunst und Kunstgewerbe jeder Art einen weitgehenden Einfluß ausgeübt haben und daß ihre große Zahl an sich schon differenzierend auf die Gestaltung der deutschen Kultur eingewirkt haben muß. Es ist sicher kein Zufall, daß Deutschland seit der Goethezeit in der Entwicklung der Oper und des Theaters all seinen Nachbarn vorangeht. Es wird später bei der Betrachtung der einzelnen Künste zu zeigen sein, daß der höfische Einfluß nicht für alle gleich wichtig oder günstig war. Die Literatur hat sich bekanntlich seit Lessing von einzelnen Gönnern immer weniger abhängig gemacht, aber das vielköpfige Publikum, dem sie immer eifriger dient, hat wenig Geschmack. Für das Theater, die Musik, die bildenden Künste und die Baukunst sind Gönner noch im ersten Drittel des 19. Jahrhunderts in manchen Fällen überaus wichtig. Aber die Abhängigkeit vom Ausland ist auf keinem Gebiet mehr groß, und überall ist der Anteil ausländischer Künstler am Kunstschaffen in Deutschland verschwindend klein, obgleich das Zeitalter vielleicht nur in Literatur und Musik spezifisch deutsche Werke höchsten Ranges hervorgebracht hat.

Für die Wirkungen der Kunstpflege durch einen Fürsten und seine Umgebung hatte Goethe in seinen mittleren Jahren ein sehr scharfes Auge, denn gerade im Ausbau kultureller Anstalten jeder Art in Weimar sah er nach der Italienischen Reise seine Hauptaufgabe. Sehr aufschlußreich sind seine Bemerkungen in einem Briefe an Karl August über den Stand der Kunst in Stuttgart im Jahre 1797. »Herzog Karl«, heißt es hier, »dem man bei seinen Unternehmungen eine gewisse Großheit nicht absprechen kann, wirkte doch nur zu Befriedigung seiner augenblicklichen Leidenschaften und zur Realisierung abwechselnder Phantasien. Indem er aber auf Schein, Repräsentation, Effekt arbeitete, so bedurfte er besonders der Künstler, und indem er nur den niedern Zweck im Auge hatte, mußte er doch die höheren befördern. In früherer Zeit begünstigte er das lyrische Schauspiel und die großen Feste; er suchte sich die Meister zu verschaffen, um diese Erscheinungen in größter Vollkommenheit darzustellen. Diese Epoche ging vorbei, allein es blieb eine Anzahl von Liebhabern

zurück, und zur Vollständigkeit seiner Akademie gehörte auch der Unterricht in Musik, Gesang, Schauspiel und Tanzkunst. Das alles erhält sich noch, aber nicht als ein fortschreitendes, sondern als ein stillstehendes und abnehmendes Institut.«

Goethe berichtet dann über den Stand der einzelnen Künste, bedauert vor allem die Vernachlässigung der Baukunst und schließt mit allgemeinen Bemerkungen, die natürlich auf seinen Herzog und die Kunstpflege in Weimar gemünzt sind. Erst jetzt, nach einer so langen Regierung, fangen die späteren und besseren Früchte der Bestrebungen des jungen Karl Eugen zu reifen an. »Wie schade ist es daher, daß man gegenwärtig nicht einsieht, welch ein großes Kapital man daran besitzt, mit wie mäßigen

67. Theatervorstellung in der Eremitage von Bayreuth, erbaut von der Markgräfin Friederike Sophie Wilhelmine von Brandenburg-Bayreuth, der Schwester Friedrichs des Großen *(Ullstein, Berlin).*

Kosten es zu erhalten und weit höher zu treiben sei. Aber es scheint niemand einzusehen, welchen hohen Grad von Wirkung die Künste, in Verbindung mit den Wissenschaften, Handwerk und Gewerbe in einem Staate hervorbringen.«

Es ist an einem solchen Beispiel zu erkennen, daß die Höfe zur Entwicklung der Künste in erster Linie deswegen beitragen konnten, weil dort allein eine größere Anzahl von Menschen anzutreffen war, die, von kunstliebenden Fürsten und den durch ihr Mäzenatentum herangelockten Malern, Musikern, Schauspielern usw. unterstützt, ihren eigenen künstlerischen Neigungen freies Spiel geben konnten. In Handelsstädten dagegen, Hamburg vielleicht ausgenommen, beschäftigte sich meist nur eine kleine Minderheit auch der bessergestellten Bürger mit musischen Dingen, oft im Kampf mit ihrer Umgebung, wie der junge Wilhelm Meister. Das Interesse der damaligen Hofkreise an den Künsten konnte dabei sehr beschränkter Art sein. Was man vor allem verlangte, waren glänzende Feste, Opern und Schauspiele, und mancher Fürst erniedrigte seinen Hofmaler zu einem Hans in allen Gassen, der bald schlüpfrige Bilder, bald Prospekte für Liebhaberaufführungen, Pläne für ein Hoftheater, Entwürfe für Hoffestlichkeiten oder auch nur für eine Schnupftabakdose liefern mußte, wie J. C. Mannlich in Pfalz-Zweibrücken. Es wurde aber auf diese Weise wenigstens das Handwerkliche an der Kunst begünstigt und ein Fundament geschaffen, auf dem schöpferische Geister, wenn sie einmal auftauchten, weiterbauen konnten. Die ersten deutschen Kunstakademien und Musikschulen wurden natürlich beinahe alle von Fürsten ins Leben gerufen.

Alltagsleben am Hofe

Von den typischen Zügen im Alltagsleben des höfischen Adels kann man sich trotz der großen Unterschiede von Ort zu Ort an Hand der vielen vorliegenden Beschreibungen der höfischen Tages- und Jahresroutine ein ungefähres Bild machen. Während das Bürgertum, wie schon gesagt wurde, sich durch zähen Fleiß und einen äußerst sparsamen Gebrauch der Zeit auszeichnete, stellte für den Hofadel die Langeweile ein Hauptproblem dar, das nur durch zahlreiche von dem Fürsten organi- sierte und bezahlte Lustbarkeiten zu überwinden war. Nicht jeder Fürst fügte sich in dieser Bezie- hung den Wünschen seines Hofes. Berlin war zur Zeit Friedrichs des Großen, nach dem bekannten Worte Voltaires, »vormittags Sparta, nachmittags Athen«, aber das änderte sich bald unter seinem Nachfolger, der gegen den Geiz seines Oheims mit übermäßigem, aber verständlichem Eifer rea- gierte, worauf unter Friedrich Wilhelm III. die Formen des Hoflebens in Berlin auch vor der Kata- strophe zu Jena sich wieder zu fast bürgerlicher Bescheidenheit mäßigten. So wechselte der Ton auch an anderen Höfen je nach der Persönlichkeit des Herrschers.

Nach wie vor behielten an den meisten deutschen Höfen auch nach der Revolution die Formen des ancien régime ihre volle Geltung. Die Hauptereignisse des Tages waren überall die fürstliche Tafel und das abendfüllende offizielle Programm, Oper, Theatervorstellung, Ball, Assemblée usw. Noch in den neunziger Jahren gab es deutsche Duodezstaaten, wo wie einst in Versailles das Lever des Fürsten dem Vormittag sein Gepräge gab. Die Memoiren Karl Heinrich von Langs schildern uns z. B. folgendermaßen den Tag des Fürsten von Wallerstein: »Jeden Morgen um elf Uhr, wenn's glücklich ging, öfters auch um zwei Uhr, war Lever des Fürsten, wo, sobald der Kammerdirektor die Flügel des Schlafgemachs öffnete, alles, was unterdessen stundenlang im Vorzimmer gewartet, hereintrat, der Marschall, der Stallmeister, der Leibarzt, wir Sekretäre, die Hofjäger und etwa an- wesende Fremde. Jeder suchte, sobald ihn der Fürst, der jetzt unter den Händen seines Haarkünst-

68. Der Einzug König Friedrich Wilhelms III. (1770–1840) von Preußen in Berlin durch das Ber- nauer Tor am 23. XII. 1809. *Zeichnung von Ludwig Wolf (Histo- risches Bildarchiv Handke, Bad Berneck).*

69. Einzug des Kurfürsten, nachmaligen Königs von Bayern Maximilian I. Joseph (1756–1825) in München. *Holzschnitt von A. Müller (Münchner Stadtmuseum).*

lers saß, besonders anredete, welches immer mit schmeichelnden Worten geschah, etwas Munteres oder Neckhaftes vorzubringen. Sobald sich der Fürst vom Stuhl erhob und noch sonst an einen oder den andern kleine Weisungen erteilte, entfernte sich jeder, der nicht zu bleiben besonders beordert wurde. Der Fürst begab sich meistens zu seiner Familie, eilte darauf in die Messe und gab dann Audienzen bis zur Tafelzeit, die höchst ungewiß, oft erst spät gegen Abend begann. Nach der Tafel machte er gewöhnlich einen Spazierritt auf eine Meierei oder ein Jagdhaus, gab dann zu Hause wieder eine oder mehrere einzelne Audienzen oder auch sonst nur eine gesprächsweise Unterhaltung im Zimmer, mit irgendeinem, der bestellt war oder sich geschickt zu nähern wußte; ein Spiel oder Cercle, öfters auch Konzert, das von keinem Höfling leicht versäumt werden durfte, und wo sich der Fürst bei den Anwesenden gleichfalls wieder Gespräch und Unterhaltung suchte. Die Nachttafel, nie vor Mitternacht anfangend, ging schnell vorüber, von der sich der Fürst einen der Gäste zurück auf sein Zimmer nahm, sofern er sich nicht mit denen begnügen wollte, die noch um zwei oder drei Uhr nachts in seinem Vorzimmer harrten. Nicht selten ging er an den armen Mär-

70. Herzog Karl August von Sachsen-Weimar (1757–1828) und Goethe nach der Jagd bei Ilmenau. *Nach einem Gemälde von Th. v. Oer (Ullstein, Berlin).*

tyrern vorüber, als sähe er sie nicht, fing an, in seinem Kabinett zu lesen und zu unterzeichnen oder durch die Hintertür auf einen kühlen Spaziergang zu entwischen, oder in seinem Armstuhl einzuschlafen, welches uns im Vorzimmer nachzutun auch erlaubt war.«

Derselbe Zeuge berichtet uns über seine späteren Erlebnisse in München in der Montgelaszeit (um 1811). Der König, Max IV. (I.) Joseph, empfing seinen neuen Archivdirektor um sechs Uhr früh. »Im Vorzimmer befand sich, in Ermangelung des diensttuenden Kammerherrn, der erst später herbeikam, ein großer Affe, der mich ziemlich geringschätzend anblickte, und dann eifrig in seinem Geschäft des Flohsuchens fortfuhr. Diese Frühstunde war es, wo der bereits angekleidete König sein Frühstück nahm, das er mit einem großen Löwenhund teilte, hierauf er von Herrn Ringel sich die Ausfertigungen zur Unterschrift vorlegen ließ, geringere zeremonielose Audienzen gab, hierauf vom Staatskassierer sein Taschengeld, täglich 1000 Gulden, in Empfang nahm, und vom Polizeidirektor die Geschichte des Tags und die Abenteuer der Nacht erfuhr. Dann ging er umher in den Gängen, im Stalle, auf der Schranne (dem Markt), wo die Höflinge Schwänke mit Bauern und Dirnen aufzuführen suchten.

Nach der Wiederkehr ins Schloß erfolgten militärische Rapporte und Aufwartungen und die schamlosesten Anbetteleien von allen Ständen, schriftlich und mündlich, so daß die 1000 Gulden täglich meist schon in den Vormittagsstunden aufgeflogen waren; hierauf Besuch bei der Königin, die vor zehn Uhr nicht vom Bette erstand, dann bei den königlichen Töchtern, sodann diplomatische Vorstellungen und Empfang fremder Herrschaften, und endlich ging's zur Tafel, welche aus

Mangel an Aufsicht sehr schlecht bestellt war. Man tat sehr ängstlich wegen heiterer Unterhaltung bis zur Theaterzeit oder dem Hofkonzert, griff auch an andern Tagen zur Karte; um zehn Uhr eilte der König zu Bette. Da der König nicht las und keine besondere Liebhaberei für irgendeinen Zweig der Künste oder Wissenschaften hegte, so wenig als für Jagd und Reiterei, dabei auch kein Schwelger oder Trinker war, so blieb es eine schwere Aufgabe für die Höflinge, den Tag mit Spazierengehen, Liebeleien, verkappten Hofnarren, Stadthistorien und Kleinigkeitskrämereien aller Art auszufüllen.«

Solche zufällig erhaltenen Eindrücke eines Beamten vom intimen Leben seines Fürsten lassen wenigstens erkennen, wie sehr das ganze Leben des Hofkreises noch von den unberechenbaren Launen eines einzigen Menschen abhing und wie nötig man am Hofe ein einigermaßen geregeltes Jahres- und Tagesprogramm brauchte, um dem Leben einer Gesellschaft, die in so starkem Maße den materiellen Forderungen des Alltags entrückt war, überhaupt einen Sinn zu geben. Das komplizierte System von Zeremonien und obligaten Festlichkeiten bestand noch fort, wie Ermatinger es für die Aufklärungszeit beschrieben hat, und Scharen von Hofbeamten waren noch da, die in der Aufrechterhaltung dieses Apparats ihre Lebensaufgabe fanden. Die ursprünglich spanische Etikette, die im Spätbarock über den Kaiserhof in die deutschen Lande eingedrungen war, wurde jetzt auch an den kleinsten Höfen äußerst ernst genommen. Der ›Wasunger Krieg‹, den Gustav Freytag in seinen ›Bildern aus der deutschen Vergangenheit‹ so ergötzlich beschrieben hat und der durch einen Präzedenzstreit zwischen zwei Damen in den thüringischen Nachbarstaaten Gotha und Meiningen ausgelöst wurde, lag noch nicht dreißig Jahre zurück, als der eben mündig gewordene junge Herzog Karl August, noch nicht von Goethe beeinflußt, seinen Wunsch erklärt hatte, seinen Hofstaat zu vergrößern und künftig nicht nur Kammerjunker, sondern auch Kammerherren zu halten. Diese ursprünglich königliche Befugnis, neben der von ähnlichen Beweggründen eingegebenen Forderung, ihren Wirklichen Geheimen Räten den Titel Exzellenz verleihen zu dürfen, war zuerst hundert Jahre früher von den Kurfürsten beansprucht worden, dann um 1700 von den altfürstlichen Häusern – die Schrift »De suprematu principum« von Leibniz beschäftigt sich mit dieser Frage – und nur wegen dieses ständigen Abstiegs hieß Goethe im kleinen Weimar, als Mitglied des Conseil und Wirklicher Geheimer Rat, Exzellenz. Andrerseits verbreitete sich unter den Fürsten schon vor der Französischen Revolution der »Sansculottismus«, von dem Goethe in einem Entwurf zur Fortsetzung von ›Dichtung und und Wahrheit‹ gesprochen hat, demzufolge schließlich die französische Königin auf die Etikette verzichtet und der König sich für einen Anachronismus gehalten habe – ähnlich wie später in Rußland viele Adlige sich ihrer privilegierten Stellung geschämt haben. Das war eine unvermeidliche Folge der immer weiteren Verbreitung humaner Gesinnung, welche mit ihrem Wellenschlag die ständische Gesellschaftsordnung unterhöhlen sollte, aber in Deutschland langsamer als im Westen. Nach Goethes Ankunft übergab sich der junge Herzog allerdings eine Zeitlang restlos den fortschrittlichen Ideen des Sturmes und Dranges, und der enttäuschte neue Kammerherr Siegmund von Seckendorff schrieb an seinen Bruder: »Der herrschende Widerwille gegen jede Art von Hof hat den Herrscher und seinen Nachfolger zu der Erkenntnis geführt, daß die Inhaber der Hofämter unnütze Möbel sind, die man besser herauswirft.« Aber ein Jahrzehnt später, und vor allem nach der Revolution, finden wir den Herzog, obgleich eifrig auf das Wohl seines Volkes bedacht, keineswegs gewillt, seine Autorität als absoluter Herrscher vermindert zu sehen. Selbst die hochgepriesene Verfassung, die er nach den Kriegen als einer der ersten gewährte, hat

71. Friedrich Georg Kersting (1783–1847):
Stube mit Selbstbildnis. *Gemälde, 1811*
(Archiv für Kunst und Geschichte, Berlin).

nach Hartung grundsätzlich wenig an der alten Sachlage geändert. Es ist schon gesagt worden,
daß Goethe von seinen mittleren
Jahren an diese konservative Haltung durchaus geteilt hat.

Privatleben des Bürger-
tums. Wohnkultur

Die Unterschiede in der Lebenshaltung waren natürlich sehr
groß zwischen den schwer abzu-
grenzenden Gruppen, in die man,
wie oben gezeigt wurde, das Bürgertum einteilen kann, von hohen Beamten und wohlhabenden
Kaufleuten, die es dem Adel
gleichzutun suchten, über eine
ausgedehnte Reihe von Juristen,
Medizinern, mittleren Beamten,
Professoren, Pfarrern bis zu den
Lehrern, Schauspielern, besseren
Handwerksmeistern, Ladeninha-
bern usw., von denen viele kaum
besser als Arbeiter und Bauern
lebten. In diesem in wirtschaftlicher Hinsicht wenig entwickel-

72. Abendgesellschaft in einem Haus am
Dönhoffplatz in Berlin um 1826. *Gemälde*
von Julius Schoppe, 1795–1850 (Archiv für
Kunst und Geschichte, Berlin).

73. Diele eines Braun-
schweiger Kaufmannshau-
ses. *Bierbaumsches Haus
(Städtischer Bilddienst, Braunschweig)*.

ten Lande kam der bürgerliche Lebensstandard im allgemeinen, dem englischen Reisenden z. B., sehr
bescheiden vor. »Im Mittelstand«, schreibt Howitt noch um 1840, »wird der Fremde durch die
einfachen Möbel und anspruchslosen Lebensgewohnheiten frappiert.« Man wohnt ähnlich den
Schotten in Edinburgh in großen Häusern, wo jedes Stockwerk eine ganze Familie aufnimmt. Auch
die ansehnlichsten und wohlhabendsten Familien haben selten ein Haus für sich. »Das Innere eines
deutschen Hauses hat für englische Augen ein etwas nacktes Aussehen. Über eine teppichlose Treppe

74. Das Bürgerhaus in Hamburg. Kleiner Festsaal mit
englischen Möbeln, Gobe-
lins mit Kolonialmotiven
und alten Lüstern *(Ullstein,
Berlin)*.

75. Empire-Schlafzimmer im
Residenzschloß zu München
(Ullstein, Berlin).

kommt man in eine Wohnung mit nack-
tem gedieltem Fußboden. Der Boden besteht gewöhnlich aus breiten Kiefern-
brettern, die in großen mit Eiche um-
rahmten Quadraten gelegt sind. Das
Kiefernholz wird gewöhnlich sauber
gescheuert und die Umrahmung dunkel
gestrichen oder geölt. Manchmal wird
der Fußboden auch durch ein Wachsprä-
parat rötlich-gelb gefärbt und mittels
einer harten, mit Blei beschwerten Bürste
leuchtend und sauber gehalten. Die Kie-
ferndielen sind so weiß, oder die farbigen
so leuchtend, daß sie einen sehr ange-
nehmen Eindruck der Sauberkeit her-
vorrufen, und die Möbel, obgleich oft
einfacher Art, sind ebenso blank und
reinlich. Eine gute Wohnung hat etwas
Elegantes, was uns den Prunk und die
reiche Ausschmückung unserer englischen Häuser wenig vermissen läßt.«

76. Arbeitszimmer König Friedrich Wilhelms III. von Preußen im
Schloß Paretz *(Deutsche Fotothek, Dresden)*.

Wie alle Engländer ist Howitt erstaunt, so selten einen Teppich zu sehen, dafür aber oft schöne Parkettböden. »In den Schlössern und Häusern des Adels und vornehmer, begüterter Familien werden im Winter Teppiche ausgebreitet, und im Sommer sind die Parkettböden angenehm kühl und ihre reinen Formen haben oft eine klassische Schönheit.« Man scheint weniger Wert auf Bilder zu legen als auf schöne Zimmerdecken und bunt gestrichene Wände. »Die Deutschen schätzen schöne Decken sehr hoch; man widmet ihnen oft mehr Arbeit und Kosten als irgendeinem andern Teil des Hauses. Sie lassen sie an den Rändern mit breiten Arabesken verzieren, oder teilen die ganze Fläche in bunte Fächer ein. Auch die Wände werden in einem ähnlichen Stile ausgemalt, in einem breiten Freskenband unter dem Gesims, mit klassischen Gestalten und Landschaften. Eingerahmte Gemälde sieht man dagegen in Privathäusern seltener als in England. Diese gehören vielmehr in Schlösser und Galerien. Aber man findet Gipsabgüsse, gute Radierungen und Bücher in reichlicher Menge. Man denke sich zu dem hinzu eine nicht übermäßige Anzahl von Stühlen, Tischen, Spiegeln, Schreibbüros und Schränkchen, in vielen Gegenden aus schönem dunklem Nußbaumholz, und man hat eine ziemlich gute Vorstellung von einem deutschen Wohnzimmer. Auch nicht in Palästen findet man eine ähnliche Atmosphäre der Pracht, des Behagens, des Glanzes, mit andern Worten, des Reichtums und des Luxus, wie in England, dafür aber eine einfache und geschmackvolle, oft klassischer wirkende Zierlichkeit. Der schwarze gußeiserne Ofen ist oft ein sehr unschöner Gegenstand im Zimmer, und das Ofenrohr schlängelt sich in mehreren Windungen nach oben, um soviel Hitze wie möglich auszustrahlen. Man trifft oft eine schmuckere Sorte, auch aus Gußeisen aber quadratförmig und bunt lackiert, und eine noch schönere aus Porzellan, aber was man an Schönheit gewinnt, verliert man meist an Wärme. Viele von diesen Öfen haben keine Öffnung im Zimmer, sondern sie werden vom Gang aus bedient, wie alle Öfen des Stockwerks . . . und in einer großen Familie macht es im Winter einen Hauptteil der Beschäftigung eines Bedienten aus, die Runde zu machen und die Feuer zu unterhalten.«

77. Waschbuch mit Abbildung eines waschenden Mädchens. *Lithographie.*

Goethe in seinem Arbeitszimmer, seinem Schreiber John diktierend

Gemälde von Joseph Schmeller, 1831. Landesbibliothek Weimar

Tafel V

Einfacher Lebensstil. Arbeitsamkeit

Wie damals überall, gab es in einem deutschen Haushalt sehr viel für fleißige Hände zu tun, aber »gleichzeitig eine Köchin und ein Hausmädchen zu haben, galt schon für einen Luxus. Einen Bedienten hatten nur vornehme Leute.« (Otto Bähr). Obgleich bei jedem Kaffeeklatsch die Mängel der Dienstmädchen das Hauptthema des Gesprächs bildeten, war Howitt der Meinung, ein echtes deutsches Dienstmädchen sei »eines der gesündesten, anspruchslosesten, arbeitsamsten Geschöpfe unter der Sonne. Wie ihre Genossinnen, die in den Feldern, Scheunen und Wäldern arbeiten, ist sie so stark wie ein kleines Pferd und durchaus nicht wählerisch mit Bezug auf die Aufgaben, die man von ihr verlangen darf. Sie trägt kein Häubchen, weder zu Hause noch auf der Straße, Gesicht und Arme sind bei ihr ebenso rot und stark wie bei irgendeinem Bauernmädchen, und sie scheuert und fegt und müht sich ab, als ob sie keinen andern Wunsch hätte als zu arbeiten, zu essen und zu schlafen. Sie geht barhaupt, in einen großen Mantel eingewickelt, auf den Markt. Samstag nachmittags erscheint sie mit sämtlichen Kolleginnen, alle mit Eimer und Besen ausgerüstet, auf der Straße, und der Fußgänger erlebt zwischen drei und vier Uhr eine gefährliche Stunde. Vor jeder Tür fließt das Wasser, und die Besen spritzen die schmutzige Pfütze nach allen Richtungen. Jede dehnt ihr Arbeitsfeld nicht bloß bis zum Rande des Bürgersteigs aus, wenn es einen gibt, sondern bis in die Mitte des Fahrdamms, derart, daß sie tatsächlich die Gassenkehrer der Stadt sind. Ein ähnlich hartes und mühsames Leben würden unsere Mägde sich nicht gefallen lassen. Sie reden einen mit einer Art Familienvertraulichkeit an, die in England auffallen würde, aber ohne die geringste Frechheit, und sie sind viel gefälliger als die unsrigen.« Nur in einer Hinsicht findet Howitt, nach einem längeren Aufenthalt in Deutschland, die deutschen Dienstmädchen den englischen unterlegen. Da sie gewohnt sind, von ihrer Herrin genaue Anweisungen zu bekommen über alles, was sie machen sollen,

78. Milchmädchen vor München. *Lithographie aus Lipowsky, Sammlung Bayer. National-Costüme, München 1822 (Münchner Stadtmuseum).*

79. Eine Hausfrau hält Abrechnung mit ihrer Magd. *Gemälde von Karl Urlaub, 1798*
(Städel'sches Kunstinstitut, Frankfurt am Main).

sind sie für englische Begriffe sehr unselbständig und nicht dazu geeignet, ohne Überwachung zu arbeiten. Neu für den Engländer ist ferner die strenge Kontrolle, die mittels des Arbeitsbuchs über sie ausgeübt wird, und die Sitte, daß die Mädchen wenigstens zweimal im Winter modisch gekleidet in gemietetem Wagen zu einem öffentlichen Ball fahren.

Zur Arbeitsamkeit gehört das frühe Aufstehen. »Für die Deutschen charakteristisch sind zeitiges Aufstehen und eine einfache Lebensweise. Die Leute aus dem Volk sind äußerst früh auf den Beinen: vor allem im Sommer. Schon um zwei Uhr rollen die ersten Wagen in die Stadt, und von da an fahren mit jeder Stunde mehr Bauern mit Lebensmitteln auf den Markt. Um fünf oder sechs Uhr sind Köchinnen und gute Hausfrauen unterwegs, um auf dem Markt für den Tag einzukaufen. Noch früher sieht man natürlich die Bauernmädchen, mit ihren Fässern oder Körben auf dem Kopf voll von Gemüse, Eiern, Milch, Obst usw., in ganzen Strömen auf der Straße. Männer, die zum Studium oder zur Arbeit früh aufstehen, trinken oft eine Tasse Kaffee, sobald sie herunterkommen, und frühstücken später mit der Familie um 6 oder 7 Uhr im Sommer. Dieses Frühstück besteht meist aus Kaffee und Brot, gewöhnlich ohne Butter. Das Mittagessen wird um 12 oder 1 Uhr serviert.« Otto Bähr bestätigt, daß es »auch in bessern Ständen noch nicht für eine Schande galt, trocken Brot zu essen. Butter wurde überhaupt möglichst gespart. Geschmalzt wurde mit Rindfett oder Speck. Einige Speisen (z. B. Pfannkuchen) mußten sich auch gefallen lassen, mit ›Olei‹ (Rüböl) zubereitet zu werden. Fleisch wurde mittags in den bessern Familien durchweg gegessen. Für die Wochentage bildete jedoch gekochtes Fleisch (Suppenfleisch) die Regel. Dann und wann wurde auch ein Braten aufgetischt. Beefsteak kannte man noch nicht. Als Gemüse mußte dienen, was der Garten bot. Es durfte nichts umkommen.«

Nach Henry Mayhew bekam man noch um 1860 im Rheinland täglich Suppe und gekochtes

Fleisch zum Mittagessen. Für Professorenfamilien z. B. genügte das schon, aber in besseren Häusern kamen nachher Bratwurst und Gemüse, Kalbfleisch und Kompott, und in den Gasthäusern wurden immer sechs Gänge serviert, die schon erwähnten Gerichte und außerdem »Fische und eine Süßspeise« als vierter Gang vor dem Braten, und zum Schluß ein Dessert und Kaffee. Von den Armen wurde vielfach Pferdefleisch gegessen. »Für den Abendtisch«, sagt uns Bähr, »war vor allem das Schlachtewerk von Wert. Wohlhabende Bürger schlachteten im Winter ein oder mehrere Schweine; bei welcher feierlichen Gelegenheit auch die guten Freunde mit einer »Wurstsuppe« bedacht werden mußten. Die Schlachterei ging oft auf der Straße vor sich. (siehe Abb. 80, Richters ›Schlachtfest‹). Ein Teil des Schlachtewerks mußte frisch gegessen werden. Die geräucherten Schinken dienten das ganze Jahr hindurch als Zukost. Außerdem bestand die Abendmahlzeit öfters zur Sommerzeit in saurer Milch, zur Winterzeit in einer konsistenten Suppe.«

Trauliches Familienleben

Der Berliner Karl Gutzkow, 1811 geboren, beschreibt uns anschaulich in ›Aus der Knabenzeit‹ den Reiz, der in der traulichen Geselligkeit eines gebildeten Hauses lag. »Kein Patschuli oder Moschus

80. Das Schlachtfest. *Holzschnitt von Ludwig Richter, 1803 bis 1884 (Archiv für Kunst und Geschichte, Berlin).*

und doch ein eigener Duft, keine strahlenden Lüsters und doch ein heller Glanz! Die Ordnung und die Pflege verbreiteten überall eine Wärme und Behaglichkeit, die neben den äußeren Sinnen auch das Gemüt ergreift. Die kleinen Arbeitstische der Frauen am Fenster, die Nähkörbchen mit den kleinen Zwirnrollen, mit den blauen englischen Nadelpapieren, den bunt lackierten Sternchen zum Aufwickeln der Seide, die Fingerhüte, die Scheren, das aufgeschlagene Nähkissen des Tischchens, nebenan das Piano mit den Noten, Hyazinthen in Treibgläsern am Fenster, ein Vogel im schönen Messingbauer, ein Teppich im Zimmer, der jedes Auftreten abmildert, an den Wänden die Kupferstiche, die Beseitigung alles nur vorübergehend Notwendigen auf entfernte Räume, die Begegnungen der Familie unter sich voll Maß und Ehrerbietung, kein Schreien, kein Rennen und Laufen, die Besuche mit Sammlung empfangen, abends der runde, von der Lampe erhellte Tisch, das siedende Teewasser, die Ordnung des Gebens und Nehmens, das Bedürfnis der geistigen Mitteilung ... im Zusammenklang aller dieser Akkorde liegt eine Harmonie, ein sittliches Etwas, das jeden Menschen ergreift, bildet und veredelt.«

81. Die Küche des Kirms-
Krackow-Hauses in Wei-
mar *(Louis Held, Weimar)*.

Manches an diesem Bilde wird durch folgenden Auszug aus den lebhaften Memoiren von Charlotte Krackow (geboren 1825), der Nichte von Franz Kirms, die fast 80 Jahre im bekannten Kirms-
Krackow-Haus in Weimar gelebt hat, ergänzt. »Die Ausstattung mit Mobiliar beschränkte sich auf
das Nötigste. Tapeten gab's nur in wenigen Stuben. Schlafstuben, Vorsaal, Treppenhaus und so
weiter erhielten einfachen Kalkanstrich, gelb, grau oder weiß. Man liebte es, die Möbel alle an die
Wände zu stellen, nur vor dem Sofa stand ein großer, runder Tisch, der zum Essen in die Mitte der

82. Wohnzimmer im Kirms-
Krackow-Haus in Weimar
(Louis Held, Weimar).

83. Kerze im Leuchter mit Lichtputzschere aus der Goethezeit *(Historia-Photo)*.

84. Zweischwänzige Öllampe auf weitem Fuß mit Balusterschaft und pokalförmigem Ölbehälter. 18. Jahrhundert *(Österreichisches Museum für Volkskunde, Wien)*.

Stube getragen wurde. Ein eigenes Eßzimmer war ein fürstlicher Luxus, ebenso Teppiche, Tischdecken, farbige Vorhänge und Draperien. Fenstervorhänge wurden von glattem Mull gemacht mit weißen, baumwollenen Fransen. Die Wohnstube mußte zu allem dienen: Schularbeiten, Klavierstunden, Schneidern, im Winter auch für Besuche, denn die gute Stube wurde nur bei geladenen Gesellschaften geheizt.

Die Beleuchtung war sehr mangelhaft. Der Vater hatte eine kleine Studierlampe, grün lackiert mit dem Ölbehälter an einer Seite. Auf dem Familientisch standen zwei kupferne Leuchter mit Talglichtern, dazu die nötige Lichtputzschere, die eins um das andere handhabte, um es heller zu machen. Man rückte eng zusammen, um besser zu sehen. So war die Familie immer vereinigt.

85. Kaffeekanne mit Deckel, dekoriert mit Ornamenten und einer Landschaft. *Porzellanmanufaktur Fürstenberg, Weser, 1785 (Archiv für Kunst und Geschichte, Berlin)*.

86. Kaffeekanne. *Wiener Porzellanmanufaktur, 18. Jahrhundert (Archiv für Kunst und Geschichte, Berlin)*.

87. Dreifuß-Kaffeekanne, der Deckel mit einer Löwenfigur verziert, bemalt mit Blumen und Ornamenten. *Porzellanmanufaktur Ludwigsburg, Ende des 18. Jahrhunderts (Archiv für Kunst und Geschichte, Berlin).*

Auch am Tage mußte sich eins nach dem andern richten, um den nötigen Platz zu finden. Das trug zur Erziehung bei. Die Kinder lernten sich ducken. Die Töchter waren immer da, um der Mutter zu helfen. Nur in wenigen Familien konnte den Mädchen ihr eigenes Stübchen gegeben werden, wo sie allein saßen, um zu arbeiten und zu träumen. Das einzige, was gewöhnlich zur Konfirmation beschert wurde, waren ein Nähtischchen und ein fester Platz am Fenster der Wohnstube. So waren sie der Mutter immer zur Hand, lernten deren Arbeit kennen und konnten auch einen Blick auf die Straße tun . . .

Die Beköstigung war in vielen Familien recht einfach. Da kam die Kochkunst zu Ehren, die das Einfache schmackhaft zu machen wußte. In jeder Familie gab es irgendein Glanzstück, das in der Bekanntschaft gerühmt wurde, einen Kuchen, einen Braten oder sonst etwas Apartes. Trotz aller Sparsamkeit wurden doch alle Familienfeste durch eine Mittagstafel gefeiert. Freilich mußte sich die Hausfrau viel Mühe geben, neben der Sorge für die Küche auch die Wohnräume so herzustellen, daß Platz für die Geladenen war. Dann wurden die Prachtstücke der Familie hervorgeholt: ererbtes Silber, einige Schaustücke von Meißner Porzellan und was sonst die Tafel schmücken konnte. Alle Familienmitglieder erfreuten sich an den selten gesehenen Reichtümern, die bei dieser Gelegenheit bewundert werden konnten: echte Spitzen, ein paar Reihen echte Perlen, ein Schal oder irgendein kostbarer Seidenstoff, der nicht verändert werden durfte, wie das Brautkleid meiner Großmutter, das sie 1780 getragen hatte und 1830 zu ihrer goldenen Hochzeit mit wenig Veränderung wieder anzog. Bei einer solchen Festtafel durfte ein Fischgericht nicht fehlen, gewöhnlich Hecht mit Leber, auf die ein geschickter Improvisator seinen Vers machte. War es glücklich abgelaufen, so gab es Lobsprüche, Danksagungen und Reverenzen aller Art.«

Nach Felix Eberty war es in Berlin in seiner Kindheit zum Teil auf die Verluste der Stadt und der Bürgerschaft während der französischen Besetzung zurückzuführen, daß man bis in die zweite Hälfte der zwanziger Jahre genötigt war, äußerst sparsam zu sein. »Wie einfach man durchweg, auch in sonst wohlhabenden Häusern lebte, ist im Hinblick auf den heutzutage (1878) überall herrschenden Luxus kaum glaublich. Abends zwei Lichter anzuzünden war schon etwas Ungewöhnliches. Die meisten Familien saßen um einen runden Tisch, in dessen Mitte eine solche Kerze aufgepflanzt war. An den Seiten derselben lief das geschmolzene Fett herunter und bildete kleine Figuren gleich abgeschälten Walnüssen . . . Nicht bloß in Bezug auf Beleuchtung, sondern auch was Speise und

88. Terrine, Teller und Platte aus dem Tafelservice Friedrichs des Großen. *Berliner Porzellanmanufaktur. Neues Palais, Potsdam* *(Archiv für Kunst und Geschichte, Berlin).*

Trank betrifft, war man im Vergleich mit der jetzigen Zeit unendlich anspruchslos; sowohl wenn die Familie allein war, als auch beim Empfang von Freunden. Zwar gab jeder wohl im Jahre eine oder zwei größere Gastereien, wo es hoch herging, aber bei den gewöhnlichen geselligen Zusammenkünften begnügte man sich abends mit einer Tasse Tee und Butterbrot, und setzte einige sehr zierlich aber recht sparsam mit Wurstscheibchen, Braten und Schinkenschnitten belegte Teller auf die Tafel. Wein wurde nicht gereicht, sondern man erlabte sich an einem Glase Bier, von welchem Getränk damals in Berlin sehr vorzügliche Sorten zu haben waren.«

»Einfach wie die Bewirtung«, berichtet Eberty, »war auch die Zimmereinrichtung bei den meisten Bürgerfamilien. Flügeltüren hatten nur sehr reiche und vornehme Leute, parkettierte Fußböden sah man fast nur in Schlössern und Palästen. Flügelfortepianos fanden in den beschränkten Räumen nicht Platz, man bediente sich allgemein der jetzt mit Unrecht aus der Mode gekommenen tafelförmigen Klaviere, die durch die sogenannten Pianinos keineswegs ersetzt werden.

Wer es irgend möglich machen konnte, besaß in seiner Wohnung eine Putzstube, in welcher die besten Möbel und Geräte aufgestellt waren, für gewöhnlich gegen Rauch und Staub sorgfältig eingehüllt, bis bei festlicher Gelegenheit die Schätze gezeigt wurden. Zu einem unerläßlichen Zierat der Putzstube gehörte die Servante, d. h. ein Gestell in beliebiger Form, oder auch ein Glasschrank, wo sich verschiedene Bretter übereinander befanden, auf welchen Silbergeschirr, besonders aber schön gemalte Porzellantassen aufgestellt wurden, mit denen man Luxus trieb, und um deren Anzahl die Frauen einander beneideten . . . Möbel von Mahagoniholz fingen erst allmählich an in Berlin gebräuchlich zu werden, während man in England und auch in Hamburg sich derselben schon lange bediente . . . Wandspiegel aus einem Stücke sah man nur in königlichen Schlössern, und die großen Fensterscheiben, ohne die jetzt fast kein Neubau mehr ausgeführt wird, waren damals noch so unbekannt, daß ich mich sehr wohl der Zeit erinnere, wo in ganz Berlin eine einzige solche Scheibe existierte, und zwar im Besitz der Prinzessin Karl von Preußen, nach deren Palais man wanderte, um das Wunder von der Straße aus zu betrachten.«

Hausformen

Was uns in solchen Beschreibungen vor Augen tritt, hatte offensichtlich tiefe Wurzeln in der Vergangenheit, war großenteils ererbte Kultur. Seit Jahrhunderten überwog in den engen, ummauerten deutschen Städten das mehrstöckige Haus, das mehrere Familien aufnahm. Im kleinen Durlach waren 1716 nur ein Viertel aller Häuser Einfamilienhäuser mit einem Stockwerk, und in Frankfurt kamen um 1775 im Durchschnitt 15 oder 16 Bewohner auf das Haus. In Berlin, wo, wie gesagt, leere Bauplätze reichlich vorhanden waren, erhöhte sich die Zahl der Bewohner, die auf das Haus kamen, in den zwanzig Jahren nach 1797 von 18 auf 25. Im Zentrum einer großen Stadt waren dreistöckige Häuser die Regel. Das Erdgeschoß war um einen Flur herumgebaut, der von der Straße aus durch ein großes Tor betreten wurde und zum Hof mit den Nebengebäuden führte.

89. Straße des »Holländischen Viertels« in Potsdam, frühere Mittelstraße, 1737–1741 *(Deutsche Fotothek, Dresden)*.

90. Ifflands Landhaus in der Tiergartenstraße zu Berlin. *Radierung von F. R. Neumann, 1820 (Schiller-Nationalmuseum, Marbach a. N.).*

Kaufleute hatten ihr Kontor im Erdgeschoß und benutzten Keller und Hofgebäude als Warenlager. Man sprach also vom »Gewölbe« des Kaufmanns. Die Werkstätte des Handwerkers war gewöhnlich auch im Erdgeschoß. Oft zogen sich vor dem Haus Laubengänge hin, wo die Handwerker gern des besseren Lichts wegen arbeiteten. Selbst in Hamburg blieb bis tief ins 19. Jahrhundert hinein die Einheit von Arbeits- und Wohnstätte bewahrt. Einzelne reiche Kaufleute hatten schon Villen außerhalb der Stadt, aber erst nach dem Hamburger Stadtbrand wurde es allmählich Sitte, daß der Kaufmann sein Geschäftshaus in der Stadt hatte und sein Wohnhaus in einem schönen Vorort.

Die kulturellen Einflüsse in den verschiedenen Stadttypen drückten sich noch deutlich im Stadt-

91. Zweiflügelige klassizistische Haustür in der Ritterstraße zu Bielefeld *(Städtisches Kunsthaus, Bielefeld).*

92. Der Römerberg in Frankfurt am Main. *Nach einem Gemälde von Chr. G. Schütz d. Ä. (Historia-Photo).*

bild aus. Die alten Handelsstädte zeigten im altertümlichen Stadtkern um den Markt herum ein schiefwinkliges Durcheinander von öffentlichen und Wirtschaftsgebäuden und Privathäusern auf, die alle viel Individuelles besaßen. An den Rändern waren in den größeren die ersten Anfänge der Vorstädte zu sehen, die sich den Barockidealen der neuen Fürstengründungen angenähert hatten. Noch deutlicher war dieser Kontrast, wo ein Fürst an eine Residenzstadt eine Neustadt angebaut hatte, gewöhnlich um holländische oder französische Emigranten aufzunehmen, wie in Berlin, Dresden, Kassel oder Erlangen. »Das Altstadthaus«, schreibt Dehio, »hat sich einem überlieferten Bauplatz zu fügen, höchstens daß zwei Bauplätze zu einem Neubau zusammengezogen werden. Die Beengung der Grundfläche kann nur ausgeglichen werden durch Vermehrung der Stockwerke, also in einem Sinne, der dem künstlerischen Ideal der Barockarchitektur entgegenläuft. Dagegen erhalten die Neustädte breite und luftige Straßen, und die Häuser werden mehr in die Breite als in die Höhe gebaut.« Schon seit langem hatten alle Städte Bauvorschriften durchgesetzt, in erster Linie aus Gründen der öffentlichen Sicherheit, Gesundheit und Bequemlichkeit, aber im allgemeinen konnte nur ein Fürst weitblickende Pläne zur Verbesserung durchführen. Gerade in den damals ärmlichsten Provinzstädten wie etwa Miltenberg oder Wimpfen haben sich ganze Reihen von alten Fachwerkhäusern erhalten, weil man sie dort weniger leicht durch neumodische Schöpfungen ersetzen konnte, aber erst die Romantik hat ihre malerische Schönheit entdeckt.

Die spezifisch deutsche Tradition eines großen Stadthauses hat sich vielleicht am schönsten in den hochgetreppten Giebelhäusern der Hansestädte erhalten. Bekannt ist Thomas Manns Beschreibung des Buddenbrookhauses, aber der Typ war damals ein sehr verbreiteter. Ein weiteres Beispiel ist das Roddesche Haus in Lübeck, wo A. L. von Schlözers gelehrte Tochter Dorothea 1792 als Gemahlin des reichen Ratsherrn Matthäus Rodde einzog. Links vom Eingang, nach einem Briefe ihres Bruders an den Vater, befand sich hier das Familienzimmer. Rechts lag das Kontor. Eine enge Treppe führte zu den ungeheizten Schlafstuben und zu den Kammern der Mägde und Kontor-

93. Das Buddenbrook-Haus in Lübeck *(Wilhelm Castelli, Lübeck).*

diener. Im übrigen diente das ganze Haus nur als Speicher. Auf der »Diele« im ersten Stock, die große, schöngeschnitzte Schränke zierten, und auf den Böden lagerten die Waren, vor allem die russischen Produkte, im Keller die Weine aus Frankreich und Spanien. Das Frühstück, das Mittag- und Abendessen wurden im Familienzimmer eingenommen, von den Kindern und Kontorburschen stehenden Fußes – der Bursche durfte sich erst setzen, wenn er seine Lehrjahre überstanden hatte.

Nur vornehme Kaufleute und Patrizier mit viel Personal brauchten ein so großes Haus für sich. »Ein Haus, dessen vier Stockwerke sämtlich von den Gliedern einer und derselben Familie bewohnt werden, ist gewiß eine Seltenheit«, schreibt Eberty von seinem Geburtshaus in Berlin, einem sogenannten »Freihaus«, das unter Friedrich Wilhelm I. das Privilegium erhalten hatte, von Einquartierung befreit zu sein. »Solcher Häuser gab es in Berlin nicht wenige. Hohe Beamte, königliche Kammerdiener und Köche, besonders aber solche Personen, die auf Befehl des Königs für eigene Kosten Häuser bauen mußten, wurden oft mit dieser Auszeichnung begnadigt.« Das Haus war offenbar nach einem ähnlichen Grundplan gebaut wie das Roddesche, mit breitem Flur im Parterre, und links und rechts desselben »je eine geräumige zweifenstrige Stube, die wieder mit verschiedenen Hinterzimmern in Verbindung stand«. Hier und im ersten Stock wohnte die alte Urgroßmutter mit zwei unverheirateten Töchtern, im ersten Stock war auch ein großes dreifenstriges Zimmer, das zu Gesellschaften benutzt wurde, und im zweiten Stock war die große Wohnung von Ebertys Eltern, mit einer dazugehörigen Reihe von schrägen Dachkammern. Meistens wurden so große Häuser jetzt unter mehrere Familien geteilt; das Roddesche Haus wurde später als Schulgebäude und schließlich als Hotel verwendet.

Möbel

Wie die Häuser selbst, waren Möbel, Küchengerät und Eßgeschirr der Bürger möglichst einfach und dauerhaft, durch die Mode wenig beeinflußt. Die Hauptstücke wurden, wie schon erwähnt wurde, von Handwerkern in der Nachbarschaft auf Bestellung geliefert, gradlinige und gediegene Erzeugnisse, mit denen gelegentliche Erbstücke im Rokokostil auffällig kontrastierten. Da aber der

94. Typische Küche der Goethezeit. *Gemälde von Martin Drolling (1752 bis 1817), 1815, Louvre Paris (Staatsbibliothek Berlin, Bildarchiv Handke).*

95. Wohnzimmer mit Giraffenklavier. *Auf dem von Töpfermeister und Bildhauer Klauer hergestellten Ofen übergibt Hermes das Kind als Symbol des Handels der Göttin Vinaria (Weimar): eine Anspielung auf Bertuchs Unternehmen (Louis Held, Weimar).*

Adel in solchen Sachen den Ton angab, wurde ihm mit der Zeit, namentlich mit der Verbreitung von Zeitschriften wie Bertuchs ›Modejournal‹, dies und das nachgeahmt. Statt Rokoko- und Chippendalemöbel waren in guten Bürgerhäusern Tische und Stühle aus Eiche, Esche und Erle und für feinere Stücke aus Nußbaum das Gewöhnliche, bei Handwerkern aber aus grün oder braun gestrichenem Tannenholz. Zur Aufbewahrung von Leinen und Kleidern dienten große Schränke und in bescheideneren Wohnungen auch Truhen, die oft auch als Sitzgelegenheit benutzt wurden. Englische Reisende schimpften auf viel zu kurze Bettstellen und die ihnen bisher unbekannten ungeheue-

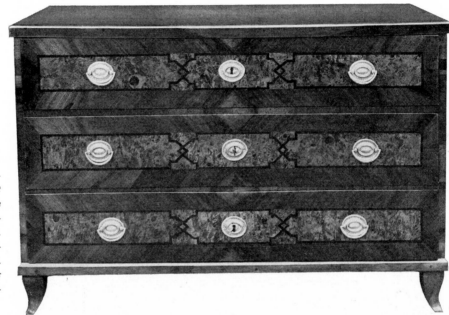

96. Josephinische Kommode. *Nußholz furniert und poliert mit eingelegten Maserholzfedern und dunklen Linienornamenten. Die Messingbeschläge stammen aus späterer Zeit. Ende des 18. Jahrhunderts (Österreichische Nationalbibliothek, Wien).*

97. Bauerntruhe aus Alpbach in Tirol. Holz, bemalt *(Archiv für Kunst und Geschichte, Berlin).*

ren Federdecken, die in Dorfherbergen gelegentlich nicht einmal mit weißem Leinen überzogen sind. Dienstboten und Lehrlinge müssen oft in einem Holzverschlag auf dem Hausflur schlafen, wo ein Bett eben Platz hat, oder auf dem Hausboden, wo nasse Wäsche wochenlang trocknet und der Schnee hereindringt. Das hat z. B. K. F. Klöden als junger Lehrling erlebt.

»In jenen Tagen«, schreibt Eberty, »setzten noch die Frauen ihren Stolz in den Besitz großer gefüllter Wäscheschränke, die sie oft von Eltern und Großeltern überkommen hatten. Man sah in vielen Familien dergleichen aus altem Eichenholz herrlich geschnitzt und eingelegt. . . . In diesen geräumigen Behältnissen lag Leib- und Tischwäsche zu Dutzenden und Aberdutzenden aufgespeichert, und weil der Vorrat unerschöpflich war, und man die bequeme Sitte noch nicht kannte, das

98. Wiege aus dem Anfang des 19. Jahrhunderts. Niederdeutsch, 1810 *(Archiv für Kunst und Geschichte, Berlin)*.

Waschen in großen Anstalten außerhalb des Hauses besorgen zu lassen, so hatten die wohlhabenderen Bürgerfrauen, und auch die Vornehmen, die auf gute alte Sitte hielten, nur zweimal im Jahre sogenannte große Wäsche, nach Art der Frau v. Bredow auf Hohenziaz in Willibald Alexis' Roman.« So heißt es auch im ›Lied von der Glocke‹ von der »züchtigen Hausfrau«:

> Und füllet mit Schätzen die duftenden Laden,
> Und dreht um die schnurrende Spindel den Faden,
> Und sammelt im reinlich geglätteten Schrein
> Die schimmernde Wolle, den schneeigten Lein,

was den emanzipierten Frauen des Schlegelkreises in Jena so komisch vorkam, als die Zeilen ihnen vorgelesen wurden, daß sie vor Lachen fast von den Stühlen fielen.

99. „Eyn Kleid genäht von
eigener Hand, führt Euch
gewiß zum Ehestand." *Aus
einem Schneiderlehrbuch (Näh-
schule) der Biedermeierzeit
(Ullstein, Berlin).*

Bekleidung

Die alte Sitte kämpfte eben hier wie überall stets mit Neuerungsversuchen, die sich im Zeitalter
der Französischen Revolution auch im Intimsten des Familienlebens deutlich fühlbar machten. Der
alten Tradition zufolge wurde bekanntlich soviel wie möglich im eigenen Haushalt hergestellt. Das
gilt auch von der Kleidung, in erster Linie von Wäsche und Damenkleidern. Aus dem ländlichen
Pfarrhause ging oft das im Dorfe gesponnene und gewebte Leinen in die Stadt, um dort mit einem

100. Nähutensilien der Biedermeierzeit *(Ullstein, Berlin).*

101. Der Tuchhändler J. B. Ritterhausen mit seinem Sohn im Warenlager. *Gemälde von Stroehling, 1792. Historisches Museum, Frankfurt/M. (Archiv für Kunst und Geschichte, Berlin).*

Muster bedruckt zu werden, und darauf machten die Damen des Hauses daraus selbst ihre Kleider. Für die Männer wurden feinere Stoffe in der Stadt gekauft, und ein Schneider kam einmal im Jahr auf kurze Zeit, um das Nötige zu schneidern. Aber E. M. Arndt berichtet z. B. in seinen Erinnerungen, daß in einer so entlegenen Gegend wie der Insel Rügen vor der Revolution im Hause eines wohlhabenden Bauern oder Landpfarrers der Versuch gemacht wurde, französische Lebensart und Pariser Moden nachzuahmen, wie in vornehmen Kreisen. »Langsam feierlich mit unlieblichen Schwenkungen und Knicksungen bewegte sich die rundliche Frau Pastorin und Pächterin mit ihren Mamsellen Töchtern gegeneinander, um die Hüften wulstige Poschen geschlagen, das oft falsche dicht gepuderte Haar zu drei Stockwerken Locken aufgetürmt, die Füße auf hohen Absätzen chinesisch in die engsten Schuhe eingezwängt, wacklig einhertrippelnd. Die Männer nach ihrer Weise ebenso steif, aber doch tüchtiger. Bei diesen hatten die großen Bilder des Siebenjährigen Krieges den welschen Geschmack etwas durchbrochen. Man mochte mit Recht sagen, es waren die komischen Transfigurationen Friedrichs des Großen und seiner Helden.« Während der ersten fünf oder zehn Minuten versuchte jedermann hochdeutsch zu sprechen, anstatt des heimischen Platt, und sogar, wie in Hofkreisen, Brocken eines kaum erkennbaren Französisch einzumischen. Ähnliches erfahren wir auch von den Revolutionsjahren und später. Ein französischer Emigrant, der sieben Jahre in einer deutschen Kleinstadt lebte, berichtet, daß die Frauen dort der Mode so rasch und so gut folgten wie nur möglich, aber das Ergebnis war eine heterogene Mischung der verschiedensten Stile. Auf dem Lande waren bekanntlich vor Jahrhunderten auf ähnliche Weise die verschiedenen Bauerntrachten entstanden durch Nachahmung der vornehmen Städter, etwa der Renaissance. Sie sind aber in diesem Stadium stehengeblieben, während die Vornehmen der wechselnden Mode weiter nachstrebten und »französisch gekleidet« gingen, wie auch Goethes Friederike bei Besuchen in der Stadt.

Im Laufe der Goethezeit hat sich die Kleidung der Handwerker und Bauern wenig oder gar nicht geändert. Die besten Kleider eines Handwerkers in der Stadt waren schwarz oder braun und aus dauerhaftem Material, seine Frau ging auch meist dunkel gekleidet, obgleich in vielen Städten jetzt billige Kattunkleider zu haben waren, in anderen aber bis ins 19. Jahrhundert hinein von dem Stadtrat verboten waren, weil sie die Standesunterschiede verwischten. Ein guter Rock und Mantel neben

102. Bürgerliche Kleidung der Wertherzeit.
Links: Rötelzeichnung von Daniel Chodowiecki,
rechts Rötelzeichnung von Gottfried Schadow.
Der Herr trägt blauen Frack mit Messingknöpfen,
gelbe Hose und Weste, hohe braune Stulpenstiefel und
runden, grauen Hut (Aus: Heinrich Deckelmann,
Der Klassizismus).

seinen Arbeitskleidern genügte dem Manne, aber Leinenhemden besaß auch er, wie seine Frau, dutzendweise. Die Amtstrachten der Ratsherren bestanden weiter, verheiratete Frauen trugen auf der Straße immer eine Haube; aber beim Tode Goethes war das allgemeine Straßenbild doch ein ganz anderes als bei seiner Ankunft in Weimar. Schon damals hatten sich viele Männer unter dem Einfluß englischer Moden wenigstens in ihrer Alltagskleidung vom Rokokogeschmack der oberen Stände emanzipiert (vgl. Abb. 19). Goethe als Knabe (man vergleiche den Anfang seiner Erzählung ›Der neue Paris‹) trug an Festtagen Schnallenschuhe, einen Rock von grünem Berkan mit goldnen Pailletten, eine Weste aus Goldstoff, hatte den dreieckigen Hut unter dem Arm und ein Schwert an der Seite, er war frisiert und gepudert, die Locken standen ihm wie Flügelchen vom Kopfe, heißt es; und noch 1799, als Friedrich Kohlrausch bei der Preisverteilung seines Gymnasiums eine lateinische Rede halten sollte, mußte er nach dem alten Herkommen in schwarzer Kleidung erscheinen, mit seidenen Strümpfen, gepudertem Haar und einem Haarbeutel, auch chapeau bas und Degen. Zehn Jahre früher trugen seine jungen Vettern in Hannover noch Zöpfe und gepudertes Haar, aber die ersten Freunde der Freiheit hatten ihre Zöpfe abzuschneiden angefangen, und man fand es nicht mehr der Mühe wert, daß er selbst bezopft würde. Aber schon das Wertherkostüm war eine Abart der in Norddeutschland weitverbreiteten Männertracht, wo der junge Jerusalem, Werthers Vorbild, herstammte: eine durchaus praktische, mit hohen Stiefeln und einem Rocke aus kräftigem Stoffe, die im Sinne des Sturm und Drang auffallend mit der geckenhaften Hoftracht kontrastierte.

Die Herrenkleidung, die der Engländer vor allem aus Nützlichkeitsgründen angenommen hatte, galt den Franzosen der Revolutionszeit als demokratische Rückkehr zur Natur und Freiheit. Seit der Versammlung der Stände im Jahre 1789 wurde die Ungleichheit der Kleidung leidenschaftlich verworfen; Kniehosen, seidene Strümpfe, gestickte Atlasröcke, als Kennzeichen einer verhaßten Klasse, verschwanden für immer. »Kleid und Tracht des gemeinen Mannes eroberten sich den Salon. Nur die Ärmsten hatten ihr Haar ungepudert lassen müssen, nur Fuhrknechte hohe Stiefel, nur Matrosen lange Beinkleider und runde Hüte getragen, und mit diesen Kennzeichen ordinärer Leute nehmen die Herren nun auch deren Allüren an. Wer in Escarpins geht, den Galanteriedegen an der Seite, den Kopf sorgfältig frisiert und gepudert, Hut unterm Arm, wer lichte Seide und helle Knie-

103. Kindermode um 1827 *(Ullstein, Berlin).*   104. Eine Dame um 1800 wird zum Ball angekleidet *(Ullstein, Berlin).*

strümpfe trägt, wird und muß sich in der Sorge um Kleidung und Frisur anders benehmen, als der, welcher unbekümmert sein Haar den Winden überläßt und seinen Weg geht, ob es schmutzig ist oder nicht« (Max v. Boehn).

Das schlichte Kleid des Bürgertums hatte, wie oben erwähnt wurde, in England schon Jahrzehnte vor der Revolution die Hofkleidung im französischen Stil großenteils verdrängt und hatte im Anfang der Goethezeit in Deutschland viele Nachahmer, wohl von den Gewohnheiten des Militärs kräftig unterstützt. »Kommen Sie nicht so, wie Sie da sind; in Stiefeln, kaum frisiert«, muß Franziska zu Tellheim sagen. Der Pantalon hat sich aber auch nach der Revolution erst langsam durchgesetzt. Friedrich Wilhelm III. von Preußen erschien zwar 1797 auf der Promenade in Bad Pyrmont in langen Beinkleidern, aber Wilhelm von Humboldt z. B. behielt seinen Zopf bis zum Jahre 1809 bei, als nur noch wenige so gingen, und einzelne Individuen und für feierliche Hofangelegenheiten ganze Klassen waren noch lange Zeit dem alten treu. Auch die Hose trug man noch Jahrzehnte in enganliegender Form. Eberty faßt seinen Gesamteindruck der Männerkleidung im ersten Viertel des neunzehnten Jahrhunderts also so zusammen: »Die Herren trugen sämtlich die Stiefel über den Beinkleidern etwa bis zur Höhe der Waden. Viele hatten an diesen Stiefeln oben einen sechs Zoll breiten gelben Überschlag, Stulpen genannt, oder wo diese fehlten, als Verzierung Puscheln. Als etliche Jahre später mein Vater zum ersten Mal die Beinkleider über den Stiefeln trug, fanden wir das, wie ich mich noch erinnere, ungemein auffallend und lächerlich. In den dreißiger Jahren wurden allgemein Sprungriemen unter dem Fuß getragen, und die Beinbekleidung durch dieselben möglichst stramm nach unten gezogen.« In einer Parallelbewegung mit dem Pantalon wird aus dem breitschößigen Reitfrack, dem riding-coat der Engländer, der Redingote der Franzosen, sagt uns Max von Boehn. Die Schöße werden allmählich weiter und länger, dann wieder kürzer, und um 1800 hat der Redingote annähernd die Form des modernen Gehrocks erreicht, wie Rauchs Goethestatuette von 1818 ihn zeigt. Die Farbe bleibt schwarz oder dunkel, denn ein gut angezogener

105. Koloriertes Modenblatt aus dem Jahre 1806. Dame der Empirezeit mit Lorgnon; Robe du Matin *(Archiv für Kunst und Geschichte, Berlin).*

106. Koloriertes Modenblatt aus dem Jahre 1806. Zwei Damen der Empirezeit *(Archiv für Kunst und Geschichte, Berlin).*

Mann darf jetzt, der englischen Mode folgend, nicht auffallen. Nur die Weste darf helle Farben aufweisen.

Die Geschichte der Damentoilette ist viel komplizierter und kann nur kurz angedeutet werden. Es findet im ganzen eine ähnliche Vereinfachung statt wie bei den Herren, aber die systematischen Übertreibungen der Mode machen sich trotz aller Rückkehr zur Natur und Freiheit geltend. Bis zur Revolution, und außerhalb Frankreichs noch viel länger, war der Reifrock ein obligater Bestandteil der Hofkleidung, aber im Alltagsgebrauch verschwand er etwa in den sechziger Jahren. Dafür stieg die Haartracht wieder hoch und erforderte mehr denn je die Kunst des Friseurs. Das Haar wurde stets gepudert, was den reichlichen Gebrauch von Schminke bedingte, denn weißes Haar schlägt die normale Gesichtsfarbe tot. Auch die Kinder, wie man sie z. B. in Chodowieckis Illustrationen sieht, waren wie Erwachsene gekleidet, die Mädchen geschnürt, und in Kleidern aus ähnlichem Schnitt wie die Mütter. Auch hier ging England mit einer vernünftigen Kinderkleidung voran, und seit den sechziger Jahren gaben die englischen Damen als erste die komplizierte Haar-

107. Modenblatt um 1785: Directoire *(Archiv für Kunst*   108. Modekupfer um 1820: Morgenkleid *(Archiv für Kunst und*
           und Geschichte, Berlin).   *Geschichte, Berlin).*

frisur und den Gebrauch von rouge auf, und aus der in Frankreich und Deutschland beliebten locker hängenden Andrienne als Négligé wurde die vorn geschlossene robe anglaise, wie man sie auf den Bildern von Reynolds und Gainsborough sieht. Schon vor der Revolution folgten deutsche Ärzte den englischen in der Bekämpfung des Einschnürens. Man sprach schon von einem »deutschen Frauen-Reform-Kleid«, wozu Chodowiecki 1786 lose Haus-, Besuchs- und Staatskleider »im griechischen Geschmack« entwarf, und der aufgeweckte Bertuch in Weimar erörterte die Frage, ob eine »teutsche Nationalkleidung einzuführen nützlich und möglich wäre.«

In den 8oer Jahren trug man in Frankreich zu langen schleppenden Röcken sehr hohe Taillen mit bauschigen Fichus im halboffnen Ausschnitt. Volle Locken fielen frei herunter, und die Bänder, Federn, Blumen usw., die der Friseur früher als Schmuck in die Coiffure geflochten hatte, flüchteten sich auf den Hut. Die Revolution hat zunächst an dem Schnitt der Damenkleider wenig geändert, aber man demokratisierte den Stoff, wählte statt Seide und Atlas bedruckten Kattun und gemusterte Baumwolle. Nach dem Schrecken emigrierten die besten Schneider und Schneiderinnen, und von London aus verbreitete sich die Mode der ziemlich engen, hemdartigen »antiken Kleider« aus dünnem Stoffe, Rock und Taille aus einem Stück, zuerst langärmelig, hochbusig und bis an den Hals

geschlossen. Die freien Pariserinnen, die um die Jahrhundertwende einen Kult der Nacktheit trieben
und möglichst »gut ausgezogen« gingen, machten daraus ein ärmelloses und stark dekolletiertes
Kleid, das auch in Deutschland nachgeahmt wurde. Königin Luise, die manche Zeitgenossen für zu
putzsüchtig gehalten haben, kleidete sich 1798 zur Huldigung in Berlin »à la romaine«. Der enge
Rock endet in einer Schleppe. Bis zum Wiener Kongreß dauert die Tendenz, die Frau schlank,
statuenhaft erscheinen zu lassen, »buchstäblich wie in einem Futteral«, schreibt George Sand, aber
die unbequeme Schleppe verliert sich allmählich. Dafür tritt eine neue Übertreibung auf, die der
gepufften Ärmel. Das kommt anscheinend vom Theater her, mit der romantischen Wendung zum
Historischen, auch eine Art Halskrause wird in den 90er Jahren von Frau Unzelmann in Berlin in
Mode gebracht.

Den Totaleindruck, den Eberty vom ersten Viertel des neuen Jahrhunderts behalten hat, drückt er in folgenden Worten aus: »Frauen und Mädchen trugen ganz enge Kleider, den Gürtel unmittelbar unter den Armen. Der Rock, ziemlich kegelförmig, ohne jede Falte, reichte bis an die Knöchel. An den zierlichen Füßen, deren Anblick gegönnt war, wurden die Schuhe durch Bänder kreuzweise über dem Spann befestigt. Damals befleißigte sich die Frauenwelt denn auch eines weit anmutigeren Ganges als gegenwärtig. Auf dem Kopfe trugen sie Hüte von weißer oder bunter Farbe, oft wie Herrenzylinder, mit großem, vorn sehr breitem und hinten schmalem Schirm, der das ganze Gesicht so beschattete, und zum Teil verdeckte, daß von dem schönen Antlitz nur sehr wenig zum Vorschein kam. Die ungezogenen jungen Leute hatten damals die Gewohnheit, den Damen unter die Hüte zu sehen.« Um 1830, sagt Eberty, »waren die Damenkleider weiter geworden und zeigten Falten. Besonders auffällig war der Umfang der Ärmel, der allmählich ins Ungeheuerliche anwuchs, so daß der Rücken mehr als doppelt so breit erschien, wie die Verhältnisse der menschlichen Figur es erfordern. Um diese Ärmel, Gigots genannt, in ihrer ganzen Ausdehnung sehen zu lassen, wurden sie mit kleinen Federkissen ausgestopft, und noch später durch eine Stahlfeder auseinandergezerrt.« Um vierhändig Klavier mit ihm zu spielen, mußte eine Dame seiner Bekanntschaft den einen Ärmel in die Höhe schlagen und durch eine Nadel an der Schulter befestigen. »Die Herrenkleidung ließ 1830 an Geschmacklosigkeit nichts zu wünschen übrig. Der Rockkragen ging so hoch hinauf, daß er einen Teil des Hinterkopfes bedeckte. Die Ärmel hatten über den Schultern dick auswattierte Höcker, und die Zylinderhüte waren oben noch ein halb Mal so breit als am Kopf. Von der steifen Halsbinde, die einem das Kinn wundscheuerte, und den aufrechtstehenden Hemdkragen, Vatermörder genannt, die uns die Ohren vom Kopfe schnitten, will ich weiter nicht reden.« Nach wie vor erhielt sich die althergebrachte Hauskleidung in hohen Ehren, wodurch man die immer noch teure bessere Kleidung schonte, »der deutsche geblümte Schlafrock, das Landesprodukt, die gelben Pantoffeln, die weiße baumwollene Nachtmütze« (Immermann).

111. Kegel- und Soldatenspiel
(Aus: Hans Boesch, Kinderleben in der deutschen Vergangenheit).

Eltern und Kinder

An dem Verhältnis der Familienmitglieder zueinander, an ihren täglichen Gewohnheiten und an den Formen der Geselligkeit hat sich im Laufe dieser zwei Generationen trotz der äußeren Umwälzungen nicht sehr viel geändert. Eine pedantische Ordnungsliebe und ein unerschütterlicher Konservatismus kennzeichnen den typischen Bürger. Glückwünsche, Komplimente, Formen der Anrede folgten einer alten Konvention, die persönlichen Beziehungen kommen uns weit formeller vor, als man heute für natürlich hält. Kotzebue, der als kulturgeschichtlicher Zeuge gute Dienste leisten kann, läßt die Kinder in seinen Stücken den Vater immer noch mit »Sie« anreden, aber das »Du« wurde offenbar in manchen Familien schon gegenseitig gebraucht, denn der Verfasser der Schul-

112. Karikatur auf die übertriebenen Höflichkeitsbezeignungen. Um 1820.

ordnung vom Jahr 1790 im Reichsstift Neresheim z. B. muß schon gegen diese Sitte als der kindlichen Ehrfurcht verderblich protestieren. Von sehr vielen Vätern gilt wohl das, was Klöden (1786 geboren) von seinem Schwiegervater, wie von seinem eigenen Vater sagt: »Zucht war sein Ideal der Erziehung.« – »Auch in den Schulen«, sagt Klöden, »galt das Prügeln als die Hauptsache der Erziehung, und je mehr Geschrei aus der Schulstube erschallte, um so besser tat der Schulmeister seine Pflicht.« Daß die Kinder aber im Namen der Natürlichkeit und Freiheit unaufhörlich an der elterlichen Autorität rüttelten, versteht sich von selbst und ist ein Hauptthema im bürgerlichen Drama. Bei Kotzebue drehen sich diese Kämpfe vor allem um die Wahl der Lebensgefährten der Kinder. Reine Liebesehen, wie sie die Romanschriftsteller seit Richardson und Rousseau so gern darstellten, waren in der deutschen Wirklichkeit noch lange nicht die Regel, und die Eltern hielten gern an ihrem alten Rechte fest. Kotzebue, der sein Publikum kannte, verspottete z. B. in seinem ›Hyperboräischen Esel‹ (1799) die neulich erschienenen outrierten Aussprüche der Romantiker durch wörtliche Anführung von Sätzen wie etwa: »Die erste Regung der Sittlichkeit ist Opposition gegen die positive Gesetzlichkeit und konventionelle Rechtlichkeit«, oder: »Fast alle Ehen sind nur Konkubinate, provisorische Versuche zu einer wirklichen Ehe.«

Enge des Gesichtskreises

Auch in Immermanns Verherrlichung der deutschen Familie, welche die Basis des eigentümlich deutschen Familiengefühls in dem »Urgefühl der Germanen, daß in dem Weibe etwas Heiliges sei«, sieht, wird die philisterhafte Kehrseite nicht außer acht gelassen, die Anschauung, daß im Bierkrug der Born vaterländischer Tiefe stecke oder in der Tabakspfeife die Stütze des Charakters. »Ich weiß von vielen zärtlichen Ehepaaren«, heißt es, »die einander durch gegenseitiges Verhätscheln bis zur Nichtigkeit abschwächen, ich habe die Thräne im Auge der deutschen gefühlvollen Frau gesehen, womit sie ihre kleinen Listen durchzusetzen wußte, und das Bewußtsein der höheren Mission blieb von mir nicht unbelauscht, in welchem sich der deutsche Mann zu Tische setzt, wenn ihm seine Gattin ein Leibgericht hat kochen lassen.« Im allgemeinen hat der bessere Handwerker und Kaufmann wohl in allem Ernste, wie Werner im ›Wilhelm Meister‹, den bürgerlichen Tugenden gehuldigt, der Ordnung, der Genügsamkeit und dem Fleiß, aber sein Gesichtskreis reichte selten über seine Familie hinaus. »Fast alle Charaktere, welche die größten Dichter in ihren höchsten Kunstwerken frei erfanden«, schreibt Freytag, »leiden an einem Mangel von Tatkraft, von eroberndem Mannesmut und politischem Scharfblick; sogar durch die Helden des Dramas, welches dergleichen am wenigsten verträgt, geht ein elegischer Zug, von Galotti, Götz und Egmont bis zum Wallenstein und Faust.« Zur Bestätigung kann man wieder Eberty anführen. »Man tut den Berlinern nicht unrecht, wenn man sagt, daß in dem ersten Viertel dieses (des 19.) Jahrhunderts das Interesse an höheren Dingen bei ihnen sehr gering war . . . Der Umkreis, innerhalb dessen die Gedanken und Gespräche sich bewegten, war ein sehr enger und harmloser und ging bei den meisten Leuten nur selten über den königlichen Hof und das Theater hinaus. Von Politik war kaum die Rede. Sich mit dieser zu beschäftigen, überließ man den jungen vorlauten Hitzköpfen, die nachher auf den preußischen Festungen Zeit genug hatten, über ihre voreiligen Schwärmereien nachzudenken.«

113. Straßenleben auf dem Berliner Opernplatz mit ehemaliger Hofoper und St. Hedwigskirche. *Stich von Johann Georg Meyer (1813–1886) nach einer Zeichnung von Karl Friedrich von Schinkel, 1781–1841 (Deutsche Fotothek, Dresden).*

114. Der Stralauer Fischzug 1830. *Zeichnung von Theodor Hosemann, 1807–1875 (Historia-Photo)*.

Die freien Stunden

Unterbrochen wurde das Einerlei der stetigen, aber nicht sehr intensiven Arbeit allein durch den Sonntag und die Feiertage, die im katholischen Süden noch viel zahlreicher waren als im Norden. Die große Mehrzahl ging am Sonntagmorgen noch fleißig in die Kirche, am Nachmittag besuchte man Verwandte und Freunde oder empfing ihren Besuch, die jungen Leute gingen gern zu den Dorfwirtschaften in der Nähe, wenn das Dorflaufen nicht verboten war, wie z. B. lange Zeit in Weimar, oder man trank Kaffee oder Bier mit der Familie in einem der schon zahlreichen Kaffee- oder Biergärten in der Stadt. Viele musizierten zuhause oder bei Freunden – die Hausmusik wurde überall desto eifriger gepflegt, weil für die meisten öffentliche Konzerte kaum in Frage kamen,

115. Hier können Familien Kaffee kochen. Berliner Kaffeegarten. *Zeichnung von Theodor Hosemann (Historisches Bildarchiv Handke, Bad Berneck)*.

116. Promenade vor einer österreichischen Kleinstadt 1832. *Zeichnung von Moritz von Schwind, 1804–1871 (Archiv für Kunst und Geschichte, Berlin).*

117. Das Königliche Schloß in Charlottenburg. *Stahlstich von J. Poppel nach C. Würbs (Archiv für Kunst und Geschichte, Berlin).*

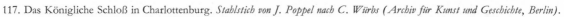

ausgenommen in Wien, Berlin, Hamburg und einigen größeren Städten, wo wenigstens am Ausgang der Goethezeit an öffentlichen Vergnügungsorten Unterhaltungsmusik mit Blasinstrumenten dargeboten wurde. Viel Freude hatte man von Anfang bis Ende dieser Zeit an Tisch- und Gesellschaftsliedern. »Die Sitte des fröhlichen Gesanges bei Tische, wie bei Wasserfahrten, Land- und Waldpartien«, schreibt Adolf Stahr (1870), »die sich heutzutage nur noch in den Zusammenkünften der mehr oder minder kunstmäßig geschulten ›Liedertafeln‹ erhalten hat, trug viel dazu bei, das damalige gesellige Zusammensein der Menschen zu erheitern und der Musik zu jener ethischen Wirkung auf das Gemüt zu verhelfen, die denn doch am Ende die Hauptsache ist und bleibt. Diese Sitte währte in den mittleren Schichten der Gesellschaft in Norddeutschland noch fort bis zum Ausgang der dreißiger Jahre, wo sie unter dem zunehmenden Einflusse des musikalischen Virtuosentums allmählich verschwand und in dem geselligen Leben eine empfindliche Lücke zurückließ.«

Auch auf dem Gebiete des Theaters waren Liebhaberaufführungen sehr beliebt, was natürlich gleichfalls mit den Schwächen des berufsmäßigen Theaters zusammenhing, vor allem in den Jahren vor der Revolution. Den hohen Forderungen des schöpferischen Talents konnten die Liebhaber selten genügen, was z. B. aus Goethes Ausfällen gegen den Dilettantismus hervorgeht, aber diese Erscheinung ist für den verhältnismäßig wenig differenzierten, oft gutmütig beschränkten Zustand der deutschen Mittelschicht charakteristisch, und man fühlte sich sehr wohl dabei. Trotz der eigentlich mehr prophetischen als aktuellen Klagen Schillers in der ›Ästhetischen Erziehung‹ über das Teilmenschentum

118. Die Kurpromenade in Bad Pyrmont um 1825. *Kolorierte Lithographie von G. E. Opitz, 1775–1841 (Archiv für Kunst und Geschichte, Berlin).*

in der modernen Welt war die Grenze zwischen Arbeit und Erholung, Pflicht und Spiel doch viel fließender als später, das Arbeitstempo viel mäßiger, der »Kampf ums Dasein« nur wenigen eine Wirklichkeit. Deshalb brauchte man selten Ferien, jedenfalls waren sie nur für einige wohlhabende Familien möglich. Man reiste wenig, schon weil das Reisen so kostspielig und umständlich war, aber viele hatten einen Garten vor der Stadt, und vermögende Bürgerfamilien und Adlige in Berlin und Wien, z. B., besaßen oder mieteten sich oft eine Sommerwohnung nicht weit von der Stadt entfernt, die Berliner etwa in Charlottenburg. »Die Eltern«, sagt uns Eberty, »bezogen in jedem Jahre vom Juni bis Oktober eine Sommerwohnung in Charlottenburg, wie das

viele Hunderte von Berliner Familien zur Gewohnheit hatten. Wer nicht reich genug war, ein eigenes Haus und Garten in dieser kleinen Residenzstadt zu besitzen, der suchte sich daselbst eine pas-
sende Mietwohnung, deren man in jedem Hause mehrere finden konnte. Charlottenburg glich während der warmen Jahreszeit einem sehr besuchten Badeort ohne Heilquellen ... Für diesen Char-
lottenburger Aufenthalt schaffte sich mein Vater mehrere Jahre lang in jedem Sommer ein Pferd
an, welches ihn, nachdem die Geschäfte im Komptoir abgetan waren, abends auf seinem kleinen
Wagen zu Frau und Kindern hinausführte. Solange ich eine der Schulen besuchte, nahm er mich
des Morgens mit nach Berlin und brachte mich abends wieder in die Landwohnung zurück.«

Die Badeorte, die sich hier und da, vor allem im Rheinland, um natürliche Heilquellen gebildet
hatten – einige, wie Baden-Baden und Wiesbaden, waren schon den Römern bekannt – entwickelten
sich nur noch langsam. Die beiden genannten, sowie Pyrmont und Homburg, standen wohl hinter
Marienbad in Böhmen zurück, zogen aber Gäste aus ganz Deutschland an sich, und es gesellten sich
zu ihnen neuere Bäder wie Lauchstädt und Berka in Thüringen, die mehr lokale Bedeutung besaßen.
Typisch ist das, was uns Parthey 1819 über Baden, wie der Ort damals hieß, erzählt: »Der reizend
gelegene Ort war damals ein kleines Bad, zwar schon mit einer französischen Spielbank gesegnet,
aber von geringer Ausdehnung, wo man in einigen Bauernhäusern und leichten Marktbuden ein
sehr bescheidenes Unterkommen fand. Es fehlten gänzlich die jetzigen (1870) Prachthotels und
wahrhaft fürstlichen Anlagen, auf denen der Fluch so vielen unredlichen Gewinns ruht. Zwei Reihen von mäßigen Kaufläden unter schattigen Bäumen bildeten den ganzen Bazar, die Allee nach
dem Kloster Lichtental den einzigen Spaziergang. Interessant war es, den König Maximilian I. von
Baiern, im einfachen Frack unter den übrigen Gästen herumwandeln zu sehen. Seine große stark-
bauchige Gestalt trug den Ausdruck des heitersten Lebensgenusses. Immer zu Scherzen geneigt,
wußte er auch einen Scherz hinzunehmen, ohne seiner Würde zu vergeben.« Hier trafen sich in der
Saison vornehme und wohlhabende Familien, die nicht nur Gesundheit, sondern auch Vergnügen
und angenehme Gesellschaft suchten, aber nur ein sehr kleiner Bruchteil der Bevölkerung konnte
sich einen solchen Luxus leisten.

Gesellschaftliche Vereine

In jeder Stadt aber, groß oder klein, hatte die Bürgerschaft im Zeitalter der Aufklärung Anstalten
ins Leben gerufen, die ihren kulturellen und gesellschaftlichen Bedürfnissen dienten, Vereine man-
cher Art, welche die Talente der Mitglieder gesellig zur Wirkung brachten. Das waren in erster
Linie musikalische Vereine, Liedertafeln und kleine Orchester oder Streichquartette, aber auch
Vereine zur Lektüre mit verteilten Rollen oder zur Aufführung von Theaterstücken, und in größeren Städten philanthropische, religiöse, literarische oder naturwissenschaftliche Vereine, auch
Fachvereine der Juristen, Mediziner usw. Über die Pflege der Hausmusik berichten viele Zeugen.
Partheys Vater suchte in Berlin gute Streichquartette in seinem Hause zusammenzubringen, und man
nahm gern die neuen Opern der Zeit völlig durch, indem man sie mit verteilten Rollen zu Hause
sang. »Was die Hausmusik betrifft, so galt damals Klavierunterricht noch nicht als ein unentbehrlicher Bestandteil der Jugenderziehung«, schreibt Otto Bähr über die zwanziger Jahre. »Es war
daher auch nicht wie jetzt ... fast in jeder Familie ein Klavier vorhanden. Unter den Klavieren

119. Hausmusik. *Nach einem Bild von Hiddemann (Historia-Photo).*

war das tafelförmige Pianoforte vorherrschend. Der Bau der Klaviere war unvollkommen und ihr Ton meist klimperhaft . . . Es waren dagegen noch zwei Instrumente in der Hausmusik heimisch, die heute fast gänzlich daraus verschwunden sind, Flöte und Gitarre. Die Flöte hatte wohl noch aus der Zeit Friedrichs des Großen ein Ansehen bewahrt, kraft dessen sie als ein besonders schönes, auch für die Laien erlernbares Instrument galt. Die Gitarre war ein durchaus anmutiges Instrument als Begleiterin des Gesanges . . . Das setzt aber Lieder voraus, die ihre Schönheit in der einfachen Melodie fanden, und für welche deshalb die wenigen Akkorde, welche die Gitarre naturgemäß darbietet, ausreichten. Solche Lieder bildeten um jene Zeit noch die Regel.«

Im kleinen Weimar finden wir unter den Anstalten, die ihren Ursprung den Bürgern und nicht dem Hofe verdankten, vom Jahre 1778 ab eine Lese- und Leihbibliothek, und 1782 öffentliche Redouten, wo nur Dienstmädchen und Lakaien ausgeschlossen wurden. Im Jahre 1787 wurde eine »Mittwochsgesellschaft« für bürgerliche Herren und Frauen gegründet, wo man, nach Schillers Beschreibung, Karten spielte, sich miteinander unterhielt, gelegentlich tanzte und darauf gemeinsam

120. Friedrich der Große hält die Loge *(W. Speiser, Basel).*

zu Abend aß. Für Männer gab es schon seit 1764 die Freimaurerloge »Amalia«, wo der erste Minister Fritsch als Großmeister fungierte und wo, wenigstens theoretisch, keine Standesunterschiede galten. Von 1780 ab gehörte Goethe zu dieser Loge und etwas später der Herzog, aber sie fanden die Sache bald langweilig, und 1783 wurde die Loge aufgehoben. Sie wurde erst 1808 als Kampfmittel gegen Napoleon wieder eröffnet, und Goethes Freimaurergedichte stammen aus dieser Zeit. 1815 dichtete er das herrliche ›Symbolum‹. Aber der Inhalt dieser Gedichte ist mehr goethisch als freimaurerisch, denn mit der allgemeinen Abwendung von der Aufklärung hatte die Bewegung viel von ihrem Reiz verloren, was schon 1779 aus Lessings ›Ernst und Falk‹ hervorgeht, obgleich hier auch der ursprüngliche Idealismus der deutschen Freimaurer deutlich zum Ausdruck kommt.

121. Die Terrasse des Cafés Kranzler in Berlin. *Aquarell eines unbekannten Berliner Künstlers (Archiv für Kunst und Geschichte, Berlin).*

122. Abendbelustigungen auf dem berühmten Bergerschen Tanzsaale zu Berlin. *Kolorierter Stich eines unbekannten Berliner Künstlers, um 1795 (Archiv für Kunst und Geschichte, Berlin).*

123. »Die Mehlgrube« am Neuen Markt in Wien zur Mozartzeit. *Hier wurden verschiedene Klavierkonzerte und Konzertarien des Meisters uraufgeführt. Stich von Delsenbach (Archiv für Kunst und Geschichte, Berlin).*

Öffentliche Lokale

Die Vereine und Gesellschaften, von denen hier die Rede war, haben ihre Zusammenkünfte wohl in der Regel in Privathäusern oder in einem gemieteten Gasthaussaal abgehalten. Der Herrenklub nach englischem Muster, mit seinen herrschaftlichen Räumen und seinem Komfort, war in Deutschland eine seltene und eine viel spätere Erscheinung. Der Reisende Dodd trifft aber 1818 in Frankfurt am Main und »in jeder ansehnlichen Stadt« auf sogenannte »Casinos«. Sie haben alle ein gutes Lesezimmer, wo nicht nur deutsche sondern auch französische und manchmal englische und italienische Zeitungen zu haben sind, und außerdem Billard- und Kartenzimmer, ein Restaurant und Gesellschaftszimmer, wo Tänze und Assembleen abgehalten werden. Adlige und Bürgerliche, Herren und Frauen, kommen dort zusammen, nur »gemeine Krämer und Handwerker« werden ausgeschlossen, und die Kosten werden durch eine mäßig hohe Subskription der Mitglieder gedeckt. In Wien und Berlin ist viel mehr von Kaffeehäusern und Konditoreien die Rede, wo man bei mäßiger Konsumption sich beliebig lang aufhalten, die Zeitungen lesen und gegebenfalls mit seinen Freunden zusammenkommen kann. Bei Stehely am Gendarmenmarkt zu Berlin zum Beispiel haben die verschiedenen Berufsgruppen je besondere Zimmer und Tageszeiten bevorzugt. Beamte auf dem Wege zum Bureau wurden durch Schauspieler vom benachbarten Königlichen Schauspielhaus abgelöst, und diese wieder durch Offiziere, Universitätslehrer, radikale Schriftsteller usw., aber das gilt nur von den letzten Jahren der Goethezeit.

In den zwanziger Jahren waren in größeren Städten die öffentlichen Tanzlokale schon zahlreich. Nach Russell (1820) sind sie in Wien nur dazu da, um Taugenichtse beiderlei Geschlechts zusammenzubringen, aber ein Wiener Zeitgenosse, der Popularschriftsteller Franz Gräffer, betrachtet sie viel wohlwollender. »Auf der Mehlgrube«, schreibt er, »herrschte das, was man ein fideles Leben nennt, ein kordiales ungeniertes Leben und Treiben . . . Die Mehlgrube wurde von fast allen Klassen des Publikums besucht, eigentliche Damen ausgenommen. Man fand da den geringen Bürger mit Familie, den Handwerker, die Schar der Kaufmannsdiener, Köchinnen (deren mehr aber als Soubretten), Marchande de Mode-Mädchen, und ein Heer von leichtfertigen, venalen Schönen, die hier gleichsam ihre Ausstellung, ihre Börse hielten. In wahrer Naivität, ganz ohne alle Skrupel sah man hier an ein und demselben Tisch den ehrsamen Bürger oder Gewerbsmann mit Weib und Töchtern in aller Bonhomie mit einem solchen Dämlein schmausen und plaudern; sein Sohn tanzte wohl auch ganz unbedenklich mit dieser Grazie und schäkerte mit ihr . . . Die Mehlgrube in ihrer Art war berühmt, und mit Recht. Ein so charakteristisches Volkswesen herrschte da, daß kein Ausländer nach Wien gekommen wäre, ohne so bald als möglich die Mehlgrube zu besuchen.«

124. Blick auf Wien vom Belvedere. *Stich von Franz Karl Zoller (Österreichische Nationalbibliothek, Wien).*

Großstadtleben in Wien

Ausländische Reisende im deutschen Reich in der Goethezeit finden eigentlich nur in Wien die Kennzeichen einer Großstadt. Der junge Morritt von Rokeby, später ein intimer Freund Walter Scotts, findet in Wien im Jahre 1794 die schönste unter allen Städten, die er kennt. Was ihm vor allem Freude macht, ist gerade die ungenierte Gemütlichkeit aller Stände, wie er sie vor den Kaffeehäusern und in den öffentlichen Gärten vorfindet. In Wien kann man sich jederzeit gut amüsieren. Oper, Schauspiel, Marionettentheater, Konzerte und selbst ein Hetztheater werden z. B. in Blumauers Versen angeführt:

125. Das Hetztheater in Erdberg. *Aquarell von Anton Stutzinger (Österreichische Nationalbibliothek, Wien).*

Des Sonntags weid ich mich an unsern schönen Hetzen;
Am Montag muß mich Kasperle ergötzen;
Am Dienstag läd't mich's deutsche Schauspiel ein;
Am Mittwoch trag ich nur mein Ohr hinein . . .

126. Szene aus einem Wiener Hetztheater *(Österreichische Nationalbibliothek, Wien).*

127. Ansicht vom Graben gegen den Kohlmarkt in Wien. *Gezeichnet und gestochen von C. Schütz, 1781 (Historia-Photo).*

Man stutzt vielleicht über das Hetztheater, aber das erste wurde schon 1710, zwei Jahre nach Stranitzkys »Deutscher Komödie«, eröffnet, und das vierte und letzte, das 41 Jahre gedauert hatte, brannte 1796 ab. Gräffer hat es noch in seiner Jugend besucht und beschreibt es anschaulich: »Einige Tausend Hetzfreunde haben sich zusammengepfercht; die drei Gallerien knarren, Honoratioren, Personen von Rang, von hohem Rang, Offiziere und würdige Herren haben in Menge sich eingefunden. Zwei Dritteile des Spektatoriums aber bestehen natürlich aus Frauenzimmern.«

In der Großstadt Wien wie in jedem Dorfe brachten jedes Jahr die Feste der Kirche, in Verbindung mit der wechselnden Jahreszeit, einen regelmäßigen Rhythmus im privaten und öffentlichen Leben hervor. Noch am Ende der Goethezeit waren in Wien deutliche Spuren der volkstümlichen Jahreslauffeste vorhanden, trotz der natürlichen Vorherrschaft der Kirche und des kaiserlichen Hofes in der Gestaltung des Gemeinschaftslebens. Howitt fand im Wiener Jahr einen stets wiederkehrenden Plan. »Im Oktober«, schreibt er, »fängt die Wintersaison an, mit der Rückkehr der vornehmen Familien vom Lande, und von nun an sind die Promenade auf dem Glacis zwischen der Burg und dem Stubentor, der Graben und der Kohlmarkt die Haupttreffpunkte der eleganten Welt. Zu Allerseelen kommt das erste musikalische Ereignis des Winters, ein militärisches Requiem in der Augustinerkirche, worauf das erste Konzert des Musikvereins folgt. Die öffentlichen Gärten sind menschenleer, in den Gasthäusern herrscht aber Hochbetrieb mit Assembleen und Abendunterhaltungen, während die Theater eifrig mit einander konkurrieren. Die Adventszeit ist bald vorüber, aber Weihnachten wird jedes Jahr festlicher gefeiert. Man errichtet Weihnachtsbäume nicht nur im

128. Promenade im Prater. *Tuschzeichnung in Sepia von V. G. Kininger, um 1815 (Historia-Photo).*

Familienkreis, sondern auch durch Subskription in großen Gesellschaften, wobei der Aufwand manchmal ein paar Tausend Gulden beträgt. Mit dem neuen Jahr kommt gewöhnlich der Schnee, und Schlittenpartien sind an der Tagesordnung, aber das dauert nicht lange, denn im Januar beginnt der Fasching. Überall sieht man öffentliche Bälle angekündigt, sie werden aber nicht von den-

129. Fronleichnamsprozession in Schottenfeld. *Lithographie aus der ersten Hälfte des 19. Jahrhunderts (Historisches Museum, Wien).*

130. Das Volksfest in der Brigittenau (Brigittenkirchtag) zu Wien. *Gemälde von Leander Russ (Historisches Museum, Wien).*

jenigen besucht, die als vornehm gelten wollen; höchstens gehen die Herren dort soupieren. Der keineswegs prunkliebende Hof gibt nur Kammerbälle; große Faschingsfeste und Maskenbälle werden in erster Linie von den Botschaftern veranstaltet. Die große Mode sind Thés-Dansants, wo man kein großes Abendessen, sondern leichte Erfrischungen bekommt, und um Mitternacht nach hause geht. Das Maskieren verliert jedes Jahr an Beliebtheit. Im allgemeinen erscheinen jetzt nur die Damen in Masken, und zwar in den allereinfachsten.

Auf den Fasching folgt die Fastenzeit, wo die Unterhaltungslustigen in der Musik Trost finden können, denn dies ist dafür die Hauptsaison, wo überall Konzerte jeder Art zu hören sind. Selbst in den großen Tanzsälen sitzen große Menschenmengen abends bis Mitternacht, die statt zu tanzen, von dichtem Tabaksqualm umwölkt essen und trinken und jauchzen, während ein Orchester leichte Musik verabreicht. Mit der Karwoche kommen die großen Kirchenfeiern. Am Gründonnerstag wäscht der Kaiser zwölf armen Männern und die Kaiserin zwölf armen Frauen die Füße. Am Karfreitag sind alle Kirchen, vor allem der Stefansdom, überfüllt, und das Gedränge auf der Straße bietet ein seltsames Schauspiel dar. Am Ostermontag sind alle Vergnügungslokale wieder geöffnet. Alles, was modisch sein will, zeigt sich entweder reitend oder fahrend im Prater, während das Volk sich im Wurstelprater belustigt. Am ersten Mai findet frühmorgens das Wettrennen der herrschaftlichen Laufer statt, und gegen Mittag versammelt sich die Jugend und Schönheit Wiens in der großen Allee des Augartens. Am Fronleichnamstag schließt die Saison mit einem herrlichen Umzug, an dem sich die gesamte Geistlichkeit, Kaiser und Kaiserin, oder ihre Vertreter, der Hof und die kaiserliche Garde beteiligen. Nachdem der Adel sich wieder aufs Land begeben hat, feiert man im Juli in der Brigittenau ein Volksfest.«

Weihnachten

Die unzähligen Variationen dieses Jahresprogramms und der einzelnen Feste in den deutschen Städten und Dörfern zu verfolgen, je nach den verschiedenen Konfessionen und den politischen und geographischen Verhältnissen, ist die Aufgabe der Volkskunde. Es ergibt sich wohl auch in dieser Hinsicht, wenn man nur die Hauptzüge berücksichtigt, eine gewisse kulturelle Einheit, neben großen Abweichungen in Nebenzügen. Zu Weihnachten findet man z. B. überall den Weihnachtsmarkt und die Bescherung am Heiligen Abend, was englischen Reisenden als fremd auffällt, aber neben dem Weihnachtsbaum behaupten sich noch in verschiedenen Landschaften die Weihnachtspyramide und der Weihnachtskranz. In Berlin zeugen Stiche von Chodowiecki (1776 und 1799)

für die Pyramide, und nach Partheys Autobiographie bestand diese Sitte noch um 1820 unverändert fort. Der Weihnachtsbaum in seiner jetzigen Gestalt ist ja anscheinend eine Erfindung vornehmer Leute, eine Spezialisierung des Gebrauchs von grünen »meyen« zum Zimmerschmuck zu verschiedenen Jahreszeiten. »Weder der Nadelbaum noch der Lichterschmuck gehören organisch zum Wesen des Weihnachtsbaums, der übrigens bis ins 19. Jahrhundert hinein keinen einheitlichen Namen hatte: Goethe spricht vom ›aufgeputzten Baum‹, Schiller vom ›grünen Baum‹, Jung-Stilling vom ›Lebensbaum‹; andere Ausdrücke wie Lichterbaum, Weihnachtsbaum, Christbaum usw. gehen nebenher« (Lutz Mackensen). Erst im 18. Jahrhundert werden die Belege für den Weihnachtsbaum häufiger, und zwar bei gebildeten Protestanten in Mitteldeutschland, welche die Sitte durch persönliche Kontakte weitergeben, zum Ärger der Forstverwaltung, z. B. in Weimar, wo in einer Jagd- und Forstordnung von 1775 »die Ausschneidung dergleichen Gipfel zu denen auf Weihnachten gewöhnlichen sogenannten Christbäumchen« verboten wurde.

131. Weihnachtsbescherung, im Hintergrund eine Weihnachtspyramide.
Kupferstich von Daniel Chodowiecki, 1776 (Historia-Photo).

Dorffeiern

In Dörfern und kleinen Städten kamen zu den Kirchenfesten die Feiern hinzu, die mit dem Arbeitsleben zusammenhingen, Ernte, Weinlese, Dreschen, Schweineschlachten, das Richtefest beim Hausbau usw., von denen viele in bekannten Gedichten und Romanen eine wichtige Rolle spielen. Man denkt z. B. an das Richtefest in Goethes ›Wahlverwandtschaften‹, das Bergfest in ›Wilhelm Meisters Wanderjahre‹, das Fest der Glockengießer in Schillers Gedicht usw. Im geselligen Verkehr der Dorfleute miteinander spielten nicht nur die Schenken, sondern auch die Spinnstuben der Mädchen noch eine wichtige Rolle. Dr. Joseph Bader beschreibt, wie es an den langen Winterabenden in seiner Heimat zuging. »Die Winterabende sind überall für das Landvolk die Zeit derjenigen Mitteilungen, welche sozusagen überlieferungsweise die geistigen und gemütlichen Keime des Familien-, Standes- und Nationalcharakters nähren und bewahren. Es liegt in der Beschaffenheit der Jahreszeit, daß man sich gesellschaftlich zusammentut, um die langen Abendstunden durch leichte Arbeit oder lehrreiche Unterhaltung möglichst zu verkürzen ... Wir reden hier vorzugsweise von der Spinnstube des badischen Schwarzwaldes. Je nach den besondern Lokalverhältnis-

132. Spinnstube in einem badischen Dorf *(Aus: Joseph Bader, Badische Volkssitten und Trachten).*

sen versammeln sich in dem einen oder andern Hause des Abends die Frauen und Mädchen der Nachbarschaft mit ihren Spinnrädern, auch der eine und andere junge Bursche oder bejahrte Mann findet sich ein, und nun wird der große Kachelofen mit seinen Stufen und Bänken von den Mannsleuten belagert, deren Vorrecht ein süßes Nichtstun ist, während die Weibsleute am Tisch oder frei in der Stube um den Lichtspan her ihre Spinnarbeit verrichten. Die Unterhaltung beginnt mit den Tagesneuigkeiten, und wenn diese erschöpft sind, so erzählt der Altvater oder die Altmutter eine Sage aus der Vorzeit oder irgend ein Begebnis aus dem eigenen Leben, oder eine jüngere Person mit gesunden Augen liest ein Volksbuch vor, die heilige Genoveva, die schöne Magelone, die vier Haimonskinder oder den Eulenspiegel. Während des Erzählens oder Vorlesens herrscht eine feierliche Stille und eine gespannte Aufmerksamkeit ... An solchen Abenden ist der Bauer ein ganz anderer als während der Tagesarbeit und vor den höheren Ständen, wo er alle edleren und weicheren Gefühle in sich verschließt und eine Härte oder ein Mißtrauen zeigt, welche nicht für ihn einnehmen. Die Spinnstuben, wenn sie nicht ausarten, sind also eine wahre moralische Anstalt für das Landvolk; was weder in der Schule noch in der Kirche, weder im Wirtshaus noch bei andern öffentlichen Gelegenheiten gehört und empfunden wird, das hört und empfindet der Bauernjunge und das Bauernmädchen in der Spinnstube, wo dieselbe bei ihren alten Ehren noch besteht.«

Frauenleben, Liebe, Ehe

Zum Verständnis des Familienlebens in der Goethezeit müssen wir uns schließlich mit der besonderen Lage der Frau beschäftigen und in diesem Zusammenhang die geltenden Auffassungen der Liebe und der Ehe betrachten. Dabei genügt es natürlich nicht, ein paar Ausnahmeerscheinungen wie etwa Amalie von Gallitzin, Karoline Schlegel oder Rahel von Varnhagen als Vertreterinnen ihrer zehn Millionen Schwestern anzusehen. Die überwiegende Mehrheit der deutschen Frauen lebte in den einfachsten Verhältnissen als Bäuerinnen auf dem Lande. Für sie war das Leben im allgemeinen keineswegs besser auch in Friedenszeiten als in den Tagen ihrer Großmütter, und viele mußten dazu die Schrecken und Drangsale eines langen Krieges erleiden. Die Fortschritte, die in dieser Epoche in Deutschland gemacht wurden, waren, wie schon gesagt, nicht wirtschaftlicher oder technischer, sondern geistiger und kultureller Art; sie kamen vor allem dem besseren Bürgertum und dem Adel zugute, während die Masse des Volkes von ihnen unberührt blieb. Ausländer wie Howitt loben, wie gezeigt wurde, den Fleiß und die Anspruchslosigkeit der deutschen Dienstmädchen, und gleichfalls der Bäuerinnen. »Die englische arbeitende Klasse kann sich von der endlosen groben Arbeit, welche die Frauen auf dem Festland das ganze Jahr hindurch im Freien ausführen, gar keine Vorstellung machen. Wie laut würden verheiratete Frauen mit großen Familien sich beklagen, wie würden die jüngeren vor Scham erröten, wenn man sie bei solchen Aufgaben schwitzen sehen sollte, so vielen Pferdchen und Eselinnen ähnlicher als Frauen, wie wir sie und ihre Arbeit uns denken.«

Altes und Neues

Kotzebue, der seine große Beliebtheit
großenteils seinen treuen Sittenschilderun-
gen verdankte, führt uns in seiner ›Komö-
diantin aus Liebe‹ eine junge Dame vor,
die in ihrem Bestreben, den Verwandten
ihres Bräutigams zu gefallen, sich abwechselnd den Anschein eines altmodischen und
eines sehr modernen Mädchens gibt. Aus
den angeführten Zügen kann man sich die
Richtung deutlich vorstellen, in welcher
sich das Leben und die Anschauungen der
deutschen Frau im Zeitalter der Revolution
bewegt haben. Elise bereitet sich auf den
Besuch ihres künftigen Schwiegervaters,
eines alten, sehr konservativen Oberforst-
meisters, dadurch vor, daß sie sich sehr sitt-
sam kleidet und das Dienstmädchen ihr eigenes Spinnrad holen läßt. Sie läßt sich
als Gretchen am Spinnrad vom Alten über-

133. August von Kotzebue (1761–1819). *Kupferstich von Bittheuser
nach Tischbein (Schiller-Nationalmuseum, Marbach a. N.).*

raschen und stellt sich als die Schwester der Braut vor. Nachdem sie durch den Gebrauch des
Wortes »Stube« statt »Zimmer« und das Angebot eines warmen Biers mit Honig, das sie als ihr
tägliches Frühstück beschreibt, den Eindruck erweckt hat, daß sie »ganz nach der Väter Weise«
lebe, zeigt sie sich mit dem Oberforstmeister vollkommen einverstanden, indem sie mit ihm um die
Wette das Alte lobt und das Neue verwirft. Was die Frauen angeht, heißt es z. B.:

Elise: Schamlose Kleidertrachten –

Oberforstmeister: Die Feigenblätter verhüllten fast noch mehr.

E.: Daher tausend neue Krankheiten –

O.: Sogenannte Nervenübel.

E.: Unsere Vorfahren hatten auch Nerven –

O.: Wie Stricke.

E.: Und die Liebe, Herr Oberforstmeister, die Liebe –

O.: Die war vormals eine ehrbare Person.

E.: Jetzt spricht man ohne Scheu von ihr wie vom schönen Wetter.

O.: Und von Wochenbetten wie von einer Spazierfahrt.

E.: Ein Mädchen ist im Stande, ihrem Liebhaber in die Augen hinein zu sehen.

O.: Und der Liebhaber ist im Stande, vom Heiraten zu schwatzen, ehe er noch ein Wort mit
   dem Vater gesprochen hat.

E.: Die Frauenzimmer schleichen in ästhetische Vorlesungen –

O.: Um zu gaffen und begafft zu werden.

. . . . . .

E.: O du schöne alte Zeit! wo der Hausvater im Familienkreise Sonntags eine Predigt las und die Hausmutter Punkt 12 Uhr die selbst gekochte Kraftsuppe in der zinnern Schüssel auf den Tisch trug; wo am Abend das Spinnrad der Magd in der Wohnstube der Herrschaft schnurrte und um neun Uhr der Abendsegen aus dem ehrlichen Schmolke dem Tagewerk ein Ende machte.

O.: (ganz gerührt) Ach ja, der ehrliche Schmolke!

E.: Wo am frühen Morgen »Wach auf, mein Herz und singe« von jeder Hausflur erschallte –

O.: (fast mit Tränen): Ach ja, »Wach auf, mein Herz, und singe«.

E.: Und die Töchter, wohl gewaschen, glatt gekämmt, in selbst gewebten Kleidern, dem Vater die Hand zu küssen, kamen.

O.: Ja, so war es in meines Vaters Hause.

Vor dem Hofmarschall darauf spielt Elise die feine modische Dame, und vor der Mutter des Bräutigams ergeht sie sich im Lobe des Landlebens, des Kochens und des Leinensammelns.

Es handelt sich hier um ein ewiges Thema der Komödie, den Kontrast zwischen Alter und Jugend, wobei wie gewöhnlich der Gesichtspunkt der älteren Generation ins Lächerliche gezogen wird; aber viele konkrete Züge, wodurch dieser Kontrast veranschaulicht wird, gehören ins Ende des 18. Jahrhunderts. Man trinkt nicht mehr ein warmes Bier mit Honig, sondern Kaffee zum Frühstück, aber viele halten das neue Getränk noch für schädlich. In den Briefen an Frau von Stein äußert Goethe gelegentlich diese Meinung, und im bekannten Verteidigungsbrief gegen Charlottes Vorwürfe wegen der Christiane Vulpius geht er so weit, ihre sehr natürliche Reizbarkeit ihrem unmäßigen Kaffeegenuß zuzuschreiben. Man hat sowieso nicht mehr die starken Nerven der Väter, man neigt zur Respektlosigkeit vor den Eltern und redet eine andere Sprache. Man gibt seinem

134. Die Ermordung Kotzebues durch den Studenten K. L. Sand am 23. III. 1819 *(Dr. Franz Stoedtner, Düsseldorf)*.

Gefühl, der Liebe vor allem, offenen Ausdruck. Die Frauen kleiden sich herausfordernd, und bei vielen treten an die Stelle der alten Frömmigkeit ein neu erworbener Sinn für das Schöne und Interessen, die über das Kochen und die Sorge für den Haushalt hinausgehen. Der moderne Individualismus hat in eine jahrhundertealte häusliche Tradition Breschen geschlagen, nicht nur beim Adel, sondern auch im Bürgertum.

Man kann die Entwicklung der Frau im protestantischen Deutschland, wenigstens im Bürgertum von »Bildung und Besitz« bis etwa 1800, in erhaltenen Lebensbeschreibungen einiger Hamburger Kaufmannsfrauen ziemlich genau verfolgen. Das Bild der guten Ehefrau aus der ersten Hälfte des 18. Jahrhunderts kommt uns »altfränkisch-gediegen« vor. Man mahnt eine Braut:

> Nächst deinem Gott verehr und liebe deinen Mann
> Und bleibe, wie es dir gebührt, ihm untertan;
> Bezeig dich gegen ihn in Freuden und in Leiden
> Vernünftig, freundlich, treu, gelassen und bescheiden.

Die nächste Generation zeigt schon den Einfluß einer besseren Mädchenerziehung im Sinne Lockes, dessen Ideen durch den ›Patrioten‹ von B. H. Brockes und durch ähnliche moralische Wochenschriften vermittelt wurden. Im Jahre 1754 heißt es von einem jungen Ehepaar:

> Kein Teil, der als Despot die strenge Herrschaft führet,
> Reißt hier das Recht der Gleichheit ein.
> Wer herrscht, gehorcht zugleich, und wer gehorcht, regieret
> Durch Wettstreit im Gefälligsein.

Man könnte bei diesen Worten schon an ›Hermann und Dorothea‹ denken: »Dienen lerne das Weib beizeiten nach ihrer Bestimmung«, aber nur weil sie durch Dienen allein endlich zum Herrschen gelangt. Es ist die Idee einer gerechten Ordnung, die hier zugrunde liegt, eines geordneten Ganzen, wo jeder an seiner Stelle zugleich gehorcht und befiehlt. Unverkennbar ist ferner die Humanisierung des Geschlechtsverhältnisses, die gleichzeitig in den Romanen von Richardson ihren beredtesten Ausdruck fand und in Rousseaus ›La nouvelle Héloise‹, Goethes ›Werther‹ und unzähligen Nachahmungen weiterlebte.

»Die völlige Gleichheit der beiden Geschlechter, das ist das Neue«, sagt P. E. Schramm, »das die voraufgehende Generation noch nicht zugegeben hatte, gewährleistet durch das seelische Verständnis, durch ›Freundschaft‹ des einen für den anderen. Gefunden haben sich zwei Seelen von individueller Eigenart, die sich jedoch als verwandt empfinden, weil sie gegenseitig bei dem andern eine Tugend und Frömmigkeit spüren, die das Einzelwesen besitzen muß, um als Mensch vor Gott bestehen zu können.« Schramm vergleicht mit dieser vernünftig-frommen Ehe eine in den siebziger Jahren geschlossene, worin der Sinn für Kunst eine beachtliche Rolle spielt. Die Frau zeichnet und malt, der Mann vermittelt die persönliche Bekanntschaft mit Chodowiecki, Schadow, Graff und andern Malern, sie lesen zusammen Winckelmann, Lessing, Mengs usw. Die Frau ist auch eine Freundin der Gartenkunst im englischen Sinne. Sie hat viel Freude am Theater, liest gern Lessing, Wieland, Herder und Lichtenberg – aber Goethe findet keine Erwähnung; so weit war sie noch nicht gekommen. Sie ist 1804 gestorben. »Maria Misler hätte vieles mitempfinden können, was in Elisabeth Hudtwalckers Seele vorging, denn zwischen den Welten, in denen sie lebten, bestand kein Bruch. Aber sie hätte das Verblassen des Christlichen sicherlich schmerzlich berührt, und das Zurücktreten der Vernunft und steter Selbstprüfung würde ihr den Verzicht auf einen sicheren

Kompaß bedeutet haben. Elisabeth konnte ihrerseits das Bewußtsein hegen, in eine freiere, auf
Größeres ausgerichtete Welt hineingetreten zu sein, neben der sich die überwundene kleinlich-
biedermännisch-verschnörkelt-zopfig ausnahm.«

Wachsender Individualismus in der Ehe

Schon in der Goethezeit waren offenbar in Deutschland Spuren einer Entwicklung vorhanden,
die im Laufe des 19. Jahrhunderts die Auffassung von Liebe und Ehe überall in Westeuropa von
Grund aus umgestalten sollte. In England, wo der Individualismus im Wirtschaftsleben viel weiter

135. Heiratsanträge: Fleischer, Pächter, Kutscher, Schuster, Schneider, Tanzmeister. *Titelkupfer von Daniel Chodowiecki.*

verbreitet war, kam es schon zur Zeit Richardsons im Bürgertum nicht mehr so selten vor wie früher, daß eine Ehe durch die freie Wahl der beiden Partner zustande kam, und der Romanschriftsteller durfte ohne zu viel Unwahrscheinlichkeit solche Ehen in seinem Werke zur Norm machen. Das stets wachsende, großenteils weibliche Lesepublikum sah es gern, wenn zwei junge Leute einzig aus Liebe zueinander fanden und einen von den Eltern der beiden und von jeder Rücksicht auf die Verwandtschaft unabhängigen Haushalt gründeten. Die Idee der im weiteren Sinne »romantischen« Liebe als allein nötige Grundlage der Ehe kam dem Verlangen der Aufklärung nach individueller Freiheit entgegen, Freiheit z. B. von den Schranken des Irrationalen in Glaubenssachen und in dem Verhältnis der Stände zueinander. Im wirklichen Leben waren in Deutschland Vernunftehen noch durchaus die Regel, und an Hand vieler Lebensbeschreibungen ist zu erkennen, wie prosaisch man diesen wichtigen Schritt überlegte. Die Familie der Braut sah scharf auf die gesellschaftliche Stellung des Bräutigams und berechnete sehr genau seine materiellen Aussichten. Für den durchschnittlichen Bräutigam waren die Mitgift oder die anderen konkreten Vorteile, die seine Braut ihm bringen sollte, von großer Bedeutung. Immer wieder hört man von Kandidaten z. B., die eine Schulmeisterstelle oder Pfarre bekommen und gleichzeitig die Witwe oder Tochter ihres Vorgängers heiraten. Ähnliches geschah rege'mäßig in den Zünften und bei der Besetzung von unzähligen Ämtern. Man legte ferner viel Gewicht darauf, daß die jungen Leute in ständischer und religiöser Beziehung gut zueinander paßten. Gesundheit, Temperament, Erziehung usw. waren natürlich für die Beteiligten überaus wichtig, aber von eigentlicher Liebe war viel weniger die Rede als in der Dichtung. Wenn alles andere stimmte, pflegte sich die Liebe von selbst einzufinden. Im Bauerntum sah man diese Haltung in ursprünglicher Reinheit. Dort, wo körperliche Kraft und Gesundheit der Frau unerläßliche Bedingungen des Familienglücks darstellten, durfte man bei Ehestiftungen am wenigsten sentimental zu Werke gehen, und die weitverbreitete Sitte der Probenächte hatte ihre sehr vernünftige Seite. Ein kinderloses Bauernpaar war schlechtbestellt, und mancher Bauer führte seine Braut erst dann zum Altar, wenn sie »schön gerundet« war.

Wertherzeit

Nicht nur die Idyllen und Romane der Goethezeit verkünden die keimende neue Auffassung der Liebe. Die Nachahmer von Richardson und Rousseau weisen eine ganz neue Zartheit und Feinheit in der Behandlung der Liebe auf, erst recht nach Goethes ›Werther‹. In der Beziehung der Liebenden zueinander spielt das Seelische eine immer größere Rolle. Im ›Werther‹ wird eine irdische und an sich durchaus natürliche und praktische junge Hausfrau wie eine Heilige angebetet. In Werthers Liebeskult werden, wie uns H. Schöffler gezeigt hat, zahlreiche christliche Vorstellungen analogisch gebraucht und kühn umgedeutet. Bei Jean Paul wird die Liebe noch ätherischer und unwirklicher, zum wachsenden Entzücken seines weiblichen Publikums.

Auch das Drama verdankt im Sturm und Drang und in der Folgezeit der neuen Liebesauffassung wichtige Motive, vor allem den Kampf der Liebenden gegen Standesvorurteile. Schiller verkennt nicht den literarischen Ursprung der schwärmerischen Liebe bei seiner Luise, die den Franzosen, als ›Kabale und Liebe‹ in der Revolutionszeit übersetzt wurde, bei aller Bewunderung für Schillers Gesinnung so unnatürlich vorkam. Die vom Major ihr geschenkten Bücher, aus denen sie »betet«, nach der stolzen Aussage der Mutter, werden ihr, so fürchtet der Vater, das bißchen Christentum, das sie noch beibehält, vollends austreiben. Für sie aber ist die Liebe, trotz aller Befürchtungen des Vaters, eine rein seelische Angelegenheit, und sie ist gern bereit, auf ihren Ferdinand »für dieses Leben« zu verzichten. Hier hat die Vergeistigung und »Entfleischlichung« der Liebe, welche Richardson und seine Gefolgschaft angestrebt hatten, ihre äußerste Grenze erreicht. Ähnliches hat vielleicht Charlotte von Stein im Sinne gehabt, als sie Goethe zu ihrem entsagenden »Heiligen« zu machen suchte. Dieselbe Tendenz zeigt sich häufig in den Briefen der Fürstin Gallitzin an Hemsterhuis und später an Fürstenberg, wo es als selbstverständlich gilt, daß jede höhere Liebe zwischen Mann und Frau auf gegenseitige ethische Verbesserung hinzielen sollte.

Frauenemanzipation

Hier begegnet uns wieder ein einseitiges Verhältnis, wo früher in glücklichen Ehen ein mannigfaltiges die Regel gewesen war. In wirtschaftlich weit vorgeschrittenen Ländern kam es mit der Zeit zu einer anderen Einseitigkeit, indem die bürgerliche Frau, wie früher überall die adlige, sich

136. Über die bürgerliche Verbesserung der Weiber. Anonym. 1792 erschienen (*Bayerische Staatsbibliothek, München*).

weitgehend von ihren Haushaltspflichten befreite. Bei wachsendem Wohlstand konnte man das Kochen und Putzen den noch im Überfluß vorhandenen Köchinnen und Mägden überlassen. In ärmeren Ländern wie damals Deutschland mußte sich die durchschnittliche bürgerliche Familie mit einem Mädchen für alles begnügen, und die Hausfrau legte selbst Hand an, statt sich auf die bloße Aufsicht zu beschränken. Englische Reisende im 19. Jahrhundert finden das immer erstaunlich, wie schon erwähnt wurde. Im 20. hat sich dieser Unterschied ausgeglichen, und wir sehen ihn als eine vorübergehende Phase der wirtschaftlichen Entwicklung an, er hat aber unzweifelhaft für die Geschichte der Frauenemanzipation große Wichtigkeit. 1793 wurde Mary Wollstonecroft's ›Vindication of the rights of women‹ (englisch 1792 erschienen) ins Deutsche übersetzt, das Buch wurde aber in der Allgemeinen Literatur-Zeitung als »hochmütige und kalte Schwärmerei« abgelehnt. Der Rezensent spricht von dem »Hirngespinst einer allgemeinen Gleichheit der Rechte« von Mann und Frau. Es war aber schon 1792 ein anonymes deutsches Werk erschienen: ›Über die bürgerliche Verbesserung der Weiber‹, das in der Allgemeinen Literatur-Zeitung Ende 1794 sehr ausführlich besprochen wird und offenbar ähnliche

Ziele verfolgt hatte wie das bekanntere Buch der Engländerin. Kurz darauf wird in der Besprechung einer Schrift ›Das Weib‹, über Frauenerziehung, eine ganze Reihe von Werken, von Campe, Ebert und andern, erwähnt, die der Verfasser hätte berücksichtigen sollen. Aus solchen Anzeichen ist zu erkennen, daß die Frauenfrage schon vor den Jahren um 1800 herum, wo die ältere Romantik sich bekanntlich sowohl theoretisch wie auch praktisch für freiere Anschauungen auf diesem ganzen Gebiet eingesetzt hat, von fortschrittlichen Geistern auch in Deutschland eifrig debattiert worden war, aber in der deutschen Gesellschaft hat sich die Lage der Frau anscheinend vor 1830 sehr wenig geändert. Dodd z. B. findet deutsche Frauen an sich reizend durch Zartgefühl und natürliche Weichheit, aber die Bildung, die junge Mädchen von Adel durch ihre Gouvernanten bekommen, ist so oberflächlich, daß manche Adlige weder Französisch noch Deutsch einigermaßen

137. Am Spinett. Ölgemälde von Georg Friedrich Kersting, 1783 bis 1847 *(Deutsche Fotothek, Dresden)*.

richtig schreiben kann. Die Bürgermädchen sind kaum besser daran, obgleich sie sich statt Französisch nützliche häusliche Kenntnisse aneignen und gelegentlich ein paar Jahre in Internaten erzogen werden. »Niemand kann im täglichen Umgang mit Deutschen leben«, behauptet er, »ohne den Eindruck zu gewinnen, daß die Frau in der deutschen Gesellschaft eine untergeordnete Rolle spielt.« Nach Howitt, zwanzig Jahre später, fehlt es den Frauen auch des guten Bürgertums im großen und ganzen an gründlicher Bildung. Er bewundert ihre sprachlichen Kenntnisse und ihre musikalische Ausbildung, aber sie scheinen ihm nichts Solides zu lesen, nur modische Romane und Verse. Verhältnismäßig viele Männer sind in der Lage, eine Universität zu besuchen, denn das Studium ist billig. Die wenigsten Frauen aber können die geistigen Interessen ihres Mannes teilen. Damit hängt zusammen, daß sich in Deutschland zwischen den philosophischen und wissenschaftlichen Werken für den Fachmann einerseits und der Unterhaltungsliteratur andererseits eine große Kluft auftut, während in England gute, nicht-technische Werke über Geschichte, die Naturwissenschaften, Ethik und Religion fortwährend erscheinen, die ebensogern von Frauen wie von Männern gelesen werden. Man hatte allerdings schon in den neunziger Jahren auch in Deutschland die ersten Schritte in dieser Richtung getan, durch wissenschaftliche Werke »für Frauenzimmer«. So ist z. B. 1797 eine ›Geschichte der Deutschen für Frauenzimmer‹ erschienen, oder schon 1795 eine ›Botanik für Frauenzimmer und Pflanzenliebhaber, welche keine Gelehrten sind‹, von Goethes Freund Batsch in Jena; aber im allgemeinen besteht Howitts Behauptung wohl zu recht.

138. Titelkupfer zu ›Allgemeines deutsches Kochbuch‹ von
S. W. Scheibler, Berlin 1826 *(Archiv für Kunst und Geschichte, Berlin).*

Anfänge der Frauenbildung

Aus den Schriften der deutschen Klassiker selbst gewinnt man den Eindruck, daß gebildete Frauen noch eine Seltenheit waren. Für die Dichter ist das aber nichts Tragisches. Was sagt Goethe über die Erziehung der »Töchter im Hause«, wenn ihm in der 2. ›Epistel‹ entgegengehalten wird, daß »der kuppelnde Dichter (sie) mit allem Bösen bekannt macht«? Er schlägt keine bessere Lektüre für sie vor, sondern hält es fürs beste, wenn die Mädchen den ganzen Tag in Haus und Garten zu tun haben:

> Immer so ist das Mädchen beschäftigt
> und reifet im stillen
> Häuslicher Tugend entgegen, den klu-
> gen Mann zu beglücken.
> Wünscht sie dann endlich zu lesen, so
> wählt sie gewißlich ein Kochbuch –

und keines der Erzeugnisse, die »vom Bücherverleiher gesendet« werden. Im Munde des Iphigeniendichters mag das seltsam klingen, aber der Klassiker Goethe dachte, wie Schiller auch, in politischen und gesellschaftlichen Dingen eben sehr konservativ. In gefährlich bewegten Zeiten suchte man vor allem eine Norm und hielt an den alten Traditionen fest: »Dies ist unser! So laß uns sagen und so es behaupten!« sagt Hermann zu Dorothea, denn »wer fest auf dem Sinne beharrt, der bildet die Welt sich«.

Große Ausnahmen

Obgleich es in der Goethezeit mit der Frauenbildung im allgemeinen so schlecht steht, gibt es natürlich sehr bekannte und bedeutende Ausnahmen, Frauen, die in mancher Hinsicht zu dieser Zeit gehören, dagegen aber viel individueller denken und fühlen als der Durchschnitt und aus besonderen Gründen die Möglichkeit gehabt haben, ihre Eigentümlichkeit durch die Lektüre und den Umgang mit bedeutenden Menschen weiterzuentwickeln. Schon im Jahre 1787 hat die philosophische Fakultät der Universität Göttingen die siebzehnjährige Tochter des Historikers Schlözer, Dorothea, die von ihrem Vater selbst unterrichtet worden war und ihn auf seinen Reisen begleitet hatte, nach einer mündlichen Prüfung zu einem Doktor der Philosophie gemacht. Sie war die erste und lange Zeit die einzige Graduierte in Deutschland. Als aufnahmefähige und redegewandte junge

Person verdiente Dorothea ohne Zweifel diese einmalige Auszeichnung, und in einer ziemlich unglücklichen Ehe hat sie sich als eine Frau von seltenem Verstand und Charakter ausgewiesen. Sie war später die Freundin des französischen Emigranten Charles de Villers, der aus Bewunderung für die Deutschen ihre Nationalität annahm und Frau von Staëls Deutschlandbuch stark beeinflußt hat. Weniger gelehrt, aber wohl begabter und origineller waren zwei andere Professorentöchter aus Göttingen. Die eine ist Therese Heyne (1774–1829), eine Tochter des Gräzisten, die durch ihre ungemeine aber etwas negative Geistesschärfe den jungen Wilhelm von Humboldt tief beeindruckte. Sie war schon die Gattin Georg Forsters, verließ ihn aber in Mainz vor seiner Abreise nach Paris, aus Liebe zu Schillers Freund Huber, den sie später heiratete. Sie war später eine der bekanntesten Romanschriftstellerinnen ihrer Zeit.

139. Dorothea Schlözer (1770–1825). *Ölgemälde von Lemonier, Paris (Historisches Bildarchiv Handke, Bad Berneck).*

Mehr als diese beiden bewundert und gescholten wurde ihre ältere Freundin, die man der Einfachheit halber gewöhnlich Karoline nennt, die Karoline der Romantik (1763–1809). Als 20jährige Tochter des Orientalisten Michaelis heiratete sie den jungen Arzt Dr. Böhmer in Clausthal, verlor ihn durch den Tod noch nicht vier Jahre später und besuchte nach einigen Jahren im Vaterhause und bei ihrem Stiefbruder ihre Freundin Therese Forster in Mainz. Sie teilte Georg Forsters Begeisterung für die Revolution und hatte keine Angst vor den Franzosen, als sie acht Monate später Mainz besetzten. Auf einem Faschingsball 1793 verdrehte der junge Adjutant Custines ihr den Kopf – »ich habe in einer gespannten Lage meines Gemüts aus leichtsinniger Kühnheit mich hingegeben« – als Gefangene der Preußen in der Festung Königstein fühlte sie sich Mutter, und sie wurde erst nach drei Monaten auf eine Eingabe ihres Bruders hin entlassen. Es ist bekannt, wie sie darauf, durch die ritterliche Hilfe A. W. Schlegels gerettet, eines Mannes, den sie »von sich gestoßen, aufgeopfert, gekränkt«, ihn 1796 aus Dankbarkeit heiratete und mit ihm nach Jena zog. Ihrer ungewöhnlichen Einfühlungsgabe verdankte A. W. Schlegel als Kritiker sehr viel. Sie hat im ganzen Treiben der älteren Romantiker in Jena eine wichtige Rolle gespielt und hat gleichzeitig für ihre Tochter und oft viele Gäste mütterlich gesorgt – zur Zeit des intensivsten »Symphilosophierens« erschienen gelegentlich 15 bis 18 Personen beim Mittagstisch. Erst nachdem ihre Ehe mit A. W. Schlegel 1803 friedlich gelöst worden war, zeigte sich in dem überaus glücklichen Bunde mit Schelling ihre volle Liebesfähigkeit.

»Sie besaß die Einheit des Wesens. Sie vertraute dem eigenen Herzen. Nicht eins mit sich zu sein,

140. Karoline Schlegel-Schelling (1763–1809). *Gemälde von*
Fr. A. Tischbein, 1798 (Historia-Photo).

erschien ihr als das größte und heilloseste aller Leiden«, sagt Kluckhohn, der bei ihr weibliche Instinktsicherheit mit großer Besonnenheit, ja Bewußtheit und Energie verbunden findet. Darin kommt sie uns so modern vor, daß Friedrich Schlegel nach ihrem Vorbild das damals in Deutschland allgemein bewunderte Ideal für die Frau, unbedingte Hingebung und gänzliches Anschmiegen an den allein selbständigen Mann, als »Charakterlosigkeit« geißelt. »Nur selbständige Weiblichkeit und sanfte Männlichkeit ist gut und schön«, heißt es in seiner ›Luzinde‹, und diese Verwerfung der im 18. Jahrhundert nach Rousseau weitverbreiteten passiven Auffassung der Frau, die Schiller und Humboldt – so urteilen die Romantiker – »abwärts idealisieren«, hat viel zum persönlichen Zerwürfnis des Schlegelkreises mit Schiller beigetragen. Karoline hieß für Schiller »Dame Luzifer«, aber man kann ihre Briefe nicht lesen, ohne ihr im großen und ganzen recht zu geben und in ihr, trotz der negativen Züge, eine der reizendsten und harmonischsten Frauen des ganzen Zeitalters zu sehen.

Nicht weniger selbständig, auf Grund einer ganz anderen Weltanschauung, und beinahe übertrieben ehrlich mit sich selbst und anderen, war eine andere bemerkenswerte Frau der Goethezeit, Fürstin Gallitzin. Als die Tochter eines preußischen Feldmarschalls, der in ihrer frühen Kindheit gestorben ist, mußte sie zunächst mit der gewöhnlichen recht oberflächlichen Schulbildung einer Adligen in einem Nonnenkloster und einem französischen Pensionat zufrieden sein, aber fünf Jahre nach ihrer Heirat mit einem russischen Fürsten überkam sie im Haag, als Frau eines russischen Botschafters, das Bewußtsein der vollkommenen Leere ihres Lebens in der modischen Welt. Sie bezog mit ihren beiden Kindern ein Bauernhaus außerhalb der Stadt und widmete sich ganz ihrer eigenen Bildung und der Erziehung ihrer Kinder, mit der Hilfe eines väterlichen Freundes und Beraters, des hohen Beamten und philosophischen Schriftstellers Hemsterhuis. Hemsterhuis war ein leidenschaftlicher Verehrer Platons und zugleich Mathematiker. Er preist in seinen von Herder und vielen Romantikern hochbewunderten Schriften eine Liebe, die sich ganz auf das Geistige richtet und in der Sehnsucht nach Gott ihren Höhepunkt findet. Wie »die Hyperbel der Asymptote« – so spricht der Mathematiker – nähern wir uns Gott und finden ihn erst im Unendlichen. Die Fürstin hat seine Ideen mit Begeisterung aufgenommen, und in einem rein geistigen, auf Selbstvervollkommnung hinauslaufenden Verhältnis zwischen Lehrer und Schülerin haben beide ein Vorbild dieser höchsten Liebe gesehen. Nach ihrer Übersiedlung nach Münster, um ihre Kinder im Sinne der neuen Schulordnung des dortigen Ministers, des Freiherrn von Fürstenberg, zu erziehen, verband sie eine zweite, harmonischere Seelenfreundschaft mit diesem hochbewunderten Manne, und

von ihm und Hemsterhuis begleitet, besuchte sie 1785 Goethe in Weimar. Sie machte auf ihn, nachdem er seine erste Bestürzung über das Exzentrische, Unweibliche an ihrem Äußern überwunden hatte, einen derartigen Eindruck, daß er in einem Briefe um ihr ganzes Vertrauen gebeten haben soll. »Ich allein hätte den Schlüssel seines lange verschlossenen Herzens gefunden, mir möchte er sich ganz öffnen« – so wird der Inhalt des leider verlorenen Briefes von der Fürstin in ihrem Tagebuch wiedergegeben. Wir lesen in der ›Campagne in Frankreich‹, wie die beiden 1792 in Münster ernste Gespräche miteinander geführt und trotz aller Meinungsverschiedenheiten eine herzliche Zuneigung zueinander gefaßt haben. Die Fürstin war zu ihrem ursprünglichen Glauben zurückgekehrt und sah ihre früheren Selbstvervollkommnungsversuche als Eitelkeit an. Goethe hielt sie für eine jener »echt katholischen Naturen, die, befriedigt im festen und treuen Glauben und Hoffen, mit sich und Andern in Frieden leben und Gutes tun aus keinen an-

141. Fürstin Gallitzin (1748–1806). *Gemälde von F. H. Füger (Dr. Franz Stoedtner, Düsseldorf).*

142. Die Fürstin Gallitzin im Kreise ihrer Freunde zu Angelmodde bei Münster i. W. *Gemälde von Theobald von Oer (Archiv für Kunst und Geschichte, Berlin).*

143. Königin Luise von Preußen (1776–1810) mit ihren Söhnen, dem späteren König Friedrich Wilhelm IV. und König und Kaiser Wilhelm I. *Ölgemälde von Karl Steffeck, 1818–1890 (Deutsche Fotothek, Dresden).*

dern Rücksichten, als weil es sich von selbst versteht und Gott es so will.« Vor solchen Naturen – so äußerte sich Goethe dem jungen F. J. H. Schlosser gegenüber – habe er dauernde Ehrfurcht, und er habe diese zum ersten Male in seinem Leben gegen die Fürstin Gallitzin und in ihrem Kreise von Freunden empfunden.

Man könnte viele andere hervorragende Frauen der Goethezeit nennen, Fürstinnen wie Königin Luise von Preußen oder Herzogin Luise von Weimar, die sich im politischen Bereich als vielen Männern überlegen zeigten; Dichterinnen und Schriftstellerinnen wie Sophie Mereau oder Karoline von Günderode, deren Leiden uns mehr rühren als ihre Schriften, oder die phänomenal lebhafte und energische Frau von Arnim, Bettina Brentano, Verfasserin von ›Goethes Briefwechsel mit einem Kinde‹; hochgebildete Frauen aus dem Adel und dem Bürgertum, die sich vornehmlich durch ihre gesellschaftlichen Gaben auszeichneten, wie Amalia Schopenhauer.

Eine Gruppe für sich bilden die Berliner Jüdinnen, die in den mittleren Jahren dieser Periode durch ihre Salons und ihre Goetheverehrung im geistigen Leben Berlins eine führende Rolle spielen. Schleiermacher verteidigt seinen Umgang mit ihnen 1798 seiner Schwester gegenüber mit folgenden Worten: »Daß junge Gelehrte und Elegants die hiesigen großen jüdischen Häuser fleißig besuchen, ist sehr natürlich, denn es sind bei weitem die reichsten bürgerlichen Familien hier, fast die einzigen, die ein offenes Haus halten, und bei denen man wegen ihrer ausgebreiteten Verbindungen in allen Ländern Fremde von allen Ständen antrifft. Wer also auf eine recht ungenierte Art gute Gesellschaft sehen will, läßt sich in solchen Häusern einführen, wo natürlich jeder Mensch von Talenten, wenn es auch nur gesellige Talente sind, gern gesehen wird und sich auch gewiß amüsiert, weil die jüdischen Frauen – die Männer werden zu früh in den Handel gestürzt – sehr gebildet sind, von allem zu sprechen wissen und gewöhnlich eine oder die andere schöne Kunst in einem hohen Grade besitzen.« Hier lernte Wilhelm von Humboldt kurz vor der Französischen Revolution eine fast schwärmerische Liebe zu dem Leben im Geiste kennen, vor allem durch Henriette Herz und ihre beiden Freundinnen, Dorothea Veit, die Tochter Moses Mendelssohns, die sich von ihrem Manne und drei Kindern trennen sollte, um Friedrich Schlegel zu folgen, und Rahel Levin, die nach vielen

Abenteuern des Herzens im Jahre 1814 den viel jüngeren Varnhagen von Ense heiratete. Zu dem »Tugendbunde«, den er und Karl von Laroche mit Henriette und Dorothea bildeten, gehörten Therese Forster und Humboldts zukünftige Frau, Karoline von Dacheröden, die sich gern seinem Wunsche fügte, nach seiner Heirat kein Amt zu nehmen und ganz seiner Bildung zu leben.

Wie aus unzähligen Dichter- und Künstlerbiographien der Goethezeit, gewinnt man auch aus dieser Episode den Eindruck, daß der innere Kreis der deutschen Gebildeten noch ziemlich klein war, obgleich die schöpferischen Geister, weil Deutschland keinen »Mittelpunkt gesellschaftlicher Lebensbildung« besaß, nach Goethes Worten »zerstreut geboren, höchst

144. Bettina von Arnim (1783–1859). *Radierung von L. E. Grimm, 1809 (Archiv für Kunst und Geschichte, Berlin).*

145. Henriette Herz (1764–1847). *Gemälde von Anton Graff (Historisches Bildarchiv Handke, Bad Berneck).*

verschieden erzogen, meist nur sich selbst und den Eindrücken ganz verschiedener Verhältnisse überlassen« waren. Diese Einsamkeit war eine Folge der oben geschilderten politischen und gesellschaftlichen Situation, der die Besten eifrig durch Reisen und vor allem durch das Schreiben zahlreicher langer Briefe entgegenzuwirken suchten. Was die Frauenbildung angeht, so merkt man an unseren Beispielen die führende Rolle, die gespielt wurde einerseits von kleinen Gruppen wie den Professorentöchtern, für welche die Bildung leichter zugänglich war als für die meisten, und andrerseits von solchen Frauen wie Rahel Varnhagen und ihren Freundinnen, denen sie als besonders lebenswichtig erschien. Von der Zeit Lessings und der Aufklärung an galt es für denkende Menschen als das Höchste im Leben, sich durch die Macht des Geistes über die gemeine Wirklichkeit erheben zu können – diese Überzeugung kommt in einer ganzen Reihe von

Dramen und besonders schwungvoll in Schillers ›Das Ideal und das Leben‹ zum Ausdruck. Die Selbstkorrektur der Welt bewirkte, daß diejenigen auf solche Ideen besonderen Wert legten, die andere im Besitz von Vorrechten sahen, die sie selbst entbehren mußten: viele im aufstrebenden Bürgertum z. B., und noch entschiedener die in Berlin einigermaßen emanzipierten Juden. Die Männer hatten meist, wie Schleiermacher bemerkte, mit den neuen Erwerbsmöglichkeiten genug zu tun, aber sowie sie zum Wohlstand gelangten, ergriffen ihre Frauen gern die Gelegenheit, offenes Haus zu halten und Salons nach dem Vorbild vornehmer Pariserinnen und reicher Bürgerinnen wie Mme. Geoffrin einzurichten. Hier galt jeder nicht durch seinen Rang oder seine hohe Stellung, sondern ausschließlich als gebildete Persönlichkeit. Es war für Rahel, sagt Hannah Arendt, eine Phase ihres ewigen Kampfes gegen die Tatsachen, gegen die Tatsache, daß sie als Jüdin geboren wurde. Wenn zahlreiche Frauen aus dem Lesepublikum z. B. eines Jean Paul ihren Helden in Berlin und anderswo oft mit einem Übermaß an Schwärmerei empfingen, und mit der Zeit ähnliches auch bei anderen Dichtern vorkam, so ist das vielleicht z. T. ebenfalls aus dem Wunsch dieser Frauen zu erklären, als freie Persönlichkeiten zu gelten und nicht in der Sorge für Kinder und Küche vollständig aufzugehen.

DIE ERZIEHUNG

Neubau der Bildungsanstalten — die Voraussetzungen

In der Goethezeit wurden die Grundlagen geschaffen für eine im 19. Jahrhundert entscheidende Entwicklung, wodurch Deutschland »unter den Völkern Europas an die Spitze der Bildungsbewegung getreten ist« (Paulsen), aber erst die Französische Revolution und die staatlichen Umwälzungen des napoleonischen Zeitalters haben den Boden für den Neubau der deutschen Bildungsanstalten frei gemacht. Die durch eine blühende Literatur und Philosophie neugegründete Überzeugung von der geistigen Freiheit und der Würde des Menschen war wohl die erste, zielweisende Voraussetzung der neuen Bewegung, der Drang zur Handlung, »der allgemeine Eifer des Bessermachens und Besserwerdens« (Schön) kam aber erst durch die französische Besetzung deutschen Bodens und den Zusammenbruch Preußens hinzu. Nur so gelang es einigen führenden Geistern in Preußen, eine Neugestaltung der verknöcherten Staatsanstalten durchzuführen. Während Stein durch das Edikt vom 9. Oktober 1807 und die Städteordnung auf die Aufmunterung des Bürgers zur Selbsttätigkeit hinarbeitete und Scharnhorst das neue Volksheer schuf, gab Wilhelm von Humboldt in anderthalb Jahren als Leiter des Kultusdepartements den Anstoß zur Umgestaltung der preußischen Universitäten, der Gelehrtenschulen und der Volksschulen in derselben Richtung, auf eine Erziehung durch Selbständigkeit. Bei allen dreien wirkten Anregungen aus England und Frankreich mit den Ideen des deutschen Idealismus zusammen, alle drei mußten fortwährend mit zähen einheimischen Traditionen und Interessen kämpfen, denn sie konnten bei den gegebenen Umständen den Übergang vom

Absolutismus und Feudalismus zur modernen bürgerlichen Gesellschaft nur durch königliche Dekrete, durch eine Revolution von oben, durchführen. Es versteht sich von selbst, daß bei einer Reform, die nicht, wie die meisten Projekte der damaligen Intelligenz, bloß eine unverbindliche Idee bleiben, sondern durch die bestehende Macht eines organisierten Staats in die Wirklichkeit überführt werden sollte, weitgehende Kompromisse nicht zu vermeiden waren, so daß das Ergebnis in der Erziehung wie auf andern Gebieten Stückwerk blieb.

Der neue Humanismus

Die Universitäten und höheren Schulen Deutschlands wiesen in der Goethezeit noch deutliche Spuren von zwei früheren Reformwellen auf, die sich von einzelnen Zentren aus allmählich über das ganze Erziehungs-

146. Wilhelm von Humboldt (1767–1835). *Bleistiftzeichnung von Henschel (Schiller-Nationalmuseum, Marbach a. N.).*

wesen verbreitet hatten. Die erste war die von Hofkreisen im späten Barock und von vielen Pädagogen der Aufklärung geförderte Modernisierung der Bildung, indem man auf Kosten des Lateins und der Religion die für ein handelndes Leben wichtigen neuen Fächer in den Stundenplan der Schulen einführte, Mathematik und die darauf fußenden neuen Wissenschaften, ferner Geographie, Geschichte und neuere Sprachen, zum besseren Verständnis der zeitgenössischen Welt. Ihre erste Verkörperung fanden diese Ideale in den Ritterakademien, und etwas später in der 1694 gegründeten preußischen Universität Halle; bis zur Französischen Revolution aber hatten sie alle protestantischen deutschen Universitäten erobert und auch die katholischen stark beeinflußt. Die Schulen dagegen hielten so lange wie möglich am Latein und an der reinen Lehre fest, und die neuen Lehrfächer wurden höchstens als Sonderfächer in den Stundenplan aufgenommen. Ins Gymnasium von Goethes Geburtsstadt drang z. B. der französische Unterricht erst fünf Jahre vor der Revolution ein. Die zweite Reformwelle ging von einer andern Neugründung aus, von der Universität Göttingen (1737), und bestand in der Rettung eines erneuerten Humanismus vor den Angriffen der Aufklärung. Das Ziel der neuen Humanisten war nicht mehr die Erwerbung prosaischer und poetischer Eloquenz durch fleißige Imitation vor allem römischer Muster, sondern das Lesen und Verstehen klassischer Meisterwerke zur Stärkung des Geschmacks, der Urteilskraft und des Verstandes. Gesner und Heyne machten das inhaltliche und stilistische Studium der Alten zu einem unentbehrlichen Bestandteil der wahren Bildung, unter besonderer Betonung des Kulturwerts der griechischen Literatur und Kunst. In Göttingen bemühten sich bald Historiker und Juri-

147. Das Universitätsgebäude in Göttingen. *Stahlstich von E. Höfer nach einer Zeichnung von Ad. Hornemann (Österreichische Nationalbibliothek, Wien).*

sten, Mathematiker und Mediziner mit den Philologen um die Wette, durch reiche englische Mittel
unterstützt, eine umfassende Universitätsbibliothek und gute Laboratorien und Museen aufzubauen.
In Halle lernten die bedeutenden preußischen Beamten in der Gesetzgebung und Verwaltung das
Verständige und Zweckmäßige suchen. In Göttingen bildeten sich viele berühmte Universitäts- und
Gymnasiallehrer aus wie Wolf, Voss, Jacobs, auch führende Schriftsteller und philosophische
Köpfe wie die Gebrüder Schlegel und Humboldt, und die Blüte des Neuhumanismus in der Goethezeit, mit seiner unbedingten Anerkennung der Vorbildlichkeit des Altertums, geht nicht nur auf
den großen Einzelgänger Winckelmann zurück, sondern auch auf die von Göttingen ausgehende
Erneuerung der Altertumswissenschaft in Deutschland. Während in der ersten Hälfte des achtzehn-
ten Jahrhunderts englische und holländische Altphilologen den deutschen weit voraus waren, und
von Sophokles, Euripides, Pindar, Plato, Aristoteles, Herodot und Thukydides zwischen etwa 1600
und der Goethezeit keine neuen Ausgaben in Deutschland erschienen waren, hatten die deutschen
Universitäten bis Ende des Jahrhunderts in der Philologie wie in der Philosophie die Führung übernommen.

Die Idee der Universität um 1810

    Wenn man den Geist, in dem man nach dem preußischen Zusammenbruch an die Reform der
Universität geschritten ist, verstehen will, so sind die damals von Fichte (1807), Schleiermacher
(1809) und Humboldt (1810) verfaßten Schriften über die Idee der Universität äußerst lehrreich.
Allen gemeinsam ist die später für Deutschland charakteristische Betonung der Forschung als vor-

nehmstes Ziel des akademischen Studiums. Nach Fichte soll der Student ein »Künstler im Lernen« und die Universität »eine Schule der Kunst des akademischen Verstandesgebrauches« werden. »Ohnerachtet auf den bisherigen Universitäten von ohngefähr zuweilen geistreiche Männer aufgetreten, die im Geiste des obigen Begriffs in einem besonderen Fache des Wissens Schüler erzogen, so hat doch sehr viel gefehlt, daß die Realisierung dieses Be-

148. Friedrich Ernst Daniel Schleiermacher (1768 bis 1834). *Kupferstich von Lips.*

149. Johann Gottlieb Fichte (1762–1814) während der Vorlesung. *Zeichnung von Henschel (Schiller-Nationalmuseum, Marbach a. N.).*

griffs im allgemeinen mit Sicherheit, Festigkeit und nach unfehlbaren Gesetzen ... ausgeführt worden.« Schleiermacher sieht das Geschäft der Universität darin, »die Idee der Wissenschaft in den edleren ... Jünglingen zu erwecken, ... so daß es ihnen zur Natur werde, alles aus dem Gesichtspunkte der Wissenschaft zu betrachten, alles Einzelne nicht für sich, sondern in seinen nächsten wissenschaftlichen Verbindungen anzuschauen, und in einen großen Zusammenhang einzutragen in beständiger Beziehung auf die Einheit und Allheit der Erkenntnis, daß sie lernen, in jedem Denken sich der Grundsätze der Wissenschaft bewußt zu werden, und eben dadurch das Vermögen selbst zu forschen, zu erfinden und darzustellen, allmählich in sich herausarbeiten.« Nach Humboldt schließlich ist es »eine Eigentümlichkeit der höheren wissenschaftlichen Anstalten, daß sie die Wissenschaft

150. Friedrich August Wolf (1759–1824). *Gezeichnet und radiert von G. Wolff, 1823 (Historisches Bildarchiv Handke, Bad Berneck).*

immer als ein noch nicht ganz aufgelöstes Problem behandeln und daher immer im Forschen bleiben, da die Schule es nur mit fertigen und abgemachten Kenntnissen zu tun hat und lernt. Das Verhältnis zwischen Lehrer und Schüler wird daher durchaus ein anderes als vorher. Der erstere ist nicht für die letzteren, beide sind für die Wissenschaft da; sein Geschäft hängt mit an ihrer Gegenwart und würde ohne sie nicht gleich glücklich vonstatten gehen; er würde, wenn sie sich nicht von selbst um ihn versammelten, sie aufsuchen, um seinem Ziele näher zu kommen durch die Verbindung der geübten aber eben darum auch leichter einseitigen und schon weniger lebhaften Kraft mit der schwächeren und noch parteiloser nach allen Richtungen mutig hinstrebenden.«

Man kann das Verlangen nach der Einheit von Lehre und Forschung nicht besser begründen, als Humboldt es an dieser Stelle tut. Man versteht hieraus, warum er sich den Akademien der Wissenschaft gegenüber ziemlich kühl verhält. »Geht man der Sache nach, so haben Akademien vorzüglich im Auslande geblüht, wo man die Wohltat deutscher Universitäten noch jetzt entbehrt ... In neueren Zeiten hat sich keine sonderlich ausgezeichnet, und an dem eigentlichen Emporkommen deutscher Wissenschaft und Kunst haben die Akademien wenig oder gar keinen Anteil gehabt.« »Die Wissenschaften«, so heißt es an einer anderen Stelle, »sind gewiß ebenso sehr und in Deutschland mehr durch die Universitätslehrer, als durch die Akademiker erweitert worden, und diese Männer sind gerade durch ihr Lehramt zu diesen Fortschritten in ihren Fächern gekommen. Denn der freie mündliche Vortrag vor Zuhörern, unter denen doch immer eine bedeutende Zahl mitdenkender Köpfe ist, feuert denjenigen, der einmal an diese Art des Studiums gewöhnt ist, sicherlich ebenso sehr an, als die einsame Muße des Schriftstellerlebens oder die lose Verbindung einer akademischen Genossenschaft.«

Solche Ideen waren in der Hauptsache nicht neu. Sie waren selbst das Ergebnis der allmählichen Umbildung der deutschen Universitäten in der zweiten Hälfte des 18. Jahrhunderts und der Verbreitung der kritischen Philosophie. Das Ideal der selbständigen Forschung und das Prinzip der Freiheit der Forschung und der Lehre waren um die Jahrhundertwende trotz gelegentlicher Opposition der Regierungen ganz allgemein als das Grundgesetz der Universität anerkannt worden. Auch über die Form des Unterrichts war man einig. Hauptmittel war nach wie vor die Vorlesung. Sie bestand aber nicht mehr in der Erklärung von Textbüchern, wobei der Professor »nichts sagt als was im Buche steht«, sondern im systematischen Vortrag in deutscher Sprache eines deutlich abgegrenzten Zweigs der Wissenschaft, bei den besten Lehrern auf Grund selbständiger Forschung. Wissenschaftliche Seminare standen schon in hoher Geltung. Bei Gesner in Göttingen waren sie noch hauptsächlich ein Mittel zur Vorbereitung einiger der Theologen, die bei ihm studierten, auf den Schuldienst. Selbst ein erfahrener Schulmann, konnte er ihnen nicht nur Übungen in der schulmäßigen Behandlung der klassischen Autoren sowie der Grammatik, der Rhetorik und der Altertümer geben, sondern auch Anweisungen zur Methodik des Unterrichts überhaupt. Heyne suchte in seinem Seminar wie sein Vorgänger seine Schüler zum Verständnis der klassischen Dichtungen hinzuleiten. Seine Liebe zu den alten Dichtern wirkte aber so ansteckend, und es gelang ihm, das ganze antike Leben so anschaulich zu machen, daß seine Vorlesungen nicht nur zu Fachzwecken von zukünftigen Schulmännern, sondern aus reinem Interesse und zur Ausbildung des Geistes von jungen Adligen wie Wilhelm von Humboldt besucht wurden. F. A. Wolf schließlich, der 1783 nach Halle berufen wurde, mit der Aufgabe, auch dort eine Schule der klassischen Philologie aufzubauen, wollte in seinem Seminar nur solche sehen, die sich zu gründlichen Philologen machen und dem Schulfach dauernd – nicht wie die Theologen bloß vorübergehend, in der Hoffnung, später eine Pfarre zu erhalten – widmen wollten.

Die Philologen und das Gymnasium

Durch Wolf und seine philosophischen Zeitgenossen wurde die philosophische Fakultät am Anfang des neuen Jahrhunderts zur führenden. Die klassischen Studien galten als die Wissenschaft vom Höchsten und Wichtigsten, was es für den Menschen gibt, wie früher die Theologie, und nicht mehr als Hilfsdisziplin für die sogenannten höheren Fakultäten, Theologie und Jurisprudenz. »Bei dem Enthusiasmus, den Wolf unter der studierenden Jugend für das klassische Altertum erweckte, gingen aus seinem Seminar hauptsächlich diejenigen Männer hervor, die seit den neunziger Jahren an den höheren Schulen, Universitäten und Unterrichtsbehörden eines großen Teiles von Deutschland und der Schweiz tätig zu sein anfingen und jene Anerkennung des humanistischen Prinzips zuwege brachten, die auf die Gesamtentwicklung unserer geistigen Kultur von dem erheblichsten Einfluß waren.« Ohne diese Entwicklung wäre es nicht möglich gewesen, die Humboldtschen Reformen im Gymnasium durchzuführen, aus Mangel an geeigneten Lehrkräften, aber der Gymnasiallehrer, im vorigen Jahrhundert so schlecht bezahlt, daß er fast immer einen Nebenverdienst suchen mußte, konnte am Ende der Goethezeit ein anständiges Gehalt verdienen und fand seinen Stand »mit einer Achtung und Anerkennung in der bürgerlichen Gesellschaft umgeben, die ihm sonst nicht zuteil wurde« (Thiersch).

Die Lateinschule vor der Reform

Noch um das Jahr 1800 herum war nur eine kleine Anzahl von Schulen, meist staatlich kontrollierte Landesschulen, nach den in den Universitäten schon so weitverbreiteten Ideen des Neuhumanismus organisiert. Die Masse der kleinen und auch der größeren städtischen Lateinschulen, die unter der Verwaltung des Rats standen, hatte am Ende des 18. Jahrhunderts noch beinahe dieselbe Verfassung, welche sie im 16. erhalten hatten. Regelmäßig war die Lateinschule zugleich

Erste Tafel.   Der Schullehrer als Handwerker.   *N:o 2.*

„Gib uns unser täglich Brod!" Matth. 6, 11.

151. Unterricht des auf Nebenverdienst angewiesenen Schullehrers. Kupferstichtafel aus ›Wahrheit ohne Schminke oder Deutschlands Elementarschullehrer‹. Von einem württembergischen Dorfschulmeister. Nürnberg 1825.

Bürgerschule. Auch die alte Verbindung mit der Kirche und dem kirchlichen Leben dauerte sichtbar fort, obgleich z. B. die Beteiligung eines Schülerchors bei Leichenbegängnissen oder der Singumgang des Chors mit sämtlichen Lehrern der Lateinschule (das »Kurrendesingen«) – früher eine Selbstverständlichkeit – für neuhumanistisch denkende Lehrer, die etwas auf sich hielten, zu einer Demütigung geworden war, während die armen Theologen von früher die eingesammelten milden Gaben gern mit den Schülern geteilt hatten. Das Gehalt eines Schulmeisters in Preußen betrug ja selten so viel wie 400 Taler im Jahr, kaum mehr als der durchschnittliche Student für seinen Lebensunterhalt brauchte, und noch 1820 hatten die Gymnasialprofessoren in Weimar ein Jahresgehalt von zwischen 600 und 700 Talern, so viel wie ein mittlerer Schauspieler oder Sekretär. Ein Dorfschulmeister erhielt natürlich bedeutend weniger, etwa 40 Taler im Durchschnitt in Preußen, selten mehr als 100 Taler. Man half sich mit Nebenverdiensten durch, als Küster etwa, oder Organist, sogar als Schneider oder Weber. Als Herder, der als Generalsuperintendent in Weimar zugleich Ephorus der Landesschulen war, endlich 1780 seinen Entwurf zu einem Lehrerseminar fertig brachte, eine dürftige Organisation, die nur 200 Taler im Jahre kosten sollte, verzichtete er als künftiger Direktor auf Entschädigung für seine Arbeit und trat am Schluß seiner Eingabe für die Verbesserung der Einkünfte der Landschullehrer ein. »Denn was hülfe alle erlernte salomonische Weisheit«, fügt er als Begründung hinzu, »wenn der Schullehrer bei Mißwachs oder einem teuern Jahr Gefahr läuft, mit Weib und Kind zu verhungern?« Auch Herder wollte für seine Lehrer keine »unnütze Art von Aufklärung«, die ihnen und dem Staate nur schaden würde. Er hielt es wenigstens in diesem Punkte mit Friedrich dem Großen, der an seinen Minister schrieb: »Es ist auf dem platten Lande genug, wenn sie ein bischen lesen und schreiben lernen; wissen sie aber zu viel, so laufen sie in die Stadt und wollen Sekretäre und so was werden.«

Herder und das Weimarer Gymnasium

Mehr Erfolg als bei den Landschulen hatte Herder in seinen Bestrebungen für das Weimarer Gymnasium, die einzige höhere Schule in diesem kleinen Lande, und das, was er hier versuchte, ist für die Ansichten der besseren Pädagogen seiner Zeit durchaus typisch. Was er in den Lehrplänen hier vorfand, war, nach zwei früheren Reformversuchen im 18. Jahrhundert, ein »gänzlich unorganisches Nebeneinander von alten und neueren Sprachen, von gelehrten und praktischen Zielen«, das

152. Johann Gottfried Herder (1744–1803) und seine Frau Caroline am Frühstückstisch. *Zeitgenössische Silhouette (Deutsche Fotothek, Dresden).*

nur zu Mißerfolgen führen konnte. »Schließlich blieb im Grunde doch alles beim alten, und das Gymnasium bot auch unter Heinzes wohlmeinender und aufgeklärter Leitung in der Hauptsache das Bild einer Lateinschule alten Stils . . . Eine Schule dieser Art – sie entsprach damals noch dem Durchschnittsbild der Gymnasien – gab ihren Schülern ebensowenig klassische wie praktische Bildung mit« (Rudolf Lehmann). Erst zehn Jahre nach seiner Ankunft in Weimar tat Herder den entscheidenden Schritt zur Reform des Gymnasiums durch eine Eingabe an den Herzog. Er wendet sich energisch gegen das Übermaß der Religionsstunden und des Lateinischen. Für diesen humanistisch denkenden Theologen ist das ewige Bibellesen, Beten und Katechismushersagen keine vernünftige Methode, den Schülern Wahrheiten für ihr ganzes Leben beizubringen. »Man möchte, wenn das Christentum sein soll, alle christliche Erziehung verwünschen.« Der lateinische Unterricht gefällt ihm ebensowenig. »Es kann nicht anders sein, als daß Lehrer und Schüler bei solchen Sklavenarbeiten in kurzer Zeit verdumpfen und vermodern.« Im Griechischen steht es noch ärger. Wenn der Schüler »zur schönsten und vollkommensten Sprache der Welt Lust hat, muß er sie in Privatstunden lernen, oder er verläßt als ein Ignorant die griechische Schule.«

Es hat für Herder keinen Zweck, die Jungen in den niedrigen Klassen mit viel Latein zu plagen, denn diese Klassen sind in Weimar, wo die Mittel zu zweierlei Schulen nicht reichen, »die eigentliche Stadt- und Landesschule, in welcher Bürger, Kaufleute, Handwerker, Schullehrer, Künstler, kurz der notwendigste und zahlreichste Teil der Gesellschaft gebildet werden soll«. Er beruft sich auf die Reformgedanken J. M. Gesners, der als junger Mann 14 Jahre als Konrektor in Weimar gewirkt und seine pädagogischen Gedanken später in Schriften auseinandergesetzt hatte, die Herder seit seinen Rigaer Jahren kannte und 1775 in der vollständigen posthumen Ausgabe ausführlich rezensiert hatte. »Trotz seines innerlichen Verhältnisses zum Altertum sah Gesner ein, daß lateinische Bildung nur für die künftigen Gelehrten eine wertvolle Vorbereitung auf ihre Berufsstudien war, dem größten Teil der bürgerlichen Berufe aber nicht die erforderlichen Dienste leistete, und er entwarf daher den Plan zu einer Art von Einheitsschule, die auf einem gemeinsamen Unterbau in zwei weiteren Stufen aufstieg; erst auf der obersten beherrschten die klassischen Sprachen den Lehrplan. Dieser Gedanke ist von allen Führern der neuhumanistischen Bewegung aufgenommen worden. Erst Wilhelm von Humboldt hat an seiner Stelle die Idee, die klassische Bildung zum Gemeingut aller höheren Stände und Berufe zu machen, organisatorisch durchgeführt – ein Mißgriff, wie die spätere Entwicklung unverkennbar gezeigt hat« (Lehmann).

Herder erhielt vom Herzog freie Hand zur Durchführung seiner Ideen, besuchte die Schule regelmäßig, beriet jeden Schritt mit den Lehrern einzeln und gewann ihr volles Vertrauen. Der Geist der wahrhaft humanen Bildung, die Herder anstrebte, geht deutlich aus seinen erhaltenen Schulreden hervor. Anders als die Fürsten, die einige berühmte deutsche Schulen im 18. Jahrhundert ins Leben gerufen haben, das Karolinum etwa in Braunschweig oder Karl Eugen von Württembergs Karlsschule, um in erster Linie den Staat mit tüchtigen Offizieren, Ärzten, Beamten und Technikern zu versorgen, faßt Herder den Sinn einer staatlichen Schule auf. »Die öffentliche Schule ist ein Institut des Staats, also eine Pflanzschule für junge Leute nicht nur als künftige Bürger des Staats, sondern auch und vorzüglich als Menschen. Menschen sind wir eher, als wir Professionisten werden, und weh uns, wenn wir nicht auch in unserm künftigen Beruf Menschen blieben! Von dem, was wir als Menschen wissen und als Jünglinge gelernt haben, kommt unsre schönste Bildung und Brauchbarkeit für uns selbst her, noch ohne zu ängstliche Rücksicht, was der Staat aus uns machen wolle.«

Eine wahrhaft humane Bildung hat Herder angestrebt, aber schon im Weimarer Gymnasium wurde sein Ideal allseitiger Menschlichkeit in der Praxis zu einem »Bildungsideal für Gelehrte, nicht für tätig handelnde Menschen« (Lehmann). Die neue Schulbildung war ebenso einseitig theoretisch wie ihre Schöpfer und die Lehrer, die sie weitergaben. Man forderte von den Schülern eine unbegrenzte geistige Empfänglichkeit, die leicht in Bildungsphilisterei ausarten konnte, und vernachlässigte die Charakterbildung. Auch bei der Reform der preußischen Schulen und Universitäten im Revolutionszeitalter, die bis tief ins 19. Jahrhundert hinein für die übrigen deutschen Staaten ein schwer zu erreichendes Muster darstellte, wurde trotz bedeutender Fortschritte diese Schwäche nicht überwunden.

Die Grenzen der neuen Philologie in der Schule und die neue Wendung

Aus diesem Grunde fragt sich Paulsen schließlich in seiner großen Geschichte des gelehrten Unterrichts, ob die Ersetzung der Theologen im Schulregiment durch Philologen in jeder Betrachtung ein Gewinn gewesen sei. »Das Interesse an dem ganzen Menschen stand dem Theologen, wenn anders er ein rechtschaffener Theologe war, in der Mitte seines Lebensberufs, nicht das Interesse an der Wissenschaft. Den Theologen führt alles darauf hin, Erzieher zu sein, dem Gelehrten lag es näher, mit dem Unterrichten sich zu begnügen.« Die philosophische Akribie war ferner oft mit einer gewissen Härte im Verhältnis des Lehrers zu den Schülern verbunden – mit den Theologen ließ sich leichter leben. Aber von diesen Gefahren hatte man zur Zeit der großen Reformen noch keine Ahnung und ließ sich in einer großen Zeit durch keine zu ängstlichen Bedenken von der Durchführung einer leitenden Idee abschrecken. Paulsen verhehlt sich nicht, daß die klarblickenden Köpfe der Aufklärung, etwa in den achtziger Jahren, von der Weiterentwicklung des gelehrten Unterrichts etwas ganz anderes erwartet hatten. Die ganze neuere Geschichte, sagte man sich damals, stelle sich, im großen Zusammenhang gesehen, dar als ein Prozeß der allmählichen Loslösung vor der alten Kultur, wie die reifende Frucht von dem Baume, auf dem sie gewachsen, sich loslöse. Mathematik und Naturwissenschaft, sowie eine auf ihnen begründete neue Philosophie, habe längst selbständigen Bestand. Die neue Blüte der schönen Literatur vor allem weise in dieselbe Richtung einer wachsenden Emanzipation von den Sprach- und Denkformen der Antike. »Statt dessen erfolgte: allgemeine und ausnahmslose Nötigung durch staatlichen Zwang, vor dem Beginn der Universitätsstudien sich über die Kenntnis der griechischen Sprache, die Akzente ja nicht ausgenommen, auszuweisen, wiederholte Mahnungen der Ministerien . . . das Lateinsprechen nicht zu vernachlässigen, die Erlernung der griechischen Sprache ein Bestandteil der Vorbildung auch der Baumeister und Postbeamten, der Offiziere und Kaufleute, der Chemiker und Zahnärzte.« Die tiefste Ursache dieser erstaunlichen Wendung sieht Paulsen in der Säkularisierung der Welt- und Lebensanschauung seit dem 15. Jahrhundert. An die Stelle des Christentums war das Hellenentum getreten als eine Art neue Religion, »eine menschliche Religion, in der das Göttliche selbst gesteigertes Menschentum war«. »Ich sehne mich nach der gesunden Nahrung der alten Klassiker«, schreibt ein Jugendfreund von D. F. Strauß, Christian Märklin, nachdem er das geistliche Amt endlich mit einer Gymnasialprofessur vertauscht hat, »ich will aus voller Seele ein Heide sein; denn hier ist doch Wahrheit, Natur, Größe.«

Wilhelm von Humboldts organisatorische Leistung

Dazu kam der Aufstieg des Bürgertums, in erster Linie der wissenschaftlich gebildeten Schicht, die sich im Namen einer allseitigen Menschenbildung nach griechischem Muster gegen die aus französischen Quellen gespeiste Rokokokultur des Adels auflehnte. Kräftig unterstützt wurde schließlich diese Abwendung von der Aufklärung durch die Niederlage bei Jena und den Zusammenfall des alten Reichs. Energische Vertreter der neuen Bildung wie Fichte mußten die preußische Katastrophe als eine direkte Folge eines überlebten Erziehungssystems auffassen und konnten eine Zeitlang bei der bestürzten Regierung für den Gesichtspunkt verhältnismäßig junger Männer Gehör finden, denn jung waren die führenden Persönlichkeiten in der preußischen Unterrichtssektion und in den Gymnasien und Universitäten – Wilhelm von Humboldt selbst, einer der ältesten, erst 41 Jahre alt –, als die entscheidenden Schritte gemacht wurden. Trotz der Unentschlossenheit des Königs konnten sie angesichts der verzweifelten nationalen Lage und auf Grund eines neu erwachten Patriotismus radikale Maßnahmen durchsetzen.

Ablehnung der Berufsvorbildung

Daß Humboldt persönlich in anderthalb Jahren so viel leisten konnte, war nur möglich, weil er sich auf das Grundsätzliche beschränkte, das Detail andern überlassend, jeden Augenblick fleißig ausnützte und eine leitende Idee, die mit dem Sinne der Steinschen Reform durchaus vereinbar war, nie aus den Augen verlor. Sein früheres Mißtrauen gegenüber dem Staat ist bekannt. Auch jetzt ist der Staat für ihn kein Selbstzweck, »nur Mittelding zur Ausbildung der Menschheit (Menschlichkeit)«, aber in den bestehenden Verhältnissen ein notwendiges Mittel, so daß Humboldt in der Praxis die staatliche Kontrolle des Erziehungswesens bedeutend gestärkt hat. Das ideale Ziel, das ihm dabei vorschwebt, ist nicht mehr, wie für die Fürsten des Absolutismus, die Versorgung des Staates mit guten Dienern, sondern wie früher bei Herder, die Herausbildung des Menschen im Schüler und Studenten in der Fülle seiner Kräfte. Man experimentierte schon seit einigen Jahren in Preußen mit der Pestalozzischen Methode, und aller Erweckung des Nationalgefühls zum Trotz dachten die führenden Geister noch universalistisch und träumten, wie Fichte in den ›Reden‹, von einer Menschheitsmission der Deutschen. »Statt der Aufspeicherung von Kenntnissen will man jetzt Bildung, d. h. aber einmal die Entfaltung der ganzen Innerlichkeit, nicht bloß des Verstandes, und andrerseits beim Intellekt nur die Fähigkeit, die Objekte aufzufassen, nicht die Darbietung aller Objekte überhaupt« (Spranger). Auf jeder Stufe von der Elementarschule bis zur Universität bekämpfte Humboldt also den Gedanken einer ausschließlichen Berufsvorbildung. »Was das Bedürfnis des Lebens oder eines einzelnen seiner Gewerbe erheischt, muß abgesondert, und nach vollendetem allgemeinen Unterricht erworben werden. Wird beides vermischt, so wird die Bildung unrein, und man erhält weder vollständige Menschen, noch vollständige Bürger einzelner Klassen« (Litauischer Schulplan).

153. Johann Heinrich Pestalozzi (1746–1827) unter den Waisenkindern von Nidwalden, 1798. *Nach einer Originalzeichnung von E. Klimsch (Archiv für Kunst und Geschichte, Berlin).*

Zweck des Elementarunterrichts war für Humboldt als Anhänger Pestalozzis, wie für K. A. Zeller, den neuen Rektor des Königsberger Waisenhauses, »die Entwicklung der Menschennatur nach den organischen (d. h. psychologischen) Gesetzen dieser Natur selbst, im ganzen Umfang ihres Seins, ihrer Verhältnisse und Tätigkeit«. Auf der zweiten Stufe, in der eigentlichen Schule, besteht der Zweck des Unterrichts in der »Übung der Fähigkeiten und der Erwerbung der Kenntnisse, ohne welche wissenschaftliche Einsicht und Kunstfertigkeit unmöglich ist«. Hauptaufgabe ist »das Lernen des Lernens«. Humboldt wollte keine nebeneinanderstehenden Schulformen, sondern eine Einheitsschule sehen, die alle drei Seiten des Unterrichts, die er unterschied, die linguistische (oder philosophische), die mathematische und die historische (d. h. die auf die Tatsachenwissenschaften gerichtete) berücksichtigte. Bei diesem Totalitätsstreben sollte man aber auch dafür sorgen, »daß der Schüler, wie ihn seine Individualität treibt, sich des einen hauptsächlich, des andern minder befleißige, wofern er nur keine ganz vernachlässigt. Eine Verschiedenheit der intellektuellen Richtung auf Sprachstudien, Mathematik und Erfahrungskenntnisse ist einmal unleugbar vorhanden.« Leider wurden bei der Durchführung dieser Bestimmungen nach Humboldts Abgang die individuellen Neigungen des Schülers wenig beachtet, und schon in den zwanziger Jahren wurden die Klagen über den Schematismus des Unterrichts und die Überbürdung des Schülers laut, die seitdem nicht aufgehört haben.

Bevorzugung der formalen Bildung

Humboldt war durch seine eigenen Studien und durch den Einfluß F. A. Wolfs und des Weimarer Kreises so tief von den Vorteilen des humanistischen Unterrichts einerseits und den Nachteilen einer frühzeitigen beruflichen Ausbildung andererseits überzeugt, daß er von einer Bürgerschule, wie sie z. B. sein früherer Erzieher Kunth später so eifrig propagierte, nichts wissen wollte. Er hielt es für kein großes Unglück, wenn in kleineren Städten das Gros der Schüler sich mit der ersten Hälfte eines Kurses begnügen mußte, der eigentlich für »Gelehrte« gedacht war. Das Wichtigste, was man von der Schule haben konnte, war ja für Humboldt, wie für unzählige andere bis in unsere Tage hinein, die formale Bildung, die er damals in der Erlernung einer alten Sprache sah und die man später auch in der Mathematik gesucht hat. In seinen Schulplänen spricht er ausschließlich von *Sprach*unterricht und scheint dabei die Ideen im Sinne gehabt zu haben, die er später in seinen eigenen Schriften über die direkte Wiederspiegelung des Geistes eines Volks in seiner Sprache entwickeln sollte. »Trotz des Unglücks deutscher Geburt ein griechischer Geist zu sein«, das war sein Ideal für den Schüler, aber die Vorstellung, daß das für einen Jungen im entferntesten möglich sei, der mit 14 oder 15 Jahren die Lateinschule verließ, ohne an die großen Werke, wo der griechische Geist sich uns offenbart, überhaupt heranzukommen, scheint uns heute recht unwahrscheinlich und typisch romantisch.

Neue Prüfungen und Schulpläne

In größeren Städten konnten sich viele Lateinschulen, trotz der Ablehnung einer wirklichen Realschule, in der Richtung eines Realgymnasiums entwickeln, indem sie den modernen Fächern neben dem Lateinunterricht immer mehr Zeit gönnten. Eine neue Prüfungsordnung erschien 1812, mit viel bestimmteren Forderungen als die vom Jahre 1788, die eine Abiturientenprüfung zuerst eingeführt hatte, aber in der Praxis wenig beachtet worden war. Die zur Abhaltung der neuen strengeren Prüfung berechtigten Lateinschulen hießen jetzt »Gymnasium« und schieden von der großen Masse der Lateinschulen aus. Die neue Ordnung wurde ganz im Sinne Humboldts von Süvern ausgearbeitet, aber Humboldt selbst war bei allem Liberalismus kein Feind der Prüfung, ja man hat ihm sogar einen gewissen »Prüfungsfanatismus« zugeschrieben, da er kein geeigneteres Mittel zu einer gerechten Auswahl der besten Kräfte sehen konnte. Schon 1810 hatte er eine besondere Lehramtsprüfung eingeführt, wodurch der höhere Lehrerstand als Berufsstand für sich zum erstenmal vom geistlichen Amt losgelöst wurde. Diese Urform des Staatsexamens mußte von jedem angehenden Gymnasiallehrer vor den hauptsächlich zu diesem Zweck geschaffenen »wissenschaftlichen Deputationen« an den drei preußischen Universitäten (Berlin, Breslau, Königsberg) abgelegt werden und sollte eine eigentlich wissenschaftliche Ausbildung der höheren Lehrer sichern. Dazu kam ein neuer Lehrplan für die Gymnasien, wo vier Hauptfächer vorgesehen waren, Latein, Griechisch, Deutsch und Mathematik, die durch den ganzen Kursus gingen, Griechisch erst ab Quarta. Die neuen, zum Zweck einer allseitigen Bildung eingeführten Fächer galten bei den Lehrern, meist Philologen, als nebensächlich, selbst Mathematik, und noch mehr die modernen Fächer, Naturwissen-

154. Blick über den Pregel zur alten Universität Königsberg, der Lehrstätte Kants. *Im Hintergrund der Dom, wo sich Kants Grabmal befindet (Löhrich, Gröbenzell).*

schaft, Geographie und Geschichte, Deutsch und Religion, denen erst jetzt einige wenige Stunden gegönnt wurden. Es dauerte natürlich viele Jahre, bis die neuen Verordnungen in allen Einzelheiten ausgearbeitet wurden, hauptsächlich durch Johann Schulze zwischen 1818 und 1840. Im Grunde wurde durch diese Reform die höhere allgemeinwissenschaftliche Ausbildung in Preußen zur Aufgabe des Gymnasiums statt wie früher, und noch auf ein Jahrhundert hinaus in England und Amerika z. B., der philosophischen Fakultät. Der Schulkursus mußte dementsprechend verlängert werden. Man betrat die Universität nicht mehr mit 16 oder 17 Jahren, sondern um 1820 mit durchschnittlich 19 oder 20 Jahren, und nach 1840 wenigstens ein Jahr später, denn die Ansprüche, die an den Schüler gestellt wurden, waren stets im Wachsen.

Die Reform der Universitäten

Für die Reform der Universitäten war in Preußen schon vor Humboldts Auftreten, wie oben gezeigt wurde, an Ideen kein Mangel, aber praktisch war noch alles zu tun. Humboldts größte Tat, die Gründung der Universität Berlin, war das Werk nicht nur eines denkenden Patrioten, der wie

Stein, Fichte, Schleiermacher entschlossen war, die großen materiellen Verluste Preußens durch geistige Kräfte wiedergutzumachen, sondern auch eines umsichtigen Politikers, der mit Menschen umzugehen und mit den gegebenen Mitteln zu rechnen wußte. Außerdem mußte er in kurzer Zeit auf Grund der vielen unverbindlichen Vorschläge, die er vorfand, einen praktisch durchführbaren Plan ausarbeiten. In Berlin, der Hochburg der Aufklärung, hatte man wie anderswo schon seit Jahren das enzyklopädische Ideal der alten Universitäten als nicht mehr zeitgemäß angegriffen. Die Universitäten nämlich sahen seit dem Mittelalter, in Deutschland wie in ganz Europa, ihre Hauptaufgabe in der Weitergabe des gesicherten überlieferten Wissens, und kein Mensch zweifelt auch jetzt noch an der überaus wichtigen Rolle der Universität als Hüterin der Kultur. Was der Aufklärung aber mißfiel, war die Weltfremdheit der Gelehrten, und man verlangte vielfach nicht bloß die Reform, sondern die Abschaffung der überlebten Universität und an ihrer Stelle die Gründung von Fachschulen, wo ein junger Mann sich für einen bestimmten Beruf ausbilden könne. Es wurden auch tatsächlich in der Nähe von Berlin eine Reihe von solchen Fachschulen ins Leben gerufen, 1770 die Bergakademie, 1790 die Tierarzneischule, 1795 die Pépinière (für Mediziner), 1796 die Akademie der Künste, 1799 die Bauakademie und 1806 das Ackerbauinstitut von Thaer in Mögelin. Hier konnte man sich einem für die damaligen Verhältnisse tiefgehenden Spezialstudium widmen und gegebenenfalls für sich weiterforschen, ohne die allgemeine Bildung ganz zu vernachlässigen, für die durch Kurse, die mit dem Beruf irgendwie in Beziehung standen, gesorgt wurde, ungefähr so wie in der pädagogischen Provinz in ›Wilhelm Meisters Wanderjahre‹ die Tierzüchter von reitenden Sprachlehrern unterrichtet werden.

Vor 1806 besaß Preußen in seinen zerstreuten Gebieten sechs Universitäten: Königsberg, Frankfurt an der Oder, Halle, Duisburg, Erlangen und Breslau, von denen die Regierung nach dem Sieg der Franzosen eigentlich nur über Königsberg frei verfügte, da Halle von Napoleon sofort suspendiert wurde. Schon früher hatte der rührige J. J. Engel die Gründung einer freien Lehranstalt ohne Fakultäten in Berlin vorgeschlagen, welche die vorhandenen Institute in sich aufnehmen sollte, und die Zeitumstände begünstigten wenigstens die Verlegung der Universität Halle nach Berlin. Fichtes oben erwähnte Denkschrift wurde Ende 1807 auf Verlangen des Kabinettsrats Beyme verfaßt, und auch er strebte bei aller Ablehnung der Ideen der Aufklärung von der Universität in der alten Form weg. Sein ›Deduzierter Plan‹ enthält neben der Forderung, daß die Universität nicht Fachkenntnisse übermitteln, sondern den rechten Gebrauch des Verstandes und die rechte Gestaltung des Lebens lehren solle, auch viele revolutionäre Vorschläge, ähnlich denen, die man gelegentlich in der letzten Zeit als Gegengewicht gegen die für das heutige Empfinden nachteiligen Auswirkungen der Humboldtschen Universitätsreform einführen wollte. Fichte wollte z. B. einen möglichst engen Kontakt zwischen Lehrern und Schülern sehen, eine »vita communis«, die den Kathedervortrag, so meinte er, schließlich entbehrlich machen würde. Nach einem Probejahr sollten die Studierenden »zu einer einzigen großen Haushaltung, zu gemeinschaftlicher Wohnung und Kost, unter einer angemessenen liberalen Aufsicht« zusammentreten. Ihre sämtlichen Bedürfnisse, Bücher, Kleider, sogar ein mäßiges Taschengeld, sollten ihnen frei auf Kosten des Staates gereicht werden, damit sie, vor jeder Sorge um das Äußere gesichert und vom bürgerlichen Alltag der eigenen Familie isoliert, ein Leben führen, das ganz in seinem Zwecke, der Wissenschaft, aufgehe.

Humboldt bekannte sich bald zu der Ansicht, daß »die Bildung einer großen und gut organisierten Universität (in Berlin), die, wenn sie gelingt, Studierende aus allen Teilen von Deutschland versammeln muß«, eines der besten Mittel sei zum (eigentlich politischen) Zwecke, für Preußen die Aufmerksamkeit und Achtung Deutschlands zu gewinnen. Er übernahm von Schelling und Fichte die Auffassung der Universität als einer Anstalt für wissenschaftliche Forschung und wissenschaftlichen Unterricht, einer Schöpfung aus dem Geist der idealistischen Philosophie, worin die philosophische Fakultät erstmalig zur führenden wurde. »Hier sind die spezialistischen Vorlesungen, hier auch die Seminare zuerst einheimisch geworden. Die Philologen, unter der Anführung von F. A. Wolf, gingen voran; nicht Lehrer, sondern Gelehrte zu bilden setzten sie sich zur Aufgabe; die Lehrkunst erschien ihnen überhaupt nicht als eine für sich lehrbare Sache: wer die Wissenschaft hat, wird sie auch lehren können, das galt auch hier (wie bei der Wahl der ersten Professoren) als Voraussetzung. Denselben Weg sind dann die übrigen Fächer gegangen; die Mathematiker, die Physiker, die Historiker, die Neuphilologen, sie gehen darauf aus, nicht Lehrer dieser Fächer für die Schulen, sondern selbständige Gelehrte zu bilden, die ›die Sache weiterbringen‹. Auch hier traten die Seminare und Institute, in denen die Methode der Forschung fortgepflanzt wird, als Hauptformen des Unterrichts hervor.«

Schattenseiten dieser Reform

Diese hohe Bewertung der selbständigen Forschung des akademischen Lehrers hat natürlich auch gewisse Nachteile. »Die Verengerung von Bildung und Leben vollzog sich in Deutschland erbarmungsloser als jemals in Frankreich oder England« – so urteilt Franz Schnabel. Auch die mit Recht gepriesene akademische Freiheit der neuen Universität hatte ihre Grenzen. Ein bedingtes Selbstverwaltungsrecht wurde der Universität insofern gewährt, als der akademische Senat den Lehrbetrieb von sich aus regeln durfte. Den Professoren sollte die Freiheit des Forschens und Lehrens, den Studenten die des Lernens und die Freizügigkeit von einer Universität zur anderen gesichert sein. Aber von einer demokratischen Universitätsverfassung oder von korporativen Sonderrechten war ebensowenig die Rede wie bei der Stadtverwaltung. Humboldt selbst berief die ersten Professoren, und selbst das moderne Berufungsverfahren hat lange auf sich warten lassen. Die Universitäten waren eben von nun an Staatsanstalten, nicht mehr unabhängige Körperschaften mit Selbstergänzungsrecht wie die mittelalterlichen oder wie die auf reichen Stiftungen beruhenden Colleges von Oxford und Cambridge. Die Universität Berlin war, wie schon die neue Universität Heidelberg in Baden und später alle deutschen Universitäten, für ihre Gelder ganz auf Ausstattung aus dem jährlichen Staatsetat angewiesen, und da die Universität nicht nur Forschungsstätte, sondern auch Bildungsanstalt für die höheren Berufe war, mußte dem Staate durch seine Kontrolle der Staatsexamina eine gewisse Aufsicht über die Lehrfreiheit eingeräumt werden. An die großartige Unterstützung der Studierenden von staatlicher Seite, die Fichte vorgeschlagen hatte, konnte man im armen Preußen von damals nicht denken, und dadurch, daß nur diejenigen, die ein Gymnasium absolviert hatten, zur Abiturientenprüfung zugelassen wurden, wurde das Universitätsstudium mit wenig Ausnahmen mehr als früher zu einem Vorrecht der Söhne der besitzenden Klassen. Humboldt legte aber wie Fichte großen Wert auf das Zusammenarbeiten von Lehrern und Studenten als Dienern der Wissenschaft. Er dachte sich die Universität nicht wie jener als eine Art Militärschule mit Uniformen, sondern als eine freie Gemeinschaft, worin Lehrer und Lernende ganz zwanglos miteinander verkehrten, und das war in den kleinen Universitäten der Goethezeit noch vielfach der Fall.

Die Universität Berlin

Die weitgehende Verstaatlichung der Universität war offensichtlich eine Fortsetzung der einheimischen Tradition, des aufgeklärten Despotismus, aber in bezug auf die idealen Ziele der Neugründung hat Paulsen sicher recht, wenn er behauptet: »Die neue Berliner Universität bezeichnet nicht den Sieg, sondern das Ende der Aufklärung: die alten Formen blieben erhalten und spekulative Philosophie und humanistische Philologie wurden die bewegenden Kräfte in ihrem Lehrbetrieb.« Wichtiger für die Zukunft der Universität Berlin als alles Organisatorische waren die Menschen, die Humboldt für sie zu gewinnen wußte. Fichte selbst war der erste Ordinarius für Philosophie, und vom Jahre 1818 an wirkte Hegel dort als der neue Aristoteles. Die klassische Philologie wurde von F. A. Wolf und seinen drei Lieblingsschülern Heindorf, Bekker und Boekh vertreten, Römische Geschichte von Niebuhr, Theologie von Schleiermacher, und auch in der juristischen Fakultät wurde dem Studium durch Savigny und Eichhorn eine neue Wendung zum Altphilologischen gegeben.

An großen Gelehrten hat es seitdem in Berlin nie gefehlt; die Altertumswissenschaft galt nach offiziellen Kundgebungen und Festreden noch jahrzehntelang als Mittelpunkt aller gelehrten Studien, auf die didaktische Fähigkeit der Lehrer wurde aber wenig Gewicht gelegt, und der Durchschnittsstudent war nach wie vor für den Wert der klassischen Bildung recht unempfindlich, trotz aller Zwangskollegien, die man von Zeit zu Zeit einzuführen versucht hat. Wolf und seine Nachfolger klagen wiederholt über ihr leeres Auditorium. Eine kleine Minderheit hat es wohl jederzeit gegeben, die sich für ihr gewähltes Fach begeisterte, aber auf der Universität wollten die meisten den Zwang abschütteln, gegen den sie in der Schule ohnmächtig gewesen waren, und sich in erster Linie für das praktische Leben vorbereiten.

155. Die Berliner Universität um 1820. *Nach einem Stich von Calau (Historia-Photo).*

Die soziale Herkunft der Studenten

Ein äußerst wichtiges Moment für fast jeden Studenten bei seiner Wahl einer Fakultät war seine soziale Herkunft. »Auf den Universitäten«, schreibt Paulsen von dem 18. Jahrhundert, »finden wir zwei Gruppen von Studierenden: Leute, die sich durch staatswissenschaftlich-juristische Studien für das weltliche Amt vorbereiten: sie stammen aus den oberen Schichten der Gesellschaft; und Leute aus beschränkten Verhältnissen, bis herab zur eigentlichen Armut, die sich durch das Studium der Theologie und der Schulwissenschaften für das geistliche Amt und seinen Anhang, das Schul- und Erziehungsfach, vorbereiten. Nach Beendigung des akademischen Studiums tritt der Jurist bei einem Justiz- oder Regierungskollegium ein, um den Dienst zu lernen; der Theologe dagegen sucht als Privatinformator oder Hofmeister oder auch als Schulmeister an einer Lateinschule eine Versorgung bis zu dem ersehnten Übergang in eine Pfarrstelle. Von einigen wenigen Stellen an den großen Stadt- und Landesschulen abgesehen, blieb niemand im Schuldienst länger als er mußte.«

Es ist oben gezeigt worden, wie sich gegen Ende des Jahrhunderts zum erstenmal der Berufsstand der Lehrer vom geistlichen Amt abzulösen begann. Die Wandlung hat sich aber so langsam vollzogen, daß die Theologen im Jahre 1830 noch 38,2 % der Gesamtzahl der deutschen Studenten ausmachten, die in der philosophischen Fakultät eingeschriebenen dagegen nur 17,7 %. An zweiter Stelle kamen wie von jeher die Juristen mit 28,3 %, und an letzter die Mediziner mit 15,8 %. Im Jahre 1903, nach dem Triumph der Naturwissenschaften, stellte die philosophische Fakultät, die Naturwissenschaftler eingeschlossen, 40 % aller Studenten dar, und die theologische nur noch 10 %, während der Anteil der Juristen beinahe unverändert geblieben und der der Mediziner etwas gestiegen war.

156. Titelblatt des Commersbuches von 1815 der Germania (*Schiller-Nationalmuseum, Marbach a. N.*).

Fortdauer der alten Tradition

Die Gründung der Universität Berlin war gewiß ein Wendepunkt in der Geschichte der deutschen Universität, aber man kann sich die Wirkungen dieser Tat in die Weite wohl kaum langsam genug vorstellen. »In demselben Augenblick, wo der Sieger von Jena die Hochschulbildung Frankreichs

157. Heinrich Laube (1806–1884). Stich nach einem Gemälde von
Pecht *(Historisches Bildarchiv Handke, Bad Berneck).*

auf das Reglement stellte, hatte der Besieg-
te den Mut, den andern Weg zu gehen und
die Bildung seiner Beamten der freien Wissenschaft anzuvertrauen: auch das ein un-
vergängliches Denkmal des tapferen Glaubens an sich selbst und an die Idee der Wahrheit und Freiheit.« Paulsen hat mit dieser
Behauptung sicher recht, aber es hat mehr
als ein Menschenalter gedauert, bis die Über-
legenheit des deutschen Universitätssystems
allgemein anerkannt wurde, nachdem die
Deutschen in den exakten Wissenschaften
fleißig bei den Franzosen in die Lehre gegangen waren und eine Reihe von Fachschulen, großenteils nach dem Muster der
französischen, zur Ergänzung der rein theoretischen Leistungen ihrer Hochschulen aus-
gebaut hatten. In der Zwischenzeit kamen
auch die Deutschen, in der Masse gesehen,
nicht leicht von ihren alten Vorstellungen
ab. Heinrich Laube z. B., 1806 als Sohn eines schlesischen Maurermeisters geboren,
studierte in den zwanziger Jahren in Halle

Theologie, obgleich er, wie er selbst zugibt, für den wieder modisch werdenden Pietismus keine Ader
hatte, denn das war noch das wohlfeilste Studium, und es führte schnell zu einer Anstellung als Hauslehrer bei Landedelleuten. »Nach dem inneren Berufe für Gottesgelahrtheit wurde nicht besonders ge-
fragt. Das ›Studieren‹, wie man die Universitätslaufbahn nannte, war damals Mode, von exakten
Wissenschaften wußte man damals nichts. Technik, Chemie, oder so etwas zur Lebensaufgabe zu
machen, hätte für einen bedauernswerten Irrtum gegolten, und im Grunde klammerte sich alles an
den Staat. Eine Anstellung, die mit dem Staate zusammenhing, wurde gesucht, nur eine solche;
jede freie Tätigkeit, welche lediglich auf selbständige Kraft angewiesen blieb, galt für abenteuerlich,
ja für verdächtig. Uns damaligen Menschen war die absolute Staatsregierung eigentlich ganz ange-
messen, wir hatten keinen Mut und also auch keine Fähigkeit, auf eigenen Füßen zu stehen.«

In Heinrich Laubes ›Erinnerungen‹ liest man auch recht anschauliche Schilderungen vom Stu-
dentenleben auf drei Universitäten, woraus hervorgeht, wie viele alte Sitten in der Zeit der Burschenschaft und nachher noch fortlebten und wie stark sich die Lokaltradition in den verschiedenen
Städten behauptete. In Halle, wo Laube im Frühling 1826 mit dem Ränzel und der Gitarre auf dem
Rücken erschien – die Gitarre konnte er nicht spielen, aber »sie gehörte zur damaligen Romantik« –
war seine erste Frage nach der Burschenschaft. Sie war als hochverräterische Verschwörung offiziell
verboten, existierte aber in kleinen Kränzchen unter der Hand und hatte für die Jugend den Reiz
des Geheimnisses. Man wußte, daß sie die Idee des deutschen Patriotismus im Gegensatz zur Kleinstaaterei vertrete – der Begriff »Deutschland« sei eigentlich erst in der Befreiung geboren, sagt

158. Die Haagei in Tübingen, das Kneiplokal der Burschenschaft Germania. *Getuschte Federzeichnung von Wilhelm Hauff, 1824 (Schiller-Nationalmuseum, Marbach a. N.).*

Laube – aber man interessierte sich wenig für Politik und las keine Zeitung. Dagegen verachtete man die Landsmannschaften, wo die Märker, die Sachsen usw. nur mit ihren eigenen Lands-leuten zusammenkamen. Man mißbilligte ihr bloßes Saufen, Pauken und Renommieren und machte selbst Ernst mit der Wissenschaft und der moralischen Gesinnung – »der liederliche Verkehr mit Frauenzimmern war geradezu ver-pönt«. Man lebte jedoch »flott und lustig in der Kneipe« und hielt viel aufs Fechten, wor-in Laube es so weit brachte, daß ihm später der Posten eines Universitäts-Fechtmeisters in Breslau angeboten wurde. Er beschreibt einen typischen Tag. Vormittags arbeitet man privat und besucht etwa drei Vorlesungen, wo die »Studiosi« sich gut benehmen und alles fleißig nachschreiben. Auch hier heißt es, aus alten Kolleghheften sei es zu ersehen, daß mancher Professor jedes Jahr dasselbe herunterlese, die Witze an festen Stellen inbegriffen. Nachmit-tags und abends ist man Student in burschiko-sem Sinne, überläßt es den »Kamelen«, ins Kol-leg zu gehen, spielt Billard, geht auf den Fecht-boden und abends in die Kneipe, wo man im Kommers mit wahrer Begeisterung für den In-halt der Lieder mitsingt, Lieder von Körner, Arndt, Schenkendorf, Follenius über sympa-

159. Göttinger Student um 1826 in seiner Bude. *Aus dem Er-innerungsbuch des stud. iur. Bernhard Rodenwald aus Hannover (Stadt-archiv, Göttingen).*

160. Der Student erhält seinen Monatswechsel. *Zeichnung aus einem Stammbuch des 18. Jahrhunderts (Archiv für Kunst und Geschichte, Berlin).*

thische ideale Themen, Vaterland, Ehre, Freundschaft, Tapferkeit und Tüchtigkeit jeder Art. Bei der Fechterei ging es nicht ohne Roheit ab, das gibt Laube zu, aber die Hauptsache war die Fecht-übung selbst, bei der man immer wieder Schmisse bekam, ohne sich im Ernst zu duellieren. Zu Duellen kam es selten, nur wenn ein Ehrengericht eine »Paukerei« für zulässig erklärt hatte.

Ein Stück Mittelalter, etwas vom Raubrittertum steckt für Laube fest im Studententum. »Götz wäre unser Held gewesen, wenn wir ihn gekannt hätten. Wir kannten ihn aber nicht. Wir waren literarisch Barbaren.« Die Studentenwelt war ihm »ein Staat, der über aller Frage, über allem Zweifel thronte, ein privilegierter Staat. Wie der hohe Adel seine Privilegien als etwas Selbstverständliches ansieht, so fühlten wir uns als privilegierte junge Herren der Welt. Es war eine prächtige Illusion, war eine volle Poesie.« Und diese Welt stand allen offen, die das Abitur bestehen konnten. Laube selbst bekam von den Eltern keine Unterstützung. Sie konnten ihm schon als Schüler auf dem Gymnasium in Glogau kein Geld mitgeben, nur ein Säckchen Kartoffeln und etwas Speck all-wöchentlich. Wohlwollende Familien unterstützten ihn, wie damals üblich, durch ein paar Freitische, und sonst ernährte er sich selbst durch Stundengeben. Er wußte, daß seine Professoren ihm wahr-scheinlich als unbemitteltem Studenten die Honorare »stunden« würden, d. h. die Bezahlung erst dann verlangen, wenn er in einer auskömmlichen Stelle selbst Geld verdiene. Es war ein Einfall Schleiermachers in Berlin gewesen, armen Studenten auf diese Weise zu helfen, und die Einrichtung war mit der Zeit allgemein angenommen worden. Gustav Parthey behauptet, daß seit der Erfindung der Eisenbahn die Korrespondenz nach den entferntesten Ländern zur Eintreibung der gestundeten Honorare einen sehr ausgedehnten Geschäftszweig der akademischen Quästur gebildet habe. Die Professoren waren keineswegs verpflichtet, diese Gunst zu gewähren, und Savigny z. B. hat stets auf Barzahlung bestanden, zur Deckung des Nadelgelds seiner Frau! Der junge Laube bildete sich

ein, daß unter den Studierenden eine
Art Kommunismus existiere, und es
wurde ihm in der Tat erstaunlicher-
weise von einem älteren Studenten,
der seine Mütze bemerkt hatte, wie er
auf den Marktplatz trat, ein Zimmer
unentgeltlich zur Verfügung gestellt,
mit freiem Brot und Tabak.

Nach dem, was er uns vom Studen-
tenleben erzählt, kann man es gut verstehen, daß englische Reisende, von
Russell, Dodd, Jacob um 1820 an bis
zu Howitt zwanzig Jahre später, ein-
stimmig über das ungepflegte Aussehen
und die rohen Sitten der jungen Leute
berichten, die ihnen in kleinen Universitätsstädten wie Jena und Heidelberg begegnen, obgleich auch Adlige
sich darunter befinden sollen. Die besser Informierten, Howitt und Russell,
sehen tiefer, und finden hinter dem
gewollt Burschikosen eine echte Frei-
heitsliebe und Güte. Alle sind darüber erstaunt, daß diese offenbar unreifen Jungen in ihren Studien wie in ihrem Leben
so sehr sich selbst überlassen sind, ohne

161. Göttinger Studenten
im Karzer. *Aus dem Stammbuch des stud. iur. Johann Jacob Gerdes aus Eggelingen/
Ostfriesland, 1817 (Stadtarchiv, Göttingen).*

162. Göttinger Mensur im
Jahre 1808. *Aquatintastich
von M. G. Prestel (Historisches Bildarchiv Handke, Bad
Berneck).*

Führung von oben. Russell bezweifelt den Wert einer akademischen Freiheit, die ihnen nichts gibt, was andre Menschen haben möchten. Sie sondern sich durch ihr Äußeres, ihre Bärte, ihr langes, struppiges Haar, ihr unsinniges Renommieren, Kneipen und Rauchen von den »Philistern« ab, aber in Universitätssachen haben sie weder Stimme noch Einfluß. Sie sind die Gefangenen einer phantastischen Regel, die sie nicht gemacht haben und der sie sich aus Furcht vor den anderen nicht entziehen können. Die Mensur und ihre Mystik finden alle Engländer ganz unbegreiflich.

Der Schotte Russell versteht, daß ein kleiner Fürst nicht die Mittel besitzt, um eine Universität mit prächtigen Gebäuden auszustatten. Ein Vergleich mit Oxford oder Cambridge, diesen »Akademien für besondere Gesellschaftsklassen«, kommt gar nicht in Frage, aber ein deutscher Bursch wird nach Russells Meinung für halb soviel Geld ebenso gut unterrichtet wie ein Student in Schottland und hat in vielen Fächern die Möglichkeit eines viel weitergehenden Spezialistentums.

Individuelle Unterschiede zwischen den Universitäten

Nach Russell gilt Göttingen um 1820 als die beste deutsche Universität und Berlin schon nach zehn Jahren als die zweitbeste. Göttingen kann, um gute Lehrkräfte zu gewinnen, die kleineren Universitäten überbieten. In Göttingen haben die ordentlichen Professoren zwischen 1200 und 1500 Talern Gehalt, in Jena etwa 500 – in den neunziger Jahren hatten nur zwei Professoren, die ältesten Theologen, annähernd soviel bekommen (459 Taler), und die Philosophen höchstens 328 Taler, die besondere Zulage mitgerechnet, die der Weimarer Staat allein bestritt. Die Universitätsbibliothek in Göttingen, mit ihren 200000 Bänden, übte eine große Anziehungskraft aus, auch die naturwissenschaftlichen Sammlungen und Institute und die Witwenkasse. Goethe hatte sich in Jena eifrig um die Verbesserung der Institute und der Bibliothek bemüht, aber die Mittel waren beschränkt. An allen Universitäten, auch in Göttingen, waren die Professoren auf die Kolleggelder, die sie für Privatvorlesungen verlangen durften, angewiesen, und vor allem auf Nebenverdienste mancher Art, wobei die Juristen und Mediziner es besser hatten als die Theologen und Philosophen. In den Jahren nach 1787, als Jena sich zum Hauptsitz der Kantischen Philosophie emporschwingen konnte, waren die guten Honorare, die Professor Schütz für Beiträge an seine 1785 in Jena gegründete ›Allgemeine Literatur-Zeitung‹ bezahlen konnte, ein wichtiges Lockmittel. Jenas Glanzzeit dauerte nicht viel mehr als ein Jahrzehnt. Die Konkurrenz von größeren Staaten, vor allem Bayern und Preußen, welche die Universitäten Würzburg und Halle bald nach 1800 eifrig ausbauten, und schließlich die Übersiedlung von Schütz mit der ›Literaturzeitung‹ nach Halle im Jahre 1803 beraubten Jena der berühmtesten Professoren, bald nachdem die Universität mit Fichte, nach dem »Atheismusstreit«, sehr viele Studenten verloren hatte. Gleichzeitig zerstob die kleine Gruppe der älteren Romantiker, deren Führer, A. W. Schlegel, als Mitarbeiter an der ›Literaturzeitung‹ und an Schillers ›Horen‹, nach Jena gekommen war.

Ähnlich wie in Jena schwankte die Frequenz überall von Jahr zu Jahr, denn infolge der kulturellen Rivalität zwischen den vielen Kleinstaaten war die Zahl der deutschen Universitäten eigentlich groß im Verhältnis zur Bevölkerung. Sie hatten keinen numerus clausus, und erst nachdem Preußen nach den Reformen mit dem Abitur ernst machte, scheint man bei der Aufnahme höhere Ansprüche in bezug auf die Vorbildung des Studenten gestellt zu haben. Die Sitte des Wanderns

163. Feier des Landesvaters bei einem studentischen Kommers des 18. Jahrhunderts. *Landsmannschaften und nach dem Vorbild der Frommen gebildete Orden waren die Träger des studentischen Lebens in der zweiten Hälfte des 18. Jahrhunderts. Sie vertraten auch gemeinsam den Gedanken der studentischen Wehrhaftigkeit, den sie als Erbe aus der Zeit der Nationalkollegien in das neuere Studententum hinüberretteten. Zur Regelung ihres Zusammenlebens schuf die Studentenschaft eigene Gesetze, deren Gesamtheit man seit etwa 1770 mit dem französischen Ausdruck »Comment« bezeichnete (comment = »wie« zu leben ist). Daneben wurden umfangreiche Trinkregeln aufgestellt, die besonders bei den bald allgemein gebräuchlichen »Kommersen« zur Durchführung kamen. Als Höhepunkt dieser Kneipen entwickelte sich seit etwa 1730 aus dem Brüderschaftstrinken und dem Vivat auf den Landesherren langsam die Sitte des »Landesvaters«. (Archiv für Kunst und Geschichte, Berlin).*

war fest eingebürgert und nur in besondern Verhältnissen, z. B. in Kriegszeiten, stieß man dabei auf Schwierigkeiten, ja, an den kleineren Universitäten war die Drohung mit einer Massenauswanderung in einen Nachbarstaat ein wirksames Mittel gegen allzu energische Versuche des Prorektors, seine unruhigen Zöglinge in Zucht zu halten, so z. B. 1792 in Jena und noch 1819 in Heidelberg (G. Parthey). Für die Weimarer Regierung waren damals die Steuern von Wichtigkeit, die man von den Jenaer Bürgern erheben konnte, und ohne die Studenten hätten sehr viele unter den 4000 Einwohnern keine genügende Nahrung gefunden. Trotz dieser Schwankungen kann man gegen Ende der Goethezeit drei Gruppen von großen, mittleren und kleinen Universitäten unterscheiden. Zur ersten gehören etwa die Universitäten in für damalige Verhältnisse größeren Städten – Wien, Berlin, Prag, Leipzig, München – und die in hohem Ruf stehenden Göttingen und Halle; zur dritten die abgelegenen Kiel, Greifswald, Rostock, Königsberg, die neue Universität Münster, und die »Nester« Gießen und Marburg. Die ersteren hatten über 1000 Studenten, Wien 1685 im Jahre 1827, die dritte

164. Würzburger Studenten fahren über Land. *Kupferstich um 1830.*

Gruppe unter 500, und zu dieser gehört jetzt auch Jena, während in der Mitte die Mitglieder einer süddeutschen Gruppe – Tübingen, Würzburg, Heidelberg, Freiburg, Erlangen – mit den preußischen Breslau und Bonn zusammen, je zwischen 500 und etwas über 800 (Tübingen 827) aufwiesen. In den Großstädten hatte das Studium natürlich einen andern Charakter als in ruhigen Städtchen, die der Welt nur als Sitz einer Universität bekannt waren. In dieser Hinsicht war es in den neuen Universitäten Berlin und München nicht anders als in Wien und Leipzig. »Für die große Mehrheit der Leipziger Studenten im 18. Jahrhundert war nicht der Reichtum und der Prunk, wie man wohl nach dem ›Renommisten‹ Zachariäs annehmen könnte, das Charakteristische, sondern gerade umgekehrt die Armut. Leipzig war geradezu die ›universitas pauperum‹, und nirgends scheint die Armut unter den Studenten so verbreitet und so drückend gewesen zu sein wie gerade in Leipzig« (Bruchmüller). Aus ähnlichen Gründen wie Laube hatten wohl unzählige unbemittelte Jünglinge sich für das Studium der Theologie entschieden, und das ging sicher leichter in Staaten, wo wie in Sachsen und Württemberg staatliche Internate, Fürsten- und Klosterschulen gegründet worden waren, um in erster Linie der protestantischen Kirche den Nachwuchs zu sichern. Rebmann behauptet in bezug auf Leipzig in seinen ›Wanderungen‹ in seiner drastischen Art: »Jeder Tagelöhner läßt seinen Sohn studieren, sobald er ihn nur auf der Schule vor dem Verhungern sichern kann; wovon er einst auf der Universität leben soll, daran wird nicht gedacht.« Leipzig bot als Mittelpunkt des Buchhandels größere Möglichkeiten des Nebenverdienstes als die meisten anderen, war auch besonders gut mit frommen Stiftungen zur Erleichterung des Theologiestudiums ausgestattet.

In einem ehemaligen Klostergebäude in Leipzig, dem Paulinum, befanden sich 50 Stuben und Kammern, die an arme Studenten vergeben wurden und zumeist von je zwei, aber auch drei Insassen besetzt waren. Den Zustand dieser Wohnungen schildert Rebmann als schauderhaft. In demselben Gebäude war ein Konvikt, wo Studenten, denen eine offizielle Freitischstelle gewährt worden war, ganz anständig speisten, aber viele im Paulinum hatten keine solche Stelle und ernährten sich großenteils von Brot und Kartoffeln. Anderswo kam es vor, daß man für den »Freitisch« wenigstens eine Kleinigkeit bezahlte, in Jena z. B. um 1793 etwa einen Gulden die Woche. Um 1820 hatte Jena (nach Russell) 150 solche Stellen und Göttingen 216. Der günstigste Boden für das Burschenleben, wie es von Laube geschildert wird, war natürlich eine mittlere oder kleine Universität. Göttingen kommt ihm zu aristokratisch vor, er findet dort Klubs und kleine, exklusive Vereine, wo allerdings auch viel gefochten wird, aber die »demokratische« Burschenschaft ist dort unbekannt. In einer Großstadt wie Leipzig oder Berlin wird der Student nicht allzu wichtig genommen und kann seine »Privilegien« und sein »Raubrittertum« nicht leicht behaupten. Dort überwiegen also die »Wilden«, die »Kamele«, die für ihre Arbeit leben und keiner Verbindung angehören. Wenn so einer, wie z. B. der siebenundzwanzigjährige Klöden, der schon viel hinter sich hatte, überredet wird, einem Kommers in Berlin beizuwohnen, so kommt es ihm zunächst albern und schließlich geradezu widrig vor.

Gefahr der Überproduktion geistiger Arbeiter

Allgemein hatte der zeitgenössische Beobachter von außen den Eindruck, daß in Deutschland am Ausgang der Goethezeit eine höhere Bildung von viel weiteren Kreisen erreichbar war als sonst irgendwo in der Welt. Nach J. Conrad finden wir um 1830 über 52.5 Studenten auf 100000 Ein-

165. Nächtlicher Studententumult auf dem Jenaer Hauptmarkt um 1760. *Tuschzeichnung im Besitz der Burschenschaft Germania, Erlangen.*

wohner. Eben deswegen hat Deutschland im technischen Zeitalter nach schwierigen Anfängen so
erstaunliche Fortschritte gemacht, aber in der ersten Hälfte des 19. Jahrhunderts sind viele Zeichen
einer Überproduktion geistiger Arbeiter vorhanden. Bisset Hawkins erwähnt dieses Problem 1838
und führt aus einem Werk von Schön (1833) folgende typische Einzelheiten an. In zehn Jahren hat
sich die Zahl der evangelischen Pfarrer in Preußen verdoppelt und die der katholischen Priester ver-
dreifacht, so daß augenblicklich dreimal so viele Studenten Theologie studieren, als man eigentlich
braucht, und in Baden werden jährlich nur acht feste Stellen für Juristen frei, aber für das juristische
Staatsexamen melden sich jedes Jahr gegen 50 junge Juristen, ja, etwa 250 haben das Examen gut
bestanden, ohne bis jetzt in ein Amt zu kommen. Man mußte sich oft zunächst mit einer vorläufigen
Erwerbsmöglichkeit begnügen, und der Übergang vom Studententum ins Leben war kein so plötz-
licher wie später. Viele scheinen von Lessings Zeit an die Tätigkeit, mit der sie sich während des
Studiums über Wasser gehalten hatten, fortgesetzt zu haben, in Leipzig z. B. die Übersetzer, die
Journalisten, die Korrektoren, die Repetenten, die Schreiber, die Informatoren, die Winkelschul-
halter, sogar einige Zeichner und Kupferstecher und nicht wenige Musiker und Schauspieler. Wir
werden später bei Meusel usw. Zeichen genug von dem Vorhandensein eines geistigen Proletariats
um 1800 finden können, und zu solchen »Gelehrten« wurden jedes Jahr in allmählichen Übergängen
eine Anzahl Studenten. In den ›Xenien‹ stehen die Verse:

Sachen, so gesucht werden.
Einen Bedienten wünscht man zu haben, der leserlich schreibet
Und orthographisch, jedoch nichts in Bell-Lettres getan.

DIE GELEHRTEN BERUFE IN DER GOETHEZEIT

Einmal zu Amt und Würden gelangt, machen die Graduierten der verschiedenen Fakultäten allerdings eine mit jedem Jahr wichtiger werdende Schicht der bürgerlichen Gesellschaft aus. Sie sind
die Vertreter der freien Berufe und die führenden Kräfte auf beinahe allen Lebensgebieten. In größeren Städten waren sie schon lange zur Verteidigung ihrer gemeinsamen Interessen und wohl auch
zu geselligen Zwecken in Vereinen organisiert. In Frankfurt am Main wurde das Graduiertenkolle-
gium der Juristen und Mediziner schon 1613 gegründet und bestand noch im 18. Jahrhundert. In
Kleinstädten schlossen sich die gelehrten Berufe weniger formell, aber ebenso wirksam von der
übrigen Bürgerschaft ab. Das ist z. B. aus dem reizenden Bilde zu ersehen, das Ranke von der kleinen kursächsischen Stadt Wiehe, wo er geboren wurde, entworfen hat. »Sie war der Akzise wegen
vollkommen mit drei Toren geschlossen, sehr klein, auch auf eine kleine Flur beschränkt. Bei weitem der größte Teil der Flur gehörte den beiden Rittergütern Ober- und Unterhaus an, welche die
Freiherren von Werthern besaßen, eine in diesen Gegenden seit dem 15. Jahrhundert angesessene
alte Familie . . . Das Schloß hatte seine besondere Jurisdiktion, deren Verwaltung ein Amtsschösser

führte, welcher jedoch ein geschulter Jurist sein mußte. Die Stadt bildete, hiervon abgesondert, ihr eigenes Gemeinwesen. Den Kern derselben bildeten einige alte Familien, die von den Ratmannen, welche aus früheren Zeiten erwähnt werden, stammen mochten. Damals trieben sie hauptsächlich Ackerbau, den sie mit kleinem bürgerlichem Gewerbe verbanden. Sie hießen Bremer, Köhler usw. und schieden sich nach der Lage ihrer Häuser; so gab es ›Köhler hinter dem Rathause‹, ›Köhler in der Straße‹, diese uns gegenüber. Sie hatten beide kleine Kramläden; der erste besuchte die Leipziger Messe, natürlich zu Fuß, und holte seinen Bedarf von daher . . .

Zu der Bürgerschaft gehörten der Oberpfarrer, der Diakonus, der Rektor der Schule, der Kantor. Es waren die drei ersten nicht ganz unbedeutende Männer . . . Als Diakonus hatten wir lange Zeit den jungen Rosenmüller aus einer bekannten Gelehrtenfamilie aus Leipzig, der auch selbst literarische Velleitäten hegte, die er aber nicht zur Ausführung brachte. Er hielt die Beziehungen zu Leipzig aufrecht, die überhaupt die vornehmsten aus der Ferne waren; ein Mann von einer gewissen Feinheit im Umgang, den wir viel sahen.

Eine andere Klasse bildeten die Juristen, alles herangezogene Fremde. Sie verwalteten die Patrimonialgerichte in der Nachbarschaft – wie mein Vater Gehofen und Nausitz, später Schönewerda verwaltete – oder widmeten sich auch der Advokatur. Der Advokat schlechthin so genannt hieß Ockart, wahrscheinlich der beste Kopf in der Stadt, ich will nicht sagen, ob in der Theorie, aber in der Praxis; streng und abstoßend, den Kindern flößte er eher eine gewisse Furcht ein, und wacker durch und durch. Das Gericht in der Stadt wurde von dem Stadtschreiber, einem kleinen verwachsenen Mann, der überdies immer an der Brust litt, verwaltet. Er war der allgemeine Hausfreund, ein guter Ratgeber, gewiegter Jurist. Noch mehrere andere kamen hinzu, die dann mit dem Amtsschösser einen kleinen Kreis von Gelehrten bildeten; sie hatten alle studiert und erzählten gern von ihren Erlebnissen auf den Universitäten. Nicht immer zwischen den Männern, aber zwischen den Frauen war ein vertrauliches Verhältnis, das sich dann weiter auf die Häuser der Ärzte erstreckte, von denen einer ein Eingeborener war und zugleich die Apotheke des Ortes besaß. Er hatte sein Doktordiplom in voller Pracht unter dem kleinen Spiegel der Wohnstube aufgehängt; es war von der Universität Erfurt. Für einen besonderen Arzt galt er nicht. . . . Es gab auch noch einen zweiten Arzt im Orte, der höher geschätzt wurde und in seine Stelle eintrat. So hatten wir denn in dem kleinen Städtchen die drei Fakultäten mehr oder minder gut vertreten; immer ein Gewinn für die Einwohner, die sonst ganz in ihrem Ackerbau aufgegangen wären und die auf diese Weise mit den allgemeinen Ideen und Interessen in Verbindung gehalten wurden.

Was nun aber das meiste Leben in den Ort brachte, das war das Militär. Es waren ein paar Schwadronen Husaren in Wiehe eingelagert unter einem Oberstleutnant, vor dessen Türen oben am Bach, nicht weit von der Oberpfarre, drei Trompeter alle Abend bliesen . . . Die Offiziere hielten sich am meisten zum Schloß, doch lebten sie auch viel mit den Honoratioren der Stadt, die denn eine Klasse für sich bildeten, zusammen. Ihre Verdienste oder auch der Mangel derselben, ihre Unregelmäßigkeiten . . . ihre Streitigkeiten unter einander: alles das gab Leben und beschäftigte die Menschen.«

In dem Vaterhause Rankes hat lange nach seinem Abgang der ältere Sohn Schillers gewohnt. »Aus der früheren Zeit erinnere ich mich nur, daß einer der Offiziere mir das Bild Schillers, das er unter seinem Spiegel hatte, zeigte, mit der Bemerkung, daß dieser treffliche Mann vor kurzem gestorben sei; es muß im Jahre 1805 gewesen sein. Die Gedichte Schillers aber kannten wir nicht etwa,

166. Zwei Husaren. *Federzeichnung von Canaletto, etwa 1765 (Deutsche Fotothek, Dresden).*

167. Zwei Kavalleristen mit Karabinern auf Vorposten. *Uniform aus der Zeit der Befreiungskriege. Steinzeichnung von Franz Krüger, 1797–1857 (Historisches Bildarchiv Handke, Bad Berneck).*

sie sind erst durch den Sohn importiert worden. Überhaupt beschränkten sich die literarischen Beschäftigungen für die Älteren auf einige juridische Handbücher, zuweilen auch ein geographisches, wie mir denn Engelhardts sächsische Geographie als ein neues Buch erinnerlich ist, für die Jüngeren auf Bibel, Gesangbuch und einige Schulbücher, z. B. Gedikes Lateinisches Lesebuch. Denn bei dem Rektor lernten wir Lateinisch, wenn wir wollten . . . Wir saßen auf dem Chor der Kirche nach den Klassen auf den beiden Seiten langhin vor ihm; er hatte seinen Sitz vor dem Chor, wo er uns alle übersah . . . Die Kinder der Honoratioren nahm er an seinen Tisch in der Schule, was nicht immer von Vorteil war, denn er schonte sie nicht im mindesten. Die Übrigen nannte er ›Du‹, die hübscheren Kinder hatte den Vorzug, von ihm mit ›Er‹ angeredet zu werden.« In Laubes ›Erinnerungen‹ finden wir ähnliche Beweise, daß die großen Dichter bei vielen gar nicht entfernten Zeitgenossen ganz und gar unbekannt waren. Die einzige Leihbibliothek in der Kleinstadt in Schlesien, wo er aufwuchs, war überaus gering. »Sie hatte in einem kleinen Kaufladen Platz neben Zucker und Kaffee und allen Spezereien. Sie enthielt nur Ritter- und Räubergeschichten . . . Von Dichtern und großen Schriftstellern hab' ich bis zu meinem vierzehnten Jahre kein Wort gehört. Ich glaube, Goethe und Schiller waren total unbekannt bei uns, obwohl Schiller schon 10 bis 15 Jahre tot war. Der Rat hatte zwei Kutscher, welche Schiller und Wieland hießen. Kein Mensch wußte davon, daß die Namen nicht bloß Kutschern gehörten.«

»Deutschland«, schreibt Sombart, »ist noch in der Mitte des 19. Jahrhunderts ein von wenigen unbedeutenden Klein- und Mittelstädten durchsetztes, wesentlich agrikoles Gebiet. Der Schwerpunkt seines sozialen Lebens ruht durchaus noch auf dem Lande.« Auch im gewerblich fortschrittlichen Sachsen wohnt zu dieser Zeit nur etwa ein Drittel der Bevölkerung in Städten, und unter 140 Städten hatten nur fünf mehr als 1000 Einwohner. Das darf man nicht aus den Augen verlieren, wenn man sich ein ungefähres Bild vom Berufsleben des gebildeten Bürgers machen will. Von einer dynamischen Entwicklung war in Deutschland auch im Zeitalter der Französischen Revolution und der oben geschilderten Reformen der Verwaltung und des Erziehungswesens durchaus nicht die Rede. In ganz Deutschland, wie in Wiehe, gehörten die Akademiker zu den besseren Ständen und entfernten sich immer mehr von den Handarbeitern und kleinen Kaufleuten. Es ist aber bezeichnend, daß die Offiziere in Wiehe »zum Schlosse hielten«, denn sie waren fast alle von Adel. »Eigentlich nahe kam uns in unserer Familie keiner, einen ausgenommen, und das war ein Bürgerlicher. Mit dem machte der Vater Freundschaft. Vor den übrigen zog er den Hut tief, tief ab, sonst vermied er ihren Umgang.«

Die protestantischen Theologen und das Kirchenleben

Es ist oben gezeigt worden, daß nach 1803 viele Privilegien des Adels, darunter das Recht auf wertvolle Domherrnpfründen, verlorengingen. Nichtsdestoweniger fällt es dem ausländischen Beobachter nach den Kriegen immer wieder auf, daß der katholische höhere Klerus aus guter Familie stammt, während die protestantischen Geistlichen in allen Schichten, wie die katholischen Dorfpriester, fast ausschließlich aus dem Bürger- oder Bauerntum kommen. Jacob und andere Reisende führen es auf diesen Umstand zurück, daß der protestantische Pfarrer eine so bescheidene Rolle in der Gesellschaft spielt, während der anglikanische Geistliche oft bedeutend zwischen den Ständen vermittelt, denn es war in England schon seit Generationen Sitte, daß ein Adliger seinen jüngsten Sohn zum Geistlichen machte, wobei sein Patronatsrecht von großer Wichtigkeit war. In Deutschland hatten die scharfen Worte J. M. v. Loens aus dem Jahre 1752 noch lange nicht alle Gültigkeit verloren: »Man verehret die römische Geistlichkeit, weil viele vornehme Standespersonen und vortreffliche Männer sich der Kirche widmen, und man hält sie im Gegenteil bei den Protestanten für verächtlich, weil sie meistens aus dem Pöbel genommen werden und durch ihr Schulgezänk wenig Edelmütigkeit noch christliche Liebe zeigen.«

Es lag aber nicht bloß an den bescheidenen Verhältnissen, aus denen so viele Pfarrer kamen, wenn Adlige und Vertreter der gebildeten Stände so selten in der Kirche zu sehen waren. Die Erscheinung hat viel tiefere Wurzeln, und man muß zugleich erklären, warum die Söhne dieser Stände, die Pfarrersöhne ausgenommen, sich so selten aus Idealismus, wie es sonst überall geschehen ist, zum geistlichen Beruf wandten. Aus Gründen, auf die im Bande über die Aufklärung ausführlich eingegangen wird, war die Mißachtung der Religion bis Ende der Goethezeit so weit geschritten, daß an der Tafel des Kultusministers von Altenstein gestritten werden konnte, ob das Christentum noch 20 oder 50 Jahre bestehen werde. Wilhelm von Humboldt, Altensteins unmittelbarer Vorgänger, hatte geistliche Angelegenheiten, für die er eigentlich mit verantwortlich war, ausschließlich seinem Kollegen Nicolovius überlassen, denn er war, wie er selbst sagte, »nie religiös gewesen«, obgleich er »ganz wie die Andächtigen« sei, indem er immer von etwas Unendlichem angezogen werde, das nie besessen und nie gefaßt werden könne, eine für die damalige Weltanschauung der Besten sehr bezeichnende Äußerung.

Man würde Humboldt wohl heute – man lese z. B. seine ›Briefe an eine Freundin‹ – doch für religiös halten, Goethe sicher auch, Schiller vielleicht weniger, aber die großen Weimaraner, selbst Generalsuperintendent Herder, waren weit davon entfernt, orthodox zu denken, obgleich in ihrer Humanität das Erbe des Christentums ein unentbehrlicher Bestandteil war. Man war sich zu deutlich der vielen Wege zur Wahrheit bewußt, die der Mensch im Laufe seiner Geschichte eingeschlagen hat, um die ausschließlichen Ansprüche des Christentums anzuerkennen. Goethes Fragment ›Die Geheimnisse‹ läßt diesen Historismus deutlich durchblicken, oder das bekannte Xenienepigramm:

Welche Religion ich bekenne? Keine von allen
Die du mir nennst! »Und warum keine?« Aus Religion.

168. Wilhelm von Kügelgen (1802–1867) im Walde bei Dettenhausen. *Zeichnung von Ludwig Richter vom 18. Juli 1826 (Deutsche Fotothek, Dresden).*

Viele feinfühlige Menschen in ganz Deutschland, die durch Herder und Kant und andere auf solche Gedanken gestoßen waren, scheuten davor zurück, die Religion zu einem Lehrgegenstand für ihre Kinder zu machen oder sie zu früh in die Kirche zu schicken. »Um uns also die Religion nicht zu verleiden«, schreibt z. B. W. von Kügelgen, »verschonte man uns mit ihrer schulgerechten Unterweisung, und aus ähnlichen Gründen mochten wir denn auch in keine Kirche kommen, mit Ausnahme der katholischen (in Dresden), die Senff (unser Hauslehrer, der Sohn eines protestantischen Pfarrers) der geistlichen Konzerte wegen, welche dort gegeben wurden, ab und zu mit uns besuchte. Der mit den Eltern ganz einverstandene Lehrer mochte denken, daß wir von der Predigt doch nichts verstehen, uns langweilen, und endlich einen Widerwillen vor öffentlichen Gottesdiensten in unsere reiferen Jahre mit hinübernehmen würden, vor welchem Nachteil man uns bewahren wollte. Daß gerade das Gegenteil erreicht wurde, lehrte später die Erfahrung.« Erst bei einem Besuch beim Vater des Lehrers, im Pfarrhause, das »wie ein Sperlingsnest am Gotteshause angeheftet war«, lernt er zufällig von der Rumpelkammer aus den protestantischen Gottesdienst kennen. Ähnlich erzählt uns Eberty: »Neben dem Theater war für die Berliner der gebildeten Kreise auch die geistliche Musik von großer Anziehungskraft. Die Aufführungen der Singakademie unter Zelters Leitung, besonders die Chöre, durfte man fast vollkommen nennen!« Aber in dem berühmten Internat, wo er mit äußerster Strenge erzogen wurde, der Cauerschen Anstalt, die den großen Fichte zu ihrem geistigen Urheber gehabt hatte, führte man die Zöglinge am Sonntag nie in die Kirche. Von kirchlicher Gesinnung war weder bei Lehrern noch Schülern die Rede, und es wurde überhaupt kein Religionsunterricht erteilt. »In der Anstalt herrschte ein rein deistischer Geist – Sokrates war unser Heiliger. Vom Christentum wurde zwar überall, wo es die Gelegenheit mit sich brachte, voll Hoch-

169. Karl Friedrich Zelter (1758–1832). *Nach einem Gemälde von Carl Begas, lithographiert von Heine (Ullstein, Berlin).*

achtung gesprochen, aber durchaus nicht in supernaturalistischem Sinne, was schon deshalb nicht geschehen konnte, weil mehrere Lehrer und viele der Schüler Juden waren. Es entsprach das auch ganz und gar dem damals in Berlin herrschenden Geiste der Gleichgültigkeit gegen religiöse Dinge . . . Bei alle dem wäre es ein großer Irrtum, wenn man glauben wollte, es habe in der Anstalt ein frivoler weltlicher Sinn geherrscht; – ganz im Gegenteil!« Durchaus im Sinne des deutschen Idealismus und der Gründer der Universität Berlin verband man antiken Geist mit dem kategorischen Imperativ. »Eigennutz, Selbstsucht und alles Banausische wurde uns als hassenswürdig und verächtlich hingestellt. Die Wissenschaft um des Gewinnes willen zu treiben, sagte man uns, zieme nur gemeinen Seelen; Wahrheit und Schönheit wurden als die eigentlichen Lebenselemente des Menschen bezeichnet; und jeder Einzelne habe den Beruf, in diesem Sinne zur Veredelung aller mitzuwirken.«

Es ist kaum nötig, zu sagen, daß die neuen Anschauungen über das Kirchenleben von den meisten gedankenlos und aus Bequemlichkeit eher als aus hohen Prinzipien übernommen wurden. »Arme und ungebildete Leute hielten es für selbstverständlich, daß vornehme, reiche und gebildete Menschen ohne Gebet, Gottes Wort und Kirche lebten. Ein Edelmann oder Offizier, der noch in die Kirche gegangen wäre, war zu jener Zeit nicht zu finden. Man schämte sich seiner etwaigen Anwandlungen; als Büchsel eines Tages seinen adligen Kirchenpatron besuchte, versteckte dieser schnell, wie ein ertappter Schuljunge, ein Buch, in dem er soeben gelesen hatte. Es stellte sich heraus, daß es die Bibel war, und auf Büchsels erstaunte Frage, warum er diese verstecke, antwortete

170. Konfirmationsfeier
um 1800 (W. Speiser, Ba-
sel).

der Herr: Was würde mein Bedienter von mir denken, wenn er sähe, daß ich in der Bibel lese?
Friedrich Perthes erzählt, daß er in seiner Hamburger Buchhandlung im Laufe von 10 Jahren nur
einmal Gelegenheit gehabt habe, eine Bibel zu verkaufen, daß aber der Käufer geglaubt hätte, sich
entschuldigen zu müssen: das Buch sei durchaus nicht für ihn bestimmt, sondern für einen ganz
armen Konfirmanden« (v. Boehn).

Bei der großen Masse des deutschen Volks änderten sich auch auf diesem Gebiet die alten Gewohnheiten und Denkweisen nicht so schnell, auch wenn die Haltung der Gebildeten allmählich
auf ihre unmittelbare Umgebung abfärbte und ungeeignete Pfarrer vielen den Gottesdienst ver-
leideten. Die Trennungslinie fiel, wie so oft in Glaubenssachen, meist mit der sozialen zusammen.
»Ein reicher Mensch hat keine Religion. Ein armer Mensch muß aber Religion haben, weil Gottes
Wort sein Zubrot vorstellen muß. Wer Geld hat, der hat unseren Herrgott bloß zum Staat, Bettel-
leute sind unseres Herrgotts Lieblingsleute.« Zu diesen Worten einer alten Amme könnte man in
allen Ländern Parallelen finden, sie sind ja mit dem bekannten Gleichnis vom Nadelöhr identisch.

In Laubes abgelegener Kleinstadt, wie in Rankes Heimat, stand das kirchliche Leben noch für
jeden im Mittelpunkt des Interesses. Bei ihrer Konfirmation wurden Kinder von 14 Jahren in der
Kirche vor dem Altar öffentlich in ihrer Wissenschaft vom Christentum geprüft. Ihre Eltern und
Verwandten, die ganze Stadt hörten zu. Die Kinder verstanden von dem, was sie auswendig gelernt
hatten, nicht viel, aber so war es immer gewesen, und man gab die alte Sitte nicht gern auf. Wenn
ein neuer Pastor, »in Wahrheit ein neuer Prediger«, von der Gemeinde gewählt werden mußte, so
wurde ein paar Wochen lang jeden Sonntag von einem andern Bewerber um die Stelle eine Predigt
gehalten. Das brachte große Aufregung in die Stadt, und die Selbstwahl des Predigers war, mit der
Freude am Kirchengesang und an einer ausführlichen Predigt, ein wichtiges Bindemittel für die
Gemeinde. Das Wichtige an einem »Glauben« dieser Art war nicht der intellektuelle Inhalt, und
man hatte selten das Bedürfnis, über die Rätsel des Daseins individuell zu denken. Man dachte und
handelte gern wie die andern und freute sich, mit ihnen im gleichen Boden verwurzelt zu sein.
»Man nahm teil an der Aussaat, am Einernten, am Dreschen und Mahlen, am Holzschlagen draußen

im unermeßlichen Walde. Man hütete mit dem großen Hunde des Nachts in der Feldhütte das Kartoffelfeld oder das Obst im Obstgarten, man ritt die ungesattelten Pferde auf die Weide oder in die Schwemme, man lernte im Bober schwimmen, man suchte Edelsteine auf den Sandbänken und sammelte Jaspisarten, sammelte Vogeleier, hielt sich Kaninchen und Tauben, kurz, man war ein tief verzweigtes wenn auch kleines Mitglied der Gemeinde.« Die religiöse Haltung eines solchen mußte notwendig eine ganz andere sein als etwa diejenige, die uns in Friedrich Schlegels Brief an Novalis vom 2. Dezember 1798 entgegentritt, wo es heißt: »Ich denke eine neue Religion zu stiften«, weil »Gegenstände übrigbleiben, die weder Philosophie noch Poesie behandeln kann. Ein solcher Gegenstand scheint mir Gott, von dem ich eine durchaus neue Ansicht habe.« Zwischen solchen Extremen war eine ganze Reihe von Positionen möglich, die wohl alle in Deutschland vertreten waren, aber das Schwergewicht lag sicher eher nach rechts als nach links, obgleich die Linke viel mehr von sich reden machte.

Der Seelsorger in solchen Zeiten wurde selbst das Opfer der herrschenden Tendenzen und wirkte oft verstärkend *auf* sie ein. Auch wenn er wie die meisten aus einer naiv gläubigen Atmosphäre auf die Universität kam, konnte er dort dem Einfluß des Rationalismus kaum entgehen. Schon die pietistische Bewegung hatte das Gewicht von der Dogmenlehre auf die Seelsorge verschoben, von der Predigt auf Pfarrbesuche und Gebetsgemeinschaften. Durch die Aufklärung wurde die Tradition der reinen Lehre noch weiter geschwächt. Selbst ein Herder nahm sich in seinen Anfängen Shaftesbury zu seinem Hauptmuster und erklärte Kant gegenüber, daß er Pfarrer geworden sei in der Hoffnung, dadurch am besten zur Verbreitung von Bildung und Vernunft beitragen zu können. Als Schiller bei seiner Ankunft in Weimar aus Neugier in die Kirche ging, um ihn predigen zu hören, gefiel ihm die Predigt besser als irgendeine, die er von früher kannte. Sie glich eher einem vernünftigen Gespräch als einer feierlichen Ansprache, und durch die Anwendung eines ethischen Prinzips auf Situationen aus dem täglichen Leben gelang es dem Redner, Lehren herauszuarbeiten, die man in einer Moschee ebensogut erwarten könnte wie in einer christlichen Kirche. Bei dem Durchschnittsprediger wurde die Religion noch deutlicher zur Dienstmagd der Moral gemacht, und nicht wenige Prediger zogen aus einem biblischen Texte eine praktische Nutzanwendung für das tägliche Leben. Einer soll z. B. am Weihnachtstag über den Nutzen der Stallfütterung gesprochen, ein andrer am Karfreitag den weisen Gebrauch empfohlen haben, sein Testament schriftlich zu machen. Das sind vielleicht erfundene Anekdoten, aber Laube hat selbst in einem schlesischen Dorfe eine Predigt über das Schweineschlachten und die Bereitung von Sauerkraut gehört.

Wenn man die Funktion bedenkt, die dem Pfarrer in der Goethezeit als Staatsbeamten zufiel, kommen einem solche Predigtthemen nicht mehr so abseitig vor, denn in Preußen und in allen Staaten, wo die Fürsten Friedrich den Großen zum Vorbild nahmen, war die Kirche zu einem Werkzeug des Staates geworden und diente seinen weltlichen Absichten. Die Religion, als Stütze der Moral betrachtet, war ein wichtiges Mittel zur Heranzüchtung von gesitteten, gehorsamen Untertanen, und der Pfarrer konnte zum Sprachrohr der Regierung gemacht werden. Einen Erlaß von der Kanzel verlesen zu lassen, war weitaus die wirksamste Weise, ihn allgemein zur Kenntnis zu bringen, denn nur wenige auf dem Lande konnten lesen, und Zeitungen waren rar und teuer. Außerdem konnte man leicht vom Pfarrer, oft dem einzigen Gebildeten im Dorf, kleine Dienste verlangen, die nur ein zuverlässiger Mann an Ort und Stelle durchführen konnte und die heute verschiedenen Beamten zufallen.

171. Taufvisite im evangelischen Pfarrhaus. *Gemälde von Johann Baptist Pflug (Stuttgart, Staatsgalerie).*

Aus dem Tagebuch des badischen Pfarrers Schmitthenner erfahren wir, daß er unter anderm die Wahl des Dorfvogtes beaufsichtigte und die Anstellung der Hebammen. Mit dem Vogt zusammen trug er die Verantwortung für alle Verwaltungsfragen. Weder die Reinigung eines Baches noch die Instandsetzung eines Feldweges konnte ohne sein Wissen geschehen. In allen möglichen Dingen war er der Vertrauensmann der Regierung. Er meldete z. B. den Ausbruch von Epidemien und den Tod solcher Personen, von deren Gütern eine Steuer erhoben werden konnte. Er war der Standesbeamte des Dorfes, der nicht nur die Geburten, Eheschließungen und Todesfälle aufzeichnete, sondern auch die Zahl der Blinden, Gelähmten, Tauben und Stummen, der Waisen, außerehelichen Kinder und heimatlosen Familien. Er leitete die Volkszählungen, stellte die Rekrutenlisten auf und mußte bei der Aushebung der Rekruten dabei sein. Er besorgte mit dem Vogt die Armenpflege, war der Aufseher der Dorfschulen seiner Pfarre und Vorsitzender des geistlichen Gerichtshofs, der »censura«. Herder hat nicht übertrieben, als er behauptete: »Der Prediger ist nur noch als Sittenprediger, als Landwirt, als Listenmacher, als geheimer Polizeidiener unter staatlicher Autorität und fürstlicher Vollmacht zu existieren berechtigt.«

Dabei lebte der Pfarrer meist erheblich schlechter als ein Beamter. Am Anfang der Goethezeit

betrug das Durchschnittsgehalt eines Landpfarrers etwa 50 bis 70 Taler jährlich, die Zehnten einge-
rechnet; dazu kamen die Einkünfte, die er aus dem kleinen Grundbesitz der Pfarre herausschlagen
konnte. Man nutzte wenigstens den Garten völlig aus, hielt vielleicht eine oder zwei Kühe und
Geflügel und machte alles nur Mögliche zu Hause, wie alle Landleute. Die Zehnten waren Natural-
abgaben, die der Pfarrer oder seine Familie selbst vom Erntefeld abholen mußten, und es war in
Norddeutschland Sitte, dem Pfarrer gelegentlich ein Geschenk zu machen. Am Ausgang der Goethezeit schätzt Hawkins die Gesamteinkünfte eines protestantischen Landpfarrers um 350 bis 800 Taler
jährlich, eines Stadtpfarrers um 450 bis 1000 Taler. Für viele war ein Nebenverdienst unerläßlich,
z. B. durch Übersetzungen und Schriften aller Art. Diese umfaßten nicht nur die weitbekannten
Werke eines Herder oder Hermes oder Schleiermacher, sondern auch Schauerromane für die Hinter-
treppe von einer ganzen Reihe von vergessenen Schriftstellern. Einige Pfarrer widmeten sich ganz
der Landwirtschaft und verbauerten, einige betrieben auch Pferdehandel. Viele dagegen wollten
nicht weniger aufgeklärt erscheinen als ihre Gemeinde, legten Talar und Beffchen ab und predigten
sogar im Frack. In der Masse gesehen, machten seine Kollegen einen erschreckenden Eindruck auf
den feinfühligen Schleiermacher: »Von den offenbar Infamen«, schreibt er in einem Briefe 1802,
»will ich gar nicht reden, auch wollte ich mir gerne gefallen lassen, daß einige dergleichen unter
einer solchen Anzahl wären, besonders solange die Pfarren noch 1000 Reichstaler eintragen – aber
die allgemeine Herabwürdigung, die gänzliche Verschlossenheit für alles Höhere, die ganz niedere
sinnliche Denkungsart.«

Das katholische Deutschland in der Goethezeit

Die größte Umwälzung in dem Kirchenleben des katholischen Deutschland wurde durch die
Säkularisationen vom Jahre 1803 und den folgenden Jahren hervorgebracht, wobei nicht nur die
geistlichen Staaten, sondern auch eine ganze Reihe von Abteien, Klöstern, Orden und Kapiteln in
den Rheinlanden und in Südwestdeutschland aufgelöst wurden. Die Hoheitsrechte des Staates
gegenüber der Kirche konnten ungehemmt erweitert und die gerichtliche und finanzielle Sonderstellung der Geistlichkeit beseitigt werden. Dieses Staatskirchentum war nichts Neues, aber es zei-
tigte jetzt Folgen, die jeder im Alltagsleben merken mußte. »Ludwig Bamberger, 1823 in Mainz
geboren, war 20 Jahre alt, ehe er den ersten Mönch sah; als Levin Schücking, in Westfalen aufgewachsen, dem ersten Kapuziner begegnete, lief er davon, weil er ihn für ein Gespenst hielt«
(v. Boehn). Die Aufhebung der Klöster brachte auch kulturell zunächst große Schäden mit sich
durch die Verschleuderung alter Bibliotheken und unersetzlicher Kunstschätze. Das geschah in
einem Zeitalter allgemeiner Unsicherheit und schwerer Belastungen, als der bestürzte Bürger nicht
recht wissen konnte, ob die Flut von Neuorganisationen eigentlich fremdem Druck oder der Politik
der eigenen Regierung zuzuschreiben war. Der moderne Historiker sieht in der Politik der Rheinbundzeit zwei miteinander oft kaum zu versöhnende Tendenzen, einerseits die Fortsetzung und
Steigerung des aufgeklärten Absolutismus, andrerseits den direkten Einfluß französischer Ideen.
Sowohl in Österreich als auch in Bayern hatte man schon im letzten Drittel des 18. Jahrhunderts
unter dem Einfluß Norddeutschlands und der westlichen Aufklärung unter anderem auch kirch-

172. Aufhebung der Klöster in Österreich, 1782. *Kupferstich von Will nach Defrance (Archiv für Kunst und Geschichte, Berlin).*

173. Sammelnde Bettelmönche. *Kupferstich (Aus: Bilderbuch klösterlicher Mißbräuche. 1784).*

liche Reformen eingeleitet, wobei man wohl das irdische Glück der Untertanen im Sinne hatte, denn dieses Ziel teilte der Absolutismus mit der Aufklärung. Die überstürzten Maßnahmen Josephs II. bezweckten erstens eine Rationalisierung des kirchlichen Lebens durch eine Einschränkung der Wallfahrten und der Feiertage, die Beseitigung unnötiger Verzierungen, Heiligenbilder usw. und vor allem durch die Aufhebung der Klöster vieler Orden, über 700 in fünf Jahren, die angeblich ein bloß kontemplatives Leben führten. Zweitens hatte der Kaiser, indem er die Toleranzidee vorschützte, eine weitgehende Verstaatlichung der Kirche im Sinne, die Abschaffung des »Staates im Staate«. Etwas früher hatte man in Bayern, im Zusammenhang mit der Gründung der Bayerischen Akademie (1759) im Baconischen Geiste allerlei Versuche gemacht, durch die Verbreitung nützlichen Wissens die offenbar rückständigen Lebensverhältnisse im Staate zu verbessern. In dieser Richtung hat z. B. der Engländer Benjamin Thomson, später Graf von Rumford, vom Jahre 1784 an als bayerischer Beamter erfolgreich gewirkt. Auch hier ging es um die Einschränkung der Feiertage und Wallfahrten, die Bekämpfung der Bettelei, die Einführung des durch Benjamin Franklin erfundenen Blitzableiters statt des abergläubischen Wetterläutens, usw. Eine besonders erfolgreiche Wohlfahrtspolitik ohne Staatskirchentum ist in einigen kleineren geistlichen Staaten durchgeführt worden, in Münster z. B. unter Fürstenberg, der durch unermüdliche weise Leitung die Finanzen, das Wirtschaftsleben, die Verwaltung und das Erziehungssystem auf einer gesunden Basis aufbaute, ohne dabei die geistige Autorität der Kirche zu erschüttern.

Nach dem Ausbruch der Französischen Revolution und erst recht nach dem Terror erfolgte in Bayern wie in den meisten deutschen Staaten eine Reaktion gegen den Geist des modernen Fortschritts. Die Akademie z. B. beschäftigte sich mit Landesbeschreibung und mit der Sammlung von Dokumenten zur Landesgeschichte, ›Rerum Boicarum Scriptores‹ und ›Monumenta Boica‹, aber der leitende Minister Montgelas, wie Reitzenstein in Baden, verstand es, die Angst vor einem politischen Anschluß an das revolutionäre Frankreich zu überwinden und durch geschicktes Lavieren ohne Rücksicht auf das sterbende Reich die Interessen der Dynastie glänzend zu fördern.

Nach der Rheinbundzeit erforderte die Konsolidierungspolitik in Bayern und Baden, wo alte und neue Landesteile, Katholiken und Protestanten aus Reichsstädten, Reichsritterschaften, geistlichen und weltlichen Fürstentümern in neuen Verbänden zusammengewürfelt wurden, eine Loslösung von der Kirche wie von allen historischen Bindungen. Das schon bestehende System des Staatskirchentums mußte erweitert, die Sonderrechte der Geistlichkeit schnell beseitigt und alle Lebensordnungen soweit wie möglich verweltlicht werden. Das gelang vorläufig nur teilweise; das staatliche Eherecht konnte Montgelas z. B. nicht durchsetzen, und die interkonfessionelle Gemeindeschule wurde von der Bevölkerung entschieden abgelehnt. In der Pflege der Wissenschaft nach norddeutschem Muster ist man aber in beiden Staaten mit der Hilfe von auswärtigen Gelehrten, meist Protestanten, ziemlich weit gekommen. Viele flüchteten gern um 1806 aus den kriegsbedrohten Universitäten Jena und Göttingen und aus dem Rheinland. So hat Montgelas F. H. Jacobi und F. Thiersch für die Münchener Akademie gewonnen und Hegel für das Gymnasium in Nürnberg – Schelling war schon 1803 nach Würzburg berufen worden –, und Reitzenstein sicherte sich F. Creuzer für Heidelberg.

Während eine dünne Schicht tüchtiger Beamter, meist Fremde, aus begreiflichen Gründen – denn ihre Untergebenen waren zum großen Teil noch ungebildet und keineswegs zuverlässig – sich

174. Maximilian Graf von Montgelas (1759–1838). *Lithographie von Lambert (Original im Besitz des Münchner Stadtmuseums).*

energisch um die Heranbildung ihres Nachwuchses zu den Tugenden des Nordens bemühte, verjüngte sich der Katholizismus von unten herauf. Die Kirche war kein Asyl mehr für religiös indifferente Adlige, und an einem neuen Geschlecht von Priestern aus dem Bürgertum hatten die Gläubigen in schweren Zeiten eine hochwillkommene Stütze. Viele Schwankende fanden zum alten
Glauben zurück, und namhafte Protestanten, zuerst F. Graf zu Stolberg im Jahre 1800, und in den
folgenden Jahren eine Reihe von Schriftstellern aus romantischen Kreisen, traten zum Katholizismus über. F. Schlegel, Z. Werner, A. Müller sind die bekanntesten Namen, aber auch Görres und
Brentano kehrten zum Glauben ihrer Jugend zurück. Eichendorff hat sich stets darin zu Hause gefühlt, und fast alle anderen Romantiker haben sich zum Protestantismus bekannt. Durch diesen
Aufschwung des Christentums in ihrem Kreise ist die Romantik an dem Aufblühen der Erweckungsbewegung in den zwanziger Jahren beteiligt, namentlich durch die Predigten Schleiermachers. Fast
alle Romantiker haben die Überwindung der konfessionellen Gegensätze angestrebt, eine Tendenz,
von der in der zweiten Hälfte der Goethezeit überall Anzeichen vorhanden sind, die allerdings oft
eher auf religiöse Lauheit als auf wahre Toleranz hindeuten. Ganz am Ende kommt eine starke
Gegenwelle infolge der Erweckungsbewegung und der heftigen Reaktion in Preußen gegen Friedrich Wilhelms III. wohlgemeinten Versuch, der lutherischen und der reformierten Kirche eine
evangelische »Union« durch Regierungsmaßnahmen aufzuzwingen.

Das Berufsleben des Juristen und Beamten

Der Student, der sich in der juristischen Fakultät einschrieb, wählte dieses Fach wohl selten oder
nie aus Neigung, sondern weil das sich für junge Menschen aus dem Adel und Patriziat, und vor
allem aus dem besseren Bürgertum, gehörte und weil dieses Studium schon als die unerläßliche
Vorbedingung für eine Anstellung im höheren Beamtentum anerkannt war. Für den protestantischen Adel war der Staatsdienst, als Offizier, Diplomat oder höherer Justiz- oder Verwaltungs-
beamter, eigentlich der einzig mögliche Beruf, und der früher ausschließliche Anspruch des Adels
auf die höchsten Hof- und Staatsämter, das »Indigenatsrecht«, war am Ende der Goethezeit zwar
eingeschränkt, aber keineswegs abgeschafft. Nach Eberty gehörten z. B. die Mitglieder des Kammer-
gerichts in Berlin, die vormals verfassungsmäßig zur Hälfte von Adel sein mußten, auch 1836 noch
zu einem großen Teil den ersten Familien des Landes an, und es gab viele Grafen und Barone unter
ihnen. Auch im Deutschen Bund mit seinen 39 Staaten, statt der früheren 300, brauchte die »viel-
geschäftige Beamten- und Schreiberwirtschaft« immer mehr Menschen für ihre stets wachsende
Bevormundung, und trotz beständiger Klagen gegen die Bürokratie suchte das Bürgertum für seine
Söhne vorzugsweise die Sicherheit einer »Anstellung, die mit dem Staate zusammenhing«. Abenteuer und Unruhe hatte man in den Kriegen genug erlebt, und nach Generationen des Absolutismus
fügten sich die meisten leicht in den Willen der Obrigkeit.
    Im Laufe der Goethezeit waren der Ämterkauf und die anderen Formen der Korruption, die nach
K. H. von Langs Memoiren in seiner Jugend in den Kleinstaaten eine sehr große Rolle spielten,

175. Hieronymus Jobs im
Examen (nach der »Jobsiade«
von K. A. Kortum, (1745 bis
1824). *Gemälde von Hasencle-*
ver (Historisches Bildarchiv
Handke, Bad Berneck).

allmählich zur Ausnahme geworden, und es hatte sich unter dem Vorantritt Preußens beinahe überall eine Überlieferung ehrlicher Pflichterfüllung gebildet. Dieses Beamtenethos stieß wohl in Österreich und im Südwesten auf harten Widerstand – man war eben läßlicher und nahm seine Pflicht
nicht so genau wie im protestantischen Norden. In Frankfurt am Main also und in einigen anderen
Reichsstädten, wo die Bürgerschaft ein gewisses Aufsichtsrecht über die städtischen Beamten er-
rungen hatte, hielt das Bürgerkollegium es für nötig, einige seiner Mitglieder nebenberuflich mit
kleinem Gehalt in die verschiedenen Behörden zu entsenden und in allen Abteilungen sogenannte
Gegenschreiber zu unterhalten, um den offiziellen Schreiber in allen Geldausgaben überwachen
zu können. Systematisches Mißtrauen von oben, selbst vom König seinen Ministern und seinen
Kammerpräsidenten in der Provinz gegenüber, war ein Merkmal im Staate Friedrichs des Großen
gewesen, und noch im zweiten Drittel des 19. Jahrhunderts war die Ehrlichkeit der unteren Beamten in Preußen nur durch die strengste Überwachung aufrechtzuerhalten. Als Eberty 1836 beim
Hausvoigteigericht diente, hatte sein Arbeitszimmer zwei Fenster nach dem Hofe hinaus, wo die
Gefangenen in ihren Freistunden umhergehen und rauchen durften. »Hier zeigte sich«, erzählt er,
»ein höchst seltsamer Anblick dadurch, daß die meisten der in Untersuchung befindlichen dem
Beamtenstande angehörten, und in ihren Uniformen einherstolzierten. Wegen Unterschlagungen
und Kassenverbrechen hatten fast alle diesen unfreiwilligen Aufenthaltsort angewiesen erhalten;
man hätte glauben können, auf eine Versammlung von Post- und Steuerbeamten hinunterzublicken.
Sie unterhielten sich ganz munter und harmlos, und machten durchaus keinen trüben Eindruck;
auch wurden sie in Vergleich mit den Staatsverbrechern sehr milde behandelt.«

In der bösen alten Zeit kamen die meisten durch Empfehlungen, viele durch Intrigen und Korruption zu einem Amt, in Preußen aber wählte man unter den Bewerbern immer häufiger mittels Prüfungen aus, was sicher gerechter und in den meisten Fällen zweckmäßiger war, da man in einer mündlichen Prüfung nicht nur das Wissen der Betreffenden, sondern auch Persönlichkeit und Charakter einigermaßen berücksichtigen konnte. Eberty schildert sehr anschaulich die verschiedenen Stadien seiner Laufbahn als Justizbeamter und betont die große Wichtigkeit der sukzessiven Prüfungen, die man bestehen mußte. »In der preußischen Justiz- und Regierungswelt«, heißt es z. B., »ist durch das Assessorenexamen eine unübersteigliche Kluft befestigt zwischen denen, die es gemacht, und denen, die es nicht gemacht haben. Allerdings kann dies schon jahrelang im voraus gefürchtete große Examen keine Hexerei sein, einfach darum, weil sonst jeder Kreisrichter ein Hexenmeister sein müßte, was doch bekanntlich nicht der Fall ist, aber es befähigt nun einmal in Preußen einen jeden, der es gemacht hat, die höchsten Ehrenstellen im Staate zu bekleiden, während der Nichtexaminierte es kaum weiter bringen kann als zum Sekretär, allenfalls mit dem Titel Geheimer Rechnungsrat oder dergleichen, er müßte denn aus sehr guter ›Familie‹ sein.«

Durch die neue unpersönliche Anstellungsweise und die feste Dienstordnung, die allmählich eingeführt wurde, hatten die Beamten um die Jahrhundertwende in größeren Staaten und in vielen Reichsstädten dieselben Freiheiten in ihrem Privatleben wie ihre Mitbürger, was vor 20 Jahren nicht der Fall gewesen war, denn damals fühlten sich die Beamten vor Eingriffen des Fürsten in ihr Leben nie ganz sicher. Sie mußten etwa ihre Häuser in einem vorgeschriebenen Stil in einem bestimmten Stadtviertel bauen lassen, wie in der Friedrichsstadt in Berlin, sie mußten oft mit erheblichem Kostenaufwand Hoffestlichkeiten beiwohnen, ob sie es wollten oder nicht, ihre Kinder oft gegen ihren Willen, wie Oberst Schiller, in eine Staatsschule schicken, und sich an die unregelmäßigsten Dienststunden bequemen. Dafür standen sie natürlich in einem viel intimeren Verhältnis zu ihrem Herrn als später, was nicht bloß Nachteile mit sich ziehen konnte. Ihre Gehälter waren trotz gelegentlicher Erhöhungen meist recht bescheiden, aber es ist wohl kaum mehr vorgekommen, daß sie monatelang, wie früher, wegen einer finanziellen Krise im Staate überhaupt nichts in barem Gelde bekamen. Man kann sich von der Beamtenhierarchie in einem kleineren Staat um 1820 aus einer in Weimar erhaltenen Schätzungsrolle ein ungefähres Bild machen. Unter 276 sogenannten Beamten kann man etwa ein Fünftel zu den höheren rechnen, mit einem jährlichen Einkommen von über 600 Reichstalern. An der Spitze steht Goethe mit 3100 Talern, und 24 andere verdienen mehr als 1000 Taler. Die 54 höheren Beamten haben wohl alle studiert. Dann kommen die 125 mittleren Beamten, die Sekretäre und Schreiber, mit 200 bis 600 Talern, und schließlich die Boten usw. mit weniger als 200 Talern, 97 Personen.

In seinen ›Jugenderinnerungen‹ stellt Eberty das Leben eines jungen Justizbeamten überaus lebendig dar und hinterläßt bei uns den Eindruck, daß im nüchternen Berlin wie überall sonst der Alltag eines Beamten seine menschliche Seite hatte. Nach einem dreijährigem Studium in Bonn und Berlin promovierte Eberty als Doktor beider Rechte in Bonn. »Die Universitätsglocken riefen durch ihr Geläute die Professoren in die große Aula. In geordnetem Zuge schritten die Beteiligten in den Saal, und weil juristische Promotionen zu den Seltenheiten gehörten, hatten sich auch sehr viele Studenten als Zuschauer eingefunden. Der Kandidat mußte nicht nur in schwarzem Frack und weißer Binde, sondern auch in Kniehosen und seidenen Strümpfen erscheinen, und trug einen Degen an der Seite.« Ein liebenswürdiger junger Mann mußte mit ihm disputieren, und nach bestandenem Examen gab's am anderen Tage einen Doktorschmaus in Oberkassel, wo ihrer zehn im Freien speisten und vom besten Wein tranken.

Eberty bestand im selben Sommer das Auskultatorexamen in Berlin und trat in den praktischen Justizdienst ein. Er mußte in zwei Jahren die verschiedenen Stationen des Stadtgerichts durchmachen. Zunächst wurde er einem Assessor in der Strafabteilung, in der Stadtvogtei auf dem Molkenmarkt, als Protokollführer zugeteilt und mußte die Aussagen von Angeklagten und Zeugen

176. Vorstellung einiger öffentlicher Strafen. *Aus J. B. Basedows Elementarwerk mit Kupfertafeln von Daniel Chodowiecki. Oben links: Geldstrafenurteil. Oben rechts: Das ehrliche Gassenlaufen und die unehrliche Stäupung. Unten links: Hinrichtungsarten. Unten rechts: Festungshaft, Abtransport zur Galeere (Deutsche Fotothek, Dresden).*

vor ihrem Inquirenten auf der rechten Hälfte eines grauen Bogens zu Papier bringen, die linke für Verfügungen usw. freilassend. Manches im preußischen Kriminalverfahren kommt ihm verkehrt und unmenschlich vor. »Von öffentlichem und mündlichem Verfahren in Strafsachen war damals noch nicht die Rede.« Jeder Angeklagte bekam einen Assessor als Inquirenten oder Untersuchungsrichter zugeteilt, der ihn verhörte und Zeugen vorlud. Der Fall kam zur Entscheidung vor ein Kollegium von Richtern auf Grund der Ergebnisse dieser Untersuchung. Die Untersuchungshaft

konnte bei einem so schwerfälligen Verfahren sehr lange dauern. Russell erwähnt Fälle, wo ein
Angeklagter nach einer Untersuchung von fünf Jahren freigesprochen wurde, und Eberty berichtet
über einen polnischen Gefangenen in der Demagogenzeit, der, nachdem man die Ordre vorgelesen
hatte, die ihn in Freiheit setzte, mit geballter Faust donnernd auf den Tisch schlug und mit gewal-
tiger Stimme in seinem gebrochenen Deutsch ausrief: »Seht ihr verfluchte Hunde, jetzt habt ihr mich
drei Jahre lang gemartert, und nun müßt ihr mich doch frei lassen!« Der Eindruck dieses Zurufs
war so erschütternd, daß selbst Dambach – ein berüchtigter Richter – bleich wurde und kein Wort
erwiderte, sondern schweigend den Unglücklichen zur Tür hinausgehen ließ. Die allerlängste un-
verdiente Kerkerhaft sollte der edle unglückliche Professor Silvester Jordan nach 1831 in Hessen
erleiden, zwölf Jahre.

Seht, Rauber, Diebe; seht ein blutigs Beyspiel hier;
auf eben diese Art, und Weise sterbet ihr.

177. Vierteilung eines Raub-
mörders auf dem Schafott.
*Radierung Ende des 18. Jahr-
hunderts (Original im Besitz
des Münchner Stadtmuseums).*

Um die Verurteilung eines Unschuldigen, namentlich bei Todesverbrechen, unmöglich zu machen, setzte man alles daran, »den Beschuldigten zum Geständnis zu bringen, als wäre es nicht
vielmehr Sache des Richters, den Verbrecher zu überführen, statt denselben zu seinem eigenen An-
kläger zu machen.« Infolgedessen »wurde mit den Gefangenen meist recht hart umgegangen, so daß
man zuweilen an Folter und Tortur erinnert wurde ... Nicht nur ließ man die Untersuchungs-
gefangenen länger sitzen als nötig war, was ganz in der Hand des Richters lag ... sondern es ist
vorgekommen, daß einem hartnäckigen Menschen salzige Speisen, und nichts zu trinken, verabreicht wurden. Dann ließ man ihn zum Verhör bringen, der Richter hatte ein Glas Wasser neben
sich und erwiderte dem um einen Trunk flehenden Sträfling, daß nur dem reuigen und geständigen
Sünder die Labung gereicht werden solle!« Russell empörte sich in Dresden im Jahre 1821 über das
vollkommen dunkle unterirdische Loch mit engen, feuchten Wänden und strohbedecktem nassen

Boden, wo neulich eine des Mordes überführte Frau innerhalb 14 Tagen zum Geständnis gebracht worden war. Man erzählte ihm, daß der Fall gar nicht unbekannt sei, daß ein Unschuldiger sich in seiner Verzweiflung für schuldig erkläre, um seiner Folter durch den Tod zu entgehen, und er führt als Beispiel den Soldaten Fischer an, der, des Raubmordanfalls auf den berühmten Maler Kügelgen überführt, in diesem selben Jahr 1821 nach mehreren Monaten seine Schuld gestanden hatte, jedoch kurz vor seiner Hinrichtung freigesprochen werden mußte, da es sich inzwischen erwiesen hatte, daß ein zweiter Soldat an diesem und einem früheren ähnlichen Verbrechen schuldig sei.

Nach dem ausführlichen Bericht von Bisset Hawkins, selbst Gefängnisinspektor und Mediziner in England, über die deutschen Gefängnisse um 1830, hatte man sie in den letzten 20 Jahren in mancher Hinsicht in einen befriedigenden Zustand gebracht. Unter dem Einfluß der Schriften von Howard, 1780 übersetzt, waren viele humane Vorschläge zur Verbesserung der Gefängnisse erschienen, aber noch 1803 hatte der preußische Minister Arnim das Übel für so groß erklärt, daß man es unbedingt mit der Wurzel ausreißen müsse. Daß die Justizminister in der Epoche Metternich trotz aller Proteste der liberal Denkenden am geheim geführten Inquisitionsprozeß so fest hingen und sich gleichzeitig solche Exzesse, vor allem gegen politische Gefangene, erlaubten, ist eine traurige Mahnung, die Verbreitung der Humanität im damaligen öffentlichen Leben nicht zu überschätzen. Die Tortur war fast überall offiziell abgeschafft – in Bayern erst 1808 – in der Untersuchungshaft kamen aber wie gesagt Dinge vor, die kaum von ihr zu unterscheiden waren. In den Memoiren von ehemaligen Burschenschaftlern wie Laube und Ruge, und am ergreifendsten in Fritz Reuters ›Ut mine Festungstid‹ ist davon die Rede. Auch im Strafvollzug begegnen uns überall recht inhumane Züge, die man damals wohl offiziell, wie bis vor kurzem in England die Todesstrafe, als abschreckende Mittel verteidigte. Man liest noch in vielen Städten von öffentlichen Hinrichtungen, die vom rohen Pöbel, wie früher in England, als Volksbelustigung hingenommen wurden, in Bergen auf Rügen vom Auspeitschen der Verbrecher auf öffentlichem Markt in der Anwesenheit sämtlicher Schüler, usw. In Berlin wurden noch 1813 ein Brandstifter und seine Gehilfin vor dem Oranienburger Tor lebendig verbrannt. »Geprügelt wurde sowohl disziplinarisch, als auch nach Urteil und Recht«, erzählt Eberty, »in grausamer Weise, nicht nur in den Zuchthäusern, sondern auch während der Untersuchung. Ein einziges Mal habe ich einer solchen Exekution beigewohnt, wo ein Mann auf ein dazu besonders hergerichtetes Gestell geschnallt, und dann mit einem langen und dicken Kantschu bearbeitet wurde, was mir einen solchen Abscheu einflößte, daß ich niemals wieder Verlangen trug, dergleichen mit anzusehen.« Etwas Alltägliches waren die entwürdigenden Strafen, welche die Häftlinge in aller Öffentlichkeit erleiden mußten. Im schönen Dresden sieht der erstaunte Russell z. B. »zahlreiche verurteilte Verbrecher, die zur Straßenreinigung verwendet werden, mit Fußeisen belastet und an die Arbeit gehalten durch die Rute eines Aufsehers und die Flinten der Wache«. Die ganze Goethezeit hindurch berichten viele Zeitgenossen ähnlich von den Baugefangenen, schweren Verbrechern, die vor aller Augen, erbarmungslos geprügelt, öffentliche Arbeiten ausführen. »Ludwig Richter sah sie in Dresden in ihren halb hell, halb dunkel gefärbten Jacken und Hosen, mit schweren Fußeisen, manche mit Halseisen, an denen eiserne Hörner befestigt waren, die hoch über den Kopf emporragten« (v. Boehn).

Kehren wir von diesen Unmenschlichkeiten, die leider auch zum Bild der Goethezeit gehören und uns einiges, das sich viel später ereignen sollte, vielleicht als nicht so ganz ohne Vorgang erscheinen lassen, zum abwechslungsreichen Alltag unseres Felix Eberty zurück. »Nachdem diese Kriminalstation durchgemacht war, wurde der junge Auskultator bei den bürgerlichen Rechtsstreitigkeiten beschäftigt, und zwar zuerst in der sogenannten Anmeldestube, welche in dem Stadtgerichtsgebäude zu ebener Erde links neben dem großen Eingangstore sich befand. Hier mußten zwei von uns die Vormittagsstunden zubringen, um Beschwerden, Gesuche und Klagen, hauptsächlich von Landleuten und von Armen, die einen Rechtsanwalt nicht bezahlen konnten, zu Protokoll zu nehmen. Das wäre allerdings eine Aufgabe für einen schon mehr geübten Beamten gewesen; indessen wir mußten uns helfen, so gut es gehen wollte.« Das wunderliche Publikum, das Eberty in der Anmeldestube kennenlernte, eine der vielen Welten, welche zusammengenommen die deutsche Wirklichkeit von damals ausmachten, hat kein deutscher Dickens gezeichnet – Eberty selbst greift zu einem Charakter bei Thackeray, Mr. Sedley in ›Vanity Fair‹ –, um durch diesen Vergleich den Typus des Menschen, der einst bessere Tage gesehen, anschaulich zu machen. Um so wertvoller ist seine eigene Skizze von den meist ganz ungebildeten Leuten, »deren Wünsche und eigentliche Ansichten gewöhnlich nur mit vieler Mühe aus ihnen herauszubringen waren, weil sie ihre Anliegen in der weitläufigsten und konfusesten Art vorzutragen pflegten. Besonders war hier der Tummelplatz für die sogenannten Querulanten, meist unglückliche Menschen, welche der Überzeugung lebten, daß ihnen von ihrem Gegenpart, oder auch von dem Gerichte selbst schreiendes Unrecht geschehen sei. Die Besseren unter ihnen litten daran, daß sie nicht imstande waren, den Unterschied zwischen formellem und materiellem Recht zu begreifen, wie nämlich jemand vor Gott und Menschen einen wohlbegründeten Anspruch auf etwas haben könne, den das Gesetz und das Landrecht dessenungeachtet nicht gelten lassen.«

Die Bedauernswertesten waren für Eberty die Mr. Sedleys, »diejenigen, welche durch Unglück um das Ihrige gekommen, und nun noch versuchen wollen, aus der Asche ihrer Habe irgend ein Goldfünkchen herauszublasen. Sie erscheinen in völlig abgetragenen aber sauber gebürsteten Kleidern, deren verschossene Nähte und ausgebesserte Knopflöcher man nicht ohne Mitleid sehen kann. Sie sind bis ans Kinn zugeknöpft, um den Mangel an sauberer Wäsche zu verbergen, und tragen als eines ihrer Hauptkennzeichen einen Filzhut, an dem der Mangel an Haaren durch feuchte Politur versteckt werden soll. In der Regel sind zwei große Seitentaschen des Rocks dick mit Papieren verschiedenen Formates vollgestopft, von denen viele durch stets wiederholtes Öffnen und Zumachen brüchig geworden, und auf der Rückseite durch angeklebte Streifen zusammengehalten werden . . . Es war ein trauriges Amt, dergleichen hilflosen Menschen in der Anmeldestube Rede und Antwort zu geben, doch fehlte es auch nicht an heitern und lächerlichen Szenen, namentlich wenn die Bauern aus der Umgebung der Stadt kamen, damals noch vielfach in ihrer hübschen ländlichen Tracht, mit langen dunkeln, rotgefütterten Röcken, großen silbernen Knöpfen und den dreieckigen Hüten, ähnlich denjenigen, die der alte Fritz trug. Ansprechend war auch der eigentümliche märkische Dialekt, der sich wesentlich von dem gemeinen Berliner Jargon unterscheidet, und ein förmliches gutes Plattdeutsch ist, wie man es in den Gedichten des alten Bornemann mit Vergnügen liest.«

Der Gesichtskreis des jungen Beamten wurde so beständig erweitert. Die nächste Station war eine Abteilung der »Bagatellkommission«, wo man ein Bild des gesamten Berliner Rechtslebens im kleinen bekam, denn es kamen alle möglichen Rechtshändel zur Verhandlung, die nur das gemeinsam hatten, daß es um Streitobjekte geringen Werts ging. Auch Beleidigungsklagen wurden hier erledigt, und die unzähligen Klagen verlassener Mädchen gegen ihre untreuen Liebhaber. Es war ein Erbe des Zeitalters Friedrichs des Großen, daß das Prozessieren dem Publikum so leicht gemacht wurde. Der unerschöpfliche Bisset Hawkins belehrt uns, daß im Jahre 1826 z. B. die Zahl der bürgerlichen Rechtshändel in Preußen sich auf 127 564 belaufen habe, also für je 80 Einwohner ein Prozeß. Die lächerliche Geringfügigkeit vieler verhandelter Sachen und zugleich die menschliche Haltung des jungen Auskultators erhellen aus folgender Stelle: »Wo es irgend anging, suchten wir, und namentlich ich selbst, die Parteien gütlich zu vereinigen« – und die Berliner waren meist gutmütig. »Sehr oft aber, wenn wir alles ausgeglichen hatten, scheiterte der Versuch daran, daß keine von beiden Parteien die Prozeßkosten tragen wollte, die, wenn keine weitern Verhandlungen als dieser eine Termin nötig gewesen waren, im Ganzen wie ich glaube jedes Mal nicht mehr als 60 Pfennige nach heutigen Gelde betrugen. In vielen Fällen erklärten wir dann, um nur die Leute los zu werden, diese kleine Summe selbst bezahlen zu wollen«, und einmal bezahlte man eine Schürze, welche den Gegenstand eines verwickelten Rechtsstreits bildete, um weitere Schreibereien und juristische Deduktionen zu ersparen. Diese kleinlichen und konfusen Fragen wurden unter den denkbar ungünstigsten Bedingungen abgehandelt. »Von dem Gewirr während dieser Bagatellverhandlungen kann man sich kaum eine Vorstellung machen. Sechs Auskultatoren und der Vorsitzende verhandelten stets zugleich mit besonderen Parteien, oft noch mit Zeugen, so daß der Lärm und das Durcheinander an die babylonische Sprachverwirrung erinnerte.«

Inzwischen bereiteten sich die Auskultatoren mit der Hilfe eines Einpaukers auf das Referendariatsexamen vor, wobei es vor allem auf die Kenntnis des allgemeinen Landrechts ankam. Eberty bestand diese Prüfung glücklich vor einigen Kammergerichtsräten, wurde Königlicher Kammergerichts-Referendarius und machte auf höherer Stufe einen ähnlichen Kursus wie beim Stadtgericht durch. Das Kammergericht war vor allem Appellationsinstanz – Fritz Reuter erzählt z. B., wie er nach zwei schlaflosen Nächten bei bitterer Kälte auf den blanken Dielen des Stadtgefängnisses sich vergeblich bemüht hat, eine Beschwerde bei diesem Gericht einzureichen –, aber vor die Kriminalabteilung kamen »infolge der fluchwürdigen Karlsbader Beschlüsse« die zahllosen als angebliche Burschenschaftler verhafteten Studenten, denn »schon der Verdacht der Teilnahme an jenen Verbindungen sollte mit langjähriger Zuchthausstrafe, die Teilnahme selbst aber, als Hochverrat, mit dem Tode gebüßt werden«. Den schon erwähnten Kriminaldirektor Dambach, mit dem Eberty drei Monate lang täglich mehrere Stunden verkehren mußte, hielt er im Grunde für nicht eigentlich grausam und bösartig von Natur, aber für einen gewissenlosen Streber, der »sich zu einem blinden Werkzeug jener Verfolgungssüchtigen machte, die gegen die Demagogen wüteten«, um beim Monarchen gut angeschrieben zu sein. Die Kriecherei solcher Menschen, mit unmenschlicher Grausamkeit verbunden, und die Härte der Gefängnisvorsteher usw. sind zwei häßliche Flecke in Ebertys Bild der preußischen Rechtszustände seiner Jugend. Er notiert ferner ein Überbleibsel des Absolutismus, das ihm bald vollkommen unerträglich vorkommen sollte, die Niederschlagung von Kriminaluntersuchungen durch Kabinettsordre. Es lagen nämlich Aktenbündel unverschlossen im Gerichtszimmer da, aus denen hervorging, daß »eine ganze Reihe von Untersuchungen plötzlich abbrachen, und reponiert wurden, sobald unangenehme Dinge in hohe, oder gar in höchste Regionen hineinspielten, und die Herrschaften kompromittieren konnten. Wer einflußreich genug war, bis an die rechte Stelle zu dringen, dem war es nicht allzuschwer, sich oder seine Angehörigen der Strafe zu entziehen.« Mit dem Bestehen des gefürchteten Assessorenexamens bricht Ebertys sehr sympathische autobiographische Skizze ab.

Das Medizinalwesen und das Leben des Arztes

Zu den angesehensten Bürgern jeder Stadt gehörten neben den Juristen die akademisch gebildeten Ärzte, die Mediziner standen aber zahlenmäßig schon auf der Universität wie später im Leben weit hinter den Juristen. Deutschland war nach heutigen Begriffen mit medizinischen Anstalten recht dürftig versehen. Die Landbevölkerung mußte fast ausschließlich mit weitverstreuten und oft sehr dürftig ausgebildeten Chirurgen zufrieden sein, und die Frauen im Wochenbett mit einer Hebamme. Die Chirurgen waren noch lange wie die Bader im Mittelalter zünftig organisiert, und während Desault in Paris seit 1790 aus dem überlieferten Handwerk des Feldschers eine auf exakte anatomische Studien gebaute Kunst machte, ließ die wissenschaftliche Chirurgie in Deutschland lange auf sich warten. Die ersten Anfänge gehen auf Chelius in Heidelberg zurück, der erst 1818 seine chirurgische Klinik nach französischen Muster einrichtete. J. F. Dieffenbach in Berlin hat in der Universitätsklinik dann eine ganze Reihe von guten Chirurgen herangebildet, aber der Beruf kam erst in den 60er Jahren zu vollem wissenschaftlichem Ansehen mit der Aufhebung der Abstufung in Ärzte und Wundärzte. Der Staat hatte allerdings schon in der Aufklärung, zunächst in Preußen und Österreich, für eine gewisse praktische Ausbildung und staatliche Beaufsichtigung der Wundärzte gesorgt, in erster Linie zu militärischen Zwecken, z. B. im Josephinum in Wien, und fortschrittliche Ärzte haben sich überall für den Ausbau der Krankenhäuser, die systematische Ausbildung der Wundärzte und Hebammen, die Verbesserung der städtischen Kanalisation und Wasserversorgung und ähnliche hygienische Maßnahmen führend eingesetzt. Es gehörte von nun an zu den anerkannten Aufgaben des Staates, sich um die Gesundheitspolizei zu kümmern. Berühmt war das ›System der medizinischen Polizei‹ (1779) von J. P. Frank, dem Chef des staatlichen Medizinal-

178. Das Akademische Spital im Heidelberger Marstallhof. *Umrißlithographie von F. Wernigk (Kurpfälzisches Museum, Heidelberg).*

wesens in Wien. Auf die so erzielte Verbreitung der wichtigsten hygienischen Kenntnisse ist das schnelle Wachsen der Bevölkerung im 19. Jahrhundert großenteils zurückzuführen.

Es hat unter den Ärzten um die Jahrhundertwende ohne Zweifel viele solide Praktiker gegeben, die in der Behandlung alltäglicher Krankheiten, wo es genügte, die natürlichen Heilkräfte des Körpers durch einfache Mittel und ermutigenden Zuspruch zu unterstützen, gute Dienste leisten konnten. Der Arzt beschränkte sich meist, wie im ›Malade Imaginaire‹, auf das hergebrachte Purgieren, Vomieren und Aderlassen, von diesen Mitteln hat er aber ausgiebig Gebrauch gemacht. Schiller war als junger Regimentsarzt wegen seiner Pferdekuren berühmt; und wie Lyncker berichtet, ließen selbst die ruhigen Ärzte in Weimar, vier an der Zahl, in den Familien, die sie als Hausärzte einmal in der Woche besuchten, ob jemand krank war oder nicht, alle Familienmitglieder sich einmal im Vierteljahr mit Rhabarber purgieren. Für ein derartig regelmäßiges und ungehastetes Leben boten für die Ärzte die Residenzen, oder überhaupt Orte, wo sie auf Patienten aus dem Adel oder dem besseren Bürgerstand rechnen durften, die besten Möglichkeiten, und unter solchen Umständen konnten sie, wie von Goethe in ›Dichtung und Wahrheit‹ angedeutet wird, auch im Kulturellen eine beachtenswerte Rolle spielen. Goethe erwähnt als besonders einflußreich Haller, Unzer und Zimmermann, aber viele andere Ärzte begannen nicht nur für ihre gelehrten Kollegen, sondern auch für das gebildete Laienpublikum zu schreiben, was bei den Juristen selten vorkam. Hervorragende praktische Ärzte waren z. B. der »Alte Heim« und Christoph Wilhelm Hufeland in Berlin. Sie konnten ihre fast ausschließlich durch klinische Erfahrung gewonnenen Kenntnisse weiten Kreisen zugänglich machen. Hufeland war Weimaraner, sein Vater und Großvater waren Leibarzt beim Herzog gewesen, er selbst aber hatte die Gelegenheit, während er als Arzt in einer großen

179. Der Kampf der Homöopathen und Allopathen. *Umrißstich von G. Nehrlich.*

Praxis von neun Uhr früh bis abends um acht arbeitete, vor der »Freitagsgesellschaft« einen Vortrag zu halten, der Karl August mächtig imponierte. Er erschien 1796 unter dem Titel ›Makrobiotik, oder die Kunst, lange zu leben‹ und wurde ein halbes Jahrhundert lang in vielen Sprachen immer wieder aufgelegt. Der Herzog machte den 30jährigen sofort zum Professor in Jena, wo er viel Erfolg hatte und die erste deutsche medizinische Zeitschrift gründete. Nach acht Jahren wurde er an die Charité in Berlin berufen und hatte dort eine glänzende Laufbahn als Leibarzt bei der königlichen Familie, Dekan der medizinischen Fakultät nach der Gründung der Universität usw. Auf dem Totenbett brachte er die Hauptgedanken seiner Makrobiotik in ungekünstelte Verse, aus denen die ausgesprochen ethische Grundlage seiner Heilkunst zu ersehen ist, so daß diese Verse in ihrem Gehalt an manche Alterssprüche von Goethe erinnern, wohl weil alle beide die moralischen Überzeugungen weiter Kreise im deutschen Bürgertum zum Ausdruck bringen. Da heißt es z. B.:

180. Titelseite der zweiten Auflage des Buches ›Die Kunst, das menschliche Leben zu verlängern‹ (Makrobiotik) von Christoph Wilhelm Hufeland, 1762 bis 1836 (Historia-Photo).

Willst leben froh und in die Läng,
Leb in der Jugend hart und streng,
Genieße alles, doch mit Maß,
Und was dir schlecht bekommt, das laß.

Das Heute ist ein eigen Ding,
Das ganze Leben in einem Ring,
Die Gegenwart, Vergangenheit,
Und selbst der Keim der künft'gen Zeit.

Drum lebe immer nur für heut,
Arbeit', genieße, was es beut,
Und sorge für den Morgen nicht,
Du hast ihn heut schon zugericht.

Das ist eben »Lebensweisheit in den Schranken der uns angewiesnen Sphäre«, wie Goethe sie bei Wieland bewunderte. Darin lag wohl zu allen Zeiten die Hauptstärke des guten Hausarztes, der mit seinem Patienten und seinen Familienumständen von Kindheit an in engster Fühlung, durch seine persönliche Anteilnahme auf Leib und Seele zugleich einwirken kann. Auch die guten Ärzte der romantischen Zeit, mit ihren manchmal recht phantastischen naturphilosophischen Theorien, die erfolgreichen Hofärzte z. B. wie Carus in Dresden und Ringseis in München, hatten wie Hufeland diese Vertrauen erweckende Kraft der Persönlichkeit, welche bei dem berühmten Magnetiseur Mesmer in Wien und seinem Anhänger D. F. Koreff in Berlin direkt suggestiv im modernen Sinne gewirkt haben muß. Ein gewisses Maß von Psychotherapie ist ja oft am Platz, auch wenn man die physischen Ursachen der Krankheit gut versteht, was damals äußerst selten der Fall war. Der Patient war aber auf die seltsamsten Mittel gefaßt, weil so viele in allen Ständen ihren Verwandten und Freunden selbsterprobte Heilmittel der abwegigsten Art aufzudringen geneigt waren – man denke etwa an Leopold Mozart mit seinen Pulvern, dem schwarzen und dem Markgrafpulver, die er Frau und Kindern bei jeder Krankheit verabreichte, ob es sich um »typhus abdominalis« oder die Pocken handelte, oder an die unfehlbaren Rezepte gegen jede Krankheit, die man in ganzen Ländern preisen hörte, in Pommern z. B. warmen Essig und Speck, um von den Altweibergeschichten, die dem Volkskundler Freude machen, ganz zu schweigen.

Der Heilkraft der Natur und der Seele, auch der persönlichen Wirkung des Arztes, sind bestimmte Grenzen gesetzt, und es ist ganz klar, daß man noch am Ausgang der Goethezeit gegen alle gefährlichen ansteckenden Krankheiten so gut wie hilflos war. Die obenerwähnte enorm hohe Sterblichkeitsziffer für Kinder ist auf die Pocken und Scharlachfieber und auf Entzündungen der Luftröhren, der Lungen, des Darmes, der Hirnhaut usw. zurückzuführen, die man ohne Verständnis des ursächlichen Zusammenhangs wie ein Schicksal hinnehmen mußte, und dasselbe galt nicht nur für den Krebs in allen Formen, sondern auch für Kindbettfieber, Schwindsucht, Typhus usw. Johanna Schopenhauer berichtet, wie sie mit beiden Schwestern schon 1780 die Pockenimpfung in ihrer ersten, sehr bedenklichen Form erlebte, die man in Danzig durch einen englischen Arzt kennengelernt hatte, aber nur sehr wenige wohlhabende Bürger waren so unerschrocken aufgeklärt wie ihr Vater. Etwas nach 1800 kam Jenners Kuhpockenschutzimpfung (1796 bekanntgemacht) nach, aber diese Neuheit stieß auf heftigen Widerstand, und der Impfzwang konnte erst 1874, wie wir sahen, in Preußen eingeführt werden.

Die großen naturwissenschaftlichen Entdeckungen, auf welche die moderne Medizin gegründet ist, wurden allerdings erst im zweiten Drittel des 19. Jahrhunderts gemacht, und deutsche Forscher haben dabei eine glänzende Rolle gespielt. Der große Kliniker J. L. Schönlein und der geniale Anatom und Physiologe Johannes Müller, mit dem Chirurgen J. F. Dieffenbach, sicherten der Universität Berlin in den 40er Jahren die Führung in der neuen Heilkunst und gewannen mit ihren Schülern für die deutsche Medizin und Chirurgie Weltgeltung. Ihre Anfänge reichen in die spätere Goethezeit zurück. Johannes Müller (1801–1858), der Sohn eines Schusters aus Koblenz, wurde früh in Bonn von der Naturphilosophie beeinflußt. Durchaus goethisch klingt sein Ausspruch, »daß man Erfahrungen . . . nicht bloß zusammenstoppelt, sondern daß man wie die liebe Natur bei der Entwicklung und Erhaltung der organischen Wesen verfährt, aus dem Ganzen in die Teile strebe, vorausgesetzt, daß man auf analytischem Wege das Einzelne erkannt hat und zu dem Begriff des Ganzen gelangt ist«. Als Gegengewicht lernte er aber auch in Bonn bei dem Anatom Philipp Walther den Wert der exakten Forschung schätzen. Alle Zweige der biologischen Wissenschaft hat er in ihrem Zusammenhang erforscht und die moderne vergleichende Physiologie eigentlich begründet. J. L. Schönlein, der Sohn eines Seilers aus Bamberg, hat seit 1817 Würzburg zu einem Wallfahrtsort für die Ärzte seiner Zeit gemacht, indem er zuerst in einem großen Krankenhaus die Studenten in die Lage brachte, zahlreiche Krankenbilder auf anatomischer Basis zu betrachten. Schon sein Lehrer Ignaz Döllinger hatte seine Klinik im Würzburger Juliusspital 1803 nach dem Vorbild seiner Wiener Lehrer eingerichtet und den Grundsatz aufgestellt, »daß die wissenschaftliche Heilkunde ihre Grundlage in der Kenntnis der Prozesse im Organismus habe«, und auch er suchte durch vergleichende Studien auf weitester Basis zum Verständnis der menschlichen Organisation zu gelangen. »Die Aufgabe der Zootomie ist«, schrieb er 1814, »den Bau der Tiere zu entwickeln und in demselben die Natur des Lebensprozesses nachzuweisen. Damit wird das Vergleichen des Zootomen Geschäft.« Die größten Fortschritte in der Medizin auf Grund der objektiven Beobachtung verdankte man in jenem Zeitalter unzweifelhaft den Franzosen. Seit Herder hegten führende deutsche Denker ein tiefes Mißtrauen gegenüber einem einseitigen Empirismus. Auch der deutsche Naturforscher neigte in der späteren Goethezeit, unter dem Einfluß vor allem von Schellings Naturphilosophie, zur Ansicht, daß das »Schauen«, die Intuitionen des reinen Geistes, weit fruchtbarer als empirische Beobachtungen seien. »In der Naturphilosophie«, sagte Schelling, »finden Erklärungen so wenig statt als in der Mathematik; sie geht von den an sich gewissen Prinzipien aus, ohne alle ihr etwa durch die Erscheinungen vorgeschriebene Richtung; ihre Richtung liegt in ihr selbst, und je getreuer sie dieser bleibt, desto sicherer treten die Erscheinungen von selbst an diejenige Stelle, an welcher sie allein als notwendig angesehen werden können.« Man verlor die ethischen Aufgaben der Naturwissenschaft und der Medizin und die Einheit der verschiedenen naturwissenschaftlichen Fächer nie aus dem Auge, was zur richtigen Beurteilung empirisch gesammelter Tatsachen sicher sehr viel Wertvolles beitrug, aber man sammelte selbst zu wenig und ergänzte das Wenige zu kühn aus der Theorie.

Wenn man trotzdem in der Zeit der Romantik auf Ausnahmeerscheinungen wie die oben erwähnten Ärzte trifft, so verdanken sie ihre wissenschaftliche Ausbildung entweder den Franzosen oder der ersten Wiener Schule. Schon um 1750 war der medizinische Unterricht in Wien von den mittelalterlichen Formen befreit worden, indem der Staat die Leitung und Überwachung des Unterrichts von der bisher allein zuständigen ärztlichen Zunft übernahm. Das geschah auf Grund einer eingehenden Untersuchung durch den Leibarzt der Kaiserin, den berühmten Gerhard van Swieten aus Leyden, der führenden medizinischen Schule Europas. Joseph II. beschäftigte sich eifrig mit der weiteren Verbesserung des österreichischen Medizinalwesens. Großen Wert legte er vor allem auf die Wiedervereinigung der Chirurgie und der inneren Medizin in der Verschmelzung der Ärzte und der Chirurgen, die in Preußen, wie schon erwähnt wurde, erst hundert Jahre später geschehen sollte. Die Erhebung der militärärztlichen Schule, des Josephinums, zu einer chirurgisch-medizinischen Fakultät mit dem Range einer Universität war ein wichtiger Schritt zur sozialen und wissenschaftlichen Hebung des Chirurgenstands, aber man brauchte immer noch eine Klasse von niederen Landärzten, die nur zwei Jahre studieren mußten, während von den neuen Chirurgen die Kenntnis aller Teile der Heilkunde und eine Studienzeit von vier Jahren verlangt wurden. Eine Zweiteilung in hohe und niedere Ärzte bestand also auch in Österreich wie in Deutschland bis tief ins neue Jahrhundert hinein. Hawkins erwähnt eine österreichische Provinz, wo nach 1830 für eine Bevölkerung von über 800 000 auf 48 graduierte Ärzte nicht weniger als 349 niedere Ärzte kamen. Die medizinischen Schöpfungen des Kaisers gehören aber ohne Zweifel zu seinen besten Leistungen. Das Allgemeine Krankenhaus in Wien ist lange Zeit ein Muster für die Welt gewesen, und daneben errichtete Joseph ein Gebärhaus, ein Findelhaus, einen »Narrenturm«, ein Taubstummeninstitut, eine Tierarzneischule und Krankenhäuser in Prag, Graz und anderen Städten. Das reiche Lehrmaterial bot der Forschung ein damals unvergleichliches Feld und ermöglichte die großen Taten der ersten Wiener Schule im klinischen Unterricht und der zweiten, um 1840, durch die Zusammenarbeit des Klinikers Joseph Skoda und des Anatoms Rokitansky. Die Einrichtungen in Österreich und Preußen und die weitgehende Kontrolle des Medizinalwesens, die dort vom Staat ausgeübt wurde, dienten nach der Franzosenzeit den meisten deutschen Kleinstaaten als Vorbild.

Unserer kurzen Beschreibung der hauptsächlichen Berufe, die dem akademisch Gebildeten der Goethezeit offen standen, könnte man passend eine ähnliche Behandlung der freien Berufe hinzufügen, aber die Lebensumstände der Künstler, Musiker und Schriftsteller waren notwendig so unterschiedlich, daß das wenige, was sich darüber im allgemeinen sagen läßt, am besten wohl dort erscheinen mag, wo ihre Schöpfungen auf den einzelnen Gebieten der objektiven Kultur besprochen werden. Der Beruf, für den in erster Linie die philosophische Fakultät ihre Studierenden ausbildete, der des Lehrers an einem der neuen Gymnasien, ist oben gestreift worden. Mit der Reform von Schule und Universität war, wie gesagt, eine neuartige philosophische Fakultät geschaffen worden,

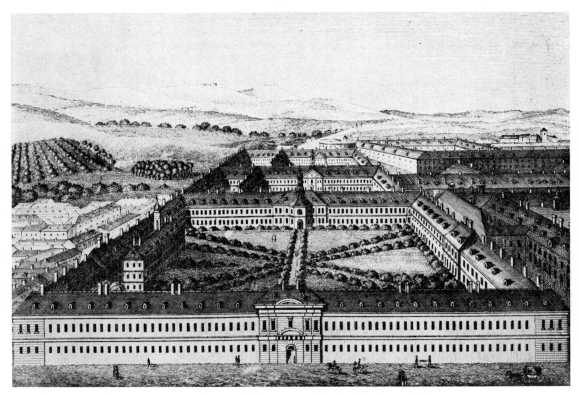

181. Allgemeines Krankenhaus in Wien, errichtet von Joseph II., 1784 *(Historisches Bildarchiv Handke, Bad Berneck)*.

die als selbständige Fachfakultät neben die theologische, juristische und medizinische trat. Sie wurde zur eigentlich wissenschaftlichen Fakultät, die es für ihre Aufgabe hielt, selbständige Gelehrte zu bilden, zunächst Philologen und bald auch Mathematiker, Physiker, Historiker usw., in immer engerer Gemeinschaft mit der medizinischen Fakultät, die jedenfalls von den letzten Jahren der Goethezeit an ähnliche Forschungsmethoden anwandte wie die Naturwissenschaften, unter denen viele Fächer ursprünglich, wie erwähnt, noch nicht selbständig geworden, von Medizinern gepflegt wurden.

Der deutsche Gelehrte

Ein paar Auszüge aus Franz Schnabels glänzender Charakteristik des deutschen Gelehrten im 19. Jahrhundert mögen dieses Kapitel beschließen. »Es bestand der Typus des deutschen Gelehrten, der die Weltstellung der deutschen Wissenschaft begründet hat. Meist bescheidener Herkunft, war er im Bauernhaus oder im Pfarrhofe aufgewachsen, hatte sich aus Armut emporgearbeitet, war einfach, sittenstreng und fleißig geblieben sein Leben lang. Vielen hatte das persönliche Interesse des Landesherrn, des Pfarrers oder des Physikus im Dorfe den Weg zu einem der Wissenschaft geweihten Leben geöffnet. Der Geistliche hatte dem Knaben den ersten Lateinunterricht erteilt, der Schüler und Student hatte sich die Mittel erworben durch Stundengeben, viele waren zuerst Gymnasiallehrer gewesen.« J. K. Zeuß z. B. hatte, während er an seiner grundlegenden ›Grammatica Celtica‹ arbeitete – die Hauptquelle waren Glossen in bayerischen Klöstern – sieben Jahre für 300 Gulden jährlich am Alten Gymnasium in München Hebräisch gelehrt. Erst nach weiteren acht Jahren, als Professor der Geschichte am Lyzeum in Speyer, kam er als Ordinarius für Geschichte an die Universität München. »Der Bildungsgang und die Tätigkeit des Erziehers gaben ihnen eine Vielseitigkeit; Begabung und Fleiß schützten sie vor oberflächlicher Vielwisserei. Ein Mann von Welt wie Savigny war an den Universitäten durchaus eine Einzelerscheinung, und es wurde denn auch als ›merkwürdig‹ empfunden, daß ein junger reicher Mann von Adel, der auf die ersten Stellen in jeder Hinsicht Anspruch machen konnte, nur den Wissenschaften und sich selbst leben wollte und dabei seine Mittel noch zur Ausbildung von weniger wohlhabenden Freunden verwandte. Für die Mehrzahl galt, was der Freiherr vom Stein einmal im Ärger über Dahlmann und Stenzel gesagt hat: ›Es ist ein reizbares, unvernünftiges Volk, das Gelehrtenvolk‹ . . . In allen diesen Männern lebte das Bedürfnis nach Steigerung der eigenen Persönlichkeit unmittelbar und aufs engste vereint mit dem bürgerlichen Dienst am Werke. Mancher war wie Gervinus zuerst Kaufmannslehrling gewesen und dann mit großen Opfern dem Geschäft entflohen, das er für selbstsüchtig und schlecht hielt . . . Ohne die leidenschaftliche Liebe zu geistigen Dingen und ohne die Freude am Sammeln hätten diese Männer nicht monatelang über einer Konjektur sitzen, nicht Jahre hindurch in toten Papieren verweilen können. Und sie blieben nicht darin gefangen! Unerschütterlich lebte in diesen Gelehrten der Glaube, daß der Dienst an der Wissenschaft den Menschen edel mache und großdenkend und daß die Wissenschaft nicht nur die menschlichen Irrungen und Wirrungen zeigt, sondern daß über allem die göttliche Ordnung der Dinge waltet . . . Das biographische Problem, das alle diese Denker aufgeben, ist denn auch bei allen das gleiche: aus dem weiten und vielfältigen Bildungsstoff des Zeitalters dringen sie zu einem umgrenzten Gegenstand vor, der ihrem Wesen gemäß ist und der das eigentliche Thema ihres Lebens wird . . .«

»Diese Männer brachten ihr Leben in kleinen Universitätsstädten zu – fern von den Höfen, deren Glanz das Geschlecht der Descartes und Leibniz nicht hatte entbehren können. Auch Reisen wurden seltener als im kosmopolitischen 18. Jahrhundert. Nur Archiv- und Bibliotheksreisen waren für die neue methodische Wissenschaft nötig. Boekh hat niemals Griechenland gesehen, und Karl Ritter, der Sohn des Binnenlandes, hat die geographische Wissenschaft aufgebaut, ohne Reisen zu machen. Es kommt das Geschlecht der Philologen, die alle orientalischen Sprachen erforscht haben, ohne jemals in ihrem Leben auf orientalischem Boden gewesen zu sein. Man lebte noch ganz wie in Melanchthons Zeiten: in den entlegenen, dünn bevölkerten Landen von Bauern und Handwerkern, in den kleinen Städten voll Ackerbürgern wirkten zerstreut die wenigen Männer, die sich verbunden fühlten im gemeinsamen Interesse an der fernen, alten Kultur der Weltstädte Athen und Rom, von der sie mehr nur den geistigen und literarischen als den sinnlichen und politischen Gehalt in sich aufnahmen ... In diesen kleinen, abgelegenen Städten war der Gelehrte der Herr, er umgab sich mit treuer Gefolgschaft, mit einer studentischen Jugend, die sich noch frei entfalten konnte nach den Gesetzen des eigenen Wachstums, nicht durch die Jagd nach den Stellen, durch gebundene Lehrpläne und gehäufte Prüfungen gehemmt war .. .«

DIE OBJEKTIVE KULTUR DER GOETHEZEIT UND DIE FREIEN BERUFE

Es sind hauptsächlich die großen und kleinen Sozialgebilde der Goethezeit, ihre Gebräuche und Überlieferungen als geprägte Vorgänge, im Sinne der Einführung zu diesem Bande, die uns bis jetzt beschäftigt haben. Wir haben Kultur als die ganze Lebensweise eines Volkes aufgefaßt und eine möglichst konkrete Antwort auf die Frage, wie man damals gelebt hat, gesucht. In dieser vorwiegend soziologischen Deutung der Zeit wurde die sogenannte objektive Kultur nur gelegentlich berührt. Es bleibt also als Hauptaufgabe für die folgenden Seiten die Darstellung der geistig-künstlerischen Seite des Lebens zwischen 1770 und 1832, wie sie uns in den Gebilden der Baukunst, Malerei und Plastik, der Musik und des Dramas und vor allem in der Literatur und Philosophie dieser Jahre entgegentritt. Eingehend läßt sich das natürlich nur in Spezialwerken tun. In unserem Umriß wird vielmehr der Versuch gemacht werden, das Charakteristische und Individuelle gerade dieser Epoche der deutschen Kultur im Vergleich mit anderen Zeiten und Ländern herauszuarbeiten und die Frage nach ihrer künstlerischen und geistigen Einheit, ihrem »Stil« im Nietzscheschen Sinne zu stellen. Durch die Betrachtung ausgewählter typischer Beispiele auf vielen Gebieten, mit den Verbindungslinien, die nach allen Richtungen laufen, soll die Wechselwirkung zwischen Kunst und Leben und die Spannung zwischen ererbten, nchgeahmten und schöpferisch neuen Motiven, Ideen und technischen Mitteln veranschaulicht werden.

Die objektive Kultur einer vergangenen Epoche bietet sich uns notwendig in einer ganz anderen Perspektive als den Zeitgenossen. Von den unzähligen Gegenständen, die sie verkörperten, sind sehr viele, damals alltägliche Erscheinungen auf immer verschwunden, andere aber uns in günstigen Umständen vollständiger bekannt als der Generation, die sie erzeugte, oder den unmittelbar darauf folgenden. Diese letzteren Gegenstände erscheinen uns ferner in dem ›musée imaginaire‹ (Malraux) des heutigen Betrachters nicht nur von vielen Vorgängern, sondern auch von vielen Nachfolgern auf demselben oder benachbarten Gebieten begleitet. Gerade der Sinn für das Historische, den wir vom 18. Jahrhundert geerbt haben, macht uns auf solche Zusammenhänge besonders aufmerksam und legt die Werturteile nahe, denen zufolge die Kritiker ein Werk als klassisch be-zeichnen, ein anderes als epigonenhaft. »Wer mit den Worten, deren er sich im Sprechen oder Schreiben bedient, bestimmte Begriffe zu verbinden für eine unerläßliche Pflicht hält, wird die Aus-drücke *klassischer Autor, klassisches Werk* höchst selten gebrauchen«, heißt es bei Goethe im Aufsatz ›Literarischer Sanskulottismus‹ (1795). Wir werden später auf die Argumente zurück-kommen, durch welche Goethe die Unmöglichkeit klassischer Werke im Deutschland seiner eige-nen Zeit zu beweisen sucht. Ob nun die besten Werke der Goethezeit im strengen Sinne als klas-sisch gelten dürfen oder nicht, die Tatsache ist nicht zu bestreiten, daß trotz aller Schwankungen im Nachruhm einzelner Gestalten, mit denen sich nachfolgende Geschlechter in Deutschland so intensiv beschäftigt haben, ihre Kenntnis zu den unerläßlichen Bestandteilen der allgemeinen Bil-dung gehört. Dieser Umstand, im Zusammenhang mit den mechanischen Fortschritten des 19. Jahr-hunderts, hat zu der früher beispiellosen billigen Vervielfältigung von Büchern und Musikalien, von glänzenden Wiedergaben kleinerer Kunstwerke und Abbildungen von größeren geführt.

Wie leicht, um nur ein Beispiel zu nehmen, lernt der heutige musikalische Laie die Meisterwerke von Bach kennen, sowohl durch das Ohr als von den gedruckten Noten, und wie schwer gelangte Mozart zur Kenntnis einiger Bruchstücke des hochbewunderten Meisters! Man vergleiche die be-kannte Anekdote, die Friedrich Rochlitz erzählt: »Auf Veranstaltung des damaligen Kantors an der Thomasschule in Leipzig, des verstorbenen Doles, überraschte Mozart das Chor mit der Auffüh-rung der zweichörigen Motette: ›Singet dem Herrn ein neues Lied‹ von dem Altvater deutscher Musik, von Sebastian Bach. Mozart kannte diesen Albrecht Dürer der deutschen Musik mehr vom Hörensagen als aus seinen selten gewordenen Werken. Kaum hatte das Chor einige Takte gesungen, so stutzte Mozart – noch einige Takte, da rief er: ›Was ist das?‹ – und nun schien seine ganze Seele in seinen Ohren zu sein. Als der Gesang geendigt war, rief er voll Freude: ›Das ist doch einmal etwas, woraus sich was lernen läßt!‹ – Man erzählte ihm, daß diese Schule, an der Sebastian Bach Kantor gewesen war, die vollständige Sammlung seiner Motette besitze und als eine Art Reliquie aufbewahre. ›Das ist recht, das ist brav!‹ rief er, ›zeigen Sie her!‹ – Man hatte aber keine Partitur dieser Gesänge; er ließ sich also die ausgeschriebenen Stimmen geben, und nun war es für den stillen Beobachter eine Freude zu sehen, wie eifrig sich Mozart setzte, die Stimmen um sich herum, in beide Hände, auf die Knie, auf die nächsten Stühle verteilte und, alles andere vergessend, nicht eher aufstand, bis er alles, was von Sebastian Bach da war, durchgesehen hatte. Er erbat sich eine Kopie, hielt diese sehr hoch, und wenn ich nicht sehr irre, kann dem Kenner der Bachschen Kom-positionen und des Mozartschen Requiem, besonders etwa der großen Fuge ›Christe eleison‹, das Studium, die Wertschätzung und die volle Auffassung des Geistes jenes alten Kontrapunktisten bei Mozarts zu allem fähigen Geiste nicht entgehen.« Das war im Mai 1789. Schon sieben Jahre früher hatte er alle Sonntage bei Baron van Swieten »nichts gespielt als Händel und Bach«, von denen der Baron, als Musikliebhaber und Hofbibliotheksdirektor in Wien, viele Werke besaß.

Musik und Musiker

Wenn die Bewertung einzelner Dichter und Künstler und ihrer Werke in ihrer eigenen Heimat großen Schwankungen ausgesetzt ist, so gilt das erst recht von ihrem Ruhm im Ausland, also von

ihrem Weltruhm. Es ist z. B. bekannt, daß Byron und Oscar Wilde in Deutschland und Frankreich ganz anders hochgeschätzt werden als in England. Wie steht es nun mit dem Weltruhm der großen Deutschen der Goethezeit? Es sind unzweifelhaft viele Anzeichen dafür vorhanden, daß diese Epoche für die nichtdeutschen Gebildeten in Europa und Amerika eher nach Mozart und Beethoven benannt sein dürfte als nach Goethe, denn die deutsche Kunstleistung, die vor allen anderen Weltgeltung besitzt, ist die deutsche Musik. Ein Blick auf Konzertprogramme und Opernrepertoire, wo man auch hinkommt, genügt, um das zu beweisen. Nur ganz rabiate Patrioten unter den Gegnern Deutschlands selbst im Ersten Weltkrieg, wo man viel weniger tolerant dachte als im Zweiten, konnten die deutsche Musik entbehren, und sie galt als »au-dessus de la mêlée«. Der ungewöhnlich vielseitige Musikologe Donald Tovey schrieb damals: »In wenigstens drei Kunstphasen, die ebenso wichtig und ebensosehr voneinder verschieden sind wie etwa das griechische Drama, das Drama Shakespeares und der moderne Roman, sind die Klassiker der Musik fast ausschließlich deutsche Klassiker gewesen.« Die zweite solche Phase kann man durch die Namen Gluck, Haydn, Mozart, Beethoven andeuten.

184. Wolfgang Amadeus Mozart (1756–1791). *Lithographie von*   185. Ludwig van Beethoven (1770–1827). *Zeichnung von Kloe-*
     A. Günther (Historia-Photo).   *ber, Lithographie von Th. Neu, 1817 (Historia-Photo).*

Tovey erklärt die deutsche Größe in der Musik nicht etwa durch die vage Vorstellung einer angeborenen Anlage der Deutschen als Volk, sondern als das Werk großer Talente, die es nicht verschmähten, wie die deutschen Musiker überhaupt sich ausländische Musik in jeder Kunstform gründlich zu eigen zu machen. Auf anderen Kulturgebieten findet er bei den Deutschen eine ähnliche Neigung zur Assimilation, und man könnte im 18. Jahrhundert jedenfalls in der Literaturgeschichte unzählige Beispiele anführen, auch bei den Größten. Goethe selbst billigte den Ausdruck »panoramische Fähigkeit«, den ein Engländer von ihm gebraucht hat, und erklärte wiederholt, daß er als Dichter und als gebildeter Mensch dem Ausland Unersetzliches verdanke. Wenn sich ein Volk auf einem bestimmten Gebiete der Kultur auszeichnet, so scheint das in der Tat keine vorwiegend biologische, sondern eine kulturgeschichtliche Angelegenheit zu sein. Das Talent ist bei allen Völkern eine unberechenbare Gottesgabe, aber wie jeder Same, mit seiner geheimnisvollen »Entelechie«, braucht es einen günstigen Boden und gute Pflege, um zu gedeihen, und diese Faktoren sind rational kontrollierbar. Seit Cicero (›cultura animi‹) versteht man die geistige und künstlerische Kultur am besten durch den Vergleich mit der Agrikultur. Als dem Boden ähnlich kann man die ererbte künstlerische Tradition ansehen. Nur wo sie hoch entwickelt ist, kann auch das größte Genie Meisterwerke hervorbringen, denn jeder Künstler ist auf die ererbten, aber von ihm verbesserten Mittel angewiesen, um sich persönlich auszudrücken, genauso wie ein Kind ohne menschliche Kontakte überhaupt nicht sprechen kann, wie die »Wolfskinder« in Indien.

Für Tovey ist »eine klassische Periode eine solche, wo der Künstler eine Sprache vollkommen beherrscht, die seine Gedanken ausdrücken kann«. Im 16. Jahrhundert z. B. war die Sprache der Musik nur in Italien zu erlernen. »Die Musik war eine italienische Kunst, und Deutschland besaß die Geduld, sie als solche zu erlernen, bevor sie sie zu ihrer eigenen machte.« Bach hat wie Händel italienische und französische Formen benutzt, aber er versteht die Möglichkeiten des italienischen »Concerto« und der französischen »Ouverture« viel besser als ihre Erfinder. Die Meister der Goethezeit wuchsen alle bekanntlich in einer Umgebung auf, wo eine musikalische Tradition, immer wieder von Ausländern angeregt, seit Menschenaltern heimisch war, und wo man in der Ausführung das Beste verlangte. In Mozarts Salzburg, einer alten Bischofsstadt, kulturell in engster Fühlung mit Wien, und in Beethovens Bonn, der Residenz des Kurfürsten von Köln, seit Ende des 17. Jahrhunderts entweder mit München oder mit Wien in regem Austausch, hat man die besten Beispiele. Beide Meister stammten ferner aus den Familien von Berufsmusikern, wenn auch keine von beiden mit der erstaunlichen Bachdynastie zu vergleichen wäre, und sie wurden von der frühesten Kindheit an, z. T. aus materiellen Rücksichten, zu eisernem Fleiß in der Übung ihrer Kräfte angehalten und als Wunderkinder durch das Lob der Großen in ihrer Welt, und im Falle Mozart in ganz Europa, ermuntert. In vielen Familien, mit denen sie verkehrten, wurde die Hausmusik eifrig gepflegt, es wurde zu Hause immer von Musik gesprochen, und sie lebten ganz eigentlich in der Musik. »Wenn wir, Mozart und ich, Spielzeuge zum Tändeln von einem Zimmer ins andere trugen«, schreibt Andreas Schachtner, »mußte allemal derjenige von uns, der leer ging, einen Marsch dazu singen und geigen.«

Für die Unterstützung und Pflege des musikalischen Talents sorgten hauptsächlich bis zum Ende des Reichs die Höfe und die katholische oder protestantische Kirche. Jeder von den unzähligen deutschen Höfen unterhielt wenigstens eine kleine Hofkapelle, einen Kern von Berufsmusikern, die überall mitwirkten, wo man Musik brauchte, bei Hofkonzerten, in der Hofkirche und zuweilen auch im Theater. Ein kleiner protestantischer Hof wie Weimar hatte bis in die 90er Jahre nur ein Orchester von 12 Mann und zwei oder drei Sänger und Sängerinnen, neben einem Hoforganisten. Mit der Gründung des Hoftheaters brauchte man neue Kräfte für die Singspiele, aber die meisten Schauspieler mußten, wie damals üblich, auch singen und tanzen. An den großen katholischen Höfen gehörte eine gute Kapelle, in Verbindung mit einer oft italienischen Operntruppe, zu den Erfordernissen der Repräsentation. Auch mittlere Fürsten konnten leidenschaftliche und verschwenderische Liebhaber der Musik und Oper sein. Karl Theodor von der Pfalz z. B. soll vor der Vereinigung von Kurpfalz mit Bayern etwa 200000 Gulden jährlich für Musik, Oper und Theater in Mannheim und Schwetzingen ausgegeben haben. Er hat unter anderem dafür wohl das beste damalige Orchester in Europa heranbilden können, von dem Mozart bei seinem Mannheimer Aufenthalt allerlei gelernt hat. Auch die geistlichen Höfe, Bonn und Salzburg unter anderen, widmeten der Musikpflege große Summen im Interesse nicht nur der kirchlichen, sondern auch der weltlichen Musik, der Oper und des Theaters.

Auf das ausschließliche Recht des Adels auf die Domherrpfründen ist oben hingewiesen worden. Es versteht sich von selbst, daß für die allerhöchsten Würden der katholischen Hierarchie nur der Hochadel in Frage kam. Die Erzbischöfe und Bischöfe also, die führenden geistlichen Fürsten, waren oft jüngere Söhne weltlicher Fürsten, und auch der Kaiser verschmähte es nicht, einen Erzherzog gelegentlich so zu versorgen. Thayer zitiert eine schöne Stelle aus Dohms Denkwürdigkeiten, wo die Wahl von Max Franz als Kurfürst von Köln erklärt wird. »Maria Theresia war eine zärtliche Mutter. Sehr angelegen war ihr der Wunsch, noch bei ihrem Leben ihre Kinder gut versorgt und in möglichst unabhängiger Lage von ihrem ältesten Sohn und Thronerben zu sehen.« Vier Töchter

hatte sie schon verheiratet, ihr zweiter Sohn besaß das von seinem Vater ererbte Großherzogtum Toscana, und der dritte war Statthalter von Mailand und Erbe des Herzogs von Modena. Um
dem jüngsten Sohne, Max Franz, eine bedeutendere Versorgung zu verschaffen als die Wahl zum
Coadjutor des Hoch- und Deutschmeisters, »machte Fürst Kaunitz einen Plan, der dem Mutter-
herzen der Monarchin gefiel, und dessen Ausführung zugleich dem Wiener Hofe erweiterten Einfluß im deutschen Reiche geben konnte; Erzherzog Maximilian sollte mit noch mehr geistlichen
Fürstentümern versehen werden. Das nächste Absehen war deshalb auf das Erzstift, Kurfürstentum Köln, und das Hochstift, Fürstentum Münster, gerichtet. Diese beiden Länder hatten damals
einen und denselben Regenten«, den hochbetagten Maximilian Friedrich. Die Österreicher wußten die Wahl des Erzherzogs als Coadjutor bei den beiden Domkapiteln in Köln und in Münster
durchzusetzen, obgleich Franz von Fürstenberg, der langjährige Freund der Fürstin Gallitzin, durch
seine hervorragenden Leistungen als Minister in Münster die beste Hoffnung auf die Nachfolge
dort zu haben schien. So wurde der geistliche Fürst gewählt, der in seiner Residenz Bonn das Schicksal des jungen Beethoven in seinen Händen haben sollte.

In ganz Europa stand die Musik seit dem Mittelalter wohl vor allen anderen Künsten im Dienste
der Kirche, und selbst die kunstfeindliche Reformation hatte diese eine Kunst zum großen Teil ge-
schont. Bei den Kalvinisten in der Schweiz und in Schottland und den Reformierten in Deutschland
waren die Orgel und jede Art Instrumentalmusik allerdings verpönt, bei den Lutheranern aber hörte
man nicht nur die geistlichen Lieder, für welche Luther selbst herrliche Muster geschaffen hatte,
und welche bis ins 19. Jahrhundert – man denke an Hebbel – oft das einzige Fünkchen Poesie
darstellten, die in das Leben der Armen fiel, sondern auch eine geistliche Vokal- und Instrumentalmusik von der größten Innigkeit und Vollendung. In den größten Städten entstanden seit J. S.
Bach in Leipzig und Telemann in Hamburg die von Kantoren dirigierten Chöre und Orchester
von Domschülern und erwachsenen Musikfreunden, die »Kantoreien«, welche Oratorien aufführten
und den Sinn für Musik in bürgerlichen Kreisen ausbilden halfen. Bei solchen Veranstaltungen
spielten Musiker von Beruf eine beschränkte Rolle. Wie man in der Kirche Wert darauf legte, daß
die ganze Gemeinde mitsang, so schätzte man auch hier die Selbstbeteiligung möglichst vieler aus
Liebe zur Musik. Später entwickelten sich in allen Städten aus solchen Anfängen »Singakademien«
oder Gesangvereine, wie es schon seit der zweiten Hälfte des 17. Jahrhunderts an vielen Stellen
»collegia musica« zur privaten Aufführung von Instrumentalstücken gab. Der junge Kügelgen war
um 1820 Mitglied der Dreyßigschen Singakademie in Dresden. »Die Dreyßigsche Akademie mochte
damals an fünfzig Sänger und Sängerinnen zählen, mit meiner Ausnahme lauter Meister, welche die
halsbrechendsten Geschichten mit wunderbarer Unfehlbarkeit vom Blatte sangen. Dazu ein Überfluß an guten, zum Teil selten schönen Stimmen, ein reiches Repertorium, ein schönes zweckmäßi-
ges Lokal und ein ausreichend grober Direktor (Kantor Weinlig). Das waren die Mittel, mit denen
Ausgezeichnetes geleistet wurde. Gesungen wurde nur Geistliches: Oratorien, Messen, Psalmen,
dergleichen ich hier nicht zum ersten Male hörte, da ich die klangreichen Gottesdienste der katholischen Kirche oft besuchte, deren turbulente Orchesterbegleitung mir jedoch das Verständnis ver-
wirrte, so daß ich Opern- und Kirchenweisen nicht recht zu unterscheiden wußte ... Gleich das
erste Kyrie setzte mich in Flammen, und immer weiter riß ich den Mund auf, meine Stimme mit
steigender Begeisterung in den gewaltigen Chor mischend. Gefahr war keine dabei, weder für mich
noch meine Nebenmänner, den Opernsänger Riße und den durch seine künstlichen Automaten

186. Aufführung der ›Schöpfung‹ von Joseph Haydn in der alten Wiener Universität am 27. März 1808 in Gegenwart des Komponisten (in der Mitte sitzend). *Miniaturaquarell von B. Wiegand (Archiv für Kunst und Geschichte, Berlin).*

berühmten Mechaniker Kaufmann«, die ihn durch die verzweifeltsten Figuren im Sturme mitrissen. Man hatte seine Freude am Singen selbst und dachte wenig an Aufführungen, aber von Zeit zu Zeit wurde eine halböffentliche Aufführung veranstaltet, mit eingeladenen Gästen. Der junge Maler brachte seinen Vater mit, als sie das Requiem von Mozart sangen. Eberty berichtet ähnlich, wie schon erwähnt wurde, von der großen Anziehungskraft, welche die geistliche Musik für die Berliner um diese Zeit besaß, aber hier handelte es sich um große Aufführungen der Singakademie unter Zelters Leitung. Sie »beschränkten sich fast ausschließlich auf Werke von Bach und Händel.« Zelter und sein Schüler Felix Mendelssohn hatten ja in der Bachrenaissance eine führende Rolle gespielt. »Der Messias, Josua, Saul und Samson waren am beliebtesten, auch Judas Maccabäus wurde wiederholentlich gesungen, und viel seltener kam eine Musik von Fasch oder einem älteren Meister an die Reihe. Den größten Triumph feierte die Akademie 1829, als es Felix Mendelssohn und Eduard Devrient mit unendlicher Mühe und nach vielen Kämpfen durchgesetzt hatten, daß die Bach'sche Matthäuspassion, und zwar in ihrer ganzen ursprünglichen Ausdehnung, aus langer Vergessenheit gezogen und dem Publikum vorgeführt wurde.« Künstlerisch wohl weniger befriedigend, aber stark besucht waren die Mittwochskonzerte von einer Militärkapelle im Teichmannschen Lokal im Tiergarten, wo man jedesmal unter anderem eine der Beethovenschen Symphonien, für Blasinstrumente arrangiert, zu hören bekam.

Es ist begreiflich, daß auf den protestantischen Jungen die geistliche Musik der katholischen Kirche einen beinahe opernmäßigen Eindruck machte. Vor der Gemeinde, die sich passiv verhielt, wurden Messen und Oratorien in möglichster Vollendung von Berufsmusikern vorgetragen, und für Kügelgen galt das als Konzert. Er wurde von seinen Eltern, wie erwähnt, prinzipiell in keine Kirche geschickt, aber sein Hauslehrer besuchte mit seinen Zöglingen ab und zu eine katholische Kirche »der geistlichen Konzerte wegen, welche dort gegeben wurden«. In Wackenroders ›Herzensergießungen‹ macht für den jungen Musiker Berglinger eine Reise nach der bischöflichen Residenz Epoche. »Hier lebte er nun recht im Himmel. Sein Geist ward mit tausendfältiger schöner Musik ergötzt, und flatterte nicht anders als ein Schmetterling in warmen Lüften umher. Vornehmlich besuchte er die Kirchen und hörte die heiligen Oratorien, Cantilenen und Chöre mit vollem Posaunen- und Trompetenschall unter den hohen Gewölben ertönen, wobei er oft, aus innerer Andacht, demütig auf den Knien lag.«

Angesichts der adligen Herkunft des hohen Klerus gesellte sich in geistlichen Residenzen, im Zeitalter der Aufklärung mehr denn je, zur altehrwürdigen Aufgabe der Musik – des Menschen Ahnungen vom Höchsten und Heiligen Ausdruck zu geben – die ästhetische: aristokratische Liebhaber und Kenner zu befriedigen. Kirche und Palast wurden im Barock in einem ähnlichen Stil und von denselben Künstlern gebaut und ausgeschmückt. Ähnliches gilt bis zu einem gewissen Punkte von der katholischen Kirchen- und Hofmusik bis Ende des 18. Jahrhunderts. Soweit die Mittel eines geistlichen Fürsten es erlaubten, und oft darüber hinaus, sorgte man für die Instandhaltung einer möglichst virtuosen Kapelle von Sängern, Sängerinnen und Instrumentalisten, wie diejenige in Bonn in Beethovens Jugend. Selbst ein so ernsthaft um das geistliche und weltliche Wohl der Bevölkerung beflissener Minister wie Fürstenberg in Münster hielt es für seine Aufgabe, Musik und Theater zu fördern. In Bonn bestand die kurfürstliche Hofkapelle aus 10 Vokalisten und 20 Instrumentalisten neben zwei Organisten, unter dem italienischen Komponisten Lucchesi als Kapellmeister, und die Besoldungen allein betrugen etwa 9000 Gulden jährlich. Das ist für eine so große Kapelle recht wenig, aber der Lohn des Durchschnittsmusikers war damals bekanntlich sehr niedrig. Lucchesi selbst bekam 600 Gulden, der Tenorist Johann van Beethoven nach einer Dienstzeit von 28 Jahren nur 300 und verschiedene andere 150 oder weniger. Diese waren aber wohl entweder sehr jung, wie der zweite Organist Ludwig van Beethoven mit noch nicht 14 Jahren, oder sie waren Musiker im Nebenberuf. Der eine war z. B. gleichzeitig Hoflakai, ein anderer Gardetrompeter. Es kommen mehrere Ehepaare in dem Verzeichnis vor, von denen beide Teile verdienen, und fünf Familien neben der Beethovenschen, worin wenigstens ein Kind entweder schon Musiker ist oder Musik lernt. Der Beruf des Musikers war eben, wie der des Schauspielers, ein schlecht bezahlter, der sich oft von den Eltern auf die Kinder vererbte. An kleineren Höfen waren die Löhne für Musiker viel niedriger als in Bonn. In Passau z. B. bekam ein Musiker 1787 105 Gulden im Jahr, während ein französischer Leibkammerdiener 500 fordern konnte, und sogar der Henker und der Rauchfangkehrer etwas über 200. Die Lebensweise und die gesellschaftliche Geltung von Vater Miller, dem Stadttrompeter in ›Kabale und Liebe‹, sind typischerweise die eines kleinen Handwerkers.

An der Spitze des Berufs lagen die Verhältnisse natürlich, wie in allen Berufen, anders. An Sängern, Geigern, Bläsern usw. für Chöre und Orchester war anscheinend kein Mangel, Virtuosen aber und Komponisten waren nicht so zahlreich, daß die guten nicht sehr gesucht und gewöhnlich entsprechend gut belohnt wurden. Auch die besten waren allerdings von den Launen ihrer Mäzene stark abhängig, denn in ein direktes Verhältnis mit dem Publikum einzutreten, ohne Vermittlung von Freunden und Gönnern, war selten, nur mit gedruckten Kompositionen und Lehrbüchern möglich. Unter den ganz Großen hatte vielleicht Haydn die wenigsten Sorgen, als langjähriger Kapellmeister eines Fürsten. Er ließ sich aber wohl mehr gefallen als der als Wunderkind etwas verwöhnte Mozart oder der stolze, unbeherrschte Beethoven. Selbst in Wien, dem musikalischen Zentrum des deutschen Reichs, das er wie Beethoven so früh wie möglich aufsuchte, mußte Mozart mit den in seinem Beruf noch sehr einflußreichen Italienern kämpfen und brachte es nie höher als zum kaiserlichen Kammerkomponisten mit einem Gehalt von 800 Gulden, und das erst im Jahre 1787, nachdem er mit seinen Klavierstücken, Symphonien und Opern und mit seinem virtuosen Spiele den größten Enthusiasmus hervorgerufen hatte. Auch Beethoven hatte glänzende Erfolge als Virtuose, aber seine Taubheit verschloß ihm frühzeitig diese Laufbahn, und er mußte alle Kräfte auf das Komponieren konzentrieren. Was er sich ersehnte, war ein Verleger, der ihm gegen ausschließliche Rechte ein bestimmtes Einkommen sichern und ihn von allen Sorgen um den Verkauf und Absatz seiner Werke befreien würde, wie Cotta das für Goethe tat – so hatte man Beethoven erzählt – oder die Verleger in London für Händel. Das gesteigerte Selbstgefühl des Künstlers, das in diesem bekannten Gespräch beim Fürsten Lobkowitz zum Ausdruck kam und schon von Mozart bescheidener und nur in vertraulichen Briefen an den Vater geäußert worden war, ist ein Merkmal der Zeit, vielen früheren Äußerungen des Sturmes und Dranges mit Bezug auf den Dichter ähnlich. In dem letzten Gespräch mit Eckermann berief sich Goethe auf die Arbeit eines Mozart, eines Raffael oder eines Shakespeare als Zeugnisse einer nie endenden Tätigkeit Gottes in höheren Naturen. Das Geistige auf dieser Höhe ist für ihn mehr als ein Erzeugnis rein menschlicher Kräfte. Es hat etwas Göttliches.

Von Goethes Brief über den Stand der Künste in Stuttgart war oben die Rede, wo er auf die dauernde Wirkung der Kunstpflege durch einen Fürsten und seinen Hof hinwies. In Wien finden alle Beobachter ein hervorragendes Beispiel des Mäzenatentums und seiner Folgen, namentlich in der Musik. Werfen wir einen Blick auf das Wiener Musikleben in der Kaiserstadt in den ersten Jahren nach Beethovens Ankunft, der bei Haydn studieren wollte (Ende 1792), denn hier sind die gesellschaftlichen und kulturellen Grundlagen deutlich zu erkennen, die Deutschlands musikalische Triumphe in der Goethezeit möglich machten. »Das Beispiel, welches die österreichische Kaiserfamilie so manches Jahr hindurch gegeben«, sagt Thayer, »hatte seine natürliche Wirkung hervorgebracht, und Kenntnis und Geschmack in der Musik war unter den Fürsten und Edeln des Reiches allgemein verbreitet.« Die Musik wurde für viele weltliche wie geistliche Fürsten und ihre Höfe ein Bedürfnis des verfeinerten Lebens. »Außer den Personen von hoher Geburt folgten auch solche, die durch Talent, Bildung oder Reichtum eine hohe gesellschaftliche Stellung einnahmen, jenem Beispiel, und öffneten Musikern und Musikliebhabern ihre Salons, meistenteils durch wirklichen, zuweilen durch affektierten Geschmack für die Kunst dazu bewogen, in jedem Falle sie in ihrem Fortschritte unterstützend und ermunternd. Daraus entstand eine ungemein große Nachfrage nach Kammermusik, vokaler und instrumentaler, namentlich aber nach letzterer. Die Nachfrage brachte die Befriedigung mit sich, indem sie Genies und Talente ermutigte, in dieser Richtung zu arbeiten; und so errang die österreichische Schule der Instrumentalmusik bald den ersten Rang in der Welt.«

Man wird durch diese Worte an die weitgehende Unterstützung der Literatur durch Staats-

187. Hauskonzert in Schloß Ludwigslust, 1770. *Pastellgemälde von Georg David Matthieu, 1737–1778 (Archiv für Kunst und Geschichte, Berlin).*

minister und Adlige im Augustäischen England erinnert. In der zweiten Hälfte des 18. Jahrhunderts wuchs das Lesepublikum so rasch, daß man Mäzene meist entbehren und Goldsmith um 1760 den englischen Schriftsteller als nur von der Öffentlichkeit abhängig beschreiben konnte. Eine Generation später war es in Deutschland mit der Literatur beinahe ebensoweit, obgleich die Armut des Landes und das Fehlen eines wirksamen Schutzes gegen den Nachdruck das Tempo dieser Entwicklung trotz des stets wachsenden Lesepublikums verlangsamte. Ein Musiker aber, auch ein schöpferisches Genie, konnte sich nicht unvermittelt an die Öffentlichkeit wenden. »Öffentliche Konzerte, wie wir jetzt diesen Ausdruck verstehen, haben damals nicht existiert, und regelmäßige Subskriptions-Konzerte waren selten«, heißt es bei Thayer. »Mozart gab einige Serien von solchen; doch nach seinem Tode scheint es in der musikalischen Welt niemanden von hinlänglichem Namen gegeben zu haben, um eine solche Spekulation mit Erfolg anstellen zu können ... Die einzigen wirklichen und regelmäßigen öffentlichen Konzerte waren die vier jährlichen Aufführungen im Burgtheater, zwei zu Weihnachten und zwei zu Ostern, zum Benefiz der Witwen und Waisen der Musiker.« Zahlreiche Privatkonzerte wurden aber jedes Jahr in der Saison von einer ganzen Reihe von Fürsten und Grafen und von einigen hohen Beamten veranstaltet. Musik aller Gattungen wurde aufgeführt, Oratorien, Opern, Symphonien, Klavierstücke und Lieder, und diese Konzerte boten dem Virtuosen wie dem Komponisten ihre beste Gelegenheit. Ab und zu wagte dann ein Virtuose ein Subskriptionskonzert anzukündigen, nachdem er sich in Privatkonzerten einen Namen gemacht hatte und auf hochgestellte Bekannte rechnen konnte, die sich für eine Anzahl Subskriptionen verantwortlich machen würden. Thayer nennt neun Fürsten und dreizehn Grafen und Gräfinnen, die im Winter 1793—1794 ihre Gäste zu einem oder mehreren Konzerten einluden. Einige große Enthusiasten, wie die Fürsten Lobkowitz, Schwarzenberg und Auersperg, unterhielten jeder ein eigenes Orchester in Wien – Lobkowitz gab für Musik und Drama sein ganzes Einkommen aus und machte in zwanzig Jahren vollständig Bankerott. Andere hatten größere oder kleinere Kapellen auf ihrem Landsitz und brachten wenigstens ein paar Mitglieder mit in die Stadt, wenn sie sie in der Saison besuchten, denn sie hatten sehr oft einen Palast in Wien und wollten dort Kammermusik oder Tafelmusik hören. Mehrere von diesen Großen hatten einen namhaften Musiker zum Kapellmeister – das bekannteste Beispiel ist Nikolaus Joseph Fürst Esterhazy, bei dem bis zu seinem Tode im Jahre 1790 Haydn die Musik leitete und in dessen Dienst er im Laufe von 30 Jahren unzählige Werke als Gelegenheitsmusik schuf. Nach einer Unterbrechung von vier Jahren – denn der Sohn entließ Haydn und löste die Kapelle auf – führte der Enkel, Fürst Nikolaus, die alte Tradition weiter. Zu den reichen Mäzenen aus dem Altadel gesellten sich ein paar hohe Beamte als freigebige Musikliebhaber, Gottfried Baron van Swieten z. B., der Sohn des berühmten Arztes, Direktor der Hofbibliothek, Kammerzahlmeister von Meyer oder der Jurist Hofrat von Kees, früher »der erste Musikfreund und Dilettant in Wien«, der wöchentlich zweimal in seinem Hause Konzerte gegeben hatte, wo Haydns Symphonien aufgeführt worden waren. Daß in Wien, wie überall in Deutschland, von bürgerlichen Musikliebhabern eifrig musiziert wurde, versteht sich von selbst. Es hat auch jahrelang eine Gruppe von adligen Dilettanten gegeben, die mit der Hilfe einiger Berufsmusiker unter einem bürgerlichen Dirigenten in der Saison vielleicht ein Dutzend

188. Konzertzettel der Erstaufführung von Haydns ›Schöpfung‹ am 19. März 1799 im Wiener Burgtheater *(Archiv für Kunst und Geschichte, Berlin)*.

189. Schloß Esterhazy in Eisenstadt im Burgenland, die langjährige Wirkungsstätte Haydns. *Neuere Aufnahme (Historisches Bildarchiv Handke, Bad Berneck).*

Konzerte gab. Das geschah zwischen sechs und acht Uhr morgens in der Augartenhalle, vor einer »sehr brillanten« Zuhörerschaft, und »selbst von dem höchsten Adel ließen sich Damen hören«. Dazu kamen zahlreiche Aufführungen von Operetten und Singspielen durch Liebhabertruppen. Man kann sich alles in allem kaum eine Atmosphäre denken, die geeigneter wäre, den Komponisten anzuregen, und von der hohen Zahl der Werke, die der dauernde Bedarf hervorrief, hat man eine Vorstellung, wenn man erfährt, daß ein einziger Musikalienhändler, Johann Traeg, 1799 in seinem Kataloge an Symphonien, Symphonie-Konzerten und Ouvertüren nicht weniger als 512 Nummern anbot.

Eine Kunst, der so viele hochgestellte und reiche Liebhaber zwei Generationen hindurch ihre großen Mittel und fast unbegrenzte Muße gewidmet hatten, galt nicht bloß, wie in der vornehmen Gesellschaft in ganz Europa, als eine Zierde und ein Zeitvertreib des schönen Geschlechts. Sie war das natürlich auch, selbst ein Mozart hat lauter adlige Damen unterrichtet – wohl die einzigen, die zwölf Stunden mit sechs Dukaten bezahlen konnten. Aber sie gehörte für viele Gebildete beiderlei Geschlechts zu den Dingen, welche dem Leben erst einen Sinn geben. Norddeutsche Schriftsteller der Romantik, Wackenroder, Brentano und E. T. A. Hoffmann vor allem, haben die Musik als »den metaphysischen Hintergrund alles ihres Fühlens, Denkens und Gestaltens« gefeiert, aber die »klassischen« deutschen Komponisten in Wien von Haydn bis Beethoven und viele unter ihren

Gönnern haben ein vergeistigtes Leben in der Musik und für die Musik vorgelebt und in ihr wie Hoffmann den »Ausdruck der höchsten Fülle des Daseins« gefunden. Die technische Vorbedingung einer so hingegebenen Musikpflege kann man wohl in dem damals nur durch ein ausgedehntes Mäzenatentum möglichen Nebeneinanderleben so vieler Berufsmusiker erblicken. Risbeck schätzte sie in den 8oer Jahren um 400. Jedenfalls scheint es vier oder fünf für damalige Begriffe große Orchester und zahlreiche Streichquartette, Bläser-›Harmonien‹ usw. gegeben zu haben, neben anderen Gruppen für Theater- und Kirchenmusik. Das Niveau im Zusammenspiel findet Risbeck sehr hoch, aber eigentliche Virtuosen sind nicht sehr zahlreich vorhanden.

Das scheint für die damaligen Verhältnisse in der deutschen Musik typisch gewesen zu sein. Tovey erinnert an Dr. Burneys Klagen über die für seine aristokratischen Ohren peinlichen Mängel, die er auf seiner deutschen Reise bemerkte. »Das deutsche musikalische Leben war eben nicht, wie das englische«, sagt Tovey, »fast ausschließlich auf die Leistungen hervorragender ausländischer Meister angewiesen, bei denen jeder Ton den Eindruck des Unnachahmlichen machte.« Burney fand z. B., daß man oft alle Instrumente des Orchesters gleichzeitig in demselben Zimmer üben mußte, mit der einzigen Ausnahme der Trompeten, die auf der Treppe geblasen wurden. Das ist aber, kommentiert Tovey, bloß die schwache Seite der Musik in einem Lande, wo sie keine Modesache, sondern eine Lebensnotwendigkeit ist. »Der Durchschnittsmusiker in einem solchen Lande wird wahrscheinlich demjenigen in einem Lande, wo Musiker die seltenen Früchte eines besonderen Triebes und Talents sind, unterlegen sein. Dafür werden hervorragende Talente nicht so leicht Gefahr laufen, zu verhungern, und es wird für seltsame Phänomene an spezialisiertem Können Raum vorhanden sein.« Wo die Musik eine Notwendigkeit ist, wird man auch, das betont Tovey bei Bach, Händel, Mozart und Haydn, ein außerordentliches Talent für Improvisationen aller Art vorfinden, für Gelegenheitsmusik, der man eine »innere Form« nicht absprechen kann.

Die Künste des Wortes

Trotz der immer weiter um sich greifenden Verweltlichung des Lebens in der Goethezeit wird man wohl doch nicht fehlgehen, wenn man behauptet, daß diejenigen, die für weltliche Poesie und Dichtung überhaupt empfänglich waren, noch um 1830 eine kleine Minderheit des Volkes darstellten, während weite Kreise für geistliche Dichtung einen nicht ganz unkritischen Sinn hatten, für die Kirchenlieder, die sie von Kindheit an gesungen hatten, für die allen bekannten Bibelgeschichten und in vielen Fällen für die geistigen und künstlerischen Eigenschaften einer Predigt. Höfische Kreise und die Gebildeten waren allerdings vor dem Ende des 18. Jahrhunderts schon in hohem Maße entkirchlicht, Schleiermacher richtet seine ›Reden über die Religion‹ bezeichnenderweise ›an die Gebildeten unter ihren Verächtern‹ (1799), aber das Kleinbürgertum und das Volk blieben noch lange fromm und kirchentreu, »und wenn die Prediger versagten, hatte man doch nach dem öffentlichen Gottesdienst die häusliche Schriftlektüre und die ›collegia pietatis‹ . . . Was der Religionsunterricht verdarb oder versäumte, machte das Elternhaus wieder gut – hier wurde die Bibel mit innerer Teilnahme gelesen, die Psalmen wurden auswendig gelernt, jeden Tag hat die Mutter den Kindern den Morgen- und Abendsegen vorgelesen« (F. Schnabel). Der junge Hebbel las seiner Mutter täglich aus einem alten Abendsegenbuch den Abendsegen vor, der gewöhnlich mit einem geistlichen Liede schloß. »Da las ich eines Abends«, erzählte er später, »das Lied von Paul Gerhard, worin der schöne Vers: Die goldnen Sternlein prangen / Am blauen Himmelssaal vorkommt. Dies Lied, vorzüglich aber dieser Vers, ergriff mich gewaltig; ich wiederholte es zum Erstaunen meiner Mutter in tiefster Rührung gewiß zehnmal. Damals stand der Naturgeist mit seiner Wünschelrute über meiner jugendlichen Seele, die Metalladern sprangen und sie erwachte wenigstens aus einem Schlaf.« So spricht ein Dichter von der Stunde, in welcher er »die Poesie in ihrem eigentümlichsten Wesen zum erstenmal ahnte«, aber unzählige nichtschöpferische Menschen haben sicher in ähnlicher Weise den Zauber des Wortes schätzen gelernt. Es ist nicht zu leugnen, »auf den Flügeln der Schönheit und der Weisheit ist unter vielen großen Werten doch auch der indifferente und weltliche Geist im Laufe des 19. Jahrhunderts in das deutsche Bürgertum und von da schließlich in die untersten Massen getragen worden« (F. Schnabel), aber noch weit über das Jahr 1800 hinaus trug ein großer Teil von Deutschland das unverkennbare Gepräge einer in der ererbten Religion wurzelnden kleinstädtischen und ländlichen Volkskultur, wie sie Goethe poetisch verklärt, aber im wesentlichen nach dem Leben in der Gretchentragödie seines ›Faust‹ und in ›Hermann und Dorothea‹ dargestellt hat.

Das gesprochene Wort – Die Predigt

Wenn das Kirchenlied für die allermeisten die einzige wirklich empfundene Poesie darstellte, so hatten sie an der sonntäglichen Predigt nicht nur das spezifisch Christliche, sondern auch sehr viel Nützliches und Bildendes, was ihnen heute u. a. von der Lokalzeitung sowie von Rundfunk und Fernsehen übermittelt wird. Die Predigt mußte für sie unvergleichlich wichtiger sein als alle Lektüre weltlicher Art, wozu ihnen sowieso die Bücher fehlten, auch wenn sie nicht, wie wohl weit mehr als die Hälfte aller Deutschen am Ausgang der Goethezeit, zu den Analphabeten gehörten. Um die öffentliche Meinung von damals wirklich kennenzulernen, wäre es an sich sehr wünschenswert, über die Geschichte der Predigt viel besser unterrichtet zu sein, als es uns heute aus Mangel an Vorarbeiten möglich ist. Auf die Rolle, die der Pfarrer als unbezahlter Beamter und als Vertrauensmann der Regierungen spielte, ist oben hingewiesen worden, ferner auf das überwiegend praktisch-moralische Predigtideal auch eines Herder, der auf der Kanzel nicht als Vertreter der strengen Kirchenlehre auftrat, sondern als »Hoherpriester der Humanität«, welcher nach der Art von Lorenz von Mosheim, »dem eigentlichen Schöpfer der modernen Predigt« (Drews) um die Mitte des 18. Jahrhunderts, das Reinmenschliche in das Licht des Evangeliums stellt. Selbst Schleiermacher, in der Erweckungszeit der Zwanziger Jahre, bleibt trotz aller Ablehnung der allgemeinen Vernunftreligion dem Prinzip der Gelegenheitspredigt treu, im Gegensatz zur Forderung eines A. H. Francke z.B., daß jede Predigt die Heilsordnung in sich tragen müsse. Schleiermacher »zeigt das Einzelne in christlicher Beleuchtung und bleibt (sagt Drews) bei dem wirklich Richtigen, praktisch Anwendbaren und aus dem Leben selbst sich Ergebenden«. Typische Themen sind bei ihm etwa ›Das Leben und Ende des Trägen‹ oder ›Wie öffentliche Unglücksfälle uns zum Besten dienen müssen‹. Diese Großen unterschieden sich also vom Durchschnittsprediger nicht durch die Wahl des Themas, sondern eigentlich durch das Künstlerische einerseits, die überlegene Ausdrucks- und Vortragsweise, und andererseits durch Geist und persönliche Überzeugungskraft.

Es ist wohl selten vorgekommen, daß ein junger Mann von den Worten eines Predigers so ausschließlich in Besitz genommen wurde wie der junge Anton Reiser in Braunschweig im autobio-
graphischen Roman von Karl Philipp Moritz, aber die Stelle deutet wenigstens auf die Wirkung hin,
die der Pfarrer durch seine Worte damals erzielen konnte. Der junge Hutmacherlehrling »dachte
von nun an, wo er ging und stund, nichts als den Pastor Paulmann. Von diesem träumete er des
Nachts und sprach von ihm bei Tage; sein Bild, seine Miene und jede seiner Bewegungen hatten
sich tief in Antons Seele eingeprägt. – Beim Wollekratzen in der Werkstatt und beim Hütewaschen
beschäftigte er sich die ganze Woche über mit dem entzückenden Gedanken an die Predigt des
Pastor Paulmann und wiederholte sich jeden Ausdruck, der ihn erschüttert oder zu Tränen gerührt
hatte, zu unzähligen Malen.« Regelmäßig wurden Kinder dazu angehalten, sich die Hauptgedanken
der Predigt zu merken, um sie nachher zu Hause in der richtigen Folge wiederholen zu können. Durch
seine ungewöhnlichen Leistungen in dieser Kunst soll der Gänsejunge Fichte die Aufmerksamkeit
seines ersten Gönners, des Freiherrn von Miltitz, auf sich gezogen haben.

Auf das Leben der ländlichen Bevölkerung und zum Teil auch des Bürgertums konnte der Pfarrer
also oft vor allem durch seine Predigten einen bestimmenden Einfluß ausüben. Dagegen fehlt in der
Goethezeit ganz eine Kanzelberedsamkeit in der großen Tradition der französischen Klassik, der
vor den Spitzen der französischen Hofgesellschaft gehaltenen Predigten eines Bossuet, Bourdaloue
oder Massillon, wo der hohe Ernst nicht zu verkennen ist, der dem Redner das Gefühl seiner Verantwortung nicht nur der Kirche, sondern auch seiner Nation gegenüber eingibt. Eine bedeutende
Rede ist eben, wie Goethe sagt, »Folge des Lebens«. – »Eine Predigt«, schreibt Schiller an Körner in
dem schon angeführten Briefe über Herders Predigt in Weimar, »ist für den gemeinen Mann.«
»Das Publikum, zu welchem ein Prediger spricht, ist viel zu bunt und zu ungleich, als daß seine
Manier eine allgemein befriedigende Einheit haben könnte, und er darf den schwächlichen Teil nicht
ignorieren wie der Schriftsteller.« Es versteht sich von selbst, daß infolge der in Deutschland herrschenden politischen Zustände überhaupt keine politischen Reden von Bedeutung gehalten wurden,
während eine gerichtliche Beredsamkeit wegen des vor Gericht üblichen schriftlichen Verfahrens
gleichfalls ausgeschlossen war.

Das geschriebene Wort – Der Brief

Geschriebenes und Gedrucktes gehören selbstverständlich in jedem Zeitalter zu den allerwichtig-
sten »Kulturobjekten«, denn mehr als alle anderen tragen sie dazu bei, den Schöpfungen des menschlichen Geistes Dauer zu verleihen und eine hohe Kultur überhaupt möglich zu machen. Wiederholt
ist in Herders Darstellung der Philosophie der menschlichen Kultur, in den ›Ideen zur Philosophie
der Geschichte der Menschheit‹, von dem kulturschaffenden Wunder der Sprache die Rede. »Ein
Volk hat keine Idee«, heißt es z. B. »zu der es kein Wort hat: die lebhafteste Anschauung bleibt
dunkles Gefühl, bis die Seele ein Merkmal findet und es durchs Wort dem Gedächtnis, der Rücker-
innerung, dem Verstande, ja endlich dem Verstande der Menschen, der Tradition einverleibt: eine
reine Vernunft ohne Sprache ist auf Erden ein utopisches Land. Mit den Leidenschaften des Herzens, mit allen Neigungen der Gesellschaft ist es nicht anders. Nur die Sprache hat den Menschen
menschlich gemacht, indem sie die ungeheure Flut seiner Affekten in Dämme einschloß und ihr

durch Worte vernünftige Denkmale setzte. Nicht die Leier Amphions hat Städte errichtet, keine Zauberrute hat Wüsten in Gärten verwandelt; die Sprache hat es getan, sie, die große Gesellerin der Menschen.«

Das Briefeschreiben wurde in der Goethezeit wenn möglich noch eifriger als in der Aufklärung gepflegt, und es haben sich nach Sturm und Drang allmählich weniger umständliche Formen eingebürgert. Nach Steinhausen schwindet erst in den vierziger Jahren des 19. Jahrhunderts im deutschen Briefe der Geist des 18. »In unserer Zeit«, schreibt er 1891, »mag man sich schwer einen Begriff davon machen, was damals Briefe für die Freunde und was sie überhaupt bedeuteten.« Der Briefkultus der Goethezeit ist eine direkte Abspiegelung der damals herrschenden Innerlichkeit, aber es traten auch äußere Momente hinzu, das langsame Tempo des Lebens, die Abgeschlossenheit, in der man lebte, der Mangel an billigen und leicht zugänglichen Zeitschriften. »Die Briefe anderer Leute wurden abgeschrieben und wieder abgeschrieben. Der eitle Zimmermann fügte einem Briefe, der seine Unterredung mit dem König von Preußen enthält, die Bemerkung hinzu: ›Dieses ganze Postscript bitte ich noch allen Abschriften meines Briefes beizufügen.‹ In diesem Falle vertritt die Verbreitung durch Abschriften allerdings die moderne Veröffentlichung in Zeitschriften.« Es wurden aber immer mehr Briefe bedeutender Zeitgenossen gedruckt, was von der Mitwelt oft übelgenommen, uns aber nur willkommen sein kann, und vor allem nach dem ›Werther‹ erschien eine unübersehbare Literatur, nicht nur Romane, sondern auch belehrende Schriften jeder Art, in der Form von Briefen. Noch um 1830 findet man »überall außerordentliche Schreibseligkeit, überall starkes Gefühlsleben, überall Freude an redseligen Herzensergießungen und innigem persönlichen Verkehr«. Der einzelne schrieb wohl viel weniger Briefe als heute, dafür aber recht ausführliche. Das ganze Briefeschreiben war eben eine umständliche Sache, man beschnitt das Papier erst selbst, man mußte auch seine Feder zu schneiden und den Brief richtig zu falten oder mit einem selbstgemachten Umschlag zu versehen wissen. Die Beförderungsverhältnisse waren, dem wenig entwickelten Verkehr entsprechend, noch schlecht, das Porto teuer, ein Brief also ein Ereignis.

Das gedruckte Wort – Die Zeitung

Da es uns hier vor allem darauf ankommt, auf die Wechselwirkung zwischen der gesellschaftlichen Struktur der Goethezeit und den Kulturphänomenen hinzuweisen, wollen wir in unserer Skizze der literaren Kultur nicht, wie es sonst üblich ist, mit den geistigen Heroen der Zeit anfangen, die sich nach Schillers Wort bemühten, die »Zeitgenossen aller Zeiten« zu sein, sondern umgekehrt mit den Tagesschriftstellern, den Journalisten usw., deren Bemühungen ganz den Bedürfnissen der sie umgebenden Gesellschaft angepaßt waren, ihren wenn auch bescheidenen Beitrag zu Bildung und Kultur jedoch auch dabei abwarfen.

Die ersten Intelligenzblätter waren bekanntlich eine gedruckte Vervielfältigung der lokalen Anzeigen gewesen, unter Rubriken wie verlorene und gefundene Sachen, Kauf- und Mietanträge, Postzeiten usw., die ursprünglich in den »Adreßkontoren« bekanntgegeben waren. Sie brachten private Mitteilungen rein praktischer Art und bald auch amtliche Anzeigen. Sehr viele Städte, selbst Residenzstädte, besaßen in der Goethezeit höchstens ein Wochenblatt solcher Art, Weimar selbst z.B. die ›Weimarischen Anzeigen‹. Das Blatt erschien zweimal wöchentlich und brachte auf seinen vier

Seiten in erster Linie Anzeigen unter vielen Rubriken und offizielle Bekanntmachungen – der langjährige Herausgeber, Herr Schrön, Bertuchs Pflegevater, war Beamter, Landschaftskassenschreiber. Hinzu kamen aber auch ausgewählte politische Nachrichten – aus dem Ausland, unbedeutende Stadtneuigkeiten, Zeitungsextrakte aus anderen Blättern und eine Seite zur Unterhaltung und Erhebung, nach dem Muster der ›Moralischen Wochenschriften‹. Die großen Handelsstädte, Hamburg, Frankfurt am Main und Leipzig, hatten schon lange anständige Zeitungen. ›Der Hamburgische unpartheyische Korrespondent‹ galt als die bedeutendste Zeitung Deutschlands, und die Stadt hatte ferner die ›Hamburgische neue Zeitung‹ und zwei Intelligenzblätter, von denen das zweite sich im 19. Jahrhundert zu einer wichtigen Zeitung entwickelte unter dem Titel ›Hamburger Nachrichten‹. Frankfurt konnte zwei gute Zeitungen, die ›Oberpostamtszeitung‹ und das ›Journal‹, und ein Intelligenzblatt aufweisen, und Leipzig neben einem Intelligenzblatt die weitverbreitete ›Leipziger Post-Zeitung‹. In Berlin gab es die ›Vossische Zeitung‹, die ›Haude-Spenersche Zeitung‹ und ein Intelligenzblatt, in Wien aber nur die ›Wiener Zeitung‹, die bis zum Jahre 1812 nur zweimal in der Woche erschien, neben unbedeutenden Klatschblättchen und Blättern mit Extrakten aus fremden Journalen.

Der Inseratenteil der eigentlichen Zeitungen begann sich erst gegen Ende des 18. Jahrhunderts zu entwickeln, also recht spät, was wieder ein Zeichen dafür ist, daß der deutsche Handel sich noch im vorkapitalistischen Stadium befand, wo die Konkurrenz verpönt war. Im ›Frankfurter Journal‹ finden sich gegen 1770 die ersten Annoncen, worin durch fremde Händler das Eintreffen wertvoller Waren aus dem Ausland bekanntgegeben wird. Die Intelligenzblätter hatten von Anfang an auch Familiennachrichten gebracht, meist von amtlicher Seite. Die Freunde der Ordnung wie Martha Schwerdtlein (»Möcht ihn auch tot im Wochenblättchen lesen!«) sahen sich ganz früh im 18. Jahrhundert befriedigt, (allerdings nicht im 16.) aber in den politischen Zeitungen kommen Todesanzeigen erst um 1790 vor, Vermählungsanzeigen ein paar Jahre später (man sucht sich zuerst mit dem englischen Beispiel zu entschuldigen), Geburtanzeigen 1797 und Verlobungsanzeigen erst 1816. Feuilletonartiges brachten einige Intelligenzblätter, wie oben für die ›Weimarische Anzeigen‹ festgestellt wurde, die ganze Goethezeit hindurch. Für das sonst unbedeutende Blatt in Osnabrück schrieb Justus Möser zwischen 1766 und 1782 z.B. die reizenden Aufsätze usw., die später unter dem Titel ›Patriotische Phantasien‹ herausgegeben wurden. Seine ersten Versuche in dieser Richtung waren von 1746 an in seinen eigenen ›Moralischen Wochenschriften‹ erschienen, aber in der zweiten Jahrhunderthälfte verschwand diese sonst so beliebte Gattung allmählich. Sie wurde einerseits durch den literarischen Teil einiger großen Zeitungen, wie Lessing ihn für die ›Vossische Zeitung‹ ausbildete, und durch Beilagen zu den Intelligenzblättern ersetzt, andererseits durch eigene literarische Zeitschriften nach dem Muster der ›Literaturbriefe‹ Lessings.

Die Zeitschrift

Von den großen Zeitschriften der Lessingzeit lebten außer den noch älteren ›Gelehrten Anzeigen‹ von Göttingen, Frankfurt am Main und vielen anderen Universitäts-, Residenz- und Reichsstädten vor allem zwei Gründungen von Nicolai weiter, die ›Bibliothek der schönen Wissenschaften und freien Künste‹, 1759 bis 1806 von Christian Felix Weiße herausgegeben, und die ›Allgemeine

Königlich privilegirte Berlinische Zeitung
von Staats- und gelehrten Sachen.

No. 230.   den 1sten Oktober
Mittwoch   1828.

Im Verlage Vossischer Erben.   (Redakteur C. F. Lessing.)

Vossische Zeitungs-Expedition in der breiten Straße No. 8.

An die Zeitungsleser.

Heute kann die Zeitung nur gegen Vorzeigung oder Lösung des neuen Pränumerationsscheins verabfolgt werden, und wird mit Ablauf des heutigen Tages die Pränumerationsliste für das angefangene Vierteljahr geschlossen. Berlin, den 1sten Oktober 1828.   Vossische Zeitungs-Expedition.

Berlin, den 1sten Oktober.

Ihre Durchl. die Prinzen Wilhelm und Alexander zu Solms-Braunfels sind nach Dessau abgereist.

Mainstrom, den 26sten September.

In der Nacht zum 25sten d. sind Se. Königl. Hoh. der Kronprinz von Preußen, unter dem Namen eines Grafen von Zollern, auf Höchstihrer Reise von Berlin nach Tegernsee in Baireuth im erwünschtesten Wohlseyn eingetroffen und haben gleich nach gewechselten Pferden die Reise weiter fortgesetzt.

Der Königl. Preuß. Staatsminister Freiherr von Humboldt kam auf seiner Reise vom Bad Gastein den 23sten mit Familie in Nürnberg an, und setzte am 25sten die Reise nach Berlin fort.

Man meldet aus Mainz: Bei den Wein-Producenten auf dem Lande, die meistens ihre Fässer auf Kredit zu kaufen genöthigt sind, und sie daher um so theurer bezahlen müssen, fing diesen Herbst der Mangel an Fässern bereits an große Besorgnisse zu erregen, als unsere Regierung ein Auskunftsmittel darin fand, an Se. K. H. den Großherzog den Antrag zu stellen, den Wein-Producenten Geldvorschüsse zum Ankaufe von Fässern zu bewilligen, welche Bitte der edle Fürst sogleich genehmigte.

Aus der Schweiz, den 24sten September.

Der Zürichersche Hülfsverein für die Griechen, welcher vor sieben Jahren zusammentrat, und bis zu der ausgedehnteren Wirksamkeit des großen und glücklichen Generischen Griechenpflegers, des Hrn. Eynard, der bedeutsamste unter den Schweizerischen Griechenvereinen gewesen ist, hat unterm 31sten August, mittelst Ablegung seiner fünften Rechenschaft nunmehr sein Werk für geschlossen erklärt. Er hat über die Gesammtsumme seiner Einnahmen von 69,898 Züricher Gulden (Louisd'or zu 10 Fl.)

aufs Zweckmäßigste in dem Interesse der Griechenangelegenheit verfügt. „In der Geschichte der Menschheit (so drückt sich sein Schlußbericht u. a. aus) wird die Befreiung Griechenlands ein Leuchtpunkt bleiben, der den größten Thaten des Alterthums an die Seite gesetzt zu werden verdient, ja an wahrem Lichte sie stets noch übertreffen wird. Es steht uns nicht zu, den Antheil auszumitteln, welchen die Hülfsvereine für die Griechen dabei haben, und um jedem Vorwurf darüber zu begegnen, wollen wir gerne den Entscheid der unbefangenen Mitwelt und der vorurtheilsfreien Zukunft überlassen. Daß die öffentliche Meinung sich zuerst durch die Hülfsvereine für die Griechen und für die Befreiung Griechenlands thätig ausgesprochen hat, ist eine nie mehr zu läugnende Thatsache, und der Sieg dieser öffentlichen Meinung genügt Jedem, der sich das Zeugniß geben kann, dabei das Seinige gethan zu haben."

Ein Französischer Ingenieur, der sich lange Zeit mit trigonometrischen und Höhenmessungen im Jura beschäftigte, will gefunden haben, daß weder die Dole, noch der Reculet, noch der Mont tendre die höchsten Punkte dieser Gebirgskette seyen, sondern ein Punkt im Pays de Ger, oberhalb Thony. Die Hirten nennen ihn die près Marmiers. — Die furchtbaren Gewitter vom 13ten bis 17ten Sept. haben durch Blitz und Hagelschlag, so wie durch reißende Ueberschwemmungen an den Ufern der Arve in Savoyen und in den Rhoneniederungen von Wallis große Verwüstungen angerichtet, ja die Kommunikation für einige Tage unterbrochen. Im Waatlande hat Feld- und Weinbau sehr dadurch gelitten, und in manchen Gegenden, z. B. bei Orbe, ist Alles vom Hagel zerschlagen.

Die Frau Großfürstin Helena hatte sich über den Ezel. Einsiedeln (wo sie sich etwa eine Stunde aufhielt) und Schwyz (wo sie das Nachtquartier im Gasthof zum Hirsch

190. Titelseite der ›Koeniglich privilegirten Berlinischen Zeitung‹ vom 1. Oktober 1828 *(Archiv für Kunst und Geschichte, Berlin)*.

an übernehmen; welches ich den Eltern der jetzigen Schüler des Gymnasiums, so wie insbesondere denen, welche ihre Söhne und Pflegebefohlenen zu dem, am 16ten Oktober beginnenden neuen Lehr-Cursus der Anstalt anvertrauen wollen, mit dem ergebensten Bemerken anzeige, daß ich täglich, vorzüglich in den Mittagsstunden von 11 bis 1 Uhr, die Besuche derjenigen anzunehmen bereit bin, welche der Aufnahme-Prüfung wegen, oder überhaupt in Angelegenheiten des Gymnasiums mich zu sprechen wünschen.

Berlin, den 28sten September 1828.

A. F. Ribbeck, Königl. Professor und des. Direktor des Friedrichs-Werderschen Gymnasiums, (im Gymnasiumsgebäude, Kurstraße No. 53.)

Bekanntmachung.

Die freiwillige Armen-Collekte im 2ten Quartale d. J. hat 6800 Thlr. 7 Sgr. 5 Pf. betragen. Die 32ste Armen-Commission, für den Cottbusser Thor-Bezirk, hat, aller Erinnerungen ohnerachtet, die Beiträge pro Juni bis heute, noch nicht zur Haupt-Armen-Kasse abgeführt.

Berlin, den 26sten Sept. 1828. Die Armen-Direktion.

Literarische und Kunst-Anzeigen.

Die Berliner Staffette,

ein literarisches Oppositionsblatt,

verantwortlicher Redakteur Julius Curtius,

erscheint täglich (mit Ausnahme des Sonntags) jedesmal $\frac{1}{4}$ Bogen gr. 8. Pränumer.-Preis für $\frac{1}{4}$ Jahr 25 Sgr., $\frac{1}{2}$ Jahr 1 Thlr. 15 Sgr., 1 Jahr 2 Thlr. 15 Sgr.

Buch- und Musikhandlung von Fr. Laue,

Berlin, Schlofsfreiheit No. 7.

Privat-Anzeigen vermischten Inhalts.

Bei Verlegung meiner Wohnung — (jetzt unter den Linden No. 3. Eingang von der Wilhelmsstrafse) — sehe ich mich zu der Anzeige veranlafst, dafs ich in akademischen wie in ärztlich-praktischen Geschäften täglich von 8 bis 9 Uhr Morgens am sichersten zu sprechen seyn werde. Aermere Kranke, die meinen Rath wünschen, können vor 8 Uhr Morgens sich melden.

Dr. Bartels, Königl. Geheimer Medicinal-Rath, Prof. ord. und Direktor der ärztlichen Klinik an der Friedrich-Wilhelms-Universität.

Einem hochgeehrten Publiko und unseren resp. Geschäftsfreunden beehren wir uns ganz ergebenst anzuzeigen, daß wir die hiesige C. G. Flittnersche Verlags-Buchhandlung ohne Aktiva und Passiva käuflich an uns gebracht haben, und dieselbe vom heutigen Tage an, unter unserer Firma fortsetzen werden. Zugleich beabsichtigen wir mit dem Verlagsgeschäft eine Sortimentshandlung zu verbinden, und empfehlen uns daher für alle Zweige der Literatur zu geneigten Aufträgen, welche wir jederzeit bemüht seyn werden, zur Zufriedenheit der uns Beehrenden auszuführen.

Berlin, den 29sten September 1828.

Eichhoff und Krafft, Jägerstraße No. 18.

In Bezug auf vorstehende Anzeige bekunden wir hierdurch, daß wir den Herren Eichhoff und Krafft unser hierselbst unter der Firma: C. G. Flittnersche Verlags-Buchhandlung bestandenes Geschäft verkauft und übergeben haben.

Die Dr. C. G. Flittnerschen Erben.

An die Mitglieder des Gesang-Vereins.

In Verfolg unserer Anzeige vom 19ten September machen wir den resp. Mitgliedern des Gesang-Vereins ergebenst bekannt, daß die Gesang-Uebungen am 10ten Oktober um 7 Uhr Abends beginnen und wöchentlich Dienstags und Freitags fortgesetzt werden. Für diejenigen Mitglieder, welche sich zu Anfangsübungen gemeldet haben, beginnt der Unterricht am Sonnabend den 4ten Oktober.

Rechenberg, Gesang- und Fortepiano-Lehrer.

Die Brüder Bliesener, Königl. Kammermusiker, an der Schleuse No. 2. unweit der Jungfernbrücke.

J. Marasse und Sohn,

Stralauer Straße No. 33. am Molkenmarkt (eine Treppe hoch),

empfehlen zum bevorstehenden Winter ihr aufs sorgfältigste assortirtes

Pelz- und Rauchwaaren-Lager.

Bei der größten Auswahl von allen Arten feinen und ordinairen Rauchwaaren, so wie von schon fertigen Pelzsachen, werden wir, wie in früheren Jahren, zu den bekannt billigen Preisen verkaufen, und versprechen schnelle und reelle Bedienung.

Börse von Berlin.

Den 30. Septbr. 1828.	Zsf.	Pr. Cour. Brief	Pr. Cour. Geld		Zsf.	Pr. Cour. Brief	Pr. Cour. Geld
Staats-Schuldsch.	4	$93\frac{5}{12}$	$93\frac{1}{6}$	*Pommersche do*	4	105	—
Pr.Egl.Anl. 1818.	5	$103\frac{5}{8}$	$103\frac{3}{8}$	*Kur- u. Neum. do*	4	105	—
Pr.Egl.Anl. 1822.	5	$103\frac{3}{8}$	—	*Schlesische do*	4	—	106
Bco-Obl.b.i. Lt.H.	2	—	99	*Pomm. Dom. do*	5	—	107
Kurm. Obl. m.l. C.	4	$92\frac{1}{4}$	$91\frac{3}{4}$	*Märkische do*	5	—	107
Neum. Int.Sch. do	4	$92\frac{1}{4}$	—	*Ostpreufs. do*	5	—	106
Berlin. Stadt-Obl.	5	$103\frac{1}{4}$	—	*Rckst. C. d.Kurm.*	—	$54\frac{1}{4}$	—
do do	4	$100\frac{1}{4}$	$99\frac{7}{8}$	*do do d. Neum.*	—	$54\frac{1}{4}$	—
Königsberger do	4	—	$91\frac{3}{4}$	*Zinssch. d. Kurm.*	—	$55\frac{1}{4}$	—
Elbinger do	5	$101\frac{3}{4}$	—	*do do Neum.*	—	$55\frac{1}{4}$	—
Danz. do v. in T.	—	$32\frac{1}{2}$	—				
Westpr. Pfdbr. A	4	98	—	*Holländ. vollw.*			
do do B.	4	$97\frac{3}{4}$	$97\frac{1}{2}$	*Duc. . . .*	—	—	$19\frac{1}{2}$
Grofsh. Pos. do	4	$100\frac{1}{4}$	$99\frac{7}{8}$	*Friedrichsd'or*	—	$13\frac{3}{4}$	$13\frac{1}{4}$
Ostpr. Pfandbr.	4	—	$97\frac{1}{2}$	*Disconto*	—	—	—

Wechsel-Cours. (Den 30. September.)			Preufs. Cour. Briefe.	Preufs. Cour. Geld.
Amsterdam . . .	250 *Fl.*	*Kurz*	143	—
dito . . .	250 *Fl.*	2 *Mt.*	$142\frac{1}{2}$	$142\frac{1}{4}$
Hamburg . . .	300 *Mk.*	*Kurz*	$150\frac{3}{4}$	$150\frac{1}{2}$
dito . . .	300 *Mk.*	2 *Mt.*	$150\frac{1}{4}$	—
London . . .	1 *Lstl.*	3 *Mt.*	6 $24\frac{1}{4}$	6 24
Paris . . .	300 *Fr.*	2 *Mt.*	$80\frac{3}{4}$	—
Wien in 20 Xr. . .	150 *Fl.*	2 *Mt.*	$103\frac{1}{2}$	$103\frac{1}{4}$
Augsburg . . .	150 *Fl.*	2 *Mt.*	$103\frac{1}{2}$	—
Breslau . . .	100 *Thl.*	2 *Mt.*	$99\frac{1}{3}$	—
Leipzig	100 *Thl.*	*Uso.*	$103\frac{3}{8}$	$103\frac{1}{8}$
Frankfurt a. M. WZ. .	150 *Fl.*	2 *Mt.*	103	—
Petersburg BN. . .	100 *Rbl.*	3 *Wch.*	—	$29\frac{1}{3}$
Riga BN. .	100 *Rbl.*	3 *Wch.*	—	—

Marktpreise vom Getreide.

Berlin, den 29. September 1828.

Zu Lande: Weitzen 2 Thlr. 11 Sgr. 3 Pf., auch 2 Thlr. 5 Sgr.; Roggen 1 Thlr. 17 Sgr. 6 Pf., auch 1 Thlr. 14 Sgr.; gr. Gerste 1 Thlr. 6 Sgr. 6 Pf., auch 1 Thlr.; kl. Gerste 1 Thlr. 3 Sgr., auch 27 Sgr. 6 Pf.; Hafer 28 Sgr. 9 Pf., auch 22 Sgr. 6 Pf.; Linsen 1 Thlr. 25 Sgr.

Zu Wasser: Weitzen (weißer) 3 Thlr., auch 2 Thlr. 20 Sgr. und 2 Thlr. 15 Sgr.; Roggen 1 Thlr. 20 Sgr., auch 1 Thlr. 15 Sgr.; gr. Gerste 1 Thlr. 5 Sgr., auch 1 Thlr. 3 Sgr. 9 Pf.

(Am 27sten.) Das Schock Stroh 7 Thlr., auch 5 Thlr. 10 Sgr. Der Ctr. Heu 1 Thlr. 5 Sgr., auch 20 Sgr.

Beilage.

191. Anzeigenseite der ›Koeniglich privilegirten Berlinischen Zeitung‹ vom 1. Oktober 1828 *(Archiv für Kunst und Geschichte, Berlin)*.

Deutsche Bibliothek‹, 1765 bis 1806 als Ersatz für die ›Literaturbriefe‹ von Nicolai selbst betreut, einseitig aufklärerische aber sehr einflußreiche Organe, die von sehr guten Mitarbeitern unterstützt wurden. Im Namen des gesunden Menschenverstandes bekämpften sie alles Geniale der Sturm- und Drangperiode oder schwiegen es tot; dafür wurden Nicolai und Genossen in den 90er Jahren von Goethe, Schiller und den Romantikern ebenso rücksichtslos abgewiesen. Von der ›A.D.B.‹ heißt es in den ›Xenien‹:

> Zehnmal gelesne Gedanken auf zehnmal bedrucktem Papiere,
> Auf zerriebenem Blei stumpfer und bleierner Witz.

Aber den Witz der Xeniendichter finden wir heute auch etwas bleiern. Über Nicolais kulturelle Leistung urteilt Biester viel gerechter: »Nun erst erfuhr Deutschland, was überall literarisch in ihm vorging; es lernte sich selbst kennen und kam eben dadurch in nähere Verbindung mit sich selbst.« Die erste seiner beiden Zeitschriften beschäftigte sich nicht nur mit der Literatur, sondern auch sehr viel mit den bildenden Künsten und gelegentlich mit der Musik und dem Theater, die zweite mit allen Gebieten der gleichzeitigen Kultur, namentlich mit der Theologie auf ihrer schwächeren Seite.

192. Titelseite der ›Berlinischen Monatsschrift‹ von 1783 *(Österreichische Nationalbibliothek, Wien)*.

Die wichtigste neue Berliner Zeitschrift war die ›Berlinische Monatsschrift‹, herausgegeben von dem königlichen Bibliothekar Biester (1783–1811), zunächst mit dem Gymnasialprofessor Gedike gemeinschaftlich. Sie kann als die letzte der Moralischen Wochenschriften gelten, war in der späteren Aufklärung allgemein beliebt und zählte zu ihren Mitarbeitern hervorragende Gelehrte und philosophische Schriftsteller: Mendelssohn, Georg Forster, die Brüder Humboldt, F. A. Wolf, Fichte und sogar Kant. Vielseitiger war Boies ›Deutsches Museum‹ (1776–1791), das unter den Händen des Herausgebers vom ersten ›Musenalmanach‹, dem Göttinger, zu einem vornehmen literarischen Organ wurde. Der Historiker und Reisende J. W. v. Archenholtz, früher preußischer Offizier, hat 1782–1791 eine ›Literatur- und Völkerkunde‹ und 1792–1808 die Zeitschrift ›Minerva‹ herausgegeben. Er hat sechs Jahre in England gelebt und in den ersten Jahren der Revolution in Paris. Die ›Minerva‹ brachte einige der am besten informierten und vernünftigsten zeitgenössischen Artikel über den Verlauf der Revolution, von einem weltbürgerlichen, liberalen Standpunkt aus, aber ohne Schwärmerei. Die ›Minerva‹ konnte in mancher Beziehung in den Revolutionsjahren als Ersatz für die Organe des alt und müde gewordenen Schlözer gelten. Sie wurde nach dem Jahre 1808 von anderen Herausgebern mit

193. August Ludwig von Schlözer (1733–1809). *Kupferstich von C. C. Glassbach (Archiv für Kunst und Geschichte, Berlin).*

194. Titelseite der ›Minerva‹ von 1806 *(Goethe-Museum, Frankfurt am Main).*

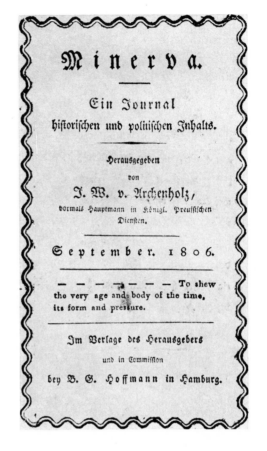

Minerva.

Ein Journal historischen und politischen Inhalts.

Herausgegeben von

J. W. v. Archenholz, vormals Hauptmann in Königl. Preußischen Diensten.

September. 1806.

— — — — To shew the very age and body of the time, its form and pressure.

Im Verlage des Herausgebers und in Commission bey B. G. Hoffmann in Hamburg.

kurzen Unterbrechungen bis zum Jahre 1857 weitergeführt, nach 1815 als Journal für Geographie und ähnliches.

Die Berichte und Aufsätze, die A. L. Schlözer als hochangesehener Professor der Geschichte an der führenden deutschen Universität, Göttingen, von 1776–1794 in seinem ›Briefwechsel meist historischen und politischen Inhalts‹ und in den darauf folgenden ›Staatsanzeigen‹ veröffentlichte, stammten großenteils von unbezahlten Korrespondenten, nicht selten hohen Beamten, die sich zu Mißständen äußerten, für welche sie selbst zeugen konnten. Schlözer hatte in Hannover, »wo etwas von der Luft des freien Englands wehte«, mehr Bewegungsfreiheit als die anderen öffentlichen Schriftsteller und hatte sich durch seine Offenheit einen hohen Namen erworben. Die Fürsten selber sollen gelegentlich auf seine Kritik achtgegeben haben. Maria Theresia z.B. hat einmal einen von ihrem geheimen Rat schon gefaßten Beschluß mit der Bemerkung zurückgegeben: »Nein, das geht nicht! Was würde der Schlözer dazu sagen?« Hannover selbst wurde allerdings von Schlözer nie erwähnt, und preußische und österreichische Angelegenheiten wurden von ihm sehr vorsichtig behandelt, denn er kannte seine Grenzen, aber alles, was im Sinne der europäischen Aufklärung zu den allgemeinen Menschenrechten gehörte, fand an ihm schon lange vor der Französischen Revolution einen eifrigen Verteidiger, während Fürstenwillkür, Bevorzugung des Adels, Bedrückung der Bauern und kirchliche Unduldsamkeit energisch von ihm bekämpft wurden. Ab 1794 durfte er auch in Hannover nichts mehr veröffentlichen, obgleich er stets allmähliche Reformen unter Beibehaltung der Monarchie befürwortet und die amerikanischen und französischen Revolutionen im allgemeinen abgelehnt hatte.

Die große Mehrzahl der Zeitschriften gemischten Inhalts war bis dahin von vornehmen Persönlichkeiten, Gelehrten, bekannten Schriftstellern oder Beamten herausgegeben worden und verdankte diesem Umstand viel von ihrer Wirkung, denn sie richteten sich an die gebildeten Stände. Nur in Südwestdeutschland waren zwei Schriftsteller aus dem Volk aufgetreten, die alles, auch ihre Freiheit daransetzten, um ihre Mitbürger über fürstliche Willkür und adlige Bedrückung aufzuklären: Christian Schubart mit seiner ›Deutschen Chronik‹ und Ludwig Weckherlin mit seinem ›Grauen Ungeheuer‹ und anderen Blättern. In Hamburg und am Rhein wurden dann, von dem französischen Beispiel ermutigt, viele kritische Stimmen laut, aber ohne dauernde oder tiefgehende Wirkung.

Zeitschriften in Weimar und Jena

Auch die Dichter und Gelehrten in Weimar und Jena übten ihren weitverbreiteten kulturellen Einfluß nicht zuletzt durch ihre Zeitschriften aus, sowie durch Beiträge zu den schon genannten. Da ist an erster Stelle ›(Neuer) Teutscher Merkur‹ zu erwähnen, die Monatsschrift, die von Wieland zwischen 1773, gleich nach seiner Ankunft in Weimar, und 1796 herausgegeben und noch bis 1810 vom Rektor Böttiger fortgesetzt wurde. Fast alle späteren Werke Wielands, darunter ›Die Abderiten‹ und ›Oberon‹, erschienen zuerst im ›Merkur‹, neben Gedichten, Erzählungen und Aufsätzen anderer namhafter Autoren. Gleich in den ersten Nummern brachte Wieland auch sogenannte »politische Nachrichten«, welche wie sein Roman ›Der goldene Spiegel‹ die besseren Seiten des bestehenden Systems beleuchteten und den Großen der Erde schöne Beispiele der Menschenliebe usw. zur Nachahmung vorhielten. In den Revolutionsjahren schreibt Wieland einen regelmäßigen zeitgenössischen Kommentar, worin er die Ereignisse in Frankreich sehr aufmerksam verfolgt und als mäßiger Freund des Fortschritts beurteilt. Er haßt wie Schlözer alles Gewaltsame und Unvernünftige. In den verschiedenen Phasen, die seine Zeitschrift durchmacht, wo abwechselnd ästhetische, philosophische, ethische Themen bevorzugt werden, verliert Wieland nie den Kontakt mit dem gebildeten Publikum und wagt es nie, wie später Schiller, ihnen ein Programm aufzudrängen. Trotzdem wird die erzieherische Wirkung des

195. Christoph Martin Wieland (1733–1813). *Gemälde von Jagemann (Historisches Bildarchiv Handke, Bad Berneck).*

›Merkur‹ von Goethe selbst, obgleich die Zeitschrift ihm manchmal recht philiströs vorkam, sehr hoch angeschlagen. »Das südliche Deutschland, besonders Wien«, schreibt er, »sind ihm (Wieland) ihre poetische und prosaische Kultur schuldig.«

Der tüchtige Geschäftsmann F. J. Bertuch in Weimar, der Wieland jahrelang bei der Redaktion und Versendung des ›Merkur‹ gute Dienste leistete, gründete 1785 mit dem Professor der Poesie und Beredsamkeit in Jena, C. G. Schütz, gemeinsam eine Rivalin der ›Allgemeinen Deutschen Bibliothek‹ Nicolais, welche bald ihr Vorbild überflügelte und zum angesehensten Rezensionsorgan in ganz Europa wurde. Die ›Allgemeine Literatur-Zeitung‹ brachte zum erstenmal in Deutschland anonyme Besprechungen durch gut gewählte Fachleute aller irgendwie bemerkenswerten neuen deutschen Werke und vieler ausländischen. An jedem Wochentage erschien eine Nummer mit vier Quartseiten, und die Rezensionen umfaßten unter 16 Rubriken eine erstaunliche Vielzahl von Werken aus allen Gebieten des Wissens. Zur schönen Literatur gehörte nur eine kleine Minderheit. Für die ersten 15 Jahrgänge ist alle 5 Jahre ein ›Allgemeines Repertorium der Literatur‹ erschienen, mit einem klassifizierten Gesamtregister aller besprochenen Werke und einem ›Realregister‹ zu dem Inhalt der Besprechungen, welche alle beide dem unermüdlichen Kompilator J. S. Ersch alle Ehre machen und uns heute bibliographisch und kulturgeschichtlich äußerst wertvoll sind. Im letzten Quinquennium ist infolge der Revolutionsunruhen auf allen Gebieten viel weniger erschienen als gewöhnlich, aber aus den Angaben für die vorhergehenden zehn Jahre sind die herrschenden Tendenzen der Friedenszeit deutlich zu erkennen. Noch im zweiten Quinquennium (1791–1795) weist die Rubrik ›Theologie‹ mit 17% aller Werke die höchste Gesamtzahl auf. An zweiter Stelle steht die Rubrik ›Geographie und Geschichte‹ mit 16%. Diese beiden Rubriken sind im Vergleich mit dem ersten Quinquennium (1786–90) leicht gefallen, während die Gesamtzahl für ›Schöne Künste‹, an dritter Stelle mit 14%, leicht gestiegen ist. Noch deutlicher im Steigen sind die Rubriken ›Arzneigelahrtheit‹ und ›Staatswissenschaften‹ mit je etwa 10%, während ›Jurisprudenz‹ mit 7% gefallen ist. Aus diesen Zahlen kann man schließen, daß die geistigen Interessen der Zeit keineswegs einseitig ästhetischer Art sind und noch weitgehend mit denjenigen der Aufklärung zusammenfallen.

Als die Redaktion der ›Allgemeinen Literatur-Zeitung‹ 1803 nach Halle verlegt wurde, wo die Zeitschrift bis 1849 erschien, schätzte Goethe ihre kulturelle Bedeutung für den Staat Weimar so hoch ein, daß er sich große Mühe gab, um eine neue ›Jenaische Allgemeine Literatur-Zeitung‹ ins Leben zu rufen, und diese erhielt sich bis 1848 neben der anderen. Der Verlust der A. L. Z. war ein desto empfindlicherer Schlag, weil so viele Dozenten, wie schon gesagt wurde, seit Jahren an den guten Honoraren, die sie zahlte, einen willkommenen Zusatz zu ihrem bescheidenen Gehalt besaßen und die Universität um die Jahrhundertwende nur mit großer Schwierigkeit die vielen verlorenen Kräfte ersetzen konnte.

Nach der A. L. Z. war wohl unter den zahlreichen Zeitschriften, die Bertuch verlegte, das 1786 gegründete ›Journal des Luxus und der Moden‹ die einträglichste. Von dem Maler Kraus und der Weimarer Zeichenschule unterstützt, folgte Bertuch mit Erfolg dem Beispiel ausländischer Modezeitungen, die durch illustrierte Aufsätze über die neuesten Kleidermoden und Luxusartikel den Geschmack vornehmer und gut bürgerlicher Kreise zu bilden und Handel und Gewerbe dementsprechend zu fördern suchten. Was Bertuch für das Kunstgewerbe in Weimar geleistet hat, ist an den Annoncen im Intelligenzblatt des ›Modejournals‹ abzulesen. Als Agentur zum selben Zwecke diente sein »Landesindustriecomptoir«. Seine gewerblichen Anfänge waren bescheiden, eine Papier-

196. Kanzler Friedrich von Müller (1779–1849). Nach einer Kreidezeichnung von Johann Josef Schmeller (1796–1841), die Goethe für
seine Bildnissammlung anfertigen ließ (Aus: Reinhard Buchwald, Goethe
und das deutsche Schicksal).

und Ölmühle für die Bedürfnisse der Zeichenschule, eine kleine »Fabrik« im damaligen Sinne für künstliche Blumen, in einem
geräumigen Zimmer seines übergroßen Hauses, wo ein Dutzend Mädchen wie Christiane Vulpius eine willkommene Alternative
zu häuslichen Diensten fanden. Das Landesindustriecomptoir umfaßte mit der Zeit
auch ein »Geographisches Institut« zur Her-
stellung von Karten usw., eine Druckerei
und ein großes Verlagshaus, wo im ganzen
im Jahre 1811 etwa 450 Menschen beschäftigt waren. In Bertuchs Verlag erschien eine
Reihe von Bilderbüchern für Kinder und Erwachsene, ›Geographische Ephemeriden‹,
ein ›Gartenmagazin‹, Märchensammlungen,
50 Bände Reisebeschreibungen usw. Alles
war auf die Bedürfnisse des Durchschnitts-
bürgers berechnet, ging sehr gut ab und
macht einen erstaunlich »modernen« Eindruck, weil Bertuch eben, wie seine unzähligen Nachfolger im 19. und 20. Jahrhundert, es als seine Aufgabe betrachtete, zwischen der kulturellen Elite seiner Zeit und
dem auch nur halbgebildeten Mittelstand zu
vermitteln. Der Kanzler von Müller lobte in
seiner Grabrede im Jahre 1820 mit Recht den »befruchtenden Strom« von Bertuchs Ideen und Untersuchungen, während Goethe in ihm »den größten Virtuosen im Aneignen fremder Federn« sah.

Weimar brachte auf der Höhe der Goethezeit natürlich auch ganz andere Journale hervor als
Bertuchs Erzeugnisse, aber diese gehören mit zum Bild der Zeit. Großartig sticht z. B. Schillers
Zeitschrift ›Die Horen‹ von dem Lesefutter ab, welches das große Publikum verlangte. Seine Zeitschrift erschien in der unruhigen Zeit zwischen 1795 und 1797, und sie sollte »sich über das Lieb-
lingsthema des Tages [den Krieg] ein strenges Stillschweigen auferlegen und ihren Ruhm darin
suchen, durch etwas anderes zu gefallen, als wodurch jetzt alles gefällt«. In seiner Ankündigung heißt
es weiter: »Aber je mehr das beschränkte Interesse der Gegenwart die Gemüter in Spannung setzt,
einengt und unterjocht, desto dringender wird das Bedürfnis, durch ein allgemeines und höheres
Interesse an dem, was rein menschlich und über allen Einfluß der Zeiten erhaben ist, sie wieder in
Freiheit zu setzen und die politisch geteilte Welt unter der Fahne der Wahrheit und Schönheit wieder zu vereinigen.« Schiller hatte den Ehrgeiz, das Gros des besseren Lesepublikums hinter *einer*
hervorragenden literarischen Zeitschrift zu vereinigen, auf Kosten der vielen kleinen Zeitschriften,
die es überall schon gab. Er sicherte sich zunächst einen glänzenden Mitarbeiterstab, darunter
Goethe, Herder, Wilhelm von Humboldt, Fichte und A. W. Schlegel, und der erste Jahrgang er-

reichte ein in Deutschland in solchen Unternehmungen bisher unbekanntes Niveau. Schiller steuerte selbst die ›Briefe über ästhetische Erziehung‹, ›Über naive und sentimentalische Dichtung‹ und die herrlichen Gedichte ›Das Ideal und das Leben‹ und ›Der Spaziergang‹ bei, Goethe die ›Episteln‹, die ›Römischen Elegien‹ und die ›Unterhaltungen deutscher Ausgewanderter‹, Herder, Fichte und Humboldt charakteristische Prosaarbeiten. Der geistige Reichtum Deutschlands in dieser Epoche stellte sich aller Welt zur Schau, aber die meisten Mitarbeiter hielten ihre Versprechen nicht, und es fehlte Schiller an geeigneten Beiträgen und auch an interessierten Lesern, denn seine Zeitschrift stellte hohe geistige Forderungen. Den ›Horen‹ folgte bald der ›Musenalmanach‹ mit den angriffslustigen ›Xenien‹ in der zweiten Nummer, worin Goethe und Schiller sich u. a. an den Zeitschriften rächen wollten, denen Schiller durch seine eigene die Leser zu entziehen versucht hatte. Sie hatten natürlich mit scharfer Kritik an den ›Horen‹ darauf reagiert.

Während in den nächsten Jahren Friedrich und A. W. Schlegel und ihre Freunde im ›Athenäum‹ die esoterische Lehre der älteren Romantik vor die Öffentlichkeit brachten, bemühten sich die »Weimarer Kunstfreunde«, Goethe, Schiller und Goethes Freund und Hausgenosse, der Schweizer Maler J. H. Meyer, jetzt Professor am »Freien Zeicheninstitut« in Weimar, durch ihre neue Zeitschrift ›Die Propyläen‹ um Förderung der bildenden Künste in Deutschland. Aber der Dogmatismus in der Kunst, zu dem die Ansätze schon in der Dichtung der deutschen Klassik vorhanden waren, erwies sich in der bildenden Kunst als unfruchtbar. »Goethe irrte mit der Annahme, jeder Maler seiner Zeit fände im Homer alle malbaren Motive, seiner Empfindung entsprechend, vorgebildet, und er ahnte nicht, wie unerschöpflich reich an höchsten künstlerischen Leistungen der verschiedensten Art die vollentwickelte Malerei einer gesunden, blühenden Periode ist« (Wolfgang v. Oettingen). Die Werke, die durch Goethes Preisaufgaben hervorgerufen wurden, stammten allerdings von Künstlern meist zweiten oder dritten Ranges, denn die begabteren hielten sich abseits, und sie machen in den Sammlungen des Weimarer Schlosses einen deprimierenden Eindruck.

Die Horen

eine Monatsschrift

herausgegeben von Schiller

Erster Band.

Tübingen
in der J. G. Cottaischen Buchhandlung
1795.

197. Titel von Schillers ›Horen‹.

Zeitschriften und Zeitungen der Romantik

Nach dem programmatischen ›Athenäum‹ tauchten von Zeit zu Zeit an einem Ort nach dem anderen weitere romantische Zeitschriften auf, oft von einem einzelnen Dichter oder einer ganz kleinen Gruppe für kurze Zeit herausgegeben, F. Schlegels ›Europa‹ in Frankfurt am Main, Kleists und

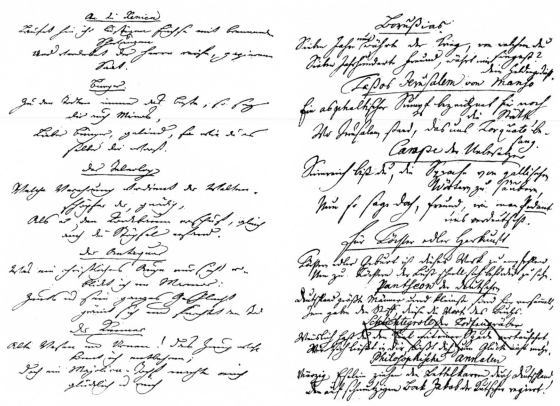

198. Erstes Blatt des Xenienmanuskriptes. Links: Goethes, rechts: Schillers Handschrift. *Das Original befindet sich im Goethe-*
und Schiller-Archiv zu Weimar (Archiv für Kunst und Geschichte, Berlin).

Adam Müllers ›Phöbus‹ in Dresden, Arnims ›Zeitung für Einsiedler‹ in Heidelberg, Fouqués
›Die Jahreszeiten‹ in Berlin usw. Wichtiger für das allgemeine Publikum waren die politischen Zeitungen, die eigentlich erst in den Revolutionsjahren in Erscheinung traten, denn in diesen Jahren
zog das politische Geschehen natürlich die Aufmerksamkeit auch sehr vieler bisher Unbeteiligter
an sich. »Sonst«, schreibt Jean Paul, »nahm nur der eine und andere älteste Zeitungsleser seinen
ruhigen und bedachtsamen Teil an einem und dem andern Artikel . . . Himmel, jetzt wird jede
politische Zeitung zu einer Jugendzeitung, und der Schüler aus dem Gymnasium, der sonst unter
seinen klassischen Feldzügen und Vaterländern alle unklassischen verschmähte und über Tacitus
Germania seine eigene Markgrafschaft vergaß, wird für die neueste deutsche Geschichte durch die
alte unter dem Exponieren entzückt.« Durch die immer zahlreicher werdenden Lesezirkel und
Klubs wurde das Zeitunglesen insbesondere sehr gefördert, zum Teil vielleicht auf Kosten der
besseren Lektüre. Goethe wendet sich schon 1782 in der Satire ›Das Neueste von Plundersweilern‹
gegen die Lesezirkel, und im ›Faust‹ läßt er seinen Theaterdirektor über die Zerstreutheit des
Theaterpublikums klagen, denn »Gar mancher kommt vom Lesen der Journale«. Gegen das ausschließliche Interesse der großen Mehrheit für die Tagesereignisse wendete sich Schiller bewußt, wie
wir sahen, in seinen ›Horen‹. Er hatte eben nach reifer Überlegung eine vielversprechende Aufgabe
abgelehnt,die Redaktion einer großen neuen Zeitung, die Cotta gründen wollte. Diese Zeitung, die
›Allgemeine Zeitung‹, erschien zum erstenmal im Jahre 1798 und hatte bald viel Erfolg. Fast ein

Jahrhundert lang galt sie auch im Ausland als eines der führenden europäischen Blätter, denn unter einer Reihe von geschickten Redakteuren bot sie dem gebildeten Leser die wichtigsten Nachrichten nicht bloß seiner engeren Heimat, sondern ganz Europas, und es fehlte nicht an allgemeinen Betrachtungen über die Berichte der Korrespondenten aus den großen deutschen und vielen europäischen Staaten. Jede größere Stadt hatte bald nicht bloß ein Intelligenzblatt, sondern eine wirkliche Zeitung, und während der Revolutionskriege wurden die ersten Versuche gemacht, die öffentliche Meinung durch die Auswahl und Färbung der Nachrichten und durch zweckmäßige Artikel zu bearbeiten. Dazu hat Napoleon I. beim Ausbau seines neuen Staates ein Beispiel gegeben, das in Preußen und vielen anderen Staaten fleißig nachgeahmt wurde. Berühmt sind die ›Berliner Blätter‹, womit Heinrich von Kleist im Winter 1810–1811 bei seinen neuen Landsleuten den fehlenden patrio-

199. Joseph Görres (1776–1848). *Radierung von Ludwig Emil Grimm, 1815 (Archiv für Kunst und Geschichte, Berlin).*

tischen Eifer zu erwecken suchte, und vor allem der ›Rheinische Merkur‹, den Görres nach dem Zeugnis der englischen ›Times‹, nach der Schlacht bei Leipzig zur »kühnsten unter allen Zeitungen Deutschlands, der selbständigsten und geistreichsten« gemacht hat. Angesichts der neuen Macht der Presse fühlten sich die deutschen Regierungen der Ära Metternich zu immer weiter um sich greifenden Zensurmaßnahmen genötigt, besonders nach den Karlsbader Beschlüssen vom September 1819. Es durften in keinem deutschen Bundesstaat tägliche Blätter oder kleine Flugschriften mehr ohne vorherige Genehmigung durch die Landesbehörden zum Druck befördert werden. Diese Maßnahmen konnten natürlich nicht in allen Staaten mit gleicher Strenge durchgeführt werden, aber sie lösten einen Kampf um die Pressefreiheit aus, der bis 1848 dauerte. Auch rein literarische Werke und Dramen bekannter Dichter erlitten unter den Händen einer übertrieben ängstlichen und engstirnigen Zensur schwere Schäden, vor allem in Österreich und Preußen. In einem Lande, wo alles Gedruckte so streng überwacht wurde, war es endlich möglich, Schriftsteller und Verleger gegen den Nachdruck zu schützen, aber noch am Ende der Epoche hatte man nur die ersten Schritte in dieser Richtung getan. Für die 1828 begonnene Ausgabe letzter Hand der Werke Goethes mußte in den 38 Bundesstaaten über die Vollziehung des schon vom Bundestag bewilligten Urheberrechts einzeln verhandelt werden.

Rheinischer Merkur

Donnerſtag   — Nro. 45. —   den 21. April 1814.

Und es trat der König hervor auf erhabene Stätte,
Sprach vom Steine herab, und hieß die ſämtlichen Thiere
Stille ſchweigen. — Es ſchützt ihn fortan und ſchirmt ihn mein Frieden.
Nun ſey allen zuſammen bey Leibesleben gebothen,
Reineken ſollt ihr überall ehren mit Weib und mit Kindern,
Wo ſie euch immer bei Tag oder Nacht hinkünftig begegnen.
Ferner höre ich von Reinekens Dingen nicht weitere Klage,
Hat er Uebels gethan, ſo iſt es vorüber, er wird ſich
Beſſern, und thut es gewiß.

Reineke Fuchs. Sechster Geſang.

Ueberſicht der neueſten Zeitereigniſſe.

In Paris weht die weiße Fahne auf den Thuillerien, Monſieur hat ſeine Wohnung dort aufgeſchlagen, fünf und zwanzig Jahre voll Unruhe und Elend ſind vergeſſen, ein Umlauf iſt abgemacht, ein großes hiſtoriſches Jahr iſt abgelaufen, die Menſchen beglückwünſchen ſich zum Neujahr, und machen ſich Geſchenke, aber klüger ſind ſie nicht geworden. Es iſt immer wieder die alte Thorheit von geſtern und ehgeſtern her, die allein ſtehend bleibt und unſterblich, während die Geſchlechter wechſeln; ſie iſt wie Boden unter ihnen und feſte Erde, alles ſaugt ſich an, und ſie blühet nun auf in immer neuen Figuren und Geſtalten. Bisweilen mäht der Tod grimmig mit der Senſe das allzu üppig dicke Gekräute, am Ende lacht wieder einemmale iſt der tolle Rauſch ausgeſchlafen, und müd und matt findet die Getäuſchte ſich unter der Feuereſſe wieder, wo ſie in die Beſeſſenheit hingeſunken. Der Bock ſteht einzig noch daneben, und benagt ruhig Knoſpen und Blattwerk. Gar kläglich ſind die Geſchichten, jämmerlich und eckelhaft anzuſehen; blöde und dumm werden die Augen vom Hinſehen, und es wird dem Sinne gar übel zu Muthe. Und kömmt der zornige Alte vom Berge, und verbrennt das goldne Kalb, und ſtreut ſeine Aſche in die Winde; über Nacht haben ſie ihre kleinen Narrheiten wieder zuſammengethan, und am Morgen ſteht ſchon das neue Bild auf hohem Fußgeſtell, und ſie umtanzen es fröhlich und guter Dinge, als ſey nichts vorgefallen. Darum aber ſoll doch keiner ablaſſen von dem Werke; der Streit iſt wie jener alte Weiſe

200. Titelſeite der Zeitung ›Rheiniſcher Merkur‹ vom 21. April 1814 *(Archiv für Kunst und Geschichte, Berlin)*.

Literatur und Gesellschaft im klassisch-romantischen Zeitalter

Die Zeitungen und Zeitschriften waren es, die in erster Linie die stets wachsenden Scharen der deutschen Schriftsteller beschäftigten. J. G. Meusel führt in seinem ›Gelehrten Deutschland‹, einer Nachahmung von ›La France Littéraire‹, für das Jahr 1800 nicht weniger als 10 648 Schriftsteller auf. Dazu gehörten neben bekannten »Bellettristen« auch Rezensenten, Übersetzer und Gelehrte in allen Fächern. Für fast jede Stadt und viele Dörfer wird eine größere oder kleinere Liste von Namen angegeben, für Weimar z.B., neben den vier Großen erscheinen Bertuch, Ehrmann, Einsiedel, Falk, Günther, Heberle, Hauenschild, Heermann und weitere 24 Namen. Aus dem Vorwort zum Bande erfahren wir, in welchem Tempo, nach Meusels Schätzungen, die Schriftsteller sich in der Goethezeit vermehrt haben, von 3000 im Jahre 1771 über 5245 im Jahre 1784 und 6194 vier Jahre später zu mehr als 10000 um 1800, dreimal so viele als 30 Jahre früher. Die geistige Atmosphäre der Zeit erregte natürlich bei sehr vielen den Ehrgeiz, sich gedruckt zu lesen, aber für die allermeisten war das bißchen Schriftstellern eine Nebenbeschäftigung. Die Schreibsucht ihrer Zeitgenossen wurde mehrfach von Goethe und Schiller in den ›Xenien‹ gegeißelt, z.B. in dem oben angeführten dem Distichon: ›Sachen, so gesucht werden‹, und Knigge behauptet, daß der Gelehrtentitel (die Worte Gelehrte und Schriftsteller waren fast gleichbedeutend) in Deutschland so allgemein sei wie der des Gentleman in England. Daraus ist wieder zu erkennen, wie hoch man in Deutschland die Tätigkeit des Schriftstellers und das geistige Leben überhaupt schätzen gelernt hatte. Aus ähnlichen Gründen kommt dem Engländer der durchschnittliche deutsche Roman in seinen Voraussetzungen, seinen Anspielungen usw. noch heute ungewöhnlich gebildet vor. Gegen Ende der Goethezeit verehrte man wohl ganz allgemein als höchsten gesellschaftlichen Typ nicht mehr den Geburtsadligen, sondern den Gebildeten, und dieser gilt viel eher als der Gelehrte als die Entsprechung des Gentleman.

Es ist verlockend, diese Andeutungen über die gesellschaftliche Stellung des Schriftstellers etwas weiter auszuführen, anstatt zu versuchen, die von so vielen gewürdigte klassisch-romantische deutsche Literatur auf engem Raume noch einmal zu charakterisieren. Es wird oft übersehen, daß die deutschen Klassiker selbst sich wiederholt zu dem Problemkreis geäußert haben, der heute zur sogenannten Literatursoziologie gehört. Bei Herder ist viel in den ›Ideen‹ darüber zu lesen, aber noch interessanter ist das, was Goethe und Schiller in den 90er Jahren, da die Literatur offensichtlich darin problematisch wurde, daß sie sich so bewußt vom pulsierenden Leben der Zeit abkehrte, über das Verhältnis zwischen dem Schriftsteller und der Gesellschaft zu sagen haben. Schiller hat charakteristischerweise in der philosophischen Klärung dieses Verhältnisses eine Quelle neuer Ideen über die Ziele der Schriftstellerei geahnt, und er schreibt (12. Sept. 1794) an Körner, den er zu einem Aufsatz über dieses Thema für die ›Horen‹ anregen möchte: »Eine sehr schöne Materie würde die Aufstellung eines Ideals der Schriftstellerei und ihres Zusammenhangs mit der ganzen Kultur sein . . . Diese Materie stünde mit der Einwirkung auf die Geister in dem nächsten Zusammenhange, und die reichhaltigen Resultate der ganzen Philosophie würden darin zusammenfließen.«

Was Schiller auch bei Kant vermißt, sind »objektive Geschmacksgesetze«. Ohne sie herrscht in der poetischen Kritik, wie er klagt, eine vollständige Anarchie, und auch seine eigenen theoretischen Versuche in den ›Kalliasbriefen‹ scheinen ihm bei seiner Rezension von Matthisons

Gedichten nicht eine gewisse Verlegenheit erspart zu haben. Es gilt für ihn jetzt »das Verhältnis des Schriftstellers zu dem Publikum und des Publikums zu den Schriftstellern« zu bestimmen, »die Folgen anthropologisch zu entwickeln . . . und ein aufgestelltes Ideal zu reinigen und zu veredeln«, wie er etwas später an Garve schreibt.

Goethe über den deutschen Schriftsteller

Bei Schiller bleibt es aber leider bei dieser Aufforderung, abgesehen von zerstreuten Andeutungen in den ›Ästhetischen Briefen‹ und anderswo. Goethe berührt diesen Fragenkomplex im späteren Leben in mehreren Gesprächen mit Eckermann, aber er behandelt ihn am ausführlichsten in dem schon erwähnten Horenaufsatz vom Jahre 1795 unter dem Titel ›Literarischer Sanskulottismus‹. Er betont hier, wie auch später, die Schwierigkeiten, die sich für jeden deutschen Schriftsteller aus den politischen und gesellschaftlichen Verhältnissen seiner Zeit ergeben. Es ist Unsinn, so meint er, von deutschen Dichtern im Jahre 1795 klassische Werke zu verlangen, wie ein gewisser Berliner Journalist das tut. An einen wahrhaft »klassischen Nationalautor«, der etwa mit den griechischen oder französischen Klassikern zu vergleichen wäre, ist gegenwärtig in Deutschland nicht zu denken. Goethe begründet diese Behauptung durch eine Darlegung der Bedingungen, unter denen ein solcher Autor nach allem, was aus anderen Ländern, vor allem wohl aus Frankreich, zu erfahren ist, überhaupt entstehen kann. Er faßt sie unter vier Hauptrubriken zusammen. 1. »Wenn (der Autor) in der Geschichte seiner Nation große Begebenheiten und ihre Folgen in einer glücklichen und bedeutenden Einheit vorfindet.« Nur von einer politisch reifen und einigen Nation, die auf eine ruhmreiche Vergangenheit zurückschauen kann, ist der hohe Ernst zu erwarten, der unter der zweiten Rubrik gefordert wird. 2. »Wenn er in den Gesinnungen seiner Landsleute Größe, in ihren Empfindungen Tiefe und in ihren Handlungen Stärke und Konsequenz nicht vermißt.« Eingeborene Kraft des eigenen Talents und Charakters genügt nicht, um bedeutende Schriften oder bedeutende Reden hervorzubringen. Sie sind vielmehr »Folge des Lebens«. Die Landsleute des Schriftstellers oder Redners und die Vergangenheit, die ihre Gesinnungen mit gebildet hat, müssen das ihrige dazu beitragen: »Der Schriftsteller so wenig als der handelnde Mensch bildet die Umstände, unter denen er geboren wird und unter denen er wirkt.« Beide müssen sich, wenn sie wirken wollen, mit ihrer Nation einig fühlen. 3. »Wenn er selbst, vom Nationalgeiste durchdrungen, durch ein einwohnendes Genie sich fähig fühlt, mit dem Vergangnen wie mit dem Gegenwärtigen zu sympathisieren.«

Erst an vierter Stelle ist von dem spezifisch Künstlerischen die Rede. Vorbedingung für klassische Werke ist es, daß die Künste und Wissenschaften in der betreffenden Nation ein gewisses Niveau erreicht haben. Der Dichter muß z.B. eine reife Sprache geerbt haben, und die Gattungen, die er kultiviert, müssen durch die sich ergänzenden Bemühungen vieler Generationen eine eigene künstlerische Tradition vervollkommnet haben. 4. »Wenn er seine Nation auf einem hohen Grade der Kultur findet, so daß ihm seine eigene Bildung leicht wird; wenn er viele Materialien gesammelt, vollkommene oder unvollkommene Versuche seiner Vorgänger vor sich sieht und so viel äußere und innere Umstände zusammentreffen, daß er in den besten Jahren seines Lebens ein großes Werk zu übersehen, zu ordnen und in *einem* Sinne auszuführen fähig ist.«

Johann Wolfgang von Goethe (1749–1832)

1. Gemälde von G. O. May im Juli des Jahres 1779 (Historisches Bildarchiv Handke, Bad Berneck). – 2. Stahlstich von Lips, 1791 (Historia-Photo). – 3. Porträt von Georg Dawe, 1819 (Aus: Jahrbuch der Goethegesellschaft 1914). – 4. Kreidezeichnung von Karl Vogel von Vogelstein im Mai des Jahres 1824. Dresden, Kupferstichkabinett (Deutsche Fotothek, Dresden).

Nach dieser eingehenden Betrachtung der Bedingungen, die er für die Entstehung einer klassischen Literatur nötig hält, führt Goethe mit gleicher Schärfe aus, daß keine von ihnen im Deutschland seiner eigenen Zeit erfüllt ist, am wenigsten die so sehr betonte Einheit der Nation, und er hält die trennenden Faktoren für so stark, daß er sich diese Einheit als praktisch unerreichbar vorstellt: »Wir wollen die Umwälzungen nicht wünschen, die in Deutschland klassische Werke vorbereiten könnten.« Er verhehlt sich aber nicht die verhängnisvollen Folgen der Kleinstaaterei. »Nirgends in Deutschland ist ein Mittelpunkt gesellschaftlicher Lebensbildung, wo sich Schriftsteller zusammenfänden und nach *einer* Art, in *einem* Sinne, jeder in seinem Fache sich ausbilden könnten. Zerstreut geboren, höchst verschieden erzogen, meist nur sich selbst und den Eindrücken ganz verschiedener Verhältnisse überlassen, von der Vorliebe für dieses oder jenes Beispiel einheimischer oder fremder Literatur hingerissen: zu allerlei Versuchen, ja Pfuschereien genötigt, um ohne Anleitung seine eigenen Kräfte zu prüfen; . . . immer wieder irre gemacht durch ein großes Publikum ohne Geschmack . . .; dann wieder ermuntert . . . durch mitarbeitende, mitstrebende Zeitgenossen . . .« – so sieht Goethe die Lage des Schriftstellers, und er malt ihr persönliches Leben, ihre Kämpfe um den Lebensunterhalt, in gleich dunklen Farben. Ganz anders stellt er sich das Leben in Paris vor, wo »die vorzüglichsten Köpfe eines großen Reiches auf einem einzigen Fleck beisammen sind und in täglichem Verkehr, Kampf und Wetteifer sich gegenseitig belehren und steigern, wo das Beste aus allen Reichen der Natur und Kunst des ganzen Erdbodens der täglichen Anschauung offensteht; wo jeder Gang über eine Brücke oder einen Platz an eine große Vergangenheit erinnert und wo an jeder Straßenecke ein Stück Geschichte sich entwickelt hat«. Immer wieder in seinem Alter zieht Goethe ungünstige Vergleiche zwischen der Lage des deutschen und des französischen Schriftstellers und Künstlers, vor allem wegen der ererbten Traditionen und der hohen allgemeinen Bildung in Frankreich, die selbst ganz jungen Schriftstellern aus den unteren Ständen Rückhalt und Stütze bieten.

Der Standpunkt des Klassizismus

Aus solchen Äußerungen könnte man schließen, daß wenigstens die führenden deutschen Schriftsteller einen ähnlichen Rückhalt stark vermissen, daß sie am liebsten, wie die Dichter der französischen Klassik oder des Zeitalters von Pope in England, nicht ihre eigenen, zufälligen Erlebnisse und Gedanken zum Ausdruck bringen möchten, sondern »allgemeine Gefühle und Ideen, die sie mit ihren Zuhörern teilen und die ihrer Generation als unbedingte Wahrheiten gelten«. Man könnte ferner meinen, daß sie auch in der Sprache und äußeren Form ihrer Werke anerkannte Normen begrüßen würden, die der Willkür des einzelnen wenig Spielraum geben. Das stimmt zum Teil für die von der modernen Kritik als »klassizistisch« bezeichneten Werke von Goethe und Schiller in der überaus fruchtbaren Epoche ihrer Freundschaft. Goethe hatte sich bekanntlich seit den ersten Jahren in Weimar immer mehr bestrebt, den »Nebel« subjektiver Vorstellungen hinter sich zu lassen und die Natur, den Menschen und sich selbst in voller Wahrheit zu erkennen. Schon 1784 machte er in dem Gedicht ›Zueignung‹ die Wahrheit ausdrücklich zu seiner Muse, aus deren Händen er den Schleier der Dichtung empfängt. Mehr als 30 Jahre später wird dieselbe Auffassung der Kunst im ›Künstler-Lied‹ präzisiert:

> Wie Natur im Vielgebilde
> *Einen* Gott nur offenbart,
> So im weiten Kunstgefilde
> Webt *ein* Sinn der ewgen Art;
> Dieses ist der Sinn der Wahrheit,
> Der sich nur mit Schönem schmückt
> Und getrost der höchsten Klarheit
> Hellsten Tags entgegenblickt.

Das heißt: »Was der Künstler darstellt, ist eigentlich nichts anderes als die Wahrheit. Die Qualität des Schönen kommt nur als Schmuck der Wahrheit in Betracht. Diese Überzeugung folgt aus Goethes Ansicht vom Wesen der Klassik. Die klassische Kunst hält das Typische fest und erhebt sich so als die höhere und allgemeinere Wahrheit über den Zufall der einzelnen wirklichen Dinge« (E. Staiger). Auch Schiller unterscheidet die gemeine Wirklichkeit von der idealen Wahrheit, aber er sucht diese, wie er im berühmten Briefe an Goethe (23. August 1794) erklärt, auf entgegengesetztem Wege, indem er, durch Ideen von Kant angeregt, von einem für axiomatisch gehaltenen Begriffe des Schönen und Erhabenen ausgeht, den er an konkreten Beispielen veranschaulicht. »Beim ersten Anblicke zwar scheint es, als könnte es keine größeren Opposita geben als den spekulativen Geist, der von der Einheit, und den intuitiven, der von der Mannigfaltigkeit ausgeht«,

201. Immanuel Kant (1724–1804) auf dem Spaziergang in Königsberg. *Zeichnung in Schattenrißmanier von Puttrich um 1798 (Archiv für Kunst und Geschichte, Berlin).*

schreibt Schiller in demselben Briefe. »Sucht aber der erste mit keuschem und treuem Sinn die Erfahrung und sucht der letzte mit selbsttätiger freier Denkkraft das Gesetz, so kann es gar nicht fehlen, daß nicht beide einander auf halbem Wege begegnen werden.« Der eine erzeugt nämlich als Dichter »immer nur Gattungen (d. h. typische Gestalten), aber mit der Möglichkeit des Lebens und mit begründeter Beziehung auf wirkliche Objekte«, der andere »immer Individuen, aber mit dem Charakter der Gattung«. So stellt Schiller etwa im ›Wallenstein‹ das Schicksal des »Realisten«, des Realpolitikers, in einer Welt dar, wo der Mensch zwar nur noch die letzten Reste von ethischen Überzeugungen beibehält, aber wenigstens »die Gewohnheit seine Amme« nennt. Er gibt ihm aber sehr viele Züge des historischen Wallenstein mit den eigentümlichen Problemen, mit denen er zu kämpfen hatte, und führt als Hintergrund eine Reihe von Gestalten an uns vorbei, die uns von ihrer Möglichkeit im Leben überzeugen und denen eine »begründete Beziehung« zu der Wirklichkeit der dargestellten Epoche nicht abzustreiten ist. Goethe dagegen zeigt uns in ›Hermann und Dorothea‹ ein kleines deutsches Städtchen seiner eignen Zeit und ein benachbartes Dorf, aber unter den Gestalten, die es dort in Wirklichkeit geben würde, trifft er, mit Emil Staiger zu reden, »eine fast ängstliche Auswahl«. »Er muß darauf verzichten, Helden und große Herren der älteren und neueren deutschen Geschichte mit Namen zu nennen. Sogar die Familiennamen der Bürger würden gegen den Stil verstoßen. Der christliche Inhalt ihres Lebens ist nur in leiser, alles Dogmatische meidender Andeutung zulässig. Die ganze Schwierigkeit einer deutschen Klassik tritt damit wieder zutage. Für Homer ist das Wahre, das Wirkliche und das Dichterische identisch. Für den deutschen Dichter dagegen ist das Dichterische das Schöne, und das Schöne ist eine Idee. Das Wirkliche muß behutsam auf das Schöne ausgerichtet werden.« Es ist für den modernen Leser nicht so leicht, die Grundidee der deutschen Klassik, von dem Ewigen im Menschenleben aller Zeiten, von den Naturformen des Menschenlebens, für bares Geld zu nehmen. Nur noch sehr bedingt kann man in London, New York oder Berlin mit Schiller behaupten:

> Unter demselben Blau, über dem nämlichen Grün
> Wandeln die nahen und wandeln vereint die fernen Geschlechter,
> Und die Sonne Homers, siehe! sie lächelt auch uns.

Die deutschen Klassiker und das Publikum

Daß das Schöne für die deutsche Klassik eine Idee gewesen sei, dürfte uns an sich nicht befremden, aber diese Idee fällt auf, weil sie für uns keine selbstverständliche ist. Sie war es aber auch nur für eine kleine Auslese der Zeitgenossen Goethes und Schillers, in erster Linie für den humanistisch gebildeten Leser, der wie sie nach Winckelmanns Vorgang das Ideal der Menschlichkeit bei den Griechen fand und gern die göttergleichen Helden des Homer und der griechischen Tragiker mit den scharwenzelnden Höflingen und ängstlichen Philistern seiner engeren Heimat kontrastierte. Diese Kunst war weniger eine Abbildung der Wirklichkeit als eine Reaktion gegen die Enge und Dürftigkeit des täglichen Lebens. Die große

202. Johann Joachim Winckelmann (1717–1768). *Gemälde von Maron (Historisches Bildarchiv Handke, Bad Berneck).*

Masse auch der besseren Stände teilte vielmehr die Vorliebe der Lustigen Person im Faust-Vorspiel für das »volle Menschenleben«:

> Ein jeder lebt's, nicht vielen ist's bekannt,
> Und wo ihr's packt, da ist's interessant.

Iffland und Kotzebue befriedigten diesen Geschmack im Drama, und im Roman August Lafontaine und Heinrich Clauren. Schiller setzt einen total entgegengesetzten Standpunkt in einem Brief an Herder (4. November 1795) unmißverständlich auseinander. Er leugnet Herders Voraussetzung (in seinem ›Iduna‹), daß die Poesie aus dem Leben hervorgehen müsse.« Es läßt sich, wie ich denke, beweisen, daß unser Denken und Treiben, unser bürgerliches, politisches, religiöses, wissenschaftliches Leben und Wirken wie die Prosa der Poesie entgegengesetzt ist. Diese Übermacht der Prosa in dem Ganzen unsres Zustandes ist meines Bedünkens so groß und so entschieden, daß der poetische Geist, anstatt darüber Meister zu sein, notwendig davon angesteckt und also zugrunde gerichtet werden müßte. Daher weiß ich für den poetischen Genius kein Heil, als daß er sich aus dem Geist der wirklichen Welt zurückzieht und anstatt jener Koalition, die ihm gefährlich sein würde, auf die strengste Separation sein Bestreben richtet. Daher scheint es mir gerade ein Gewinn für ihn zu sein, daß er seine eigne Welt formieret und durch die griechischen Mythen der Verwandte eines fernen, fremden und idealischen Zeitalters bleibt, da ihn die Wirklichkeit nur beschmutzen würde. Vielleicht gelingt es mir, in dem Aufsatze, den ich jetzt schreibe, ›Über die sentimentalischen Dichter‹, Ihnen meine Vorstellungsweise klarer und annehmlicher zu machen. Denn gerade in diesem Aufsatze suche ich die Frage zu erörtern, was der Dichtergeist in einem Zeitalter und unter den Umständen wie die unsrigen für einen Weg zu nehmen habe.«

Schiller über die Freiheit des Dichters

Schiller hat denn auch in seinem wichtigen Aufsatz ›Über naive und sentimentalische Dichtung‹ gerade aus den oben betrachteten Schwierigkeiten des deutschen Schriftstellers seiner Zeit einen Ansporn zur Behauptung der eigentümlichen Freiheit des Dichters überhaupt gemacht. Er betont nicht wie Goethe die ungünstige Lage des Deutschen, sondern er deutet sie als ein Charakteristikum der modernen gegenüber der antiken Welt. Das verlorene Paradies, das er wieder, wie zuerst in seinem Gedicht ›Die Götter Griechenlands‹, bei den Griechen findet, ist nur durch bewußtes künstlerisches und ethisches Streben wiederzugewinnen, und in diesem Kampf um eine vollendete Kultur schreibt er, wie in seinen ›Ästhetischen Briefen‹, dem Dichter und Künstler die führende Rolle zu. Es handelt sich aber nicht ausschließlich um einen historischen Gegensatz, wenn Schiller den naiven dem sentimentalischen, d. h. reflektierenden Dichter gegenüberstellt, sondern ebensosehr um ideale Typen, um zwei polare Möglichkeiten der Dichtung. Die Antike neigte eher dem Pole des Naiven zu, erreichte ihn aber selten oder nie, so dürfen wir Schiller wohl auslegen, denn die Griechen selbst haben die Vorbilder geliefert für ebendieselben Gattungen: Satire, Elegie, Idylle, die Schiller als besondere Abarten des Sentimentalischen betrachtet. Auch für Schiller, der für unser modernes Empfinden das »Apollinische« der griechischen Kultur viel zu stark betont, gibt es schon bei den Griechen Dichter, welche die Natur »suchen« müssen, und ebenso gibt es verhältnismäßig naive Dichter, wie Goethe, unter den modernen, obgleich die sentimentalischen bei weitem überwiegen. Die Unterscheidung gibt zu keinem Werturteil Anlaß, wie im französischen Kampf der »Antiken« und der »Modernen«, aber Schiller, selbst ein ausgesprochen sentimentalischer Dichter, sympathisiert offenbar mit seinesgleichen und hält ihre Aufgabe für höher als die des naiven Dichters, weil sie ihm eine größere Willenskraft, eine intensivere Behauptung der menschlichen Freiheit zu erfordern scheint.

Wie verschiedene andere deutsche Idealisten, reagiert Schiller hier und an anderen Stellen ganz anders als Goethe auf die deutsche »Misere« seiner Epoche. Er überredet sich manchmal, wie Wilhelm von Humboldt etwa oder Novalis, daß es letzten Endes für die Deutschen kein Nachteil sei, daß sie keine einheitlichen künstlerischen und kulturellen Traditionen aufzuweisen haben wie die Engländer oder Franzosen. Sie haben dafür die Gabe und die wohlgeübte Gewohnheit, sich das Wertvollste aus der Kultur der ganzen Menschheit anzueignen und sind deshalb, nach dem Worte Wilhelms von Humboldt, »das eigentliche Menschheitsvolk«, die Erben nicht ihrer Vorfahren allein, sondern der ganzen Welt. Nach dieser Auffassung kann ein Volk, das in besonders hohem Maße »Geist« besitzt, gewisse Stadien der kulturellen Entwicklung, die bisher für notwendig gehalten wurden, überspringen. Dieser Gesichtspunkt tritt bei Schiller in dem Gedichtfragment, das man ›Deutsche Größe‹ betitelt hat, besonders deutlich zutage. Kurz nachdem man das linke Rheinufer an Frankreich abtreten mußte, schreibt er: »Indem das politische Reich wankt, hat sich das geistige immer fester und vollkommener gebildet.« Er stellt Deutschland in kultureller Hinsicht Frankreich und England gegenüber und deutet dabei ganz anders die Faktoren, die Goethe und die französischen Klassiker als wesentlich hervorgehoben hatten: »Keine Hauptstadt und kein Hof übte eine Tyrannei über den deutschen Geschmack aus. Paris. London«, und spricht mit Genugtuung folgenden Gedanken aus: »Alles was Schätzbares bei andern Zeiten und Völkern aufkam, mit der Zeit entstand und schwand, hat (der Deutsche) aufbewahrt, es ist ihm unverloren, die Schätze von Jahrhunderten . . . Jedes Volk hat seinen Tag in der Geschichte, doch der Tag des Deutschen ist die Ernte der ganzen Zeit.«

Weltoffenheit des Deutschen

Es ist natürlich etwas ganz anderes, vor allem für den Dichter und Künstler, eine alte, tiefwurzelnde heimische Überlieferung halb unbewußt in sich aufzunehmen und aus Büchern und Sammlungen die Literatur und Kunst vieler Länder und Zeiten mehr oder weniger passiv kennenzulernen, und Schiller verrät für uns an solchen Stellen, wie viele von seinen Zeitgenossen, eine gewisse Naivität (im gewöhnlichen Sinne des Wortes), eine durchaus verständliche Selbsttäuschung über die Grenzen von dem, was der reine Geist an sich auf künstlerischem Gebiet zu leisten vermag. Ein ähnliches Phänomen ist, wie sich später zeigen wird, auch auf anderen Gebieten zu beobachten. Aber die kulturelle Weltoffenheit der Deutschen, von welcher hier die Rede ist, ist eine unbestreitbare und rühmliche Tatsache. Die zahlreichen guten Übersetzungen fremder Meisterwerke, welche die Goethezeit hervorgebracht hat, sind ein schlagender Beweis dafür. Wo kann man in der Geschichte der Literatur irgendeines anderen Volkes ein halbes Jahrhundert finden, wo man sich in diesem Ausmaß und mit diesem Erfolg »die Schätze von Jahrhunderten« durch Übersetzungen angeeignet hat? Man denkt in erster Linie an Herders ›Volkslieder‹, an die Vossische Homerübersetzung, an die Schlegel-Tiecksche Shakespeareübersetzung, welche im neuen Jahrhundert die seinerzeit verdienstvolle Prosa Wielands und seiner Bearbeiter von der Bühne verdrängt hat, an Schlegels ›Calderon‹, Schleiermachers ›Platon‹ usw., aber das sind nur die Spitzenleistungen in einer unübersehbaren Masse. Die schon erwähnte Spannweite der ›Allgemeinen Literatur-Zeitung‹ weist in dieselbe Richtung. Man ist dort nicht abgeneigt, auf Fehlleistungen anderer Völker in dieser Hinsicht aufmerksam zu machen, z. B. in folgender Bemerkung eines Rezensenten von einem spätmittelalterlichen schottischen Werk (Barbours ›Bruce‹) in neuer Ausgabe: »In der Tat ist es Zeit, daß auch in

Schottland der Eifer der Gelehrten für die Bearbeitung ihrer Sprach- und Dichtkunstaltertümer allgemeiner und tätiger wird.« Das war 1794. Auch die Deutschen hatten ihre ältere Dichtkunst bis jetzt etwas vernachlässigt, aber das sollte in der Romantik ganz anders werden. Fremde Literaturen standen aber schon seit mehr als einem Menschenalter bei ihnen ungewöhnlich hoch im Kurs, und man merkt die Folgen an ihren eigenen Dichtern. An wie viele Vorbilder bei Griechen, Franzosen und Engländern, bei Shakespeare vor allem, wird man nicht durch die Lektüre von Schillers späteren Dramen erinnert! Im ›Wallenstein‹ z.B. ist vielleicht in dieser Beziehung des Guten zu viel geschehen, und der Versuch, das Schicksalsdrama, das man damals fast zu ausschließlich bei der Auslegung der Griechen betonte, mit dem Charakterdrama Shakespeares zu verbinden, läßt einen ungemein kultivierten, aber doch etwas unsicheren Eindruck zurück. Auch der Formenreichtum der klassisch-romantischen Dichtkunst, die Fülle von außerdeutschen Metren vor allem, die uns dort begegnet, bei dem einen Dichter oder sogar in Einzelwerken wie Goethes ›Faust‹ oder Schillers ›Braut von Messina‹, ist erstaunlich. Die Neigung zu einer derartigen formalen Bereicherung des Deutschen bestand ja seit Opitz, und Klopstock allein hatte sehr viel zur Einbürgerung antiker Versmaße getan, aber das, was ein Goethe oder Hölderlin in der vollständigen Assimilation an deutsche Sprachgewohnheiten, etwa des Hexameters oder der alkäischen Strophe, geleistet haben, ist etwas ganz Seltenes in der Weltliteratur und ein weiterer Beweis für die »panoramische Fähigkeit« nicht nur Goethes, sondern des deutschen Dichters seiner

203. Friedrich Gottlieb Klopstock (1724–1803). *Stich von J. Gerhard Huck (Schiller-Nationalmuseum, Marbach a. N.).*

Zeit. Ähnliches wäre für die Sprache selbst nachzuweisen. Bei aller Anerkennung der tiefen und weiten Bildung so vieler Deutscher in der Goethezeit darf man aber die damit verbundenen Gefahren nicht aus den Augen verlieren, die Gefahren, auf welche Nietzsche später wiederholt hingewiesen hat. Der Gebildete konnte leicht in einen »Bildungsphilister« ausarten, der über mehrere tote Kulturen Bescheid wußte, aber von dem wahren Wesen der Kultur keine Ahnung hatte, und auf die große schöpferische Epoche folgte ein Zeitalter von Epigonen, das total unfähig war, einen nationalen Stil hervorzubringen.

Gefahr der Übertheoretisierung

Goethe selbst hat anscheinend gelegentlich im späteren Leben seine Bedenken gehabt gegen die übertriebene Bedeutung, die selbst die Weimaraner auf der Höhe des Klassizismus ihren Theorien beigemessen hatten. »Wenn man Schillers und meinen Briefwechsel liest«, soll er einmal (im Mai 1829) zum Kanzler v. Müller gesagt haben, »da findet man, daß diese Kerls es sich ganz anders sauer werden, ganz höllisch ernst sein ließen. Und man wundert sich, daß sie sich so viele Mühe geben mochten; die albernen Bursche *dachten* nach, suchten sich alles klar zu machen, Theorien von dem, was sie geschaffen hatten, zu ergrübeln; hätten es sich leichter machen können und lieber was Frisches schaffen.« Man möchte es vielleicht bestreiten, daß die Theorien stets hinterher gekommen sind, aber es unterliegt wohl keinem Zweifel, daß Goethes Bestes, seine große Lyrik z. B., ohne vorheriges Theoretisieren ganz intuitiv geschrieben wurde. In dem genannten Briefwechsel steht ein Brief vom 3. April 1801, in dem Goethe, auf einen Brief von Schiller antwortend, wo dieser eine Behauptung von Schelling überzeugend widerlegt, seine tiefsten Gedanken zur Psychologie des künstlerischen Schaffens dem Freunde mitteilt. Dort heißt es: »Was die Fragen betrifft, die Ihr letzter Brief enthält, bin ich nicht allein Ihrer Meinung, sondern ich gehe noch weiter. Ich glaube, daß alles, was das Genie als Genie tut, unbewußt geschehe. Der Mensch von Genie kann auch verständig handeln, nach gepflogener Überlegung, aus Überzeugung; das geschieht aber alles nur so nebenher. Kein Werk des Genies kann durch Reflexion und ihre nächsten Folgen verbessert, von seinen Fehlern befreit werden; aber das Genie kann sich durch Reflexion und Tat nach und nach dergestalt hinaufheben, daß es endlich musterhafte Werke hervorbringt. Je mehr das Jahrhundert selbst Genie hat, desto mehr ist das einzelne gefördert.

Was die großen Anforderungen betrifft, die man jetzt an den Dichter macht, so glaube ich auch, daß sie nicht leicht einen Dichter hervorbringen werden. Die Dichtkunst verlangt im Subjekt, das sie ausüben soll, eine gewisse gutmütige, ins Reale verliebte Beschränktheit, hinter welcher das Absolute verborgen liegt. Die Forderungen von oben herein zerstören jenen unschuldigen produktiven Zustand und setzen für lauter Poesie an die Stelle der Poesie etwas, das nun ein für allemal nicht Poesie ist. Wie wir in unseren Tagen leider gewahr werden, und so verhält es sich mit den verwandten Künsten, ja, mit der Kunst im weitesten Sinne.«

Das Verhältnis Hölderlins und Kleists zu ihrer Zeit

Nicht bei allen deutschen Dichtern um 1800 kann von einem ähnlichen »unschuldigen produktiven Zustand« die Rede sein, bei den älteren Romantikern z.B. nur gelegentlich, etwa bei Novalis in den geistlichen Liedern, aber Hölderlin und Kleist, diese schwer einzureihenden Gestalten, haben sich durch die Tat als wirkliche Poeten erwiesen, als »Macher«, um Schillers Ausdruck zu gebrauchen, und nicht bloß Theoretiker. Aus ihren Werken geht deutlich hervor, wie schwer sie an ihrer Zeit gelitten haben. Die bekannte Anklage gegen die Deutschen im ›Hyperion‹ spricht die bitter enttäuschte Hoffnung offen aus, die wohl der ganzen Darstellung des Freiheitskampfs der Griechen im Roman zugrunde liegt. Hölderlin vermißt bei seinen Landsleuten eine hohe geistige Kultur und

wahre Menschlichkeit. Sie sind für ihn »allberechnende Barbaren«, gesellschaftlich, politisch und seelisch zerrissen, einseitig entwickelte Opfer unglücklicher Verhältnisse. »Handwerker siehst du, aber
keine Menschen, Denker, aber keine Menschen, Priester, aber keine Menschen, Herren und Knechte,
Jungen und gesetzte Leute, aber keine Menschen.« Dichter und Künstler leben unter ihnen »wie
Fremdlinge im eigenen Hause«. Diese Klagen sind die Kehrseite einer leidenschaftlichen Liebe
und Ehrfurcht für die schwäbische Heimat, nicht für Deutschland im Sinne von Preußen oder Österreich, sondern für die natürlichen und kulturellen Kräfte, denen er alles Gute im Leben verdankt.
Wie schon für Lessing, ist für ihn das Wort Mensch ein Symbol der höchsten Möglichkeiten des
Lebens, die er sich im Lichte des griechischen Vorbilds denkt, und zu seinen stärksten Bildungser-
lebnissen gehört ferner der beredte Idealismus Schillers. Die christliche Frömmigkeit seiner Jugend
überträgt er wie dieser auf die Götter Griechenlands, und mit dem jungen Hegel, einem Zimmer-
genossen im Tübinger Stift, begrüßt er begeistert die Anfänge der Französischen Revolution, und
übt er sich in der kritischen Diskussion theologischer und philosophischer Probleme. Hölderlins
geistige Herkunft ist kein Rätsel, und in seinem Hang zu einer weltscheuen Innerlichkeit ist er auch
ein Kind seiner Zeit, wie so mancher unter den Romantikern. Was ihn auszeichnet, ist die uner-
klärliche Gabe, tief Empfundenes »in ein Objekt zu legen, und mit einem Anspruch auf Notwendigkeit darzustellen« (Schiller). Er wirkt wie ein jüngerer Schiller, was Schiller selbst etwas befremden
mußte, »voll Geist und Tiefe«, wie A. W. Schlegel fast als einziger öffentlich anerkannte, aber dem
bewunderten Vorbild für unser heutiges Gefühl unendlich überlegen in der Musikalität seiner griechischen Rhythmen, in der suggestiven Kraft seiner einfachen Bilder und im Nuancenreichtum seiner ganz individuellen Sprache.

Wir finden es jetzt unbegreiflich, daß Goethe in Gedichten wie ›An den Äther‹ und ›Der Wan-
derer‹ nur »eine gewisse Lieblichkeit, Innigkeit und Mäßigkeit« loben konnte, daß er hier die
Stärke und Tiefe von Schillers Lyrik vermißt und in einem anderen Briefe »diese Schmidt, diese
Richter, diese Hölderlin« so verächtlich zusammenwirft. Er fragt sich, ob sie »unter allen Umständen so subjektivisch, so überspannt, so einseitig geblieben wären . . . oder ob nur der Mangel einer
ästhetischen Nahrung und Einwirkung von Außen . . . diese unglückliche Wirkung hervorgebracht hat«. Wenn Hölderlin sich wirklich, gemäß dem Rat, den Goethe ihm gern gegeben hätte,
auf kleine idyllische Gegenstände beschränkt hätte, so wären die Folgen sicher nicht besser gewesen als bei den Malern mit den von Goethe vorgeschriebenen Themen aus dem Homer. Man fühlt
sich hier an die Grenzen erinnert, die auch dem Weisesten bei der Beratung eines Genies gesetzt
sind, und an die Scheidewand zwischen den Generationen, die nur aus einer gewissen Entfernung
durchsichtig ist, derart, daß spätere Geschlechter einen Hölderlin als Lyriker einem Goethe gleichsetzen oder gar vorziehen können und beide als »klassisch« im Sinne von »vorbildlich« gelten lassen, während auch an Goethe, wenigstens im Ausland, viele romantische Züge entdeckt werden.

Daß Goethe sich mit Kleist als Mensch und Dichter nicht befreunden konnte, ist viel eher zu verstehen. Bei Kleist wie bei Hölderlin denkt man unwillkürlich an Baudelaires Albatros, dessen Gigan-
tenflügel ihn verhindern zu gehen. In der gesellschaftlich orientierten französischen Literatur, wo
man, nach Frau von Staëls Analyse, alles tun mußte, um das Publikum, wie eine Gesellschaft im
Salon, nicht zu langweilen, und wo das Schrifttum ein praktisches Ziel hatte, wären Dichter wie
diese nicht anzutreffen gewesen. In Deutschland im Gegenteil studierte man Bücher, denn das Leben,
das einen umgab, war zu ereignislos, als daß man ihm seine Aufmerksamkeit schenken konnte, und

Friedrich von Schiller (1759–1805)

1. Ölbild von Friedrich Weckherlin, um 1782 (Historisches Bildarchiv Handke, Bad Berneck).– 2. Gemälde von Anton Graff, 1786 (Archiv für Kunst und Geschichte, Berlin). – 3. Pastellgemälde von Ludovike Simanowiz, 1793 (Schiller-Nationalmuseum, Marbach a. N.). – 4. Gemälde von Fr. August Tischbein, 1805 (Historia-Photo).

204. Friedrich Hölderlin (1770–1843). *Pastellbild von Franz Karl Hiemer, Hochzeitsgeschenk des Dichters für seine Schwester, 1792 (Schiller-Nationalmuseum, Marbach a. N.).*

die Art der Regierung verhinderte die Denker, irgendwelchen Einfluß auf den Gang der Ereignisse zu haben, sie schätzen also nur die kühnste Unabhängigkeit des Gedankens, das Ergebnis eines langen einsamen Grübelns. Kleist und Hölderlin hatten nichts vom Salonhelden an sich, viel weniger als Goethe. Eigenbrötler wie sie haben im Deutschland des 19. Jahrhunderts nur ein kleines Publikum erreicht, und im Ausland gar keines. Erst seit der Entdeckung von Rilke und Kafka, Jaspers und Heidegger, moderner Dichter und Denker, »die nicht sehr verläßlich zuhause sind in der gedeuteten Welt«, hat man sie außerhalb Deutschlands schätzen gelernt. Ähnlich wie so viele im Deutschland der Goethezeit, ist der Existenzialist Paul Sartre durch ein ausschließliches Interesse in der Jugend für Bücher, für das Wort, nicht für das Leben, zum Metaphysiker geworden, und man hat neulich den interessanten Versuch gemacht, das heutige rege Interesse ausländischer Literaten für die obengenannten Deutschen dadurch zu erklären, daß man die desorientierte Lage der heutigen Intelligenz mit derjenigen so vieler Deutscher um 1800 vergleicht. In Deutschland haben meistens gerade die Dichter, die man für echt deutsch hielt, an metaphysischen Neigungen in derselben Tradition festgehalten, was sie für das Ausland langweilig machte, während der Kampf um ein besseres Diesseits dort alle in Atem hielt. Erst nachdem die Weltkriege und die Atombombe so viele zum Rande der Verzweiflung getrieben hatten, war man für die früher so abseitigen Deutschen reif.

205. Heinrich von Kleist (1777–1811). *Kreidezeichnung von seiner Braut Wilhelmine von Zenge (Deutsche Fotothek, Dresden).*

Goethe und Kleist

Wie dem auch sei, Goethe hat Hölderlin für liebenswürdig und harmlos gehalten, aber an Kleist fand er etwas Selbstzerstörerisches, das wirkte »wie Schauder und Abscheu, wie ein von der Natur schön intentionierter Körper, der von einer unheilbaren Krankheit ergriffen wäre«. Umsonst bot ihm Kleist »auf den Knieen seines Herzens« seine ›Penthesilea‹ dar, schon der Begleitbrief mußte ihm mißfallen, und das wohl flüchtig gelesene Drama noch mehr, mit seiner besessenen Heldin und seiner nur auf einem Theater, das kommen sollte, aufführbaren Handlung. Wie der junge Schiller seinerzeit, erinnerte ihn Kleist vielleicht zu sehr an seine eigenen Sturm- und Drangjahre. Der Kontrast zu seiner apollinischen Auffassung der Antike war wohl zu groß, die scheinbare Vernachlässigung der anerkannten Technik zu schreiend, als daß er sich die Mühe geben konnte, das Werk als tragische Dichtung ernst zu nehmen. In demselben Jahre 1808 wurde Kleists durchaus bühnengerechte Komödie ›Der zerbrochene Krug‹ ein einziges Mal auf der Weimarer Bühne aufgeführt, aber in schlechter Besetzung und nicht im erforderlichen Tempo, wegen der Aufteilung des Stückes durch Goethe in drei Akte. Kleist und Hölderlin, »nur sich selbst und den Eindrücken ganz verschiedener Verhältnisse überlassen«, wurden leider auch durch »mitarbeitende, mitstrebende Zeitgenossen« herzlich wenig ermuntert und von dem »großen Publikum ohne Geschmack« ganz vernachlässigt. »Dichter in dürftiger Zeit« zu sein, war für einige unter den ganz Großen ein leidensvoller Weg, und man fragt sich, ob es nicht die Furcht vor ähnlichen Erschütterungen war, die Goethes oft getadelter »Bezähmung seines Dämons« und seiner kritischen Haltung diesen beiden Dichtern und verschiedenen romantischen Künstlern gegenüber zugrunde lag.

Goethe und das Elementare

Nur während Bettina Brentano statt Zelter für kurze Zeit das Programm seiner Hauskonzerte überwachte, sagt uns Richard Benz, hat Goethe zu Beethoven den Zugang gefunden. »Die von Bettina vermittelte persönliche Begegnung mit ihm hat Goethe hohe Worte sprechen lassen, wie er sie keinem anderen Künstler der Zeit widmete, und sein Spiel riß ihn zu Tränen hin. Aber alsobald unter Zelters Einfluß ist die grundsätzliche Auflehnung gegen das ›Chaotische‹ und ›Elementare‹ wieder da.« Noch bezeichnender ist das, was Goethe 1811 zu Boisserée über Runges ›Tageszeiten‹ gesagt hat. »Da sehen Sie einmal, was das für Zeug ist, zum Rasendwerden, schön und toll zugleich.« Und als Boisserée darauf Beethovens Musik zum Vergleich heranzog, sagte Goethe: »Freilich, das will alles umfassen und verliert sich darüber immer ins Elementarische, doch noch mit unendlichen Einzelheiten im einzelnen, da sehen Sie nur, was für Teufelszeug und hier wieder, was da der Kerl für Anmut und Herrlichkeit hervorgebracht. Aber der arme Teufel hats auch nicht ausgehalten, er ist schon hin; wer so auf der Kippe steht, muß sterben oder verrückt werden, da ist keine Gnade.« Goethe, so deutet Benz diese Worte, »will nicht bloß das Werk, er will das gestaltete Leben, will dableiben, will die Gnade, will sich als Persönlichkeit formen und abgrenzen zur Kultur nach seiner erwählten Norm.«

206. Der Morgen. Gemälde von Philipp Otto Runge (1777–1810). Ausschnitt aus ›Die Tageszeiten‹, 1808 *(Archiv für Kunst und Geschichte, Berlin)*.

Die romantische Geisteshaltung

Probleme wie die vielerörterte Wesensbestimmung der deutschen Romantik, oder ihr Verhältnis zu Aufklärung, Sturm und Drang und Klassik, sind von untergeordneter Bedeutung, wenn man
in großen Zügen das Erbteil, das die deutsche Kultur dieser Bewegung verdankt, umreißen will.
Auch wenn man, durch die unzähligen, höchst verwickelten Darstellungsversuche fast zur Verzweiflung gebracht, von dem Worte »Romantik« überhaupt nichts mehr wissen will, so kann man
doch als Kulturhistoriker die Spuren einer neuen Geisteshaltung nicht verkennen, die sich kurz
nach dem Ausbruch des ersten Revolutionskrieges bald hier, bald dort zu zeigen anfangen. Friedrich

Schlegel hat bekanntlich als erster die
Hauptzüge einer »romantischen« Kunst-
und Lebensanschauung 1797–98 in seinen
Lyzeums- und Athenäumsfragmenten zu
bestimmen versucht, und man kann an
seinen früheren Schriften die Entwicklung vom glühenden Verehrer der Griechen zum Vorkämpfer des sich seiner
eigenen Zerrissenheit stolz bewußten modernen Geistes verfolgen. Auf etwas Ähnliches bei Schiller ist schon hingewiesen
worden, aber Schlegel und Schiller hatten
einander in einem sehr frühen Stadium
ihrer Bekanntschaft unerträglich gefunden. Infolge dieses persönlichen Verhältnisses übertreibt Schlegel maßlos alles,
was seine Ansichten von dem goldenen
Mittelweg Goethes und Schillers zu unterscheiden dient. Trotz alledem ist es nicht
schwer, zu den Hauptpunkten der romantischen Lehre im deutschen Schrifttum
der zweiten Hälfte des 18. Jahrhunderts
Parallelen zu finden, und im Ausland, in
Italien, Frankreich und England vor allem
stößt man noch früher auf »präroman-

207. Friedrich Schlegel (1778–1829). *Zeichnung von Philipp Veit (Hi-*
storisches Bildarchiv Handke, Bad Berneck).

tische« Züge, die zunächst vom Sturm
und Drang begeistert aufgenommen wurden, aber in der Auseinandersetzung mit
der Aufklärung, der Schönheitslehre Winckelmanns und der Franzosen und den Forderungen, die
das Leben in der Gesellschaft an die reifenden Träger der neuen Ideen stellen mußte, allmählich
abgeschwächt und unerkenntlich wurden. – Man kennt das am besten aus der Entwicklung
Goethes in Weimar.

Die Haupttendenzen der neuen Bewegung, behauptet Schlegel in einem berühmten Fragment, sind die Französische Revolution, Goethes ›Wilhelm Meisters Lehrjahre‹ und Fichtes ›Wissenschaftslehre‹, drei Erscheinungen, die auf den ersten Blick recht wenig Gemeinsames besitzen. Man kann sie als Chiffren für die Wurzeln des Neuen verstehen, dessen sich Schlegel in drei Aspekten des Lebens bewußt ist. Im politischen und gesellschaftlichen Leben Europas ist durch die Revolution eine neue Ära eingeleitet worden, Goethes Roman ist ein Vorbild für die von den Romantikern angestrebte Universalpoesie, wo die alten Grenzen zwischen den Gattungen verschwinden sollen, und Fichtes Philosophie wird sehr frei gedeutet als Beweis für die Selbstherrlichkeit des Individuums im Geistigen, für die Haltung, die von Goethe später in der Gestalt des Baccalaureus parodiert wird:

> Erfahrungswesen! Schaum und Dust!
> Und mit dem Geist nicht ebenbürtig.
> Gesteht! was man von je gewußt
> Es ist durchaus nicht wissenswürdig.

Oder:

> Dies ist der Jugend edelster Beruf!
> Die Welt, sie war nicht, eh ich sie erschuf...
> Wer, außer mir, entband euch aller Schranken
> Philisterhaft einklemmender Gedanken?
> Ich aber frei, wie mir's im Geiste spricht,
> Verfolge froh mein innerliches Licht,
> Und wandle rasch, im eigensten Entzücken,
> Das Helle vor mir, Finsternis im Rücken.

Der eingebildete junge Narr, der hier ironisiert wird, ist keineswegs bloß eine Karikatur. Wo man hinblickt, im ›Äthenäum‹ z. B., stößt man auf die extremsten Aussagen, die der Welt ins Gesicht geschleudert werden. Es war wieder eine Jugendbewegung, die wie der Sturm und Drang den Anspruch erhob, alles besser zu wissen, und es bei der bloßen Behauptung bewenden ließ:

> Anmaßlich find ich, daß zur schlechtesten Frist
> Man etwas sein will, wo man nichts mehr ist...
> Indessen wir die halbe Welt gewonnen,
> Was habt Ihr denn getan? genickt, gesonnen,
> Geträumt, erwogen, Plan und immer Plan...
> Hat einer dreißig Jahr vorüber,
> So ist er schon so gut wie tot.

Am 2. Dezember 1798 schreibt Friedrich Schlegel z.B. an Novalis: »Ich denke eine neue Religion zu stiften... Ich finde, daß Gegenstände übrigbleiben, die weder Philosophie noch Poesie behandeln kann. Ein solcher Gegenstand scheint mir Gott, von dem ich eine durchaus neue Ansicht habe.«

»Geist« als Zauberwort

Dieses auf uns komisch wirkende Selbstbewußtsein des 25jährigen hätte Schlegel ohne Zweifel durch den Hinweis auf allgemein anerkannte philosophische Ideen der Zeit verteidigen können. Schon Kant hatte seine Ethik auf der Annahme aufgebaut, daß, was uns eigentlich im Leben angeht, wie schon unter anderen Voraussetzungen von der Mystik und vom Pietismus behauptet worden war, ein gewisser Zustand des wahren, inneren, höheren Selbst ist. Wenn Wilhelm von Humboldt mit der abgeklärten Weisheit seiner letzten Jahre von diesem Zustand spricht, in den ›Briefen an eine Freundin‹, ist die Herkunft dieser Ethik aus christlichen Ideen wieder ganz klar. Er sucht einen »Frieden, den die Welt nicht gibt«, der »gewiß immer das Werk Gottes ist, den aber doch, gerade nach Gottes deutlich zu erkennen gegebenem Willen, der Mensch nicht wie eine äußere Gabe von ihm erwarten, sondern durch die äußerste Anstrengung seines Willens aus sich selbst schöpfen soll.« Der innere Friede »hängt immer vom Menschen selbst ab, der Mensch braucht zu seinem Glücke im wahren Verstande nichts als ihn, und er braucht, um ihn zu besitzen, nichts als sich.« Er braucht nämlich eine gewisse »Gesinnung«. »Die erbärmlichsten Menschen sind die, die nichts über sich vermögen, nicht können, was sie wollen, und die, welche selbst, indem sie tugendhaft sind, niedrige Motive haben, Rücksichten auf Glück und Zufriedenheit, Furcht vor Gewissensbissen oder gar vor künftigen Strafen . . . Das Edle ist nur dann vorhanden, wenn das Gute um des Guten willen geschieht, entweder als selbst erkanntes und empfundenes Gesetz aus reiner Pflicht, oder aus dem Gefühl der erhabenen Würde und der ergreifenden Schönheit der Tugend.« Zur Heranbildung einer solchen Gesinnung braucht man eine »Idee, nach und aus welcher man gut ist«, und »die Willensstärke, durch die man diese Idee gegen die Freiheit oder Leidenschaftlichkeit der Natur geltend macht«. Viele Ideen sind nur in der Kunst, der Poesie oder der Musik auszudrücken, und niemand ohne Sinn für diese Bereiche kann sich zu Ideen erheben, denn sie gehören zum Geiste, »ganz ausschließlich und unabhängig von aller Erdenbeziehung«.

Die Bildungsidee bei Wilhelm von Humboldt

Das Wort »Geist« ist das Zauberwort der Romantik, aber die damit verbundenen Begriffe sind außerordentlich schwankend und unbestimmt. Für Humboldt, der die Ideen der Aufklärung und Klassik über geistige Bildung fortsetzt, kommt es im Leben vor allem auf eine ständige »Bearbeitung des Geistes« an, zunächst in den 90er Jahren zu dem Zwecke der »höchsten und proportionierlichsten Bildung seiner Kräfte zu einem Ganzen«. Wilhelm Meister in den ›Lehrjahren‹ verfolgt ein ähnliches Ziel, die harmonische Ausbildung seiner ganzen physischen und geistigen Anlagen: »Mich selbst, ganz wie ich da bin, auszubilden, das war dunkel von Jugend auf mein Wunsch und meine Absicht.« Dieses Totalitätsstreben wird schon in den ›Lehrjahren‹ bedeutend eingeschränkt: »Nur alle Menschen machen die Menschheit aus, nur alle Kräfte zusammengenommen die Welt«, und in den ›Wanderjahren‹ heißt es: »Sich auf ein Handwerk zu beschränken ist das Beste. Für den geringsten Kopf wird es immer ein Handwerk, für den besseren eine Kunst sein, und der beste, wenn er eins tut, tut er alles, oder um weniger paradox zu sein, in dem einen, was er recht tut, sieht er das Gleichnis von allem, was recht getan wird.« Hier werden von Goethe die Bedürfnisse der menschlichen Gesellschaft, welcher der einzelne angehört, mit berücksichtigt, aber bei Humboldt wird auch später alle Kultur in das Innere des Individuums gelegt. Sein Ziel bleibt, soviel Welt, als er kann, zu erfassen und in seine Menschheit zu verwandeln. Erst im letzten Jahrzehnt seines Lebens betont er, wie gezeigt wurde, die Idee vom »Frieden«, vom »Heil der Seele«, wohl zum Teil unter dem Einfluß der Romantik und der religiösen Erweckung nach den Kriegen. Der Gedanke an ein Fortleben nach dem Tode beschäftigt ihn viel, und er scheint nur diejenigen für unsterblich zu halten, welche im Leben die geistige Kraft gewonnen haben, das Überirdische zu fassen – man denkt an den Schluß des Helenaaktes im ›Faust‹. Die Romantiker selbst verbinden von Anfang an metaphysische Ideen mit dem Bildungsgedanken. Novalis hält »Verwandlung des Fremden in ein Eigenes, Zueignung« für das unaufhörliche Geschäft des Geistes, was mit obigen Gedanken Humboldts zu vergleichen ist, aber in seinen ›Fragmenten‹ ist viel von einer Geisterwelt die Rede, die dem Geist, der sich selbst vollkommen begreift, zugänglich ist. »Es liegt nur an der Schwäche unserer Organe und der Selbstberührung, daß wir uns nicht in einer Feenwelt erblicken.« Diese ihrem ursprünglichen Zusammenhang entrissenen Fragmente des Novalis sind aber oft dunkel und widerspruchsvoll, obgleich sie immer wieder an die Gedankenwelt seiner dichterischen Werke erinnern, eine tiefsinnig symbolische Märchenwelt.

Die Romantiker und »das Unbewußte«

Eichendorff schreibt einmal im Alter vom »Veitstanz des freiheitstrunkenen Subjekts« bei Clemens Brentano und seiner Schwester Bettina und zitiert einen Brief der Bettina an den Bruder, worin es heißt: »Meine Seele ist eine leidenschaftliche Tänzerin, sie springt herum nach einer inneren Tanzmusik, die ich nur höre und die andern nicht. Alle schreien, ich soll ruhig werden ... Das gelob ich vor Dir, daß ich nicht will mich zügeln lassen, ich will auf etwas vertrauen, das so jubelt in mir, denn am Ende ist's nichts anders, als das Gefühl der Eigenmacht, man nennt das eine schlechte Seite, die Eigenmacht. Es ist aber auch Eigenmacht, daß man lebt!«

Wenn man die angeführte Humboldtstelle mit Bettinas Brief vergleicht, so fällt ein Unterschied zwischen den Generationen auf, den man leicht an vielen anderen Beispielen erhärten könnte. Humboldt, wie sein Freund Schiller, ist ein ausgesprochener Willensmensch. »Wenn von irgend wem«, sagt Varnhagen von Ense, »so kann von Humboldt gesagt werden, daß er seine Lebensumstände gemacht habe, daß sein Geist fessellos über ihnen waltete.« Sein Bildungsdrang wurzelt in seiner Leidenschaft zur Selbstüberwindung, schon vom 12. Jahre an. »Ich ging zuerst von dem reinen Begriff der Stoiker aus, zu wollen, weil man will.« Ein Vierteljahrhundert später schreibt Schiller in seinem letzten Brief an ihn, daß sie alle beide als Idealisten sich schämen würden, wenn man von ihnen sagen könnte, »daß die Dinge uns formten und nicht wir die Dinge«. Von Bettina und noch augenscheinlicher von ihrem Bruder, wie von so vielen unter den jüngeren Romantikern, gilt gerade das Gegenteil. »Sie leben nicht, sie werden gelebt«, hat man von dieser Menschenart behauptet. Sie lassen ihrem Temperament, ihrem Gefühl, im täglichen Leben am liebsten freien Lauf, im Dichten vertrauen sie viel auf Inspiration, auf einen Ideen eingebenden Geist, einen Dämon im ursprünglichen sokratischen Sinne. Nicht zufällig wird das von dem haltlosen Zacharias Werner eingeführte

208. Satirische Darstellung des Mesmerismus. Franz Anton
Mesmer (1734–1815). *Titelkupfer von Jean-Jacques Paulet eines
in London und Paris erschienenen Werkes (Historisches Bildarchiv
Handke, Bad Berneck).*

Schicksalsdrama in ihrer Zeit Mode, und weit-
verbreitet ist ein reges Interesse für das unbe-
wußte Seelenleben, für Traumdeutung, Hypnose,
Suggestion, die sogenannte»Nachtseite der Natur«.
Das alles gehört nicht mehr zur Altweiberweisheit
allein, sondern die verschiedensten Dichter und
Denker sehen in solchen Phänomenen eine tiefere
Bedeutung und nicht bloß eine Quelle des Gru-
selns, z.B. Tieck und Novalis, dann vor allem
Brentano und Hoffmann, der Nicht-Romantiker
Kleist und Gelehrte wie G. H. Schubert und K.
G. Carus. Das Aufblühen der Geheimwissenschaf-
ten hatte schon vor der Französischen Revolution
angefangen, mit F. A. Mesmers Wunderkuren in
Wien, seiner Lehre vom tierischen Magnetismus,
seiner Vertreibung des Dämons der Krankheit
durch Suggestion und Musik. Schillers ›Geister-
seher‹ spiegelt das Interesse vor allem adliger
Kreise für den Spiritismus, die Clairvoyance usw.
wieder. Das dauert ununterbrochen weiter, hinterläßt deutliche Spuren bei Goethe im ›Groß-
kophta‹, in ›Die Wahlverwandtschaften‹ und ›Wilhelm Meisters Wanderjahre‹, verbindet sich bei
vielen mit naturphilosophischen Ideen von Schelling und H. Steffens und gibt im Trivialroman
und im Schauerstück zu einer Fülle von abergläubischen Zügen Anlaß.

Positiv an der hohen Schätzung dieser Grenzerscheinungen des Seelenlebens ist nicht nur ihre
wissenschaftliche Bedeutung in der Entwicklung der Psychologie, über Eduard von Hartmann und
Nietzsche zu Freud, sondern auch die vielfach günstige Wirkung, welche eine Reaktion gegen die
herrschende Überschätzung der Rolle des bewußten Denkens im schöpferischen Prozeß bei Dichtern und Kritikern haben konnte. Bei Brentano und anderen unter den jüngeren Romantikern stößt
man wieder auf jene »gutmütige, ins Reale verliebte Beschränktheit«, jenen »unschuldigen produktiven Zustand«, die Goethe um 1801 bei ihren Vorgängern, mit ihren »großen Anforderungen an
den Dichter«, vermißte. Es ist auch allgemein anerkannt, daß diese Dichter, obgleich sie uns manchmal aus Mangel an Selbstkritik enttäuschen mögen, die poetische Kultur Deutschlands mit einem
Beitrag unvergänglichen Werts bereichert haben. Brentano hat mit Arnim ferner die unübertreff-
liche Volksliedersammlung ›Des Knaben Wunderhorn‹ herausgegeben, wo im Gegensatz zu Herders Auswahl aus der angeblichen Urdichtung vieler Völker ausschließlich deutsche Lieder und
Balladen mit dichterischem Geschmack und gemäß den kulturpolitischen Ideen der Gruppe geord-
net und manchmal »gebessert« erschienen. Diese berühmteste aller deutschen Anthologien war wohl
auch weitaus die einflußreichste. Auf Jahrzehnte hinaus konnte sich kein angehender Dichter ihrem
Zauber entziehen, ja kaum ein Schulkind nicht dieses und jenes aus ihren Seiten auswendig lernen.

209. Friedrich Wilhelm Joseph von Schelling (1775–1854) in jüngeren Jahren. *Verschollene Bleistiftzeichnung von Fr. Tieck, 1801/2 (Schiller-Nationalmuseum, Marbach a. N.).*

210. Titel zu ›Des Knaben Wunderhorn‹, 1808 *(Historisches Bildarchiv Handke, Bad Berneck).*

Die Entdeckung des katholischen Südens und seiner Kunst

Die Begeisterung für das Volkslied war nur ein Aspekt der Entdeckung des Volkes durch die Romantik, des Versuchs, den »Nationalgeist« im Vergangenen und im Gegenwärtigen, den Goethe umsonst gesucht hatte, doch auszuspüren und das Selbstbewußtsein des Deutschen durch die Anknüpfung an frühere, glorreiche Epochen seiner Geschichte zu stärken. In den Briefen Wackenroders während seiner Reise mit Tieck 1793 nach Süddeutschland und in den auf diesen Reiseerlebnissen beruhenden ›Herzensergießungen eines kunstliebenden Klosterbruders‹ tritt uns die neue Verehrung der von der Aufklärung verachteten Vergangenheit zum erstenmal entgegen. »Nürnberg! du vormals weltberühmte Stadt! wie gerne durchwanderte ich deine krummen Gassen«, schreibt Wackenroder. »Mit welcher kindlichen Liebe betrachtete ich deine altväterischen Häuser und Kirchen, denen die feste Spur von unsrer alten vaterländischen Kunst eingedrückt ist! Wie innig lieb' ich die Bildungen jener Zeit, die eine so derbe, kräftige und wahre Sprache führen! Wie ziehen sie mich zurück in jenes graue Jahrhundert, da du, Nürnberg, die lebendigwimmelnde Schule der vaterländischen Kunst warst, und ein recht fruchtbarer, überfließender Kunstgeist in deinen Mauern lebte und webte: – der Meister Hans Sachs und Adam Kraft, der Bildhauer, und vor allem Albrecht

211. Das Lauffer-Tor zu Nürnberg. *Radierung von G. Ch. Eimart d. Ä. (Archiv für Kunst und Geschichte, Berlin).*

Dürer mit seinem Freunde Willibaldus Pirkheimer, und so viele andre hochgelobte Ehrenmänner noch lebten! Wie oft hab' ich mich in jene Zeit zurückgewünscht! Wie oft ist sie in meinen Gedanken wieder von neuem vor mir hervorgegangen, wenn ich in deinen ehrwürdigen Büchersälen, Nürnberg, in einem engen Winkel, beim Dämmerlicht der kleinen, rundscheibigen Fenster saß, und über den Folianten des wackeren Hans Sachs, oder über anderem alten, gelben, wurmgefressenen Papier brütete; – oder wenn ich unter den kühnen Gewölben deiner düstern Kirchen wandelte, wo der Tag durch buntbemalte Fenster all das Bildwerk und die Malereien der alten Zeit wunderbar beleuchtet!«

Schon diese Zeilen lassen uns einen Einblick tun in die neue Begeisterung norddeutscher Schriftsteller für die heitere Schönheit des malerischen Südens. Nürnberg war allerdings eine protestantische Stadt, aber Wackenroder hat Bamberg und Würzburg ebenfalls hoch gepriesen. Auf hervorragende Aufklärer wie Nicolai und sogar David Hume hatte Nürnberg einen ganz anderen Eindruck gemacht. Hume findet die Einwohner der noch wohlhabenden Stadt hübsch und gut angezogen, aber die alten Häuser sind für ihn »altmodisch und grotesk«. Nicolai vermißt Pumpen und Straßenbeleuchtung, findet den Stil der Metallwaren altmodisch und überladen im Verhältnis zu den praktischen Produkten Sheffields, aber die beschäftigte Miene der Leute auf der Straße, das einfache Mittagessen im Gasthaus usw. kontrastieren für ihn günstig mit entsprechenden Erscheinungen im katholischen Bamberg. Als Goethe auf der Reise nach Italien Regensburg und Innsbruck berührt, hat er nur für ihre schöne Lage und ihre Menschen Augen, in Regensburg für »Tun und Wesen« der Jesuiten, in Innsbruck für die Scharen, die am Feste Mariä Geburt nach Wilten wallfahrten. Das far-

212. Ludwig Tieck (1773–1853). *Zeitgenössische Zeich-*
nung (Schiller-Nationalmuseum, Marbach a. N.).

benreiche Bild, das er in ›Dichtung und
Wahrheit‹ von seiner Vaterstadt malt, scheint
dagegen von dem romantischen Sinne für
historisches Kolorit, für die Atmosphäre der
Vergangenheit beeinflußt zu sein. In seinem
Sturm und Drang hatte er der Romantik auch
in dieser Hinsicht vorgearbeitet im Aufsatz
über das Straßburger Münster, im ›Götz‹,
in ›Hans Sachsens poetische Sendung‹, aber
in seinen mittleren Jahren haben seine naturwissenschaftlichen Interessen und seine Ita-
liensehnsucht derartige Gefühle anscheinend
verdrängt. Kanzler von Müller gegenüber
klagt er noch 1823, daß in Deutschland sich
nirgends »zwischen dem Thüringer Wald
und Mecklenburgs Sandwüsten« ein fruchtbares Feld für den Romanschreiber finde, so
daß er im ›Meister‹ den allerelendesten Stoff
habe wählen müssen, der sich nur denken lasse, herumziehendes Komödiantenvolk und
armselige Landedelleute, um nur Bewegung
in sein Gemälde zu bringen. Wie ganz anders
sei Scott vom vaterländischen Boden begünstigt! Die deutschen Romantiker aber haben
in Deutschland, allerdings meist südlich vom
Thüringer Wald, ungeahnte Quellen für einen ganz ähnlichen atmosphärischen Zauber
gefunden, wie Goethe ihn bei Scott bewundert, Tieck zuerst in ›Franz Sternbalds Wanderungen‹, Novalis im ›Ofterdingen‹, dann
Arnim, Brentano, Hoffmann und Hauff. Das
angenehme Gefühl, als Lebender den Boden
zu betreten, wo einst berühmte Tote, mit
denen wir geschichtlich verbunden sind, sich

213. Clemens von Brentano (1778–1842). *Aquarellierte*
Zeichnung von Ludwig E. Grimm, ohne Jahresangabe (Ar-
chiv für Kunst und Geschichte, Berlin).

214. E. T. A. Hoffmann (1776–1822), links, mit dem Schauspieler L. Devrient in der Weinkneipe von Lutter & Wegener in Berlin *(Archiv für Kunst und Geschichte, Berlin).*

in ganz anderen Zeiten bewegt haben, kommt im 19. Jahrhundert in allen Literaturen Europas zum Ausdruck. Diese Erweiterung unseres Bewußtseins ist eine wichtige Errungenschaft der Romantik, die wohl zum großen Teil auf Herder und den Historismus zurückgeht, uns aber auch gleichzeitig oder noch früher etwa in Hurds ›Essays on Chivalry‹, in Bischof Percys ›Reliques of ancient poetry‹, in den Aufsätzen vieler Erforscher lokaler Altertümer, sowie symbolisch in Bauten wie Horace Walpoles Strawberry Hill oder den künstlichen Ruinen, Einsiedeleien usw., die so viele »englische Gärten« zierten, entgegentritt. Das alles ist der Ausdruck einer »gotischen Stimmung«, die der Wiederentdeckung der eigentlichen Gotik vorausgeht.

Novalis und das katholische Mittelalter

Das Lob des katholischen Hochmittelalters in ›Die Christenheit oder Europa‹ scheint ganz anderen Ursprungs zu sein. Im politischen Chaos in Europa im Jahre 1799 denkt sich Novalis ein ideales Heilmittel aus, das noch viel wirklichkeitsfremder und abstrakter wirkt als Kants Völkerbundsidee in ›Zum ewigen Frieden‹. Wenn man Europa zu dem einheitlichen »geistlichen Reich« machen könnte, das es auch im Mittelalter niemals war, zu dem es aber einige Idealisten machen wollten, dann könnte man durch ein europäisches Konzil mit dem Papst an der Spitze die Regeneration Europas herbeiführen und den Einfluß der Revolution vernichten durch die Wiederherstellung der alten Kirche, die nur ein früherer Robespierre, Luther, in der Reformation zerstört hatte. Dieser Vorschlag muß für Schleiermacher, dessen ›Reden über Religion‹ Novalis aus der herrschenden religiösen Gleichgültigkeit gerettet hatten, eine sehr unangenehme Überraschung gewesen sein, denn Novalis verwarf nicht nur den Deismus und, wie Herder, den Optimismus der Aufklärung, sondern auch die protestantische Theologie in Bausch und Bogen. Novalis ist 1801 gestorben, aber Friedrich Schlegel ist einige Jahre später zum Katholizismus übergetreten, und unter den jüngeren Romantikern spielen katholische Dichter und Schriftsteller, vor allem Brentano und Eichendorff und später der Konvertit Görres, eine große Rolle.

Volkskunde und Sprachforschung

Kulturell hatte die romantische Entdeckung des Mittelalters überaus weitreichende Folgen. Man fand seit dem Dreißigjährigen Kriege zum erstenmal wieder den Anschluß an seine eigene Vergangenheit, und die Kluft zwischen dem Norden und dem Süden, das Erbe der Reformation, wurde

215. Friedrich von Hardenberg (Novalis), 1772–1801. *Stahlstich von A. Weger (Schiller-Nationalmuseum, Marbach a. N.).*

insoweit überbrückt, daß viele protestantische und katholische Dichter und Schriftsteller sich gegenseitig schätzen lernten und Ideen austauschten. Die psychologischen Hindernisse wurden rasch überwunden, die das Verständnis für die große Epik und Lyrik des deutschen Mittelalters erschwert hatten, und man begann auf vielen Wegen die organische Verbundenheit aller Zweige des Volkslebens, die Herder geahnt und Savigny und die historische Schule der Juristen als theoretische Wahrheit gelehrt hatten, durch geduldige, eingehende Forschung darzulegen. Tieck erneuert alte Volksbücher und schreibt Kunstmärchen und Märchendramen schon vor 1800, aber erst in der Zeit der jüngeren Romantiker erfolgen die großen Veröffentlichungen, die in einem mehr dichterischen als wissenschaftlichen Geiste durchgeführten Volksliedersammlungen von Arnim und Brentano, die Schrift von Görres über die Volksbücher (1807), 1812 der Hauptteil der ›Kinder- und Hausmärchen‹, gesammelt und herausgegeben von Jakob und Wilhelm Grimm, und 1819 der erste Band ihrer ›Deutschen Grammatik‹, die Hauptfrüchte ihrer gemeinsamen philologischen Arbeit (1806 bis 1829) als Bibliothekare in Kassel. Während Jakob Grimm die germanische Philologie ins Leben rief, legte Franz Bopp die Fundamente der indogermanischen Sprachforschung, beide durch Friedrich Schlegels ›Über Sprache und Weisheit der Inder‹ angeregt, das Ergebnis seiner Studien in Paris (1802–1804), wo die Hinweise des englischen Beamten Jones in Indien um 1790 auf die Ähnlichkeit

216. Jakob Grimm (1785–1863), Vorlesung haltend. *Gezeichnet von Ludwig E. Grimm in Göttingen am 28. Mai 1830 (Original im Städtischen Altertumsmuseum, Göttingen).*

zwischen einzelnen Wörtern im Sanskrit und in den klassischen Sprachen von französischen Orientalisten aufgegriffen worden waren. Aus diesen Anfängen entwickelte sich die vergleichende Sprachwissenschaft in hervorragend fruchtbarer Weise an deutschen Universitäten. Nebenbei führte das Studium indischer Sprachen zur Übersetzung und Auslegung der Poesie und Philosophie der Inder, was die Romantiker in erster Linie interessiert hatte und später für Schopenhauer so fruchtbar wurde.

Der Gedanke einer neuen Mythologie

Das Interesse der Romantiker für indische Philosophie und Religion war eng mit dem Gedanken einer neuen Mythologie verbunden, der viele unter den hervorragenden Köpfen des ausgehenden 18. Jahrhunderts in Deutschland beschäftigt hatte, Männer, welche in wesentlichen Punkten den modernen Individualismus der Aufklärung teilten und mit Kant den »Ausgang des Menschen aus seiner selbstverschuldeten Unmündigkeit« freudig begrüßten, sich aber mit der Religion als »Erkenntnis unserer Pflichten als göttlicher Gebote« nicht zufrieden fühlten. Bezeichnend ist das Programm, das die drei Tübinger Stiftler Hölderlin, Schelling und Hegel anscheinend gemeinsam im Jahre 1796 entworfen haben, wo es heißt, daß nicht »der große Haufe« allein nach einer »sinnlichen Religion«, einer anschaulichen Mythologie, verlange. »Auch der Philosoph bedarf ihrer. Monotheismus der Vernunft und des Herzens, Polytheismus der Einbildungskraft und Kunst, das ist, was wir bedürfen . . . Wir müssen eine neue Mythologie haben, diese Mythologie aber muß im Dienste der Ideen stehen, sie muß eine Mythologie der Vernunft werden.« Für jeden echten Aufklärer wären solche Ideen eine reaktionäre Absurdität gewesen, aber diese dem Kirchendienst ausgewichenen Theologen wollten, wie schon Leibniz, moderne Menschen sein und zugleich an dem Kern der christlichen Überlieferung festhalten. So verschieden ihre Schöpfungen sind, man kann sagen, daß der Gedanke sie nicht mehr losgelassen hat. Friedrich Schlegel hat, wie schon erwähnt wurde, ein Jahr später unter dem Einfluß von Schleiermacher nicht unähnliche Vorschläge an Novalis gemacht. Es ist im Grunde eine ästhetische Religion, die die Romantiker suchen. Etwas ähnliche Gedankengänge begegnen uns in verschiedenen Werken von Goethe und Schiller, in Schillers ›Das Ideal und das Leben‹, in Goethes ›Wilhelm Meisters Lehrjahre‹ und späteren Romanen, aber ihre Versuche, im Schönen, Guten und Wahren eine wesentliche Identität zu sehen, rücken nie weit ab von der Sittenlehre der Aufklärung. Die junge Generation will höher hinaus. »Der klassisch Gebildete und dazu Aufgeklärte, wenn er auch noch durch die kritische Philosophie Kants und sogar die Ich-Philosophie Fichtes hindurchging, fühlt auf einmal Leere und Kälte um sich und verlangt zurück in eine umfassende, lebendige Gemeinschaft. In dem Wunschbild der neuen Mythologie kommt dieses neue Verlangen zum Ausdruck« (Burger).

Es konnte nicht ausbleiben, daß die Träume eines Novalis von einem zukünftigen christlichen Europa nach dem Vorbild, das seine lebhafte Phantasie im Mittelalter erblickte, von reaktionären politischen und kirchlichen Kreisen zu ihren eigenen Zwecken ausgenutzt wurden und daß die Romantiker selbst in müden Stunden die idealisierte Kirche und den idealisierten Staat ihrer Träume mit der unvollkommenen Wirklichkeit ihrer eigenen Zeit zu verwechseln neigten. Novalis kann es fertigbringen, in seinem Aufsatz ›Glauben und Liebe‹ die preußische Monarchie geradezu als die Verkörperung seines Ideals darzustellen und gleichzeitig in Briefen an Friedrich Schlegel den König wegen seiner persönlichen Mängel zu ironisieren. Adam Müller, der eigentliche Staatsphilosoph der Bewegung, verbindet diese doppeldeutige Berufung des Mittelalters mit Ideen aus Burke, dessen »organische« Auffassung des Staates – seine Verwerfung aller Versuche, auf Grund logischen Denkens die politischen Anstalten einer ehrwürdigen Vergangenheit durch vollkommen neue zu ersetzen, seine Lobpreisung der verborgenen Weisheit im langsam Gewordenen – in konservativen Hofkreisen als Waffe gegen den Radikalismus dankbar aufgenommen worden war. In der Hoffnung auf eine »konservative Revolution« von oben sollte der treue Untertan, wie schon so oft im Lande des Gehorsams, auf dringende Reformen verzichten.

Pietismus und Patriotismus

Zu dieser offenbaren Selbsttäuschung der deutschen Gebildeten haben neben den erwähnten Ideen des Zeitalters die eingewurzelten Gewohnheiten des Pietismus bedeutend beigetragen. In seiner überzeugenden Darstellung des Verhältnisses zwischen Pietismus und Patriotismus schreibt Gerhart Kaiser: »Der pietistische Patriot will statt zu verändern verklären«, und weiter: »Die exoterischen Formen werden voll durchschaut, aber der Eingeweihte gibt ihnen esoterische Bedeutung in derselben Weise, wie etwa der Spiritualist trotz seiner Vorbehalte weiter am öffentlichen Abendmahl teilnimmt. Die staatsbürgerliche Existenz wird damit zu einem bewußten ›als ob‹. Der Patriot lebt, als ob er in seinem Idealstaat sei, und er behandelt die wirklichen Staatsinstitute so, als seien sie Organe seines inneren Vaterlandes.« Die politische Gleichgültigkeit der Hochklassik wird auf diesem Wege leicht unter drückenden Verhältnissen zur nationalen Sendungsidee von Fichtes ›Reden an die deutsche Nation‹. In Arndts ›Geist der Zeit‹ schließlich, in der Zeit des Aufstands gegen Napoleon, werden ursprünglich christliche Gedanken sich selbst so weit entfremdet, daß der Verfasser es als »die höchste Religon« hinstellt, »das Vaterland lieber zu haben, als Herrn und Fürsten, als Väter und Mütter, als Weiber und Kinder«. Ja, er bittet seine Leser dringend, »diese ewige Religion der Gemeinschaft und Herrlichkeit, die auch Christus gepredigt hat«, zu ihrem Banner zu machen, und »nach der Rache und Befreiung unter grünen Eichen auf dem Altar des Vaterlandes dem schützenden Gotte die fröhlichen Opfer zu bringen«.

Es ist kaum zu verwundern, daß Heine und eine lange Reihe von liberalen Kritikern in der deutschen Romantik vor allem das Reaktionäre hervorheben. »Die Schule schwamm mit dem Strom der Zeit«, schreibt Heine, »nämlich mit dem Strom, der nach seiner Quelle zurückströmte. Als endlich der deutsche Patriotismus und die deutsche Nationalität siegte, triumphierte auch definitiv die volkstümlich-germanisch-christlich-romantische Schule, die neudeutsch-religiös-patriotische Kunst«. Alle Romantiker haben aber viele Phasen durchgemacht, sie kümmern sich wenig um strenge Konsequenz, und es lassen sich aus ihren unzähligen Äußerungen die heterogensten Folgerungen ziehen. Friedrich Schlegel z.B. schleppt in seiner reaktionärsten Epoche noch deutliche Reste seiner Anfänge im Zeitalter der Humanität mit. »Der Gedanke der Nation und ihrer Selbstbestimmung«, sagt Meinecke, »war hier (in seinen Schriften gegen die Franzosen) umrankt und umsponnen von Ideen, die ihn zu ersticken drohten. So tief steckte das universale, weltbürgerliche Denken dieser Generation im Blute, daß es auch da wieder durchschlug, wo die weltbürgerliche Aufklärung durch den romantischen Sinn für das Nationale überwunden schien.«

Romantische Geistigkeit

Die politischen Folgen der romantischen Bewegung mögen aber noch so umstritten sein, ihre Verdienste um die Hebung und Bereicherung des deutschen Kulturlebens sind wohl unantastbar. Die Romantiker haben ja den Bildungseifer, den sie von der Weimarer Schule geerbt hatten, in den Geisteswissenschaften und Künsten bis auf die äußerste Spitze getrieben, so daß »alles, was wir als Kunsterlebnis, Kunsterkenntnis und Kunsterfahrung besitzen, was uns an tieferem geistigen Ver-

hältnis zum Leben der Geschichte bis zurück zu Sage und Mythos zuteil ward, durchaus roman-
tisches Erbe ist« (R. Benz). Ihr hohes Ziel wäre »die Formung einer ganzen Zeit durchs Geistige«
gewesen. Nur darf man bei dem Gedanken an ihre Triumphe die Grenzen ihrer Weltanschauung
nicht aus den Augen verlieren, die Gefahren, die sich ergeben, wenn der selbstherrliche Geist die
Bestätigung seiner Einsichten durch empirische Beobachtung vernachlässigt. Wir haben oben
(S. 192) diese Frage mit Bezug auf die Naturwissenschaften und die Medizin gestreift. Es ließe sich
Ähnliches über die Nichtbeachtung anderer Wirklichkeiten nachweisen, der Machtfrage z. B. in der
Politik. »Absolute Tätigkeit«, sagte Goethe über die Romantik, »macht zuletzt Bankrott.«

Verlagswesen und Buchhandel

Zu den wichtigsten Hilfsmitteln einer literaren Kultur gehören in einem modernen Staat ein Ver-
lagssystem und ein Buchhandel, die befriedigend zwischen Schriftsteller und Publikum vermitteln,
und Bibliotheken, Lesesäle usw., wo die Schätze des gedruckten Wortes allen zur Verfügung stehen,
die sie brauchen. Während die Literatur in der Goethezeit so unerhört blühte, paßten sich das Verlagswesen und der Buchhandel den neuen Bedingungen nur sehr langsam an. Die Zahl der Schriftsteller wuchs von Jahr zu Jahr, und die Lesewut war nicht leicht zu stillen, aber es gelang nur sehr
wenigen Schriftstellern, mehr als ganz bescheidene Summen durch ihre Arbeit zu verdienen. Das
lag zum Teil an der schon erwähnten Unverschämtheit der Nachdrucker. Ein Urheberrecht, das in
allen deutschen Staaten durchgesetzt werden konnte, ließ bis in die
1830er Jahre auf sich warten. Kleine Gruppen von Schriftstellern
versuchten es wiederholt, sich von den Verlegern unabhängig zu
machen, 1767 in Hamburg und 1781 in Dessau zum Beispiel, aber
ohne Erfolg. Goethe ließ seinen ›Götz‹ und Schiller ›Die Räuber‹
im Selbstverlag erscheinen, aber alle beide erlitten beträchtliche
Verluste durch Nachdruck. Hochgeschätzte Dichter konnten gelegentlich für einzelne Werke genügend Subskribenten finden, wie
Pope in England für seine Homerübersetzung. Klopstocks Be-
wunderer trieben für den ersten Teil seiner ›Gelehrtenrepublik‹
3600 Subskribenten auf, und fünf Jahre später konnte Lessing für
seinen ›Nathan‹ 2000 finden. Auch Bürger veröffentlichte auf diese
Weise eine Gedichtsammlung. Aber man kann kaum eine Biogra-
phie eines Dichters aus jenen Zeiten lesen, wo nicht immer wieder
von seinen Schulden die Rede ist. Einige wenige, wie Goethe, fanden Mäzene, und die größten erhielten für ihre späteren Werke
von großzügigen Verlegern wie Cotta sehr schöne Summen, aber
Walter Scott verdiente in drei Jahren mehr als Goethe in seinem
ganzen Leben, und die von Meusel aufgezählten Scharen von
Schriftstellern haben entweder von andern Erwerbsquellen als
ihren Federn oder recht dürftig gelebt.

Göß von Berlichingen

mit der

eifernen Hand.

Ein

Schaufpiel.

1 7 7 3.

217. Titel von Goethes ›Goetz von
Berlichingen‹ im Selbstverlag. Erst-
druck.

218. ›Die Räuber‹. Titel der Erst-
auflage, 1781. *Das Titelblatt der
anonymen Erstausgabe der Räuber von
1781 mit den falschen Druckorten
Frankfurt und Leipzig – die Ausgabe
wurde zur Ostermesse 1781 auf Kosten Schillers in Stuttgart gedruckt –
zeigt in der Vignette den alten Moor,
Karl Moor (stehend) und Hermann
vor dem Turm. Erst die 2. Auflage
von 1782 gab den Verfassernamen und
unter einem springenden Löwen das
Motto »in Tirannos«.*

219. ›Die Räuber‹. Titel der zweiten Auflage, 1782.

Verlag und Sortiment waren in der Goethezeit noch eng miteinander verbunden. Es hatte sich
infolge der Währungsschwierigkeiten nach dem Dreißigjährigen Kriege ein Tauschsystem für den
Buchhandel ausgebildet, das erst um die Wende vom 18. zum 19. Jahrhundert allmählich aufgegeben
wurde. Früher war ein Buchhändler meist zugleich Verleger und oft auch Drucker. Er reiste im
Frühling auf die Leipziger Messe, im Herbst auf die Frankfurter, und tauschte seine Verlagswerke
in rohen Bogen oder broschiert, fast ohne Rücksicht auf den Inhalt, denn vor dem großen Aufschwung der Literatur waren es meistens Werke für die kleine Gelehrtengilde, gegen Bücher anderer Verleger ein, die er in seiner Buchhandlung dann verkaufte. Die Schwierigkeiten, die sich aus
diesem System und dem Nachdruck ergaben, wurden von Goethe 1781 in seiner Satire ›Das
Neueste von Plundersweilern‹ veranschaulicht, wo es z.B. heißt (mit Rücksicht auf die von Kraus
gemalte Illustration):

> Wie schlimm sieht's drum in jenem Haus,
> In der uralten Handlung aus!
> Gar einzeln naht sich dann und wann
> Ein etwa grundgelehrter Mann,
> Nach einem Folio zu fragen;
> Dagegen bücken viel Autormagen
> Sich mit demütigen Gebärden
> Vor dem Papierpatron zur Erden   (d. h. vor dem Verleger).

220. Das Neueste von Plundersweilern. *Aquarell von Georg Melchior Kraus. Schloß Tiefurt.*

221. Karl Bertuch, Sohn von Friedrich Johann Justin Bertuch, Vertreter der deutschen Buchhändler auf dem Wiener Kongreß. *Porträt nach einem zeitgenössischen Stich unbekannter Herkunft, vermutlich von C. A. Schwerdgeburt (Aus: Albrecht von Heinemann, Ein Kaufmann der Goethezeit).*

222. Die erste Schnellpresse,
erfunden von Friedrich König
und August Friedrich Bauer,
1814 für die TIMES in London gebaut. *Modell (Deutsches
Museum, München)*.

223. Titel von R. Z. Beckers
›Noth- und Hülfsbuch‹. Ein
Haus- und Auskunftsbuch für
den Bauern, sechste Auflage,
1789 *(Goethe-Museum, Frankfurt am Main)*.

Mit dem Übergang zum Konditionssystem in
der Goethezeit verkaufte der Sortimenter neue Werke
mit festem Ladenpreis, und es bildete sich als besonderer Zweig der Antiquariatshandel, wo die Preise
wie heute noch der Nachfrage entsprachen. Der Buchhändler brauchte nicht mehr selbst Verleger zu sein
oder große Vorräte von schwer zu vertreibenden
Werken aufzustapeln, aber die Trennung zwischen
Verleger und Sortimenter war immer noch keine
scharfe. In den Messestädten wurden die Geschäfte
immer mehr von Kommissionären durchgeführt, die
viele Kommittenten vertraten und ihre Waren auch
zwischen den Messen auslieferten. Sehr langsam entwickelte sich wegen der unruhigen Zeiten die Buch-
händlerbörse, die G. J. Göschen schon 1791 angeregt hatte. Infolgedessen mußten die Buchhändler
noch im neuen Jahrhundert zur Ostermesse, dem
Zahlungstermin, selbst erscheinen, um die kompli-
zierten Abrechnungsgeschäfte persönlich vorzuneh-
men. Das wurde erst gegen Ende der Goethezeit anders, und es zeigten sich allmählich auch, vor allem
im Zeitungsbetrieb, die ersten Folgen neuer Erfin-
dungen, die das Papier und den Druck verbilligten,

nämlich die Ersetzung des teuren handgemachten Hadernpapiers durch Holzpapier aus der Maschine und des bedächtigen Druckverfahrens durch die Schnellpresse. Auch mit den alten Mitteln konnte man von Kalendern und dergleichen Drucksachen, für die ein Massenbedarf schon vorlag, gewaltige Auflagen herstellen, von R. Z. Beckers ›Noth- und Hülfsbuch‹ z. B., einem Haus- und Auskunftsbuch für den Bauern von 800 Seiten, 30000 Exemplare für die erste Ausgabe 1787, aber der Druck allein dauerte zwei Jahre. Es erschienen von diesem Buche weitere elf berechtigte Auflagen und vier Nachdrucke. Wenn man solche Ziffern mit den Auflagen der literarischen Journale vergleicht, erkennt man leicht, wie klein der Kreis der Gebildeten in Wirklichkeit war. Von der überall gelesenen ›Allgemeinen Literatur-Zeitung‹ genügte z. B. eine Auflage von 2000 Exemplaren.

Bibliotheken und Lesegemeinschaften

Deutschland besaß in der Goethezeit aus Gründen, die in seinem politischen und religiösen Zustand zu suchen sind, eine Menge von mittleren und kleinen Bibliotheken und ein paar recht große, aber keine, die sich z. B. mit der Bibliothèque Nationale in Paris vergleichen konnte. Äußere Umstände, vor allem die massenhafte Säkularisation geistlichen Besitzes in den letzten Jahren des alten Reichs und das damit verbundene schnelle Wachstum mehrerer Mittelstaaten in Südwestdeutschland, führten zur Aufhebung vieler Bibliotheken und zu einer Konzentration ihrer Bücherbestände an einigen wenigen Stellen. Gleichzeitig wurde die Benutzbarkeit der großen Bibliotheken durch die Einrichtung von Lesesälen, die Katalogisierung der Bestände und andere, meist der Universitätsbibliothek Göttingen nachgeahmte Verwaltungsmaßnahmen bedeutend erhöht.

Hofbibliotheken

Eine repräsentativ untergebrachte Büchersammlung gehörte wie eine Bildergalerie und eine Naturaliensammlung in jeder größeren Residenz zu den Sehenswürdigkeiten, denn die Fürsten im Absolutismus hielten es für ihre Pflicht, die Künste und Wissenschaften zu beschützen, und wetteiferten mit dem Ausland in allem, was ihr Ansehen unterstützten konnte. Die schönste und wohl auch die größte aller Bibliotheken im Reich war natürlich die Kaiserliche Bibliothek in Wien, noch heute eine der schönsten der Welt. Das Gebäude, 1740 vollendet, war eine Schöpfung von Fischer von Erlach, ein Prachtexemplar des Barockstils mit seinem riesigen Kuppelsaal und der reichgeschnitzten Galerie, aber für die Benutzbarkeit der hier aufgehäuften Schätze durch das Publikum war wenig gesorgt. Ein kleines Lesezimmer wurde 1769 eingerichtet, aber es fehlte bis ins 19., ja ins 20. Jahrhundert an einem brauchbaren Katalog und an Heizungsmöglichkeiten für die großen Räume. Die Königliche Bibliothek in Berlin besaß schon beim Tode Friedrichs des Großen, der in den Friedensjahren viel für sie getan hatte, einige 150000 Bände und ein Gebäude, das auch von Fischer von Erlach konzipiert war, aber erst von 1774 an auf Grund seiner nachgelassenen Pläne errichtet wurde. Sie war im vollen Sinne eine öffentliche Bibliothek, obgleich die Bücher nicht ausgeliehen werden durften. Sie war täglich offen, und zwar von 6 Uhr morgens bis 7 Uhr abends im Sommer, von 8 bis

224. Die Kaiserliche Bibliothek in Wien. *Erbaut von Fischer von Erlach (Ullstein, Berlin).*

5 Uhr im Winter, während die Kaiserliche Bibliothek für das Publikum nur im Sommer gelegentlich zugänglich war. Nach einer Neuaufstellung der Bestände um 1790 wurden sie allmählich nach dem Göttinger System katalogisiert. Die sächsische Hofbibliothek in Dresden war bis dahin unter den Hofbibliotheken ein unerreichtes Muster in der Ordnung gewesen, und sie besaß besonders wertvolle Sachen aus den berühmten Privatsammlungen der Grafen Brühl und Bünau, die ihr in den 6oer Jahren einverleibt worden waren. Vom Jahre 1786 an war sie in dem früher dem Grafen Flemming gehörenden Japanischen Palais gut untergebracht, mit dem bekannten Gelehrten J. C. Adelung als Bibliothekar, unter dem sie bald zu einer öffentlichen, auf Grund eines festen Haushalts planmäßig ausgebauten Bibliothek wurde. Alle anderen deutschen Bibliotheken wurden in der späteren Goethezeit von der Königlichen Bibliothek in München überflügelt, dank dem Zuwachs, den ihr die Bücher und Manuskripte aus 150 Stifts- und Klosterbibliotheken nach 1803 brachten, und nach der endlichen Überführung nach München der Mannheimer Hofbibliothek mit ihren 100 000 Bänden. Obgleich Karl Theodor bei seinem Tode im Jahre 1799 schon mehr als 20 Jahre über Bayern geherrscht hatte, hatte er stets mit Vorliebe die Bibliothek seiner früheren pfälzischen Residenz unterstützt, wo er auch seine Akademie und ein Nationaltheater gegründet hatte. Die Münchner Hofbibliothek teilte seit 1785 das frühere Jesuitenkollegium, das »Wilhelminum«, mit der Akademie und mußte sich mehr als 50 Jahre damit begnügen. Sie hatte einen guten Katalog, nach den Kriegen nach einem neuen, von dem Göttinger Vorbild abweichenden System, das später von Wien und anderen großen Bibliotheken übernommen wurde. J. A. Schmeller, an der Spitze der Handschriftenabteilung, verfaßte dort sein Bairisches Wörterbuch. Unter den kleineren Staaten hatte Weimar eine ausnehmend gute Hofbibliothek, die von Goethe überwacht und viel benutzt wurde.

Die Handschriften, an denen München so reich war, stammten wohl großenteils aus den aufgehobenen Klöstern. Die Klosterbibliotheken in Bayern waren von vielen Forschern seit den Anfängen der Akademie fleißig zur Vorbereitung eines großen Sammelwerks über die bayerischen Klosterurkunden benutzt worden. Nicht bloß die ältesten Klöster besaßen ansehnliche Bibliotheken, denn im 17. und 18. Jahrhundert hatten Benediktiner, Augustiner-Chorherren und Jesuiten in Süddeutschland und Österreich ihre Bestände in neuen Barockbauten untergebracht und zum Teil unter dem wachsenden Einfluß der Aufklärung erneuert. Es fehlte nicht an guten Köpfen, die an den

225. Die Königliche Bibliothek (heute Staatsbibliothek), erbaut von F. L. Gärtner (1792–1847) auf der Ludwigsstraße in München z. Zt. ihrer Entstehung. *Im Hintergrund die ebenfalls von Gärtner erbaute Ludwigskirche. Kolorierte Lithographie von C. A. Lebschee, 1830 (Original im Besitz des Münchner Stadtmuseums).*

Klosterschulen und im geistigen Leben der Nachbarschaft einen bedeutenden Einfluß ausübten. In vielen Klöstern dagegen waren unwissende Mönche zu finden, die gegen ihre alten Bücher und Handschriften gleichgültig waren und sie gern an Reisende wie den berüchtigten Bibliothekar des Erzbischofs von Metz, J. B. Maugirard, verkauften, der jahrzehntelang, schon vor den Säkularisationen, die bayerischen Klosterbibliotheken ausbeutete, zum Teil im Interesse der Bibliothèque Nationale. Wie es früher in den besten Bibliotheken ausgesehen haben mag, weiß man aus der Kenntnis der überlebenden Klosterbibliotheken wie Einsiedeln und St. Gallen in der Schweiz oder Melk und Kremsmünster in Österreich.

226. Die Bibliothek des Klo-
sters Melk an der Donau
(Dr. Franz Stoedtner, Düsseldorf).

Universitäts- und Gelehrtenbibliotheken

Die Universitätsbibliotheken waren mit wenigen Ausnahmen nur noch klein, um 1800 hatten sie
meistens etwa 12000 bis 15000 Bände, aber Professor Christiani in Kiel hatte in 30 Jahren die Bestände von 6000 auf 40000 Bände gebracht. Entscheidend war überall der Diensteifer des ehren-
amtlichen Bibliothekars, eines der Professoren. Die Altphilologen waren gewöhnlich die führenden
Geister. Die Universität Göttingen, die bekanntlich schon zu Anfang der Goethezeit den Ton angab,
verdankte sehr viel der unermüdlichen Tätigkeit zunächst Gesners, dann Heynes. Sie sorgten mit
der Hilfe einiger subalterner Beamten für den planmäßigen Ausbau der Bestände, ihre zweckmäßige
Aufstellung und ihre Katalogisierung nach einem System, das sie erst erfinden mußten. 1786 besaß
die Bibliothek schon 110000 Bände, um 1800 waren es 150000, um 1830 vielleicht 250000, unge-

fähr so viele wie damals die Königliche Bibliothek in Berlin. Wie es in der Bibliothek einer kleinen, verhältnismäßig schlecht dotierten Universität aussah, wissen wir vom Beispiel Jenas, wo Goethe sich in den kritischen Jahren nach 1803 viel um die Bibliothek gekümmert hat. Es galt damals die jetzt erst verfügbar gewordene Büttnersche Bibliothek zu ordnen und zu katalogisieren. Goethe konnte den Bibliothekar, Professor Eichstädt, nicht gebrauchen, und unternahm die Aufgabe selbst mit Hilfe seines Schwagers Vulpius, des Hofbibliothekars in Weimar. Die zwei Beamten, welche die Bibliothek betreuten, hatten täglich je eine Stunde Dienst, denn sie waren schlecht besoldet und mußten durch andere Arbeit ihren Lebensunterhalt verdienen. Erst im Jahre 1808 fand die »vorläufige Eröffnung« der Büttnerschen Bibliothek statt. Im Jahre 1818 ging Goethe daran, die neun Bibliotheken, welche zusammen die Universitätsbibliothek ausmachten, endlich zu vereinen und einheitlich zu katalogisieren, und nun konnte er die Gehilfen für fünf oder mehr Stunden täglich verpflichten. Es waren eben kleine Zustände in Jena, wie in so vielen anderen Universitäten, und

man kann sich denken, wie schwer man ohne einen regelmäßigen Bücheretat eine solche Bibliothek ausbaute, wo man auf zufällige Nebeneinnahmen angewiesen war.

Die Büttnersche Bibliothek von 10000 Bänden war für eine Gelehrtenbibliothek ungewöhnlich groß. Kästner in Göttingen z. B. besaß 7000 Bände und Lichtenberg nur 2700. Hofrat Büttner hatte eben sein ganzes Vermögen in Büchern angelegt und sich dadurch schließlich eine anständige Altersversorgung gesichert, denn Karl August hatte ihm auf Goethes Anregung hin seine Bücher schon 1783 abgekauft gegen eine Rente von 300 Talern im Jahr und freie Unterkunft im Jenaer Schloß, wo die Bibliothek inzwischen Goethe für seine naturwissenschaftlichen Studien zugänglich war. Durch Goethes Beschreibung der Bibliothek kann man sich vorstellen, wie es in mancher Gelehrtenbibliothek ausgese-

227. Rokokosaal der Thüringischen Landesbibliothek in Weimar *(Louis Held, Weimar)*.

hen hat. Nach Büttners Tode (1801) »fand sich ein großes Zimmer, auf dessen Boden die sämtlichen Auktionsergebnisse partienweise, wie sie angekommen, nebeneinander gelegt waren. Die
Wandschränke standen gefüllt, in dem Zimmer selbst konnte man keinen Fuß vor den andern
setzen. Auf alte gebrechliche Stühle waren Stöße roher Bücher, wie sie von der Messe kamen,
gehäuft; die gebrechlichen Füße knickten zusammen, und das Neue schob sich flözweise über das
Alte hin.«

Ein wohlhabender Kaufmann oder Patrizier konnte sich viel eher als der Durchschnittsgelehrte
eine große Bibliothek leisten und sie anständig unterbringen, zum gelegentlichen Gebrauch und
zur Schaustellung, wenn Besuch da war, etwa mit einem Bilderkabinett und mit Kästen, wo alte
Münzen, geschnittene Steine oder »Naturalien« ausgestellt waren, genauso wie beim Vater des
Helden in Stifters ›Nachsommer‹, wo das Beste der alten bürgerlichen Tradition gleichsam aufbewahrt wird. Im ersten Stock seines mäßig großen Hauses, über dem Verkaufsgewölbe, standen in einem ziemlich großen Zimmer »breite flache Kästen von feinem Glanze und eingelegter
Arbeit. Sie hatten vorne Glastafeln, hinter den Glastafeln grünen Seidenstoff, und waren mit
Büchern angefüllt«. Hier herrschte die genaueste Ordnung. »Das Buch, in dem er gelesen hatte,
stellte er genau immer wieder in den Schrein, aus dem er es genommen hatte.« Ähnlich, aber noch
feierlicher geht es im Bücherzimmer und getrennten Lesezimmer des adligen »Gastfreundes« zu.
»Die Bücher bekamen eine Wichtigkeit und Würde, das Zimmer ist ihr Tempel, und in einem Tempel wird nicht gearbeitet. Diese Einrichtung ist auch eine Huldigung für den Geist, der so mannigfaltig in diesen gedruckten und beschriebenen Papieren und Pergamentblättern enthalten ist.«
Größere Privatbibliotheken und Sammlungen waren ziemlich zahlreich vorhanden. Meusel nennt
54 in Berlin, 25 in Nürnberg, meist mit einigen tausend Bänden, oft 10000, gelegentlich 30000 und
mehr, und die Namen der Sammler waren unter den Angaben für jede Stadt in den Baedekern von
damals zu lesen, z. B. in H. A. O. Reichards ›Guide des voyageurs en Europe‹. Im ›Nachsommer‹
lesen wir, daß der Vater in der freien Zeit, in welcher er seiner Gesundheit wegen Bewegung zu
machen pflegte, »zuweilen in eine Gemäldegalerie ging, oder zu einem Freunde, bei welchem er ein
Bild sehen konnte, oder er ließ sich bei einem Fremden einführen, bei dem Merkwürdigkeiten zu
treffen waren«.

Solche Privatsammlungen spielten natürlich im Kulturleben eine größere Rolle als heute, weil
öffentliche Anstalten fehlten oder, wie die meisten Stadtbibliotheken, nebenamtlich verwaltet und
dürftig ausgestattet waren. Das Goethehaus in Weimar mit seiner Bibliothek von 5000 Bänden, seinen Kunstwerken und reichen naturwissenschaftlichen Sammlungen ist ein Musterbeispiel von
dem, was ein genialer Privatmensch mit guten Beziehungen und außerordentlich vielseitigen Interessen im Laufe eines langen Lebens zusammenbringen konnte, wenn er wie Goethe »jährlich wenigstens 100 Dukaten auf Ankauf von Merkwürdigkeiten gewendet und noch mehr geschenkt bekommen« hatte. Goethe aber hatte »nicht nach Laune und Willkür, sondern jedesmal zu seiner eigenen folgerechten Bildung gesammelt und an jedem Stück seines Besitzes etwas gelernt« (zu Kanzler
Müller). Der gewöhnliche Sammler war viel weniger bildungsbeflissen, aber trotz aller Unterschiede
ist Goethe wohl auch hier, wie in so mancher Hinsicht, der potenzierte Deutsche seiner Zeit.

Die Schätze sehr vieler Sammler wurden bei ihrem Tode verauktioniert oder von ihren Nach-
kommen vernachlässigt. Ihre Bibliotheken kamen sowieso, wie die anderen bisher erwähnten,
kaum für die Alltagsbedürfnisse des bürgerlichen Publikums in Frage, aber man besaß in der Goethe-

228. Goethes Haus am Frauenplan in Weimar. *Stich von L. Schütze nach einer Sepiazeichnung von O. Wagner, 1827.*

zeit auch in Kleinstädten gewöhnlich einen Lesezirkel mit eigenen Räumen, später häufig, wie erwähnt wurde, mit einem gesellschaftlichen Klub in einem sogenannten »Casino« verbunden. Jeder Zirkel verdankte seine Gründung einer Gruppe von Privatleuten, die sich zu diesem Zwecke zusammengeschlossen hatten. Alle wollten in erster Linie die Zeitungen lesen, viele deutsche Zeitungen und Journale und einige ausländische, und die Räume waren zu diesem Zwecke den ganzen Tag geöffnet. Bücher aus allen Fächern konnten für eine Woche oder mehr ausgeliehen werden, aber in einigen Fällen sträubten sich die Mitglieder lange gegen den Ankauf von schöner Literatur und die Zulassung von Frauen. Es gab auch viele Subskriptionsbibliotheken für leichtere Lektüre und in Universitätsstädten für wissenschaftliche Werke. Die öffentlichen Stadtbibliotheken waren dagegen so schlecht, daß sie an manchen Orten die abgegriffenen Bücher vom Lesezirkel aufkauften.

Das Theater

Der Anfang der Goethezeit ist ein Wendepunkt in der Geschichte des deutschen Theaters, das sich erst in der darauf folgenden Generation von einem im protestantischen Norden geringschätzig angesehenen Volksvergnügen zu einer hohen Kunst entwickelte. Das entscheidende Moment in den 70er Jahren war das von vielen Seiten geäußerte Verlangen nach einem deutschen »Nationaltheater«. Seit dem wichtigen aber kurzlebigen Hamburger Versuch der Jahre 1767–1769, der Lessings be-

229. Einlaß ins Wiener Burgtheater bei einer Aufführung von Schillers ›Räubern‹ *(Historisches Bildarchiv Handke, Bad Berneck).*

rühmte ›Dramaturgie‹ veranlaßte, verstand man unter Nationaltheater ein Theater, das fähig sein sollte, im Gegensatz einerseits zum Hoftheater und andererseits zur Wanderbühne sich an die ganze deutsche Kulturgemeinschaft in ihrer Nationalsprache zu wenden. An den Höfen gab es bis jetzt mit ganz wenigen Ausnahmen nur italienische Oper und französisches Schauspiel, beides von ausländischen Truppen aufgeführt. Es gehörte mit zum Begriffe des Nationaltheaters, daß es nicht mehr wie die Wanderbühne oder die wenigen ständigen Theater in großen Städten ausschließlich von dem wandelbaren Geschmack des Publikums, von den Kasseneinnahmen, abhängig sei. Es sollte vielmehr, wie so viele Hoftheater, -bibliotheken und -bildergalerien, als dauernde Bildungsanstalt subventioniert werden und in der Lage sein, gute Kräfte mit anständigen Gagen fest zu verpflichten.

Die Rivalität mit Frankreich, die in der ›Hamburgischen Dramaturgie‹ so deutlich zu spüren ist, war auch bei dem Kampf um ein Nationaltheater mit im Spiel. Das unerreichbare Vorbild war die »Comédie Française« in Paris, ein staatliches Theater seit 1680. Noch stärker als von den Aufklärern in Frankreich wird in Deutschland von den Freunden des Theaters das Ziel der sittlichen Hebung des Zuhörers betont, meist als Antwort auf den Widerstand der Geistlichkeit. Von den Wandertruppen, diesen »Zigeunern im grünen Wagen«, war eine solche Wirkung kaum zu erwarten, aber von einem Schauspieler, dem ein anständiges Berufsleben gesichert wurde, konnte man verlangen, daß er sich ruhig und vernünftig benehme und im Einverständnis mit dem Theaterdichter die Bühne zu einer »moralischen Anstalt« machen helfe. Die Nation, die man im Sinne hatte, wenn man von einem Nationaltheater sprach, war ausschließlich Kulturnation. Vermittelst der Sprache, des einzigen Kulturguts, das allen im Volke gemeinsam war, wollte man die verlorene Einheit wiederherstellen. »Auf der Bühne machte sich die zukunftsträchtige deutsche Kunst ein Vaterland, das keine inneren Grenzen kannte, sondern sich so weit erstreckte, wie die deutsche Sprache selbst« (Julius Petersen). Eine Bühne, von der man allgemein diese ideale Wirkung verlangte, konnte eine Zeitlang Männer an sich ziehen, die in anderen Ländern und Zeiten ganz andere Wirkungsbereiche gesucht hätten. »Wenn Burke in Deutschland geboren wäre, so hätte er ein Lessing werden können« (Leslie Stephen). Die Romane ›Anton Reiser‹ und ›Wilhelm Meisters theatralische Sendung‹ erzählen bekanntlich von der Theaterleidenschaft solcher begabten jungen Menschen. Anton Reiser ist ein Träumer und Idealist von seiner Kindheit an. Er ist der Sohn streng pietistischer Eltern, und seine extreme Innerlichkeit ist die des Herrnhuters, für den es im Leben allein auf das Heil seiner Seele ankommt. Überzeugend zeichnet Moritz die allmähliche Entwicklung seiner Theaterschwärmerei, unter dem Einfluß einer Schulaufführung und weltlicher Lektüre in der Geniezeit. Der Hutmacherlehrling sieht sich zunächst in der Rolle des Volkspredigers und versucht schließlich, nach kurzem Studium, Schauspieler zu werden. Iffland, ein Schulkamerad von Moritz in Hannover, ist auf ähnliche Weise zur Bühne gekommen, zeigte aber wirkliches Talent und machte Karriere. Das Theater, behauptet er in seinen Memoiren, habe er als die beste Kanzel angesehen, und seine eigenen Stücke triefen in der Tat von einem gefühlsmäßigen Moralismus.

Die ersten Nationaltheater

Schon der Hamburger Versuch bewies zur Genüge, daß das deutsche Publikum sich nicht so leicht bilden lasse. Lessing kommt in der ›Dramaturgie‹ wiederholt auf das Problematische des Unternehmens zurück. Wieviel höher schätzt man die Dichtung und das Theater in Frankreich als in Deutschland! klagt er schon im 18. Stück. Frankreich »zeigt sich als ein Volk, das auf seinen Ruhm eifersüchtig ist; auf das die großen Taten seiner Vorfahren den Eindruck nicht verloren haben; das, von dem Werte eines Dichters und von dem Einflusse des Theaters auf Tugend und Sitten überzeugt, jenen nicht zu seinen unnützen Gliedern rechnet, dieses nicht zu den Gegenständen zählt, um die sich nur geschäftige Müßiggänger bekümmern. Wie weit sind wir Deutsche in diesem Stück noch hinter den Franzosen! Es gerade herauszusagen: wir sind gegen sie noch die wahren Barbaren!« Und am Schlusse heißt es: »Nicht genug, daß (das Publikum) das Werk nicht allein nicht befördert: es hat ihm nicht einmal seinen natürlichen Lauf gelassen. – Über den gutherzigen Einfall, den Deutschen ein Nationaltheater zu verschaffen, da wir Deutsche noch keine Nation sind! Ich rede nicht von der politischen Verfassung, sondern bloß von dem sittlichen Charakter. Fast sollte man sagen, dieser sei: keinen eigenen haben zu wollen.«

In den zehn Jahren nach 1769 hat man in drei anderen Städten – alle drei sind allerdings Residenzen, nicht Handelszentren wie Hamburg – eine Art Nationaltheater gegründet. Einige Schauspieler aus der Hamburger Truppe unter Abel Seyler fanden nach langer Wanderschaft ein Asyl in Weimar bei der verwitweten Herzogin Anna Amalia, bis die Wilhelmsburg mit ihrem kleinen Theater im Jahre 1774 abbrannte. Das war noch kein regelmäßiges Hoftheater, aber die besten Kräfte aus dieser Truppe bildeten 1775 den Grundstock des neuen Hoftheaters in Gotha. Im folgenden Jahre gründete Joseph II. ein »Teutsches Nationaltheater« in Wien, denn auch er war von der aufklärerischen Propaganda für ein ständiges Theater als eine Schule guter Sitten gewonnen worden. Das war der

230. Das Nationaltheater in Mannheim. *Stich nach einer Zeichnung von Schlichten (Schiller-Nationalmuseum, Marbach a. N.).*

Anfang vom Burgtheater, welches vor seiner Glanzzeit im neuen Jahrhundert mit vielen Schwierig-keiten kämpfen mußte. Die dritte Gründung, in Mannheim, wurde in den nächsten 20 Jahren zum besten Nationaltheater in Deutschland. Mit diesem Theater wollte Karl Theodor von der Pfalz 1779, nachdem er das Kurfürstentum Bayern geerbt hatte, seine frühere Residenz für die Ver-legung des Hofes nach München entschädigen. Es konnte sofort das Personal des Gothaer Theaters übernehmen, das eben aufgelöst werden mußte. Es folgten das Nationaltheater in Berlin (1786) und bald ähnliche Gründungen in verschiedenen geistlichen Residenzen: Bonn, Mainz, Salzburg, Passau, Münster, stets mit der erklärten Absicht einer moralischen Wirkung auf die Bevölkerung. Einige größere Reichsstädte und Handelsstädte folgten diesem Beispiel, so daß schon um die Jahrhundert-wende bei den Wandertruppen nur noch Anfänger und minderwertige Schauspieler zu finden wa-ren. Als Goethe seinen umgearbeiteten Theaterroman veröffentlichte (1794–1796), waren Truppen wie die dort vorkommende nur in dünn bevölkerten Grenzgebieten und im Ausland anzutreffen.

Schröder in Hamburg

Unter einigen 70 Wandertruppen hielt sich um 1800 mehr als die Hälfte wenigstens für eine monatelange Saison jährlich in einer Stadt auf, und mehrere Privatunternehmen spielten schon seit Jahren ohne Unterstützung ständig an demselben Ort. Es galt in solchen Fällen einen genügend großen und abwechlungsreichen Spielplan aufzubauen, um das Publikum regelmäßig anzu-ziehen, sonst mußte man seinen Standort wechseln. Eine der besten dieser Privatbühnen war lange Zeit die von Friedrich Ludwig Schröder in Hamburg. Schröder, gleich groß als Schauspieler,

Theaterschriftsteller und Direktor, verstand es, in seiner Wahl des Spielplans dem gewöhnlichen Geschmack gerade so viel nachzugeben, als nötig war, um regelmäßige Versuche mit besseren Stücken zu finanzieren und einen Teil des Publikums für dramatische Dichtung empfänglich zu machen. Nach großen Erfolgen mit Singspielen, bürgerlichen Dramen, Soldatenstücken usw. wagte er es, ein paar Stücke des Sturmes und Dranges aufzuführen, z. B. ›Götz von Berlichingen‹, ›Stella‹, Klingers ›Zwillinge‹ und schließlich eine Reihe von Shakespeareschen Dramen in Wielands Prosaübersetzung, stark adaptiert, denn er mußte mit der Empfindsamkeit seines Publikums rechnen. Er führte sie zu Shakespeare über die bürgerliche Tragödie. In allen Tragödien mußte der Schluß abgemildert werden, Hamlet mußte am Leben bleiben, auch die Cordelia im ›König Lear‹, und nicht nur Desdemona, sondern auch Othello selbst, denn als Schröder einmal den Othello ohne happy end gab, war es für die Nerven der Hamburger zu viel. »Ohnmachten über Ohnmachten erfolgten während der Grausszenen dieser ersten Vorstellung, die Logentüren klappten auf und zu, man ging davon oder ward notfalls davon getragen«, und mehr als eine Frühgeburt wurde den Schrecken dieses Abends zugeschrieben. Man muß bedenken, daß Garrick damals in England ähnliche Zugeständnisse machte wie Schröder. Der tragische Schluß des ›Lear‹ wurde in London erst 1823 wieder in der ursprünglichen Form gespielt.

231. Friedrich Ludwig Schröder (1744–1816) als Falstaff in Shakespeares ›König Heinrich IV.‹. Berliner Gastspiel März 1780. *Nach einer Zeichnung von Jakob M. Pippo, radiert von K. C. Glassbach (Theater-Museum, München).*

Zwei oder drei andere Theater hatten vor Schröder das eine oder andere Shakespearesche Stück inszeniert, aber erst seiner Beharrlichkeit ist es gelungen, Shakespeare auf der deutschen Bühne heimisch zu machen und die Vorherrschaft des französischen Theaters endgültig zu brechen. Er hatte schon früher seinen Spielplan mit einer ganzen Reihe von neueren englischen Stücken bereichert und die Theorien des Sturmes und Dranges so in die Praxis übergeführt. Seine Gastspiele und die von seinem Hamlet, Brockmann, und anderen, die führende Rolle, welche seine besten Schauspieler: Fleck, Brockmann, Schütz, Reinecke bald auf anderen großen Bühnen spielten, und seine eigene Tätigkeit während eines vierjährigen Zwischenspiels in Wien, als er vorübergehend die Direktion des Hamburger Theaters niederlegte, erwarben ihm und dem Hamburger Stil einen vorherrschenden Einfluß im deutschen Theaterleben im letzten Viertel des 18. Jahrhunderts. In Mannheim z.B. hat man im Spielplan und im stark individualisierenden Realismus des Spiels ganz offenbar von Schröders Beispiel profitiert. Der Abgott Mannheims aber in seiner Glanzperiode war Iffland, als Schauspieler wie als Theaterschriftsteller. Es ist bekannt, daß die Uraufführung von Schillers ›Die Räuber‹ in Mannheim stattgefunden hat und daß er später ein Jahr lang als Theaterdichter dort tätig war. Der Intendant des Nationaltheaters, Heribert von Dalberg, hat ihn aber zweifellos für die-

232. August Wilhelm Iffland (1759–1814). *Miniaturbild von unbe-kannter Hand (Schiller-Nationalmuseum, Marbach a. N.).*

ses Hoftheater zu unabhängig gefunden und hat seinen Vertrag nicht erneuert. Iffland aber hat den Durchschnittsbürger seiner Zeit wie kaum ein anderer verstanden. Ein ganz vorzüglicher Schau-spieler in Charakterrollen, hat er es in seinen zahlreichen rührenden Lustspielen auf die phili-sterhafte Selbstzufriedenheit und die Sentimen-talität seines Publikums abgesehen. Nur der un-erschöpfliche und in der Berechnung theatralischer Effekte außerordentlich geschickte Kotzebue hat mit seinen Stücken ähnliche und noch größere Triumphe gefeiert. Zwischen 1787 und 1867 hat man ihn auf dem Burgtheater durchschnittlich über 45mal im Jahre gespielt. Kein Wunder, daß er in England, und nicht nur dort, bis zum Aus-gang der Goethezeit als der Hauptvertreter der deutschen Literatur galt.

Das Weimarer Hoftheater

An diesen Beispielen kann man sich einen Begriff machen von der Lage des deutschen Theaters, als Goethe Anfang 1791 recht ungern die Oberdirektion des neu gegründeten Weimarer Hof-theaters auf sich nahm. Das Theater wurde nicht, wie Schillers ›Horen‹ oder Goethes ›Propyläen‹, ins Leben gerufen, um den Geschmack des Publikums zu reinigen oder um es für das rein Mensch-liche empfänglich zu machen, und wenn es später als ein ausgesprochenes Bildungstheater gelten konnte, so war es das nie ausschließlich, weil es als einziges Theater in der Stadt gleichzeitig meh-reren Zwecken dienen mußte. Goethe selbst hatte seine frühere Theaterleidenschaft längst über-wunden, steckte tief in osteologischen Versuchen und bald in seiner Farbenforschung, und er fühlte sich seit der Rückkehr aus Italien überhaupt mißmutig und wie seelisch gelähmt. Er ging also »sehr piano« zu Werke, überließ die laufenden Geschäfte dem neuen Regisseur und dem Kammerbeamten Franz Kirms und war viel von Weimar abwesend. Der Spielplan wich in den ersten Jahren nur we-nig von dem des Privatunternehmens ab, das vom Hoftheater ersetzt worden war. Selbst in seiner Blütezeit, in den sieben Jahren nach der Aufführung von ›Wallensteins Lager‹ am Anfang der Win-tersaison 1798, im umgebauten und neu gestrichenen Theatersaal, bis zu Schillers Tode, mußten zwei Drittel der Ausgaben durch die Kasseneinahmen gedeckt werden, im Winter und Frühling in Weimar und im Sommer im kursächsischen Badeort Lauchstädt. Höchstens an einem Abend in der Woche (man spielte wöchentlich dreimal) wagte die Direktion eine wirkliche Dichtung aufzuführen. An den anderen gab es unterhaltende, theatralisch wirksame Stücke von Kotzebue, Iffland, Schröder, Beck usw., oder Operetten von Dittersdorf, Paisiello, Cimarosa und gelegentlich, was das Haus am allerbesten füllte, eine von Mozarts deutschen Opern. Während der 26 Jahre von Goethes Leitung wurden von Kotzebue und Iffland 118 Stücke, von Goethe und Schiller nur 37 Werke aufgeführt.

Soweit es die Umstände erlaubten, sorgte Goethe für Gelegenheiten, wo er seinem eigenen Geschmack folgen konnte, ohne sich viel um das Publikum zu kümmern. Mit dem Zuschuß vom Hofe als Rückhalt, konnte er mehr wagen als Schröder, und es war ihm ferner vorteilhaft, daß das deutsche Repertoire seit Schröders Anfängen und zum großen Teil durch sein Verdienst sehr viel größer geworden war, obgleich noch viel zu wünschen übrig blieb. Die Glanzpunkte nach 1798 waren Schillers neue Werke. Fast jedes Jahr bis zu seinem Tode schuf er ein neues poetisches Drama, das zugleich vollkommen bühnengerecht war, auf der deutschen Bühne bis dahin eine große Seltenheit. In der Erziehung seiner Truppe zur würdigen Aufführung klassischer Dichtung gebrauchte Goethe die volle Autorität seiner Stellung in Weimar. Da diese kleine Bühne nicht über die Mittel verfügte, wodurch Wien, Berlin oder Hamburg die besten Kräfte an sich zogen, mußte sie mit Schauspielern auskommen, die viel Erziehung brauchten. Aus Goethes »Regeln für Schauspieler« wissen wir, wie weit das selbst in Beziehung auf Sprache und Körperbewegung gehen mußte, denn ein Bühnendeutsch mußte erst langsam ausgearbeitet werden, und die jungen Schauspieler, halb gebildet und ohne Kenntnis der feinen Welt, konnten nur durch strenge Dressur dazu gebracht werden, die Gestalten hoher dramatischer Dichtung einigermaßen überzeugend und würdevoll darzustellen. Eine Hauptschwierigkeit war die Verstragödie. Goethe und Schiller waren überzeugt, daß »alles Poetische rhythmisch behandelt werden sollte«, aber seit 20 Jahren oder mehr war die rhyth-

233. Corona Schröter als Iphigenie und Goethe als Orestes. Aufführung im Weimar Park von Tiefurt. *Gezeichnet von Georg Melchior Kraus, Stich von Facius, 1805 (Theater-Museum, München).*

234. Szenenbild (III. Aufzug, 4. Szene: Thekla und Seni) aus der Weimarer Aufführung von Schillers ›Die Piccolomini‹, 1808. *Aquatinta von J. Ch. E. Müller nach einer Zeichnung von J. A. Nahl (Theater-Museum, München).*

mische Deklamation von der deutschen Bühne so gut wie verbannt und Natürlichkeit um jeden Preis angestrebt worden. Die Schauspieler spielten am liebsten sich selbst, nach dem herkömmlichen Fachsystem. Nach einem längeren Gastspiel Ifflands in Weimar im Jahre 1796 erkannte Goethe erst recht den platten Naturalismus seiner Truppe und die Vielseitigkeit eines wahren dramatischen Künstlers wie Iffland. Von nun an verlangte er vom Schauspieler, er müsse »seine Persönlichkeit verleugnen und dergestalt umbilden lernen, daß es von ihm abhänge, in gewissen Rollen seine Individualität unkenntlich zu machen«. Der an bürgerliche Rollen gewöhnte Schauspieler ohne viel Phantasie verfiel aber leicht in ein hohles Pathos, wenn er mythische oder historische Helden spielte. Goethe verließ sich auf Leseproben, um seinen Leuten einen angemessenen Vortrag beizubringen und ihre Unarten zu verbannen. Man verlangte von einem Schauspieler auf einer solchen stehenden Bühne eigentlich recht viel. Für gewöhnliche neue Stücke mußte er seine Rolle in einer Woche memorieren, und man mußte sich mit drei bis vier Proben begnügen. Neue poetische Werke wie die von Schiller verlangten zu ihrer Vorbereitung natürlich mehr Zeit, vielleicht vier Wochen, und Goethe und Schiller waren, wenn möglich, bei allen Proben gegenwärtig. »Schiller wirkte auf das Fühlen und innige Verstehen der Rolle, Goethe auf die Erscheinung im Leben.« Goethe legte den größten Wert auf das Zusammenspiel und wollte seiner Truppe die Schönheit und Grazie der Gebärden und Bewegungen anbilden, die Humboldt an Talma und anderen in Paris bewundert und ausführlich beschrieben hatte.

Jeder weiß aus eigener Erfahrung bei Liebhaberaufführungen, daß Darsteller mit wenig Erfahrung bei der allereinfachsten Inszenierung auf kleiner Bühne oft eine größere Wirkung erzielen als routinierte Schauspieler in demselben Stücke auf einem großen Theater. Man kann es also begreifen, daß einzelne Vorstellungen in Weimar von anpruchsvollen Zeitgenossen hoch gelobt wur-

235. Szenenbild (V. Auf-
zug, 12. Szene) aus der
Weimarer Aufführung
von Schillers ›Fiesko‹,
1805. *Aquatinta von J.
Ch. E. Müller nach einer
Deckfarbenzeichnung von
G. E. Opitz (Theater-
Museum, München).*

den, obgleich andere über den Mangel an Individualität, über eine Neigung zur bloßen Deklamation und zu einer gewissen Steife klagten.

»Das Weimarische Hoftheater war die Uraufführungsbühne der vollendetsten deutschen Dramen
dieser Zeit. So war es schon von ausschlaggebender Bedeutung, ihre authentischen Erstinter-
pretationen zu studieren – gleichgültig ob man andernorts versuchen wollte, einen ähnlichen Inter-
pretationsweg einzuschlagen oder einen grundsätzlich anderen, wie dies etwa Iffland in Berlin und
Schreyvogel taten« (Kindermann). Es ist für uns fast unmöglich, uns Goethes Theater vorzustellen,
ohne zugleich durch den Eindruck beeinflußt zu sein, den seine und Schillers Dramen bei der Lektüre auf uns gemacht haben, obgleich Goethes größte dramatische Dichtungen in Weimar verhältnismäßig selten aufgeführt wurden. Mit der ›Iphigenie‹, in Schillers Bearbeitung, hat man erst 1802
einen Versuch gemacht, ohne viel Erfolg. Im Jahre 1807 aber, kurz nachdem P. A. Wolff, Goethes
aufmerksamster Schüler, auf eigne Hand eine gelungene Uraufführung des ›Torquato Tasso‹ zustande gebracht hatte, hatte man eine geeignete Besetzung beisammen und konnte man den Dichter
auch in der ›Iphigenie‹ befriedigen. ›Faust, der Tragödie erster Teil‹, 1808 erschienen, wurde in Weimar erst 1829, 12 Jahre nach Goethes Abgang vom Theater, aufgeführt. Bei allen Unzulänglichkei-
ten hatte das Weimarer Hoftheater für die Zeitgenossen, während Goethe es leitete, ein unverkenn-
bares Gesicht, das des Bildungstheaters im Dienste der Humanität. »Die große Idee eines Welt-
theater-Spielplans war hier in kühnen ersten Ansätzen verwirklicht – vollendet wurde sie freilich
dann erst in Wien« (Kindermann).

236. August Wilhelm Iffland und N. N. als Wilhelm Tell
und Walter. *Gezeichnet und radiert von den Gebrüdern Henschel,
Berlin 1811 (Theater-Museum, München).*

237. Joseph Schreyvogel (1768–1832). *Nach einer Zeichnung
von J. Mukarovzky (Österreichische Nationalbibliothek, Wien).*

Iffland in Berlin

Das Beste aus dem Weimarer Spielplan bildete
eine feste Grundlage im Sprechdrama für die Bedürfnisse der zwei hervorragenden deutschen
Bühnen in der zweiten Hälfte der Goethezeit, des
Berliner Nationaltheaters unter Ifflands Leitung
(1796–1814) und des Wiener Burgtheaters unter
Schreyvogel (1814–1832). Das Intime des kleinen
Hoftheaters, der enge Kontakt zwischen dem Dichter und der Truppe, die Erziehung zur Deklamation, das alles ging in der Großstadt verloren. Dafür war aber die Möglichkeit einer viel größeren
Resonanz vorhanden. »Er wünscht sich einen großen Kreis, um ihn gewisser zu erschüttern«, sagt
Goethes Lustige Person, und im neuen Königlichen Schauspielhaus in Berlin konnte Ifflands
Truppe von 1802 an vor 2000 Menschen spielen.
Um ein großes, stets wechselndes Publikum zu befriedigen, mußte Iffland bei der Aufführung von
Schillers Dramen, mit denen er glänzende Erfolge
hatte, gerade die künstlerisch schwächere Seite, das
Sentimentale und Äußerliche, betonen. ›Die Jungfrau von Orleans‹ machte er zu einem Spektakel-
stück. »Die Pracht der Aufführung unserer Darstellung dieses Stückes ist mehr als kaiserlich«,
schreibt Zelter. Der Krönungszug, mit einer Dekoration und Kostümen wie bisher nur in der
Oper, unzähligen Statisten und musikalischer Be-
gleitung, war »von so eklatanter Wirkung, daß das
Auditorium jedesmal in Ekstase geriet«. Vom
Jahre 1811 an wurde Iffland auch die bisher italienische Oper unterstellt, aber seine große Leistung bestand darin, daß er in relativ kurzer Zeit
das Sprechstück im hohen Stil bei dem Berliner
Publikum ebenso beliebt gemacht hatte wie früher
nur die Oper und Operette.

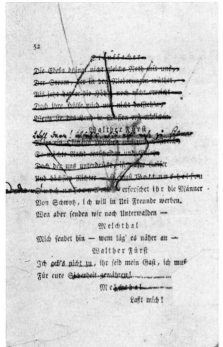

238. Streichungen der Wiener Zensurbehörde in einem Exemplar von Schillers ›Tell‹ für die dortige Erstaufführung *(Schiller-Nationalmuseum, Marbach a. N.).*

239. Das alte Burgtheater in Wien am Michaelerplatz. *Nach einer Zeichnung von Kirchner (Historisches Bildarchiv Handke, Bad Berneck).*

Schreyvogel in Wien

Schreyvogel war ein leidenschaftlicher Theaterfreund, wie die meisten Gebildeten in Wien, denn hier blühte das Theater schon seit Anfang des 18. Jahrhunderts wie sonst nirgends im Reich, aber er war von Haus aus Schriftsteller und Journalist und nicht, wie Iffland, ein geborener Schauspieler. Als Feind der Reaktion hatte er in der Jugend aus Wien flüchten müssen und hatte sich 1794 bis 1797, während der Glanzzeit Jenas, dort als ständiger Mitarbeiter an der ›Literatur-Zeitung‹ aufgehalten und das Weimarer Theater gründlich kennengelernt. Als ihm 1814 ganz unerwartet die künstlerische Leitung des Burgtheaters angetragen wurde, hatte er die Gelegenheit, den dortigen Spielplan nach und nach auf Goethes Wege umzugestalten, wie er das schon lange in seinem ›Sonntagsblatt‹ befürwortete. Immer wieder hatte man vor ihm versucht, den Dramen Lessings, Goethes und Schillers auf der Wiener Bühne Eingang zu verschaffen, aber mit wenig Erfolg, wegen der häufigen Wechsel in der Direktion der Hoftheater und vor allem wegen Zensurschwierigkeiten. Schiller war von vornherein so gut wie ausgeschlossen, denn es hieß z. B. in dem Leitfaden für die Theaterzensur vom Jahre 1795: »Freiheit und Gleichheit sind Wörter, mit denen nicht zu scherzen ist . . . Von dem Worte ›Aufklärung‹ ist auf dem Theater eben so wenig Erwähnung zu machen, als von der Freiheit und Gleichheit.« Von Schillers Jugenddramen wurde ›Kabale und Liebe‹ also erst

1808, arg verstümmelt, auf dem Burgtheater gegeben, und ›Don Carlos‹ im Franzosenjahr 1809, von der Zensur zeitweilig verboten. Aber Schreyvogel brachte jetzt ›Wallenstein‹ und ›Maria Stuart‹ (1814) und nach ›Iphigenie‹ und ›Tasso‹ Grillparzers ›Sappho‹ (1818), einen stark umgearbeiteten ›Nathan‹, ›Die Jungfrau von Orleans‹ (1820) und in den 20er Jahren vier weitere Dramen von Grillparzer, viel Shakespeare, mehrere spanische Klassiker usw. Kurz, in diesen letzten Jahren der Goethezeit eroberte sich das Bildungsdrama wie früher im kleinen Weimar die beste Bühne deutscher Zunge, ohne sie aber langweilig zu machen, denn in Wien war nicht der Dramatiker, sondern der Schauspieler immer die herrschende Macht.

Die Baukunst und die bildenden Künste

Die Schöpfungen der Architekten und bildenden Künstler der Goethezeit sind an sich beachtlich, aber sie haben weder auf die Zeitgenossen noch auf die Nachwelt einen ähnlichen Eindruck gemacht wie die der Musiker und Dichter. An Talenten hat es niemals gefehlt, und darunter an Berufenen, die, um ihr Leben der Kunst zu widmen, kein Opfer gescheut haben. Wie in der Musik und im Theater, so gab es auch hier zahlreiche Familien, wo ein Künstler dem Beispiel eines nahen Verwandten folgte. Zu den bekannteren gehören z.B. David und Friedrich Gilly, Gottfried und Wilhelm Schadow, Franz und Ludwig Schwanthaler, Peter Cornelius und sein Vater, Professor an der Düsseldorfer Akademie, die Brüder Olivier und die vier Maler aus zwei Generationen, die den Namen Tischbein trugen. Wir kennen alle den einen der jüngeren, Wilhelm Tischbein, aus Goethes Leben in Italien und durch sein etwas theatralisches Bildnis von Goethe in der Campagna, das zu einem Symbol geworden ist. Sein Vetter, Johann Friedrich August, hat aber eine ganze Reihe von sächsischen Großen ausgezeichnet porträtiert. Für solche war die Künstlerlaufbahn etwas ganz Natürliches. Viele haben aber auch aus den unwahrscheinlichsten Anfängen ihren Weg zur Kunst gefunden. J. A. Koch war der Sohn eines Tiroler Bauern, Gottfried Schadow der eines Schneiders, F. Weinbrenner eines Zimmermanns. Christian Rauch war ursprünglich Kammerdiener, F. A. Zauner Steinmetz, während K. G. Langhans von der Philologie zur Baukunst kam und der Maler J. C. Reinhart Theologie studiert hatte.

Der Typus des Hofkünstlers

In der ersten Hälfte der Goethezeit verdankten wohl die meisten Künstler einem fürstlichen oder adligen Gönner ihre Ausbildung, und viele, begabte und unbegabte, probierten ihre Geschicklichkeit im Dienste ihres Herrn auf einem Gebiet nach dem anderen. Typisch für die Frühzeit ist der Lebenslauf J. Chr. Mannlichs, den er selbst gut beschrieben hat. Sein Vater, aus einer Augsburger Goldschmiedfamilie stammend, war Hofmaler beim Herzog von Pfalz-Zweibrücken (Christian IV.), und da der Knabe schon auf der Schule einiges Talent zeigte, ließ ihn der Herzog in Mannheim ausbilden. Später begleitete er den Herzog auf seinen jährlichen Besuchen nach Paris, wurde dort von Boucher unterrichtet und mit jungen französischen Künstlern von Ruf bekannt. Diese Erziehung wurde durch einen vierjährigen Aufenthalt in Rom abgeschlossen, und jetzt war er dazu reif, zum Oberhofmaler seines Gönners ernannt zu werden, im Jahre 1771. Ernste und tragische Vorwürfe, die er, von Winckelmann beeinflußt, für seine Skizzen aus Homer und der alten Geschichte nahm, fanden bei seinem Herrn keinen Anklang, aber er suchte getrost andere Themen in Ovids ›Metamorphosen‹ und Guarinis ›Pastor Fido‹. Bald wurde er aufgefordert, Prospekte für die Liebhaberaufführungen des Hofs zu malen, und da diese Leidenschaft am Hofe zunahm und Mannlich eigene Anschauungen über den Theaterbau äußerte, mußte er die Pläne für ein Hoftheater entwerfen. Es wurde gebaut, fand lebhafte Zustimmung, und zu seiner Überraschung sah sich Mannlich durch den neuen Herzog zum Hofarchitekten ernannt, ohne von allen technischen Fragen der Baukunst eine Ahnung zu haben. Seine größte Aufgabe war der Bau vom Lustschloß Karlsberg, einschließlich der Dekoration und des Mobiliars. Nachdem der Herzog, ohne Mannlich zu fragen, sich dessen private Bildersammlung gegen reichliche Bezahlung für seine eigene Galerie angeeignet hatte, vertraute er ihm die Aufsicht und Katalogisierung der ständig wachsenden Sammlung an, neben seinen Pflichten als Hofarchitekt und Theaterintendant, und Mannlich beschloß sein Leben nach der Revolution als Direktor der bayerischen Bildergalerie in München. Nicht um sich auszudrücken war der Künstler am Hofe da, sondern um die Umgebung seines Gönners angenehm und freundlich zu gestalten, von dessen Palast und Garten angefangen bis zu seinem Spazierstock und seiner Tabaksdose.

Die klassizistische Baukunst

Nicht unähnlich, aber viel glänzender war die Laufbahn von Friedrich Wilhelm von Erdmannsdorf, dem bahnbrechenden Klassizisten in der deutschen Baukunst. Als Sohn eines Hofmanns in Dresden kannte er das höfische Leben und seine Bedürfnisse von früher Jugend an. Nach akademischen Studien machte er zufällig die Bekanntschaft des jungen Fürsten Friedrich Franz von Des-

240. Schloß Wörlitz, Vorderseite. Erbaut 1769–1773 von Erdmannsdorf (1736–1800) im klassizistischen Stil nach englischem Vorbild: Schloß Claremont (*Deutsche Fotothek, Dresden*).

241. Der Venustempel
im Park von Wörlitz
(Archiv für Kunst und
Geschichte, Berlin).

sau, der ihn sehr liebgewann und auf Reisen in Italien und England als seinen Begleiter mitnahm.
Erdmannsdorf kehrte wiederholt nach beiden Ländern zurück und machte sich mit dem palla-
dianischen Stil intim vertraut, der seit Inigo Jones und Christopher Wren für den Bau und die Einrichtung der großen Landhäuser des englischen hohen Adels maßgeblich war, während in Frankreich und Deutschland das Rokoko florierte. Erdmannsdorf lernte auch z.B. die Brüder Adam während ihrer Studienreise in Italien kennen und verfolgte auf Besuchen in England die Entwicklung
ihrer Arbeiten. Er besaß wie sie den feinen Geschmack eines vielgereisten Kavaliers, einen aufge-
schlossenen Sinn für alles Künstlerische und viel Zeichentalent. Das vielbewunderte Schloß, das er
für Friedrich Franz 1769–1773 zu Wörlitz baute, mit seiner Säulenvorhalle und streng symmetri-
schen Fassade, sieht auch dem Landsitz eines englischen Lords täuschend ähnlich. Wörlitz weist ferner wie unzählige englische Vorbilder den auffallenden Kontrast auf zwischen der Strenge und Eleganz des Palasts und der scheinbaren Regellosigkeit des eigentlich durch die Landschaften eines
Poussin und Claude Lorrain angeregten Stils des »englischen« Parks, der ihn umgibt. Hier fanden
Goethe und Karl August das Vorbild für den Park, den sie von 1778 an in Weimar ausbauten, und
bei der späteren Restaurierung der dortigen Wilhelmsburg hat Gentz in der Innenarchitektur, z.B.
in dem großen Festsaal mit seinen Säulenreihen, im Zedernzimmer und in der Falkengalerie die von
Erdmannsdorf in Wörlitz und später in den Königskammern des Berliner Schlosses eingeschlagene
Richtung fortgesetzt.

Ähnlich wie in einem Gedicht in gebundener Form, hängt der Reiz dieser klassizistischen Gebäude
z. T. von dem Spiel eines individuellen Künstlers mit überlieferten Stilelementen innerhalb vorge-
schriebener Grenzen ab. »In der Beschränkung zeigt sich erst der Meister« auch hier. Ferner scheinen
sich im Gegensatz zwischen Park und Palast Natur und Kunst wieder zu fliehen, aber sie finden sich
am Ende, wie im ›Wilhelm Meister‹ die Gedichteinlagen aus der Prosaerzählung doppelt schön her-
vorleuchten. Die prunkhaften Neubauten, die sich Landgraf Friedrich II. von Hessen-Kassel und
sein Sohn Wilhelm IX. (später Kurfürst) mit dem Ertrag ihres Soldatenhandels in den 80er und 90er

Jahren leisten konnten, sind ein weiteres Beispiel dieses von England beeinflußten Klassizismus. Simon du Ry baute für Friedrich II., der mit einer englischen Prinzessin vermählt war, das imposante Palais und Museum, die Elisabethkirche und das Auetor in der Stadt, und derselbe mit seinem Schüler H. C. Jussow auf dem Weißenstein zuerst neue Flügelbauten und bald darauf einen neuen Mittelbau, anstatt des alten ländlichen Schlosses, in herrlicher Lage. Das Ganze erhielt jetzt den Namen »Wilhelmshöhe«. Jussow wurde vom Landgrafen nach Studienreisen in Paris und Italien zur weiteren Vorbereitung auf den Bau von Wilhelmshöhe und die Neugestaltung des Parks eigens nach England geschickt, und es tritt uns hier dieselbe Verbindung eines repräsentativen Klassizismus mit einer höchst malerischen, eigentlich romantischen Umgebung entgegen, wie in Wörlitz.

242. Schloß Wilhelmshöhe bei Kassel *(Historisches Bildarchiv Handke, Bad Berneck)*.

Die Theoretiker – Goethe

Es ist bekannt, daß Goethe für Palladio eine unbegrenzte Verehrung hatte. Palladio und Raffael verdienen für ihn »unbedingt das Beiwort ›groß‹«. Daß seine Bewunderung aber von sehr vielen Zeitgenossen geteilt wurde, erhellt schon aus dem oben Gesagten. Während eines Jahrhunderts oder mehr redeten die Stadt- und Landpaläste des britischen Adels und, nach einigen Jahrzehnten, die repräsentativen Bauten deutscher Fürsten vorzugsweise die Sprache dieses einen unter den italienischen Renaissancearchitekten. Für Goethe bestand seine Größe vor allem darin, daß er das große Problem des Klassizisten so genial löste: die Säulenordnung in der bürgerlichen Baukunst anzuwenden. »Säulen und Mauern zu verbinden, ist ohne Unschicklichkeit beinahe unmöglich ... Wie er durch die Gegenwart seiner Werke imponiert und vergessen macht, daß es Ungeheuer sind! Es ist wirklich etwas Göttliches in seinen Anlagen, völlig die Force des großen Dichters, der aus Wahrheit und Lüge ein drittes bildet, das uns bezaubert.« Die Formel, in die Goethe seine Bewunderung einkleidet und worin das Unnatürliche bei der Anwendung von Tempelformen aus dem sonnigen Süden auf die Bedürfnisse des bürgerlichen Lebens im Norden zugegeben, aber durch einen Appell an die Phantasie begründet wird, kann man heute noch verteidigen, während Leo v. Klenzes stolze Behauptung: »Es gab und es gibt nur eine Baukunst und wird nur eine Baukunst geben, nämlich diejenige, welche in der griechischen Geschichts- und Bildungsepoche ihre Voll-

243. Die Glyptothek in München, 1816–1830 erbaut von F. K. Leo von Klenze (1784–1864). *Lithographie-Tondruck von C. A. Lebschee, 1830 (Original im Münchner Stadtmuseum).*

endung erhielt«, doch schon durch die Geschichte widerlegt wurde. Wenn man diese Worte ernst nimmt, muß man bereit sein, alle sonstigen Werte in der Baukunst einer angeblich wissenschaftlich fundierten Schönheit aufzuopfern. Viele klassizistische Bauten, Universitätsgebäude z. B., erweisen sich im täglichen Gebrauch als so unzweckmäßig, daß der Benutzer mit Sehnsucht an das prägnante Wort des alten Vitruvius zurückdenkt, daß man bei Werken der Baukunst »fürnemlichen trachte auff die festigkeit, nutzbarkeit, und daß solche ein schön tapfer ansehen hetten« (›Vitruvius Deutsch‹, 1548).

Der Klassizismus im deutschen Stadtbild

Unleugbar ist aber, daß im Kern der führenden deutschen Städte, in einer besonders wichtigen Phase ihrer Entwicklung, Klenze, Schinkel und ein Dutzend weniger begabte klassizistische Baukünstler den architektonischen Charakter der Hauptgebäude und die allgemeine Anlage auf mehr als ein Jahrhundert hinaus bestimmt haben. Leo Klenze hatte das Vertrauen des kunstliebenden Lud-

244. Das Brandenburger Tor in Berlin im Jahre 1818. *Stich von Calau (Historisches Bildarchiv Handke, Berlin).*

wig I. von Bayern gewonnen, als dieser noch Kronprinz war, und vor Goethes Tode hatte er für ihn eines der schönsten Museen der Welt, die Glyptothek, gebaut, als den ersten einer langen Reihe von Monumentalbauten in München, die teils in einem rein klassischen, teils im italienischen Renaissance-stil ausgeführt wurden. Städtebaulich hat erst Klenze München zu einer Stadt der schönen Perspektiven gemacht.

Auf die Propyläen, die den Königsplatz monumental abschließen, mußte man nach der Glyptothek noch 30 Jahre warten, während Berlin eine bewußte Neugestaltung der athenischen Propyläen, die man nur nach den Zeichnungen von Stuart und Revett kannte, schon 1791 vollendet hat, nämlich das Brandenburger Tor von J. G. Langhans. Überhaupt zeigte sich Berlin für den klassischen Stil besonders früh empfänglich, man vermutet, aus dem norddeutschen Sinn für Ordnung und Klarheit. Der Unterricht des genialen, früh gestorbenen Friedrich Gilly an der Berliner Bauakademie hat sowohl Klenze, einen Norddeutschen aus Hildesheim, als auch den großen Friedrich Schinkel entscheidend angeregt. Schinkel, vielseitiger und zugleich harmonischer in seinem Menschentum als Klenze, und mit einem ungewöhnlich feinen Gefühl für Verhältnisse begabt, hat überwiegend im klassischen Stil mehrere Glanzpunkte der Berliner Architektur geschaffen, vor dem Abschluß der Goethezeit z.B. das Schauspielhaus, die Neue Wache und das Alte Museum, alle aufeinander abgestimmt und großartig zusammenwirkend. Er fand leider keinen großzügigen Gönner in Berlin wie Klenze in München und mußte viele seiner besten Ideen dem Sparsinn Friedrich Wilhelms III. und seiner Beamten aufopfern. Nach der ersten Hälfte des 19. Jahrhunderts sollte man in Deutschland eine städtebauliche Monumentalität, wie sie Klenze und Schinkel gelang, sehr selten erzielen. In ähnlicher Weise hat Friedrich Weinbrenner, ein Schüler von Langhans und Gilly, der Stadt Karlsruhe seinen Stempel aufgedrückt, während im benachbarten Württemberg Salucci in Stuttgart und Thouret in Stuttgart und Ludwigsburg in gleicher Richtung wirkten. Goethe hat Thouret 1797 in Stuttgart kennengelernt, und eine Zeitlang hat dieser die Restauration der Wilhelmsburg in Weimar geleitet, als Nachfolger von Arens. Er war ursprünglich Maler gewesen und wurde in Weimar vor allem für die Innendekoration wichtiger Räume verantwortlich gemacht. Er ist es auch, der das Hoftheater 1798, nach Schillers Worten, »zum heitern Tempel ausgeschmückt«. Nach Thourets Abgang hat man schließlich, wie erwähnt wurde, den 34jährigen Heinrich Gentz, der soeben in Berlin die Königliche Münze vollendet hatte, eines der glücklichsten Frühwerke des Klassizismus, für das letzte Stadium des Schloßbaus gewonnen.

245. Das Alte Museum in Berlin, 1824–1828 erbaut von Schinkel *(Deutsche Fotothek, Dresden)*.

Dem klassizistischen Stil für repräsentative Gebäude war eine lange Dauer beschieden, und man fragt sich, warum ein Stil in der Baukunst ein so viel längeres Leben haben sollte als z.B. in der Dichtung. Der Gegensatz in dieser Beziehung zwischen den verschiedenen Zweigen der Kultur gebietet eine gewisse Vorsicht in der Zurückführung aller Stilphänomene auf eine als ihnen gemeinsam zugrunde liegend gedachte Weltanschauung der Zeit. Man kann sich leicht vorstellen, daß der Stilwandel in der Architektur mit ihren kostbaren und dauerhaften Stoffen überhaupt langsamer vor sich geht als in den leichtbeweglichen Künsten des Wortes und der Töne. Es handelte sich ferner nach der Revolution bei großen Aufträgen immer weniger um Privatbauten für launenhafte Fürsten mit großen Mitteln, und immer mehr um Museen, Bildergalerieen, Theater, Banken usw. für Staaten, Städte und große Körperschaften, deren Geschmack wohl zum Konservativen neigte. Man hatte mit dem klassischen Baustil die Idee der Würde, der Harmonie, der Stabilität im öffentlichen Leben zu verbinden gelernt, wie man sie im alten Rom bewunderte. Diese symbolische Deutung des Stils in der Baukunst wurde durch die politische Atmosphäre der Restaurationszeit begünstigt – wir fanden schon eine ähnliche Stimmung im Gymnasialunterricht –, und sie paßte recht gut in die Ästhetik der Romantik, die sich weniger um die unmittelbare Wirkung des Kunstwerks auf die Sinne des Betrachters kümmert als um die Ideen, die es durch Gedankenverkettung hervorruft.

Die Neugotik

Es könnte daher auf den ersten Blick befremden, daß in der Blütezeit der Romantik, mit ihren bekannten Neigungen zum Mittelalter und zum Nationalen, die Neugotik in der Baukunst nicht schnellere Fortschritte gemacht hat. Goethes Aufsatz ›Von deutscher Baukunst‹ (1772), der eigentlich mehr den schöpferischen Künstler als die Gotik feierte, blieb unbeachtet, und die wenigen deutschen Nachahmungen englischer Erneuerungen der Gotik im 18. Jahrhundert sind ähnliche Phantasiestücke wie diese, z. B. das gotische Haus von G. Chr. Hesekiel im Wörlitzer Park. Auch die ›Herzensergießungen eines kunstliebenden Klosterbruders‹ waren kein eindeutiges Bekenntnis zur mittelalterlichen deutschen Kunst, sondern zu einer religiösen Kunst und zur Kunst als Religion. Erst im Winter 1803–1804, durch den Einfluß der Brüder Boisserée und Bertrams auf Friedrich Schlegel in Paris, wo dieser vor ihrer Ankunft nicht einmal die Kirche Notre-Dame besucht hatte, kam der Umschwung in der Kunstanschauung der führenden Romantiker zustande, der ihnen den Klassizismus in der Baukunst verleidet und die Gotik plötzlich nahebringt. In der Beschreibung seiner Reise mit den neuen Freunden von Paris nach Köln tadelt Friedrich Schlegel schon die italienischen und griechischen Säulen in Paris als sinnlos in einem fremden Lande und Klima und preist die »ehrwürdig altväterische Gestalt« der Kirche Notre-Dame. Es gelingen ihm erstaunliche Einsichten in das Wesen des gotischen Stils, er teilt den Enthusiasmus der Bruder Boisserée für die von den Zeitgenossen ganz vernachlässigte altdeutsche Malerei, und er fordert vom Künstler, daß er den Grundsatz Dürers zu dem seinen mache: »Ich will nicht antikisch malen, oder italisch, sondern ich will deutsch malen.« Es sind hier wichtige Ideen der 1809 in Wien gegründeten Lukas-Brüderschaft vorweggenommen, der Gruppe von Malern, die sich im folgenden Jahre in einem alten verlassenen Kloster in Rom ansiedelten und von ihren Gegnern um 1819 »Nazarener« genannt wurden. Sie streb-

246. Das gotische Haus von G. Chr. Hesekiel im Park von Wörlitz *(Dr. Franz Stoedtner, Düsseldorf)*.

247. Die Marienburg im 18. Jahrhundert. Blick von Südosten mit
dem Chor der Schloßkirche und
dem Marienbild. *Aquatintablatt
von Friedrich Gilly, 1772–1800
(Archiv für Kunst und Geschichte,
Berlin).*

ten zurück als Christen
und als Deutsche zur Wahrheit, die sie nur bei den
frommen Malern des Mit-
telalters fanden. Von den
letzten Jahren der Goethezeit an hatten sie begeisterte
Anhänger in Deutschland,
aber die Mode der Neugo-
tik hat dort viel später als
in England und Frankreich
Wurzel geschlagen, erst
gegen die Mitte des Jahr-
hunderts. Gleichzeitig mit
ihrer später so hochbewunderten Sammlung altdeut-
scher Bilder haben die
Boisserée mit ihrer Propaganda für die Erneuerung
und den Ausbau des Köl-
ner Doms nach dem wie-
derentdeckten ursprüng-
lichen Plan angefangen.

Schon vor 1800 waren die Kunstfreunde durch die Veröffentlichung von Friedrich Gillys Zeichnungen auf die Schönheit der Marienburg in Ostpreußen aufmerksam gemacht worden. Ihre
Wiederherstellung wurde 1815 sofort nach den Kriegen angefangen, aber erst 1823 konnte man die
langsame Reparatur des Chors in Köln in Angriff nehmen, und die Bildung des »Dombauvereins«
zur Organisation des völligen Ausbaus erfolgte erst 1842 unter heftigen Meinungskämpfen.

Die Kunst wird selbständig

Nach »Wahrheit« haben seit dem Sturm und Drang literarische und künstlerische Jugendbewe-
gungen in Deutschland immer wieder gestrebt, weil sie von den Idealen ihrer eigenen Zeit nichts
wissen wollten. Das ist wohl im Grunde auf das schon erwähnte Fehlen einer festen Tradition zu-

rückzuführen. Schon Winckelmanns Zeitgenossen haben aus ähnlichen Beweggründen in der Antike Heil gesucht, dem Rate eines Gelehrten folgend. Auch sie hatten dabei sowohl ethische als
ästhetische Ideen im Sinne, denn die Lebensbedingungen der Kunst änderten sich allmählich auch
in Deutschland unter dem Einfluß der westlichen Aufklärung, obgleich man sich in vielen Fällen
erst nach der Französischen Revolution dieses Vorgangs bewußt wurde. »Die Kunst, die bis jetzt
dem Absolutismus hörig gewesen war, wird aus ihrer dienenden Stellung entlassen, sie wird selbständig. Die Künstler erhalten ihre gesellschaftliche Stellung nicht mehr als Hofbeamte, wenn auch
der Titel erhalten bleibt (auch Schadow und Dannecker sind noch Hofbildhauer gewesen), sondern
als begnadete Träger einer genialen Veranlagung. Ihre Schöpfungen sind nicht mehr dekorative
Attrappen im Dienste des Gottesgnadentums. Der Zweck der künstlerischen Tätigkeit ist nicht
mehr die Steigerung der Machtidee. Das Kunstwerk hat den Wert in sich selbst als Ausdruck einer
neuen Idealität, einer neuen Menschlichkeit, der Humanität. Für Deutschland, wo der Dualismus
von höfischer und volkstümlicher Kunst im 18. Jahrundert sich nie ganz verloren hatte, war von
unheilvoller Folge die weitere Konsequenz der Aufklärung, die Vernichtung der weltlichen Macht
der geistlichen Fürsten und die Aufhebung der Klöster. Die Kirche hat jetzt ihre Rolle als der größte
Mäzen im Reiche, als der wichtigste Vermittler zwischen dem gewachsenen Kunstbetrieb und dem
freien Künstlertum, ausgespielt. Die materielle Verarmung durch die politischen Umwälzungen,
durch die Kriege, tut ein Übriges, um den Boden für die Kunst zu verhärten. Die Folge ist nichts
weniger als das Verschwinden der Stammeskunst, die bisher den Reichtum der deutschen Kunst
bedingt hatte. Die Quellen volkstümlicher Ursprünglichkeit, die immer wieder über das zünftige
Kunsthandwerk in die große Kunst einströmten, werden verschüttet. Die provinziellen Zentralen
gehen ein, und die Stätten der Akademien ziehen alle Kräfte an sich. In Deutschland kann man im
Zeitalter des Klassizismus nur mehr vier Städte als Zentralen bezeichnen, Berlin, Wien, München,
Stuttgart« (Feulner).

Hohe Geltung der ästhetischen Theorie

Ähnliche Überlegungen erklären für Dehio den Kontrast zwischen der bildenden Kunst und der
Dichtung in der Goethezeit. »Die schöpferische Kraft des deutschen Geistes verließ die Welt des
Raumes und des Auges und sprang über in die Dichtkunst. Man kann diesen Umschwung nicht verstehen ohne Beachtung seines engen Zusammenhangs mit der gleichzeitigen Verschiebung der
Schwerpunkte innerhalb der gesellschaftlichen Ordnung. Die bildende Kunst, wir sahen es, war
getragen von einer aristokratischen Gesellschaft. Die neue Dichtung entsproß dem Bürgertum, das
jetzt an Stelle jener die geistige Führung übernahm. Dies verjüngte Bürgertum hatte aber mit der
alten ständischen Gliederung nichts zu tun. Es bestand aus der formlosen Vereinigung aller geistig
freien, auf Schöpfung einer neuen, rein geistigen Welt hinstrebenden Menschen. Von der Tradition
hatte sie sich gelöst, auch von der Tradition der Kunst. Dem Barock kehrte diese Generation un-
willig den Rücken zu, aber eine neue Stilschöpfung gelang ihr nicht. Die Epoche, die wir nach
Lessing und Herder, nach Goethe und Schiller benennen, ist eine Erneuerung der bildenden Kunst
der Nation schuldig geblieben. Nur in sehnsüchtigen Rückblicken auf weit entlegene Zeiten nahm
der Deutsche noch teil an der Kunst des Raumes und des Auges. Doch es wurde keine lebendige

248. Asmus Jakob Carstens (1754–1798): Die Einschiffung des Megapenthes. *Zeichnung (Dr. Franz Stoedtner, Düsseldorf).*

Renaissance daraus. Es ist so und nicht anders: der Frühling der deutschen Dichtung wurde der bildenden Kunst eine Eiszeit.« Das verhindert natürlich nicht, daß in dieser Zeit von Kunst immer wieder gesprochen wird, denn das gehört jetzt zur Bildung. Franziskas »gute Bemerkung« ist auch hier nicht ohne Bedeutung:»Man spricht selten von der Tugend, die man hat; aber desto öfter von der, die uns fehlt.«Kunsttheoretische Schriften erschienen in Hülle und Fülle, deren Verfasser»zur Kunst fast kein anschauliches Verhältnis hatten«. Selbst Kant, Lessing und Herder sind hier keine Ausnahme. Sie kennen die alten Kunstwerke, auf die sie hinweisen, durch die Betrachtung von Kupfer-

249. John Flaxman (1755 bis 1826): Achilleus schleift Hektor. *Umrißzeichnung.*

stichen und höchstens von Gipsabgüssen. Kein Wunder, wenn immer mehr der Inhalt des Kunstwerks überbetont wird, das technische Können aber und die Farbe vernachlässigt werden. Carstens, der konsequenteste unter den Malern des Klassizismus, erklärte in den 90er Jahren, die Hauptsache für den Maler sei die Wahl des Inhalts und die Poesie der Erfindung, was, wie wir sahen, eigentlich auch Goethes Meinung aussprach. Carstens versuchte Ideen so direkt wie möglich mitzuteilen, sein meist fragmentarisches Werk beschränkt sich fast auf das Zeichnen, mit kaum einer Spur von Farbe. Ähnliches verlangten die Weimarer Kunstfreunde vom jungen Künstler, und in dieser Atmosphäre waren Umrißzeichnungen nach der Art von Flaxman jahrelang die große Mode, auch noch für die Faustillustrationen von Retsch. Man hat das Gefühl, daß solche Zeichnungen die Ideen des Geistes möglichst rein und ungetrübt ausdrücken. Die Ausführung in Farben hat etwas Handwerksmäßiges, worüber der reine Künstler erhaben ist. Am liebsten bringen sie schließlich ihren Geist und ihr Wissen im bloßen Entwerfen monumentaler Fresken zur Geltung, im Zeichnen der Kartons. So sind z.B. die Fresken von Peter Cornelius für die Alte Pinakothek entstanden. Die Ausführung, auch die Farbenbestimmung, stammen von ganz unbekannten Künstlern, Schotthauer, Zimmermann usw., und da der Maler am Ende dieses Verfahrens beim gebildeten Publikum auf Unverständnis stieß, griff er selbst zum Worte, um Mit- und Nachwelt ja nicht in Unkenntnis zu lassen von dem, was er sich alles dabei gedacht – so Cornelius, Overbeck, Schnorr von Carolsfeld.

Bildhauerei

Trotz der weitverbreiteten »Ermattung der künstlerischen Sinnlichkeit«, an der nach der Meinung vieler Kunstforscher die bildende Kunst der Goethezeit und der darauf folgenden Generation gelitten hat, gibt es doch in einigen Kunstzweigen erfreuliche Ausnahmen, in der Bildhauerei und Porzellanplastik z. B., im Porträt und in der Landschaftsmalerei. Eine ausgesprochene Individualität und hohes, angeborenes Talent zeigte als Bildhauer Johann Gottfried Schadow (1764 bis 1850) in Berlin. Er war kein Sklave der Theorie und Verächter des Handwerklichen. Er hielt sich für nicht zu gut, oft nach Vorzeichnungen Schinkels zu arbeiten, denn er wußte, wieviel Per-

250. Johann Gottfried Schadow (1764–1850): Kronprinzessin Luise und Prinzessin Friederike von Preußen. *Berlin Schloßmuseum.*

251. Johann Gottfried Schadow: Grabmal des Grafen von der Mark (*Ullstein, Berlin*).

sönliches die Ausführung ihm noch gestattete, und hatte zeitlebens die größte Freude an der Behandlung des Steins, am Technischen im Bronzeguß usw. Mit 25 Jahren, kurz nach seiner Rückkehr aus Rom, konnte er das Grabmal des Grafen von der Mark schaffen, und es folgten rasch eine Reihe von anderen Denkmalen, der Siegeswagen auf dem Brandenburger Tor und in seinem 30. Lebensjahre sein Hauptwerk, die Gruppe der Kronprinzessin Luise und Prinzessin Friederike, wo die diskrete Idealisierung, z. B. im meisterhaft bearbeiteten Faltenwurf der damals gerade modischen antiken Kleider aus dünnem Stoffe, den Eindruck jugendlicher Grazie und Natürlichkeit durchaus nicht beeinträchtigt. Nach den Kriegen wurde Schadow viel zu früh durch den gewandten und sicher sehr begabten Christian Rauch in den Schatten gestellt. Sein Ruhm, sagte er, »sei in Rauch aufgegangen«. Einige andere Zentren hatten klassizistische Bildhauer, die etwa mit Rauch, aber nicht mit Schadow, zu vergleichen wären, Wien z. B. seinen Franz Zauner, der 1806 das Denkmal Josefs II. auf dem Josefsplatz vollendete, und Stuttgart seinen Johann Heinrich Dannecker, dessen bekannte Schillerbüste eine »Apotheose« seines Schulfreundes sein sollte.

Porzellanplastik

Die Porzellanplastik, die in Deutschland im 18. Jahrhundert zu einem wichtigen neuen Kunstgebiet wurde, vor allem durch die hervorragenden Leistungen J. J. Kändlers in Meißen, weist noch in der Goethezeit einige bedeutende kleine Kunstwerke auf, um im 19. Jahrhundert in der Routine

252. Christian Daniel Rauch (1777–1857): Sarkophag der Königin Luise *(Historia-Photo)*.

ganz einzugehen. Kändler starb 1775, aber einige seiner früheren Schüler und Mitarbeiter waren noch an anderen Fabriken tätig. F. E. Meyer z. B. war von 1761 bis zur Französischen Revolution Modellmeister in Berlin, wo sein Bruder W. C. Meyer schon früher engagiert worden war. Der eine schuf Reliefbildnisse und Porträtbüsten, und der andere viele unter den besten Figuren und Gruppen des Berliner Porzellans, z. B. die feine allegorische Gruppe ›Austria und Gallia‹ zur Feier der Hochzeit von Marie Antoinette. Auch Schadow hatte Beziehungen zur Fabrik, wie so viele namhafte Bildhauer in anderen Zentren. In Frankenthal war Konrad Linck z.B., der Aufträge der verschiedensten Art glänzend ausführte: reizende Kleinfiguren, große Gartenplastik für den Schwetzinger Park und allerlei Vasen, Büsten und Reliefs, in seinen letzten Jahren Professor an der Mannheimer Akademie. In Frankenthal wirkte längere Zeit auch der vielseitige J. P. Melchior. Nach der Revolution wandte er sich wieder der Großplastik zu. Die besten Figuren der erst 1758 gegründeten Ludwigsburger Fabrik modellierte der bedeutende Bildhauer W. Beyer, der, in Dresden als Gartenarchitekt ausgebildet, in Stuttgart zur Architektur überging, von

253. Johann Heinrich von Dannecker (1758–1841): Schiller-Büste *(Archiv für Kunst und Geschichte, Berlin)*.

254. Primgeiger. Porzellanplastik von Wilhelm Beyer (1725–1806),
Ludwigsburg *(Deutsche Fotothek, Dresden)*.

Karl Eugen nach Paris geschickt und dort Maler wurde, um schließlich nach acht Jahren in Rom als Hofbildhauer und Modellmeister in Württemberg zu enden. In den 70er Jahren wurde ihm vom Kaiser die plastische Ausstattung des Gartens in Schönbrunn übertragen. Er lieferte die Modelle sieben Jahre lang für 15 Wiener Bildhauer, unter denen sich Anton Grassi befand, Modellmeister an der Wiener Fabrik in ihrer Blütezeit in den 80er Jahren. Der Künstler, der sich für die Porzellanplastik gewinnen ließ, war in mancher Hinsicht gebunden. Er war Hofbediener und mußte sich den Launen seines Fürsten bequemen. Er mußte meist bestimmte Aufträge ausführen und konnte sich nur innerhalb enger technischer Grenzen bewegen. In dieser Beschränktheit konnte aber der wahre Künstler seine Meisterschaft oft viel besser zeigen als derjenige, dem alles an dem freien Ausdruck seiner Persönlichkeit lag.

Das Porträt

In ähnlicher Lage befanden sich unter den Malern die Porträtisten. Das Handwerkliche mußte auch bei ihnen eine große Rolle spielen, und das, was sie schufen, befriedigte ein bestimmtes Bedürfnis in der sie umgebenden Gesellschaft. Viele hatten wie die genannten Bildhauer ein Stück Welt gesehen, sich vielleicht in Paris oder Rom ausgebildet, gewöhnlich mit der Unterstützung eines Fürsten, und sich schließlich in einer Residenz oder großen Handelsstadt niedergelassen. Der Porträtist vornehmer Kreise in der Goethezeit suchte seine Vorbilder nicht mehr wie früher in Frankreich, sondern in England, wie wir das schon auf vielen Gebieten der Kultur notierten. Die Deutschen, die sich am ehesten mit den großen englischen Porträtmalern vergleichen lassen, sagt Feulner, sind der Leipziger Tischbein (Friedrich August) und Heinrich Friedrich Füger in Wien. Als kultivierte Kosmopoliten lassen sie ihre vornehmen Kunden so erscheinen, wie diese es wünschen. Sie betonen bei den Männern das Vornehme und Reservierte, bei den Frauen die lächelnde Grazie. Außer den sächsischen Fürsten- und Adelsfamilien hat Tischbein die bekanntesten Dichter und Schriftsteller gemalt, aber Goethe hat ihn als oberflächlich abgelehnt. Füger hat in unzähligen großen Porträts und Miniaturen die Fürsten und Adligen Wiens und ganz Österreichs gemalt. Aus den Literaturgeschichten viel bekannter sind die wenig idealisierten, mehr intimen Bildnisse, die der Schweizer Anton Graff von bürgerlichen Größen gemacht hat, z.B. von Herder und Wieland, und von seinem

255. Friedrich Heinrich Füger (1751–1818):
Bildnis Graf Karl Ludolf *(Historia-Photo)*.

Freunde Chodowiecki, dem Maler und
Illustrator. Er scheint diesen wie in
einer Momentaufnahme darzustellen,
wie er gerade die Brille mit beiden
Händen abnimmt und sich ihm lächelnd zuwendet. Die realistische Behandlung ist hier besonders passend,
da Chodowiecki selbst die Welt des
Alltags so sachlich beobachtet. Die
Skizzen in seinem Tagebuch seiner
Reise nach Danzig, die Radierung seiner Familie im Wohnzimmer und einige kleine Gesellschaftsstücke bringen uns das bürgerliche Leben seiner
Zeit vollkommen überzeugend vor
Augen. In unzähligen Illustrationen
hat er einen sittengeschichtlichen Kommentar zur norddeutschen Wirklichkeit gezeichnet, wie wir sie für keine
andere Gegend besitzen.

Landschaftsmalerei

Die Idee der Rückkehr zur Natur
hat seit Rousseau eine so reiche Natur-
dichtung hervorgerufen, daß wir es
auf den ersten Blick erstaunlich finden,
wenn uns in der Malerei der Goethezeit zunächst wenig Entsprechendes
begegnet. Das Ziel des Landschafts-
malers in den letzten Jahrzehnten des
18. Jahrhunderts ist aber in der Regel
eine ideale Schönheit, wie man sie seit

256. Daniel Chodowiecki (1726–1801). Direktor
der Königlichen Akademie der Künste zu Berlin. *Gemalt von Anton Graff. Gestochen von Fr. Arnold (Historia-Photo)*.

257. Ferdinand Kobell (1740–1799): Der Wasserfall. Gemälde *(Dr. Franz Stoedtner, Düsseldorf).*

Jahrhunderten in der Figurenmalerei suchte, und für den Klassizisten ist die Landschaft sowieso bloß ein Hintergrund für die menschliche Gestalt. »Auch diese Natur ist noch konstruiert, ein Bukett von Blumen. Jede einzelne ist in der Natur gewachsen, aber der Strauß ist doch künstlich ... Daß alles Schema, alles Theatralische wegfallen kann, daß die heimatliche Landschaft in ihrer Schlichtheit vollwertiges künstlerisches Thema wird, daß selbst die Staffage nur malerischer Vorwurf bleibt oder unnötig wird, diese vollständige Emanzipation vom barocken Empfinden gleicht einem Neuentdecken der Natur« (Feulner).

Wie europäische Dichter so vielfach durch Reisen in der Schweiz für die Schönheit der »wilden« Natur empfänglich wurden, so auch die Maler. Der Schweizer Salomon Geßner schafft in den Vignetten zu seinen ›Idyllen‹ »die ersten heimatlichen Landschaften, in denen Gefühle und Stimmungen malerischen Ausdruck erhielten«, allerdings die Gefühle und Wünsche des empfindsamen Zeitalters, wie sie Winckelmann in Griechenland findet, und gleichfalls mit griechischer Staffage. Aber das ist nur ein bescheidener Anfang. In den 70er und 80er Jahren malt Ferdinand Kobell in Mannheim und Mainz, im Atelier nach Skizzen im Freien, mehrere Serien von Landschaften, die durchaus den Eindruck getreuer Darstellung machen, und mehrere weniger bekannte Maler in Dresden haben Ähnliches versucht. Hier hat Caspar David Friedrich später seine romantischen Stimmungsbilder gemalt. Aber die führenden deutschen Landschaftsmaler um die Jahrhundertwende gehören zur deutschen Malerkolonie in Rom und komponieren ihre Bilder nach feststehenden Regeln. Der Tiroler Josef Anton Koch kam 1795 als 27jähriger nach Rom und war bis zum Tode von Carstens drei Jahre später eng mit diesem befreundet. Koch wurde der »Vater der Heroischen Landschaft« genannt, und er hat in der Tat wahre Epen der Natur aufgebaut, mit vielen Episoden, die trotz der starken Kontraste und der Übersteigerung des Charakteristischen zu einer alles umfassenden Einheit zusammengeschmolzen sind. »Das Ganze muß eher da sein, als die Teile, es ist das Erste und

258. Josef Anton Koch (1768–1839): Hylos wird von den Nymphen geraubt. Gemälde *(Archiv für Kunst und Geschichte, Berlin)*.

Ursprüngliche, und das Einzelne muß sich daraus entwickeln«, sagte er zum jungen Ludwig Richter. Er riet ihm, den Entwurf eines Bildes nicht in voller Größe, sondern auf ein Quartblatt zu zeichnen, »wodurch ich genötigt sein würde, vom Einzelnen abzusehen und auf gute Verteilung und schöne Linienführung zu achten«. Der klare Aufbau fällt sofort auf in seinem herrlichen Bild in der Neuen Pinakothek ›Ideallandschaft mit dem heiligen Georg‹, auch in den wuchtigen Bildern, die er in reifen Jahren nach Aquarellen gemalt hat, welche 30 Jahre früher auf seiner Reise durch die Schweiz entstanden waren. Unter vielen Malern, die er beeinflußt hat, steht ihm J. C. Reinhart, ein Jugendfreund von Schiller auf der Karlsschule, in seinen besten Radierungen am nächsten.

Caspar David Friedrich

Wenn Kochs Landschaften sich mit Epen vergleichen lassen, so sind die jetzt viel bekannteren von Caspar Friedrich vielmehr lyrischen Gedichten ähnlich. Der Maler Wilhelm v. Kügelgen hat ihn in seinen ›Jugenderinnerungen‹ treffend charakterisiert – Friedrich war ein intimer Freund seines Vaters, der auch Maler war, und verkehrte gern und zutraulich mit den Kindern. »Im allgemeinen

259. Georg Friedrich Kersting (1785–1847): Caspar David Friedrich an der Staffelei. Gemälde *(Deutsche Fotothek, Dresden)*.

war er menschenscheu, zog sich auf sich selbst zurück und hatte sich der Einsamkeit ergeben, die je länger, je mehr seine Vertraute ward, und deren Reize er in seinen Bildern zu verherrlichen suchte. Es war sonderbares Zeug, was Friedrich malte. Nicht paradiesische Gegenden voll Reichtum und lachender Pracht, wie Claude sie liebte, und alle diejenigen gern sehen, die nur Stoff und Machwerk ansehen. Sehr einfach, ärmlich, ernst und schwermutsvoll, glichen Friedrichs Phantasien vielmehr den Liedern jenes alten Keltensängers, deren Stoff nichts ist als Nebel, Bergeshöhe und Heide. Ein Nebelmeer, aus dem eine einsame Felsenkoppe ins Sonnenlicht aufragt, ein öder Dünenstrand im Mondschein, die Trümmer eines Grönlandfahrers im Polareise – so und ähnlich waren die Gegenstände, die Friedrich malte, und denen er ein eigentümliches Leben einzuhauchen wußte.« Kleist und Brentano haben ihn geschätzt, auch Goethe hat ihn mehr als einmal gelobt, aber die meisten Menschen hatten keinen Sinn für sein Werk. »Hätte mein Vater die Fremden, die seine Werkstatt besuchten, nicht regelmäßig auf Friedrich verwiesen und überall Lärm für ihn geschlagen«, schreibt Kügelgen, »so würde der bedeutendste Landschaftsmaler seiner Zeit gehungert haben.«

Friedrichs Bilder haben einen harmonischen Aufbau und sind mit dem feinsten Sinn für die Nuancen der Farbe gemalt. Das Dekorative ist aber nie bei Friedrich Hauptzweck. Man ahnt hinter der ganz konkreten Erscheinung eine geheime Mystik, die der einsame Grübler, den uns Kersting an der Staffelei zeigt, in die Natur hineinliest. Friedrich erscheint uns jetzt, mit Runge, als die Erfüllung dessen, was Friedrich Schlegel 1804 im ›Europa‹ gefordert hatte: »Eine Hieroglyphe, ein göttliches Sinnbild soll jedes wahrhaft so zu nennende Gemälde sein; die Frage ist aber nur, ob der Maler seine Allegorie sich selbst schaffen, oder aber an die alten Sinnbilder sie anschließen soll, die durch Tradition gegeben und geheiligt sind.« Friedrich und Runge wählen den ersten »gefährlicheren« Weg, die Nazarener den zweiten.

Schiffe im Hafen am Abend

Ölgemälde von Caspar David Friedrich um 1830. Dresden, Gemäldegalerie (Deutsche Fotothek, Dresden)

Tafel VIII

260. Caspar David Friedrich (1774–1840): Zwei Männer in der Betrachtung des Mondes. Gemälde, 1819 *(Historia-Photo)*.

261. Caspar David Friedrich: Klosterfriedhof im Schnee. Gemälde, 1819 *(Archiv für Kunst und Geschichte, Berlin)*.

Philipp Otto Runge

Philipp Otto Runge ist schon 1810 mit 33 Jahren gestorben, 30 Jahre vor dem etwa gleichaltrigen Friedrich. »Das Bilden in der lebendigen Gegenwart«, schreibt er 1808 an Arnim, »ist wie der

262. Philipp Otto Run-
ge: Wir drei. Der Künst-
ler mit seiner Frau und
seinem Bruder. Gemäl-
de, 1805 *(Archiv für Kunst
und Geschichte, Berlin)*.

263. Philipp Otto Runge:
Die Hülsenbeck'schen
Kinder. Gemälde, 1805
bis 1806. Hamburg,
Kunsthalle *(Archiv für
Kunst und Geschichte, Ber-
lin)*.

Gang durch eine unendliche üppige Wildnis, es gehört dazu ein unverzagter Mut und ein ununterbrochenes Aufmerken, wer etwas Ganzes herausholen will, und wo man sich sehr in acht zu nehmen hat, die einzelnen phantastischen Gestalten, sie mögen noch so reizend sein wie sie wollen, nicht Herr über sich werden zu lassen, sonst könnte man in der Überschwemmung einer hereindringenden Phantasie bald untergehen.« Die Gefahren, die Runge sich nicht verhehlen kann, rühren hauptsächlich von der schwerverdaulichen Masse von Ideen her, die Runge vor allem durch den Umgang mit Tieck in Dresden zugeführt wird, Ideen von Wackenroder, Novalis und sogar Jakob Böhme, über Natur- und Blumensymbolik, Synästhesie, über die Kunst als Andacht, über die Verbindung der drei Künste in einem Gesamtkunstwerk usw. Schon früher begegnet man bei ihm dem Begriff der »Hieroglyphik«, und Friedrich Schlegels schon erwähnte Gedanken über eine hieroglyphische Kunst sind vielleicht eine systematische Erweiterung von dem, was er im vorigen Jahr von Runge selbst in Dresden gehört hatte. Das Innerliche, Philosophische, droht das spezifisch Malerische zu ersticken. Goethe hatte vielleicht nicht so ganz unrecht gehabt. »Als Anlage ist in Runge alles vorhanden«, schreibt H. Hildebrandt, »angeborene Monumentalität der geistigen wie der formalen Anschauung; der Sinn für das Spielerisch-Leichte der dekorativen Aufgabe; kraftvolle Erfassung des Wirklichen; der Hang zum Landschafter großen Stils; gleich feines Gefühl für Linie und Farbe; Erkenntnistrieb, klares Denken und scharfe Logik. Hohe dichterische Begabung, am reinsten in seinen Briefen ausgeprägt, tritt hinzu.« Das Werk bleibt Fragment, aber ein großartiges. Besonders ansprechend sind die großen Bildnisse ›Die Eltern des Künstlers‹, ›Wir Drei‹, ›Die Hülsenbeck'schen Kinder‹, für Runge nur Vorübung zu den geplanten Monumentalgemälden der vier ›Tageszeiten‹, die als Radierungen früh erschienen.

Die Nazarener

Die ersten Führer der Malergruppe, die sich an »die alten Sinnbilder« des Christentums anschlossen, waren zwei Freunde, Friedrich Overbeck und Franz Pforr, die mit einigen anderen Schülern Fügers und Zauners an der Wiener Akademie, aus Opposition gegen den für sie dürren Geist des Klassizismus, die schon erwähnte Lukas-Brüderschaft gründeten und 1810 nach Rom pilgerten. Die Weltstadt der Kunst war damals bekanntlich Rom, nicht Paris, und die dortige deutsche Malerkolonie ging auf die Tage von Winckelmann und Mengs zurück. Aber die neuen Ankömmlinge suchten

264. Deutsche Künstler im Café Greco in Rom. Zeichnung von Carl Philipp Fohr, 1795–1818 *(Städel'sches Kunstinstitut, Frankfurt am Main).*

265. Johann Friedrich Overbeck (1789–1869): Verkauf Josephs. Fresko in der Casa Bartholdy, Rom, 1816/1817 *(Dr. Franz Stoedtner, Düsseldorf)*.

266. Kronprinz Ludwig von Bayern in der »Spanischen Weinkneipe« zu Rom in Gesellschaft von deutschen Künstlern. Gemälde von Franz Catel, 1778–1856 *(Archiv für Kunst und Geschichte, Berlin)*.

nicht, wie die meisten, neben dem Umgang mit älteren Künstlern den Reiz der klassischen Altertümer, sondern die heilige Stadt mit ihren Kirchen und ihrer christlichen Kunst. Ihr Leben in San
Isidoro sollte Wackenroders erträumtem Vorbild in den ›Herzensergießungen‹ gleichen. Für Overbeck, der, obgleich er aus einer streng protestantischen Lübecker Theologenfamilie stammte, 1813
zum Katholizismus übertrat, war »nur das ununterbrochene Herzens-Gebet imstande die Begeisterung des Künstlers festzuhalten«. Die Führung war auch hier bei der Innerlichkeit, aber einer
fanatisch religiösen. In den ›Berliner Abendblättern‹ erschien 1810 der ›Brief eines Malers an seinen
Sohn‹, wo Kleist in weltmännischem Tone einen solchen mönchisch-frommen Künstler verspottet.
»Du schreibst mir, daß Du eine Madonna malst, und daß Dein Gefühl Dir, für die Vollendung dieses
Werks, so unrein und körperlich dünkt, daß Du jedesmal, bevor Du zum Pinsel greifst, das Abendmahl nehmen möchtest, um es zu heiligen.« So fängt der Brief an, und der Vater hält seinem Sohne
folgende Überlegung entgegen: »Die Welt ist eine wunderliche Einrichtung; und die göttlichsten
Wirkungen, mein lieber Sohn, gehen aus den niedrigsten und unscheinbarsten Ursachen hervor. Der
Mensch, um Dir ein Beispiel zu geben, das in die Augen springt, gewiß, er ist ein erhabenes Geschöpf; und gleichwohl, in dem Augenblick, da man ihn macht, ist es nicht nötig, daß man dies, mit
vieler Heiligkeit, bedenke.« Kleist befürchtet, wie Goethe, bei einer solchen Haltung eben das »Er-
matten der künstlerischen Sinnlichkeit«, und im Falle Overbecks sind die Folgen mit Händen zu
greifen, obgleich er ein herzensguter Mensch war, der seinen Drang, in Bildern zu predigen, ehrlich
für das Gebot Gottes hielt. »Die Kunst konnte den Bruch mit der Überlieferung nicht überwinden;

267. Konturstich nach Peter von Cornelius, 1783–1867 *(Original im Münchner Stadtmuseum)*.

268. Julius Schnorr von Carolsfeld (1794 bis 1872): Flucht nach Ägypten. Holzschnitt *(Dr. Franz Stoedtner, Düsseldorf)*.

sie zeigt, vergleichen wir sie mit der religiösen Kunst des Mittelalters, nur zu deutlich, daß sie etwas Konstruiertes, Gewolltes, nichts Gewordenes ist, weshalb auch die ernstesten Versuche in ihr keinen wahren, d. h. aus innerer Notwendigkeit entsprungenen Stil haben. Die religiöse Kunst des 19. Jahrhunderts fand keinen Boden im Volk. Die gewaltigen Schöpfungen des Peter Cornelius in der Münchener Ludwigskirche und für den Campo-santo in Berlin gingen an den Zeitgenossen ohne Wirkung vorüber. Und überhaupt blieb im 19. Jahrhundert die monumentale Malerei, so viel Anstrengungen in ihr gemacht wurden, eine Treibhauspflanze« (Dehio). Die ersten Versuche mit der Erneuerung der Freskenmalerei gingen von

269. Franz Anton Maulbertsch (1724–1796): Der hl. Jakobus von Compostella treibt die Sarazenen in die Flucht. Fresko *(Dr. Franz Stoedtner, Düsseldorf)*.

Overbeck und den deutschen Künstlern, die sich ihm angeschlossen hatten, aus. Das geschah zwischen 1815 und 1817 in den Villen des Bankiers Bartholdy und des Fürsten Massimi, durch Overbeck, Cornelius, W. Schadow, Philipp Veit und Julius Schnorr von Carolsfeld. Es folgten mit der Zeit eine ganze Reihe von wichtigen Aufträgen in Deutschland. Aber in den Museen, Schlössern und Kirchen, wo die Nazarener und ihre Schüler so enorme Flächen mit Fresken geschmückt haben, stößt man selten auf ein Bild, das den Beschauer rein malerisch halb so direkt anredet wie etwa die visionären, farbenprächtigen Fresken und Tafelbilder, späte Ausläufer der Barocktradition, die Franz Anton Maulbertsch bis in die 1790er Jahre für österreichische und deutsche Kirchen mit müheloser Originalität zu malen fortfuhr.

Wandel der Weltanschauung in der Goethezeit

»Die Geschichte der Wissenschaften«, sagte Goethe in einer seiner ›Maximen‹, »ist eine große Fuge, in der die Stimmen der Völker nach und nach zum Vorschein kommen.« In einer anderen spricht er von dem »Lobgesang der Menschheit, der sich bald in einzelnen Stimmen, in einzelnen Chören, bald fugenweise, bald in einem herrlichen Vollgesang« vernehmen läßt. Die Geschichte der »Menschheit« oder Humanität, auf die er hier ganz herderisch zurückblickt, schließt für uns Heutige auch sein eigenes Zeitalter ein, und es ist sinnvoll, seine Worte präzisierend, die europäische Kultur seit der Renaissance mit einer Fuge zu vergleichen, in der die großen Völker eines nach dem anderen die Stimme erheben. Nach Italien, Spanien, Frankreich, England erlebt Deutschland endlich seine Renaissance und zeigt auf seine Weise, was für Möglichkeiten im Menschentum liegen. Nicht nur die Deutschen selbst, wie wir sahen, erkennen in der Kultur der Goethezeit einen neuen, höchst individuellen Ton. Auch die Nachbarvölker vernehmen ihn früher oder später, und an ihrer Aufnahme des Neuen lernen die Deutschen sich selbst besser kennen.

Geltung des deutschen Geistes im Ausland

Erst um das Jahr 1813 herum sind in England und Frankreich Anzeichen vorhanden, daß mehr als ein paar Sonderlinge im gebildeten Publikum die deutschen Zeitgenossen und vor allem Goethe mit wirklichem Anteil und einigem Verständnis zu lesen anfangen. Es war natürlich wichtig, daß nach der Schlacht bei Leipzig der geistige Verkehr zwischen Deutschland und seinen Nachbarn sich in freieren Formen bewegen konnte, aber noch wichtiger war in diesem Jahre das Erscheinen des Deutschlandbuches der Frau von Staël. Bis dahin hatte man in England nur zufällige und äußerliche Eindrücke von der neuen deutschen Literatur bekommen, obgleich von etwa 1790 an ziemlich viel übersetzt wurde. Goethes ›Werther‹ riß die Sentimentalen hin, wie überall, und es entstand eine ganze Wertherliteratur. Die erste Übersetzung erschien 1779, aus dem Französischen, wie viele andere deutsche Werke, denn Deutsch konnten fast nur die paar Deutschen, die sich zu Handelszwecken in England aufhielten. Der literarische Verkehr war nahezu einseitig von England nach Deutschland gerichtet. »Wir kennen zur Zeit noch die Spitzbuben der Engländer besser«, schrieb

Lichtenberg, der viel in England gewesen war, »als sie unsere Gelehrten.« In den 90er Jahren erschienen ›Die Räuber‹ und andere Jugenddramen Schillers auf englisch und machten einen Eindruck; was das Publikum von 1800 zu sehen bekam, war meist vom Sturm und Drang und galt als
revolutionär und unmoralisch. Die paar Sachen von Geßner, Wieland, Klopstock, Gellert, die übersetzt wurden, blieben unbeachtet, aber Kotzebue und Iffland wurden viel und mit Erfolg gespielt,
und ein phantastisch-pittoreskes Deutschland kam im sehr beliebten Schreckensroman zum Vorschein. Auch Walter Scott interessierte sich am meisten eigentlich für diesen Aspekt. August
Lafontaine und viele jetzt unbekannte Unterhaltungsschriftsteller wurden sofort übersetzt und viel
gelesen; man nannte Lafontaine sogar »den deutschen Fielding«.

Mme. de Staëls überwiegend von Bewunderung diktiertes Bild des Weimarer Dichterkreises und
des deutschen Lebens in seiner Einfachheit und Geistigkeit hat das ganze 19. Jahrhundert hindurch
die Hauptzüge der im gebildeten Ausland, vor allem in den angelsächsischen Ländern, herrschenden Auffassung von Deutschland bestimmt. In privaten Briefen äußerte diese energische Gegnerin
Napoleons ihr Erstaunen über die politische Gleichgültigkeit Wielands, Goethes und Schillers. Nirgends in der Welt könne man mehr abstrakte und weniger positive Ideen finden, sagt sie, als in Weimar. In England im Jahre 1813 hörte man gern auf eine aus Frankreich politisch Verbannte und
übersah die Einseitigkeit ihres Bildes. Das Interesse, das sie für Deutschland erweckte, spiegelt sich
in einer Flut von Reisebeschreibungen über Deutschland, aus denen oben zitiert wurde, und sie bereitet den Weg für den großen Propheten Goethes und der deutschen Literatur in England, Thomas Carlyle. Er war es, der das Bild Deutschlands als das Land der Dichter und Denker verbreitete,
indem er die deutsche Lebensanschauung dem wachsenden Materialismus seines eigenen Landes ge-
genüberstellte. Die deutschen Dichter, so schien es ihm, hatten in ihrem Bemühen, eine dem modernen
Geist annehmbare Religion zu erringen, dieselben geistigen Konflikte durchgemacht wie er selbst.
Im besonderen bewunderte er ihre Fähigkeit, geistige Ehrlichkeit mit ursprünglicher Religiosität zu
verbinden, und er schätzte an der klassisch-romantischen Literatur ganz überwiegend ihren Ideengehalt, die erhabene Auffassung des Menschentums, die für ihn so stark mit dem trockenen Materialismus der französischen Aufklärung kontrastierte. Wenn Carlyle vielleicht das unbedingt Protestantische im deutschen Idealismus überbetont hat, so haben seine Nachfolger, G. H. Lewes in seiner
Goethebiographie und der Dichter und Kritiker Matthew Arnold das Künstlerische hervorgehoben und auf das umfassende Bildungsideal der Zeit hingewiesen. Arnold mußte zugeben, daß Words-
worth, den er für einen der größten englischen Dichter hielt, mit Bezug auf den Umfang seiner
Kenntnisse und Interessen nicht mit Goethe zu vergleichen sei. Arnolds Auffassung der Dichtung als »Kritik des Lebens« ist ein Aspekt von einem dauernden Grundzug der englischen literarischen Kritik bis in die Gegenwart, von einer Haltung, die sie für den Ideengehalt des Schrift-
tums der Goethezeit besonders empfänglich machte. Aber auch in Frankreich und Rußland sieht
man gerade im Ideenreichtum der Goethezeit das Charakteristische, und H. Taine schreibt noch
1864: »Von 1780 bis 1830 hat Deutschland alle Ideen unseres Zeitalters hervorgebracht ... Am
Ende des 18. Jahrhunderts erhob sich der deutsche philosophische Geist, der, nachdem er eine neue
Metaphysik, Theologie, Poesie, Literatur, Linguistik, Exegese, eine neue Bildung hervorgebracht,
jetzt in die Naturwissenschaften hinabsteigt und seine Entwicklung fortsetzt. Seit drei Jahrhunderten hat sich kein Geist gezeigt, der origineller, universeller, in allen möglichen wichtigen Folgen
fruchtbarer und fähiger wäre, alles zu verändern und zu reformieren. Worin besteht diese moderne

und deutsche Geistesform? In dem Vermögen, allgemeine Ideen zu entdecken. Keine Nation und keine Zeit hat dieses in einem so hohen Grade besessen wie diese Deutschen.«

Die deutsche Bildung im Entstehen

Nur aus einer gewissen Entfernung ist es möglich, die allgemeinen Tendenzen eines Zeitalters zu unterscheiden, und jeder Versuch, sie zu beschreiben, muß die Gefahr laufen, sie zu fälschen. Eine Stelle in Goethes ›Annalen‹ zeigt, was für konfuse Vorstellungen auch die Weisesten von ihrer eigenen Zeit haben. In den etwa 1820–1823 geschriebenen Annalen für das Jahr 1794 spricht Goethe von dem »wunderbaren Verhältnis«, in dem er damals zu dem Münsterer Kreis um die Fürstin Gallitzin gestanden habe. Es sei »nur durch den Begriff der ganzen Klasse gebildeter oder vielmehr der sich erst bildenden Deutschen einzusehen. Dem besten Teil der Nation«, heißt es weiter, »war ein Licht aufgegangen, das sie aus der öden, gehaltlosen, abhängigen Pedanterie, als einem kümmerlichen Streben herauszuleiten versprach. Sehr viele waren zugleich von demselben Geist ergriffen, sie erkannten die gegenseitigen Verdienste, fühlten das Bedürfnis, sich zu verbinden, sie suchten, sie liebten sich und dennoch konnte keine wahrhafte Einigung entstehen. Das allgemeine Interesse, sittlich, moralisch, war doch ein vages, unbestimmtes, und es fehlte im ganzen wie im einzelnen an Richtung zu besonderen Tätigkeiten. Dabei zerfiel der große unsichtbare Kreis in kleinere, meist lokale, die manches Löbliche erschufen und hervorbrachten; aber eigentlich isolierten sich die Bedeutenden mehr und mehr ...

Die Hauptfiguren wirkten, ihrem Geist, Sinn und Fähigkeit nach, unbedingt; an sie schlossen sich andere, die sich zwar Kräfte fühlten, oder doch schon, gesellig und untergeordnet zu wirken, nicht abgeneigt waren. Klopstock sei zuerst genannt. Geistig wendeten sich viele zu ihm; seine keusche, abgemessene, immer Ehrfurcht gebietende Persönlichkeit aber lockte zu keiner Annäherung. An Wieland schlossen sich gleichfalls wenige persönlich, das literarische Zutrauen aber war grenzenlos; das südliche Deutschland, besonders Wien, sind ihm ihre poetische und prosaische Kultur schuldig; unübersehbare Einsendungen jedoch brachten ihn oft zu heiterer Verzweiflung. Herder wirkte später. Sein anziehendes Wesen sammelte nicht eigentlich eine Menge um ihn her, aber einzelne gestalteten sich an und um ihn, hielten an ihn fest und hatten zu ihrem größten Vorteil sich ihm ganz hingegeben. Und so hatten sich kleine Weltsysteme gebildet. Auch Gleim war ein Mittelpunkt, um den sich viele Talente versammelten. Mir wurden viele Strudelköpfe zuteil, welche fast den Ehrennamen eines Genies zum Spitznamen herabgebracht hätten.« Da nun alle, so schließt er, ihre eigene Selbständigkeit forderten, war das Ergebnis um 1794 »eine aristokratische Anarchie, eine Art Mittelalter, das einer höheren Kultur voranging, wie wir jetzt wohl übersehen«.

Die Bewegung der Geister unter den Gebildeten der Goethezeit, denn um diese kleine Minderheit allein handelt es sich hier, ging von Individuen aus und hatte mit wenigen Ausnahmen, wenigstens bis zu dem Befreiungskrieg, einen gesteigerten Individualismus zum Ziel. Es war oben mehrmals von den Hindernissen, die einer einheitlichen deutschen Kultur im Wege standen, die Rede. Es fehlte vor allen Dingen an einem politischen und kulturellen Zentrum und an einem staatlichen, kirchlichen und gesellschaftlichen Kristallisationspunkt, wie ihn Frankreich im Paris des 17. Jahrhunderts im großen König mit seinem Versailles, in der siegreichen katholischen Kirche und in den Salons besessen hatte. Von allem äußeren Zwang, von allen Resten der korporativen Struktur des Mittelalters wollte man sich befreien. Das Ideal des gebildeten Aufklärers war, wie wir sahen, Freiheit von den lästigen Schranken des Patriotismus, des Standesbewußtseins und der historischen Religionen. Man träumte, wie die Freimaurer, von einer unsichtbaren Kirche der Gebildeten in allen Ländern. Das sind die Ideen, an die Goethe oben anknüpft, und es wird zu zeigen sein, inwiefern diese Kerngedanken auch die zweite Hälfte der Goethezeit beherrscht haben.

Vielheit der Bildungsstufen

Dabei dürfen wir aber den überwiegend agraren Charakter der deutschen Wirtschaft und die damit verbundenen sozialen Verhältnisse nicht aus den Augen verlieren. 1816 wurden, wie oben erwähnt wurde, etwa drei Viertel der Bevölkerung Preußens als ländlich bezeichnet, und selbst in den größeren Städten war es um diese Zeit mit dem Elementarunterricht noch sehr schlecht bestellt, auf dem Lande überall viel schlechter. Von der kleinen Elite der Schriftsteller und Gelehrten ging also die Kurve der Bildung ziemlich steil abwärts über das höhere Bürgertum und den Stadtadel, das philiströse Kleinbürgertum und den Landadel zu der großen Masse der Bevölkerung, den Bauern und ungelernten Arbeitern, die großenteils weder lesen noch schreiben konnten. Die Phrase von dem »Volk der Dichter und Denker« war natürlich bildlich gemeint, aber sie hat in England viel zu hohe Erwartungen erweckt, die ein Besuch in Deutschland bald enttäuschte. Dem Bildungsgrad der verschiedenen Schichten entsprach jeweils ihre Empfänglichkeit für neue Ideen. In den unteren Schichten lebten die meisten noch geistig wie in der Reformationszeit oder im Mittelalter, wir haben das an vielen Beispielen gesehen, und daß sie sich dabei sehr gut befanden. Wie im Bauernkostüm vieler Gegenden die städtische Mode einer fernen Vergangenheit gleichsam versteinert fortlebte, so erhielten sich auch in einer oder der andren Schicht die Empfindungs- und Denkweisen früherer Zeiten. So lesen wir bei Perthes, daß in den 20er Jahren in Sachsen fünfzehn Sechzehntel der Pastoren noch immer in dem Heidelberger Paulus, einem Erzrationalisten, ihren Herrn und Meister sahen, und daß in Gotha die Aufklärung noch unbedingt die Kirche und die Predigt beherrschte, trotz Schleiermacher und der nach dem Kriege neuerstarkten protestantischen Orthodoxie. Ähnlich ist im literarischen Geschmack und in der politischen und sozialen Haltung verschiedener Kreise gleichzeitig eine ganze Skala von Möglichkeiten anzutreffen, die in der Geistesgeschichte als sukzessive Stadien auftreten.

Im Laufe unserer Darstellung des politischen und wirtschaftlichen, des gesellschaftlichen und Berufslebens der Goethezeit und ihrer objektiven Kultur haben wir schon viele leitende Ideen der Zeit berührt. Angesichts der erwähnten Vielschichtigkeit jedes Zeitalters erscheinen uns alle Versuche, das »Wesen« einer geschichtlichen Epoche in noch so vielen Worten festzuhalten, als eine vergebliche Bemühung. Die Theologie und die zünftige Metaphysik der Zeit haben unzählige Geschichtsschreiber gefunden, aber der allmähliche Wechsel der geistigen Atmosphäre in diesen sechzig Jahren läßt sich auf kurzem Raum vielleicht am besten so andeuten, daß man an gewählten Punkten innerhalb dieser Zeit die allgemeinen Züge der in der Oberschicht herrschenden Weltanschauung zu charakterisieren sucht. Wir wählen zu diesem Zwecke die Jahre 1775, 1795 und 1815.

Die geistige Lage um 1775. Die Neologie

Im Jahre 1775 ist die Aufklärung noch in vollem Schwange, aber im literarischen Leben macht sich seit einiger Zeit in wenigen Zentren, vor allem im Kreis um den jungen Goethe in Frankfurt am Main und unter den jungen Dichtern in Göttingen, eine dichterische und dramatische Gegenbewegung bemerkbar. Sie hat bis jetzt nur eine kleine Minderheit der schöpferischen Geister erobert, und ihre bevorzugte Gattung, das Drama, ist auf der Bühne kaum merklich vertreten, aber die neuen Motive und Ideen, die hier auftauchen, werden wie gewöhnlich in den nächsten 20 Jahren von vielen untergeordneten Schriftstellern aufgegriffen und in verwässerter Form volkstümlich gemacht, und von 1781 ab werden sie von Schiller selbständig weiterentwickelt.

In den 70er Jahren spielt in der Theologie die sogenannte »Neologie«, welche die kritische Arbeit der englischen Deisten und der französischen Aufklärer mit deutscher Gründlichkeit und Anpassungsfähigkeit zu Ende führte, die große Rolle. Die Neologen, sagt Karl Barth, machten sich ans Werk, »nicht die Offenbarung als solche zu leugnen (das war dann ein weiterer Schritt auf demselben Wege), wohl aber das als Offenbarung überlieferte Dogma da und dort anzugreifen und schließlich immer mehr zusammenzustreichen, bis es, bis also das, was als Offenbarung anerkannt blieb, ungefähr auf den Bestand dessen zusammengestrichen war, was man als religiöse Vernunftwahrheit für gesichert hielt, nämlich auf die Ideen von Gott, von der Freiheit oder Moral und von der Unsterblichkeit. Man hat z.B. in aufsehenerregenden Kämpfen mehr oder weniger siegreich gestritten gegen den neutestamentlichen Begriff der Besessenheit, gegen die lutherische Abendmahlslehre, gegen die Autorität der symbolischen Bücher, gegen die Ewigkeit der Höllenstrafen, gegen den Teufel, gegen die Satisfaktion durch den Tod Christi, gegen die Übernatürlichkeit der Gnade, gegen die Prädestination. Und man hat ohne öffentliche Kämpfe größeren Umfangs mehr oder weniger energisch und vollständig, teils durch Verschweigen, teils durch Leugnung, teils durch Umdeutung, aufgeräumt mit der Inspiration der heiligen Schrift, mit der Trinität und besonders mit der Lehre von der Gottheit Christi, mit der Erbsünde, mit der Rechtfertigung allein im Glauben, natürlich auch mit Jungfrauengeburt, Höllenfahrt, Auferstehung und Himmelfahrt Christi und überhaupt mit den biblischen Wundern, mit der Wiederkunft Christi und mit der Auferstehung des Fleisches. Augustin muß jetzt ›der schwarzgallige Augustin‹ heißen, weil er so wenig verstanden, daß der Mensch im Grunde gut ist, und Irenäus und Tertullian ›hirnlose Schwätzer und unausstehliche Sophisten‹, und die christliche Antike und das Mittelalter müssen nun *in globo* ›finstere Zeiten‹ heißen, wo ›Unwissenheit, Aberglauben und Gewissenszwang‹ die göttliche Gestalt der Religion verdunkelten.«

Die Religion des Aufgeklärten wird zur Moral

Es entspricht den vorwiegend praktischen Zielen der Aufklärung, wenn für sie das Wichtige an der Religion nicht in der Lehre zu suchen sei, sondern in ihrer Einwirkung auf das ethische Benehmen und auf die psychologische Gesundheit des Menschen. Ihr Ideal war ein Mensch wie Lessings Nathan, der im Lebenskampf die stützende Kraft der Frömmigkeit und des Vertrauens auf die göttliche Vorsehung bewährt. »Das Bestimmtsein durch das seelische Bedürfnis ist typisch für das neologische Stadium der deutschen Aufklärung«, sagt Karl Aner. »Man versteht die Neologie nicht, wenn man sie vorwiegend intellektualistisch charakterisiert. Ihre Dogmenkritik ist nicht aus der *ratio* geboren, sondern aus dem ethischen und dem Gemütsbedürfnis. Nicht der Erkenntnisdrang des Wahrheitssuchers löste die Zweifel aus, sondern die Frage nach dem Wert der überlieferten Lehren für die praktische Frömmigkeit. Was zu brauchen sei in Jugenderziehung und Lebensnot, was zu moralischer Lebensgestaltung führe, was im religiösen Empfinden des Gegenwartsmenschen Widerhall finde – das sind die Zeitfragen geworden. An dem, was dem Glauben an Gottes Güte nicht zu entsprechen schien, an dem Bedenklichen seiner moralischen Konsequenzen, an dem was das Selbstbewußtsein des aufwachenden Geschlechts nicht befriedigte, hat man den stärksten Anstoß genommen.« Man appellierte dabei noch an die Vernunft, aber die Vernunft bedeutet etwas anderes als im Wolffianismus, nämlich nicht bloß Verstand, sondern selbständiges Erleben. Der Glaube ist großenteils zu einer Gefühlssache geworden. »Die ›Tugend‹, worunter man eine gutherzige, lautere, tätigkeitsfrohe Gesinnung verstand, war der Gegenstand der allgemeinen Begeisterung geworden . . . In ihrem Glanze sonnte sich ein seiner moralischen Kräfte bewußtes Geschlecht. Sie verehrte man an anderen unter Tränen der Bewunderung und gelobte man sich in erhabener Stunde. Selbst die Größen der Literatur hielten sich nicht von den Überschwänglichkeiten des Tugendkultus frei. Die Träne der Rührung erglänzte auch in ihren Augen, so oft ihnen das schöne Bild reiner Menschlichkeit entgegentritt. Von Goethe erzählt der junge Voß, wie tief ihn seines Vaters ›Luise‹ bewegt habe, als diese Dichtung an einem Sonntagabend im häuslichen Kreis vorgelesen wurde . . . Jene Zeit fühlte sich selbst höchst lebendig, begriffen im hochgemuten Kampf zwischen Herz und Welt . . . Aus derselben Wurzel stammt der Sturm und Drang, stammt die Neologie. Lange vor Wertherfieber und Siegwartstränen ergriff genuine Aufklärer ein von Klopstock erregter, dem Pietismus ähnlicher, zum Teil aus ihm stammender und doch artverschiedener Überschwang des Gefühls« (Aner).

Gerade das, was uns als die schwächste Seite der Aufklärung und des Zeitalters der Humanität erscheint, ein Zuviel an Herz und ein Zuwenig an Menschenkenntnis und Verstand, hat anscheinend auf Carlyle und seine Freunde den größten Eindruck gemacht. Carlyles Jünger Sterling sieht in ihrer Betonung der Idee der Menschenwürde die Größe der Goethezeit. Der Mensch ist im Grunde gut. Allen Aufklärern gemeinsam, sagt Cassirer, ist die Ablehnung des Begriffs der Erbsünde, und Aner schreibt:»Die Theologie folgt dem Empfinden der Zeit. Das gesteigerte Bewußtsein der Menschenwürde erhebt den Ruf nach Toleranz und Freiheit . . . Die Erbsündenlehre schien als erste mit dem Glauben an die Menschenwürde unvereinbar. Mögen sie sonst noch so getrennte Wege gegangen sein – in der Verurteilung des Sündenpessimismus und dem optimistischen Glauben an die bildungsfähige Menschennatur waren alle Geister der Zeit von Goethe bis Nicolai, von Herder bis zum schlichten Dorfpfarrer einig.«

Auch Lessing teilt im wesentlichen den Gesichtspunkt der Neologen. Nach Karl Barth könnte man eine ganze Theologie Lessings aufziehen, die ihn einfach als besonders kühnen und fortgeschrittenen, aber schließlich doch typischen Neologen zeigen würde. Noch im ›Nathan‹ und in der ›Erziehung des Menschengeschlechts‹ erscheint er als ein solcher, aber in diesem letzten Werk geht er über die Neologie hinaus. Die Neologen hielten den Begriff der Offenbarung fest und ließen den Inhalt, die Dogmen, fallen. Lessing beseitigt den Begriff der Offenbarung, aber »mit dieser Beseitigung des übernatürlichen Offenbarungsbegriffs geht Lessings ›Wiederholen‹ der alten religiösen

Wahrheiten Hand in Hand. Nach ihm haben Kant und Fichte, Schelling und Hegel den gleichen Weg betreten. Durch Beseitigung des alten Offenbarungsbegriffs wird der Ausdruck Offenbarung frei für die Anwendung auf das gesamte Gebiet der Religions- und Geistesgeschichte. Ist nichts ›Offenbarung‹, so wird alles Offenbarung« (Erich Franz). Die Menschengeschichte wird zur neuen Offenbarung, und Gott ist nichts anderes als die immanente schöpferische Kraft der Natur.

Spuren einer Gefühlsreligion im Sturm und Drang

Auch wenn es wahr ist, wie Aner uns versichert, daß ein ähnlicher Überschwang des Gefühls sowohl die Neologie, d.h. die Theologie der Spätaufklärung, als auch den Sturm und Drang erzeugt hat, so unterliegt es doch keinem Zweifel, daß der junge Goethe und seine Freunde eine ganz andere Lebenshaltung gehabt haben als der typische Aufklärer. Ihrer Meinung nach verkannte die Aufklärung gerade das Beste am Leben, die Gaben der »seltsamsten Tochter Jovis«, der Phantasie, nämlich Poesie, Kunst, das Irrationale. Der Sturm und Drang verwirft als typische Jugendbewegung alles Hergebrachte, auch in der Theologie, aber das Ziel seiner Kritik ist in erster Linie das enge und philisterhafte Bürgerleben. Man ruft wohl mit Faust: »Mich plagen keine Skrupel noch Zweifel, Fürcht mich weder vor Höll noch Teufel«, aber für die meisten Stürmer und Dränger geht die Dichtung über alles. Der junge Goethe hat wie die anderen keine Freude an der Analyse, an der systematischen Untersuchung der Lebensprobleme. Er schließt viel lieber die Augen und gibt sich blind dem dunklen Drang hin, ob das nun Freude bringt oder Leid. Aber durch Herder in Straßburg hat er gelernt, daß man ebenso modern wie die Neologen denken kann und trotzdem für die heilige Schrift und die religiöse Überlieferung dauernd Ehrfurcht empfinden. Troeltsch findet eine ähnliche Haltung schon bei Leibniz und leitet von ihm die religiöse Stimmung her, die für die Goethezeit charakteristisch ist. Goethe sieht die Religion nach der Straßburger Zeit durch Hamanns Augen als von der Poesie und der Sprache nicht zu trennen. Das bedeutet für ihn, daß er seinen eigenen tiefsten Drang, den poetisch schöpferischen, nicht als ein Spiel mit Worten, sondern als eine Art Gebet ansieht. Seine großen Jugenddichtungen und Fragmente handeln alle von dem Verhältnis des Menschen zur Gottheit und sind von einer völlig unbefangenen, aber echten Frömmigkeit getragen. Immer wieder werden christliche Probleme in ganz andere Mythen übersetzt, gleichsam säkularisiert, von seinem geplanten Sokrates-Drama bis zum ›Werther‹. Die Religiosität, die ihm eigen ist (man vergleiche Fausts Antwort auf Gretchens Katechisation: »Gefühl ist alles«), braucht keine Zeugnisse wie diejenigen, die Lavater und Pfenniger ihm aufdrängen wollen: »Brauch ich Zeugnis, daß ich bin? Zeugnis, daß ich fühle? – Nur so schätz', lieb', bet' ich die Zeugnisse an, die mir darlegen, wie Tausende oder einer vor mir eben das gefühlt haben, das mich kräftiget und stärket. Und so ist das Wort der Menschen mir Gottes Wort, es mögen's Pfaffen oder Huren gesammelt und zum Kanon gerollt oder als Fragmente hingestreut haben. Und mit inniger Seele fall ich dem Bruder um den Hals, Moses! Prophet! Evangelist! Apostel, Spinoza oder Macchiavell. Darf aber auch zu jedem sagen, lieber Freund, geht dir's doch wie mir! Im einzelnen sentierst du kräftig und herrlich, das Ganze ging in euern Kopf so wenig als in meinen.« Unsere Auffassung vom Göttlichen haben wir von den schöpferischen Menschen auf allen Gebieten der Kultur.

Die geistige Lage um 1795. Humanität

Um 1795, auf der Höhe des Klassizismus in Weimar, sind die Keime einer ästhetischen Religion, die im Sturm und Drang liegen, voll aufgeblüht. »Religion ist die höchste Humanität des Menschen« heißt es in Herders ›Ideen‹. Wahre Religion »ist ein kindlicher Gottesdienst, eine Nachahmung des Höchsten und Schönsten im menschlichen Bilde, mithin die innigste Zufriedenheit, die wirksamste Güte und Menschenliebe«. Dieselbe Humanität hatte die Spätaufklärung in der natürlichen Religion, die nach ihr dem Christentum zugrunde liegt, gefunden. Eine Verschmelzung des griechischen und des christlichen Humanitätsideals schien durchaus möglich und wurde von Goethe in seiner ›Iphigenie‹ versucht. Er stellt einen griechischen Stoff im Lichte des langsam im christlichen Europa gereiften Frauenideals dar. In dem um 1784 geplanten religiösen Epos ›Die Geheimnisse‹ wollte Goethe noch weitergehen und seine Vorstellung einer Humanitätsreligion an Beispielen aus der Blütezeit vieler historischen Religionen veranschaulichen, denn er war überzeugt, daß das Göttliche sich nicht bloß ein einziges Mal geoffenbart habe, sondern zu verschiedenen Zeiten in der Weltgeschichte. Als 80jähriger erfuhr er »von einer Sekte der Hypsistarier, welche, zwischen Heiden, Juden und Christen geklemmt, sich erklärten, das Beste, Vollkommenste, was zu ihrer Kenntnis käme, zu schätzen, zu bewundern, zu verehren und, insofern es also mit der Gottheit im nahen Verhältnis stehn müsse, anzubeten«. Darüber schrieb er an Sulpiz Boisserée: »Da ward mir auf einmal aus einem dunklen Zeitalter her ein frohes Licht, denn ich fühlte, daß ich zeitlebens getrachtet hatte, mich zum Hypsistarier zu qualifizieren.« Schiller gelangte in seiner Reife zu einer Weltanschauung, die gleichfalls letzten Endes auf die beiden Hauptquellen europäischer Kultur zurückzuführen ist, auf die Antike und das Christentum, obgleich er in ›Worte des Glaubens‹ das Positive seines Glaubensbekenntnisses noch weiter einschränkt als die Neologen, denn neben »Gott« und »Freiheit« steht anstatt der Unsterblichkeit die Tugend, und in ›Die Ideale‹, dem Gedicht, das den Verlust seiner Jugendideale beklagt, sucht er seinen Trost im Leben einerseits in der Freundschaft und andererseits in der »Beschäftigung, die nie ermattet«. Aber sein größtes philosophisches Gedicht, ›Das Ideal und das Leben‹, verheißt jedem Menschen Freiheit und Seelenruhe, der sich mitten im Drang des Lebens Stunden verschaffen kann, wo er sich ganz seinen geistigen Interessen widmen darf, im ›Reich der Schatten‹ (so hieß das Gedicht ursprünglich) oder der ewigen Werte. Der Künstler und Dichter, der Forscher und Denker, aber auch alle, die zu dem, was diese in Büchern, Bildern, Musik schaffen, ein Verhältnis haben, besitzen eine Freiheit, ein Seelenheil weltlicher Art, das anderen versagt ist. »Der Mensch von überwiegenden Geisteskräften«, so spricht Schopenhauer später denselben Gedanken aus, »ist der lebhaftesten Teilnahme auf dem Wege bloßer Erkenntnis, ohne alle Einmischung des Willens, fähig, ja bedürftig. Diese Teilnahme aber versetzt ihn alsdann in eine Region, welcher der Schmerz wesentlich fremd ist, gleichsam in die Atmosphäre der leicht lebenden Götter . . . Ein so bevorzugter Mensch führt, in Folge davon, neben seinem persönlichen Leben, noch ein zweites, nämlich ein intellektuelles, welches ihm allmählich zum eigentlichen Zweck wird.« Nur so entgeht man den Leiden, in die der Wille uns verstrickt, nach Schopenhauers Lehre, aber Schiller lobt keine rein passive Lebenshaltung. »Doch soll ihn dies keineswegs in äußere Untätigkeit einwiegen«, so umschreibt A. W. Schlegel in seiner glänzenden Besprechung den Sinn des Gedichts, »als ob er schon im Besitz des Unerreichbaren wäre, weil er es sich vorzustellen vermag; nein, er soll durch den angespanntesten Gebrauch seiner Kräfte ihm im wirklichen Leben näher zu kommen suchen, und sich nur durch die Betrachtung desselben, von dem niederdrückenden Gefühl seiner Schwäche wieder aufrichten.«

Bildung als Seelenheil

»Der Mensch von überwiegenden Geisteskräften« heißt im deutschen Idealismus gewöhnlich der »gebildete« Mensch, und das Wort Bildung wird zu einem Schlagwort von suggestiver Kraft. »Der Begriff der Bildung begleitet die idealistische Bewegung von ihren Anfängen in der Aufklärung bis zu ihrem Einmünden in die Romantik und trinkt auf diesem Wege in immer steigendem Maße – ganz analog dem Begriff der Vernunft und des Geistes – den ganzen Reichtum der Epoche in sich. Durch Herder erhält er die Verbindung mit dem Begriff der Humanität, worunter das umfassende Lebensgefühl des Menschen als des Bürgers zweier Welten verstanden wird, zugleich Bewußtsein der Gottähnlichkeit und der Erdverbundenheit. Bei Lessing, Kant und Fichte steht die ethische Bedeutung von Humanität im Vordergrunde, – die Nachwirkung der Aufklärung – Geistesfreiheit, Selbständigkeit, Mündigkeit. Bei Goethe endlich entfaltet der Begriff seine ganze Fülle, Breite und Tiefe. Hier verliert er die einseitig ethisch-religiöse Färbung, die er noch bei Herder hat, und verschiebt sich nach der rein menschlichen, ästhetisch bestimmten Richtung, welche auf dem Lebensideal der Renaissance und des Humanismus ruht« (E. Franz).

Neben Goethe, der sein Ideal der Bildung, der geistigen Selbstvervollkommnung, in vielen Werken und Gesprächen von ›Wilhelm Meisters Lehrjahre‹ bis zum zweiten Teil des ›Faust‹ auseinandersetzt, war Wilhelm von Humboldt der größte Anwalt dieses Ideals. In dem, was er zum Begriff Bildung sagt, ist wie bei Goethe die extreme Steigerung des Individualismus sichtbar, die für ihre Epoche charakteristisch ist. Seine eigene Bildung wird anscheinend zu einem Selbstwert, aber in der Praxis übernimmt er in seiner Reife, wie wir sahen, wichtige Aufgaben für Preußen, die ihn jahrelang vollkommen in Anspruch nehmen. Mitten in den wichtigsten Verhandlungen aber behält er sich Augenblicke vor, wo er für die Freiheit des Geistes im Sinne Schillers lebt, und schreibt: »Es muß im Innern eine eigene Welt geben, über die die Wellen des Lebens hinwegschlagen, und die still und verborgen sich fortbildet.« Seit seiner Heirat im Alter von 24 Jahren, als er sein Amt beim Berliner Kammergericht niederlegte und mit seiner Frau ganz seiner Bildung lebte, war es bei ihm Prinzip, »daß doch eigentlich nur das Wert habe, was der Mensch in sich ist«, und dem reformfreudigen Georg Forster gegenüber sagte er damals: »Der wahren Moral erstes Gesetz ist: Bilde Dich selbst, und nur ihr zweites: Wirke auf andere durch das, was Du bist.« Für ihn, den begüterten Adligen, war das Leben des Philisters am allerwenigsten sympathisch, der nur zur Befriedigung seiner materiellen Bedürfnisse lebte. Für das Leben des einfachen Bauern und Arbeiters hatte er viel weniger Verständnis als Goethe, der aber auch aristokratisch dachte. Von seiner Ethik, sagt Spranger, »wird alle Kultur in das Innere des Individuums gelegt, nicht in ein System von Weltzwecken oder sozialen Zielen, nicht in die Herbeiführung eines Gemeinschaftszustandes oder auch einer glücklich gestalteten Umgebung. Es ist ganz die Stimmung, aus der heraus Schiller die Frage aufwirft: › Kann wohl der Mensch dazu bestimmt sein, über irgend einem Zwecke sich selbst zu verlieren?‹« Schiller aber hat trotzdem einen offenen Sinn für die politische und soziale Wirklichkeit.

Keiner hat so gut wie er die Gefahren des Teilmenschentums vorausgesehen. »Ewig nur an ein einzelnes kleines Bruchstück des Ganzen gefesselt, bildet sich der Mensch selbst nur als Bruchstück aus; ewig nur das eintönige Geräusch des Rades, das er umtreibt, im Ohre, entwickelt er nie die Harmonie seines Wesens, und anstatt die Menschheit in seiner Natur auszuprägen, wird er bloß zu einem Abdruck seines Geschäftes, seiner Wissenschaft.« Auch die politische Freiheit ist für Schiller ein hohes Gut. Seine ›Briefe über die ästhetische Erziehung des Menschen‹ sind durch das Versagen der Französischen Revolution angeregt. Er glaubt, daß man »um jenes politische Problem in der Erfahrung zu lösen, durch das ästhetische den Weg nehmen muß, weil es die Schönheit ist, durch welche man zu der Freiheit wandert.« Die Kritik der bestehenden Kultur und Politik, bei Schiller und anderen deutschen Schriftstellern, auf Grund ihres Glaubens an die persönliche Bildung als Selbstwert, hat später auf englische Denker wie Carlyle und J. S. Mill einen großen Eindruck gemacht. Sie hat ihnen, wie erwähnt wurde, ganz andere Maßstäbe für die Beurteilung des kulturellen Fortschritts nahegelegt als diejenigen, die in ihrem hoch industrialisierten Lande gang und gäbe waren.

Herders neuartige Begründung der Religion

Auf der Höhe wie am Anfang der Goethezeit sind die führenden Geister also bestrebt, in Weltanschauungsfragen zwar »modern« zu denken, d.h. auf Grund der neuesten wissenschaftlichen Erkenntnisse »sich ihres eigenen Verstandes zu bedienen«, aber gleichzeitig an den wesentlichen Einsichten, die sie hinter der Religion ihrer Väter ahnen, festzuhalten. Das wurde immer mehr für sie zu einer kirchen- und dogmenlosen »Frömmigkeit der reinen Gesinnung und der Tat«, die für Menschen, die eine gute Kinderstube hinter sich hatten, zur sittlichen Lebensführung genügte. In ähnlicher Lage hatte schon Lord Shaftesbury, im Vertrauen auf die zur Natur gewordene Sittlichkeit des gut erzogenen Gentleman, bei solchen keinen Zwang und keine Drohungen für nötig gehalten. Seine in Deutschland besonders einflußreichen Ideen sind eine der Quellen, auf die man Schillers Begriff der »schönen Seele« zurückgeführt hat. Die Frage war nur, ob eine individualistische Ethik auch in Zeiten, wo die Jugend nicht mehr so streng christlich erzogen wurde, ebenso gute Früchte tragen würde wie bei dieser ersten Generation. Herder allein hatte für die Religiosität des modernen Menschen eine ganz neue Grundlage entdeckt. »Überwindung der Aufklärung heißt bei Herder Überwindung der Vormacht der Logik und der Ethik überhaupt, der Verstandeskategorien sowohl wie des kategorischen Imperativs, durch die Entdeckung des Gefühls und der Erfahrung, die Entdeckung der Möglichkeit einer Erkenntnis und eines Redens aus dem unmittelbaren Erlebnis ... Wenn Religion, vielleicht gerade im Unterschied zu Wissenschaft und Moral und tiefer begründet als diese, Sache des unmittelbaren Gefühls und der unmittelbaren Erfahrung sein, wenn *sie* vielleicht gerade der tiefste Sinn der Erlebnisfunktion und damit doch auch der Funktionen des Denkens und Wollens sein sollte, steht ihr Verkünder dann nicht mit ebenbürtigem, ja überlegenem Selbstbewußtsein neben dem Aufkärungsmenschen, dem Verkünder von Wissenschaft und Moral, dem Philosophen der sich selbst kritisierenden Vernunft? Dann ist es vorbei mit dem Lächeln, mit dem der alte Kant der Theologie eine unmögliche Aufgabe zuwies. Dann kann man wieder Theologe sein, auf der Höhe und unter Überwindung der Aufklärung!« (Karl Barth). Auch Goethe hatte neben seinem »Hypsistariertum« einen ursprünglichen Sinn für das »Numinose«, für ein Transzendentes in der Natur, »des ewigen Sinnes ewige Unterhaltung«, der in seiner Dichtung immer wieder zum Vorschein kommt, aber in Symbolen, die oft zu geheimnisvoll, zu persönlich sind, um anders als dichterisch zu wirken. Viele Leser finden trotzdem bei ihm religiöse Einsichten, die sie auch zu den Offenbarungen zählen. Der englische Gelehrte und Politiker John Morley sprach noch im Jahre 1917 von einer stillen Goethegemeinde unter den Gottsuchenden in England.

Die geistige Lage um 1815. Religiöse Gleichgültigkeit

Um 1815, in dem Deutschland der Nachkriegsjahre, hatten die theologischen Lehren der Aufklärung endlich, mit ihren fortschrittlichen Ideen auf vielen Gebieten, weite Kreise des Bürgertums erreicht und sich sehr viele Anhänger erworben. Auf einen Teil des so vorbereiteten Bodens sind dann die Ideen der Weimarer Klassiker oft in verzerrter Form hinabgesickert. Es ist leicht verständlich, daß der Durchschnittsphilister für ihre negative Seite, ihre Gleichgültigkeit gegenüber dem Christentum, viel empfänglicher war als für die feinschattierte positive Seite. Der weitsichtige Buchhändler Friedrich Perthes schreibt 1822 an einen Freund, daß Sachsen zwar die Burg des Rationalismus sei, aber das übrige Deutschland habe wenig Grund, sich deshalb zu überheben, »denn wenn es auch anders als Sachsen einzelne kleine Kreise aufzeigen kann, in welchen neues Leben sich regt, so führt doch im Volke, dem vornehmen wie dem geringen, überall noch, so weit ich Deutschland kenne, der Rationalismus seine wenig bestrittene Herrschaft. Zwar hat heute fast niemand mehr die Courage, sich als Atheist, oder als sündlos, oder als erhaben über der Menge der bloßen Tiermenschen thronenden Vernunftmenschen hinzustellen; aber die Masse läßt noch heute nach Art der Gebildeten des vorigen Jahrhunderts den lieben Gott einen guten Mann sein, macht alles Tiefe flach und alles Innere äußerlich. Gottlos sind die wenigsten, aber gottvergessen die meisten. In verdrießlich-träger Selbstüberhebung wollen die einen das geoffenbarte Christentum allenfalls als hergebrachtes Zucht- und Beruhigungsmittel für den großen Haufen bestehen lassen, während die Andern umgekehrt daran arbeiten, auch das Volk von dem anerzogenen Aberglauben zu der Aufklärung des gebildeten Mannes hinüberzuführen. Den einen wie den andern gilt der Christ als Pietist, der Pietist als Heuchler.« Perthes spricht natürlich als Gegner des Rationalismus. Wenn wir aber bei den Theologen selbst als Kern ihrer Lehre die Voraussetzung finden, daß der einzelne Mensch und das ganze Menschengeschlecht aus eigenem Vermögen zur immer höheren Vollkommenheit fortschreite, so ist es nicht verwunderlich, wenn der Laie von der älteren Auffassung der Sünde und dem Bedürfnis nach Gnade nichts wissen wollte und sich ausschließlich weltlichen Interessen zuwendete. Karl Barth faßt z.B. in folgenden Worten den Inhalt eines Teils der vielgelesenen Dogmatik Julius Wegscheiders zusammen, der 1810–1849 Professor der Theologie in Halle war: »Die wahre Gottebenbildlichkeit des Menschen besteht in derjenigen Gottähnlichkeit des menschlichen Geistes, die ihm potentiell von Haus aus eigen und von ihm im Lauf seines Lebens zu verwirklichen ist. Diesem Aufstieg steht nun freilich die immer wieder lauernde und zu überwindende Neigung zur Sünde gegenüber. Sünde ist die freie Übertretung des Gebotes, erklärbar aus der überwiegenden Macht der Sinnlichkeit über die Vernunft und aus dem Mangel an richtiger Belehrung und Erziehung. Daß der Mensch als Sünder geboren werde, darf nicht gesagt werden. Diese

Lehre verträge sich weder mit der Güte, noch mit der Weisheit, noch mit der Gerechtigkeit Gottes, ist Jesus selbst unbekannt, widerstreitet der pädagogischen Erfahrung und ist zu reduzieren auf den Hinweis, auf die Macht der Vererbung, auf die naturbedingte Schwachheit der noch nicht gebildeten Vernunft, auf den Einfluß des Milieus, der Erziehung, des Beispiels und der gesellschaftlichen Sitte. Die Sünde soll und kann vom Menschen überwunden werden.«

Die politische Ausnutzung der Erweckungsbewegung

Die einzelnen kleinen Kreise, die Perthes in dem angeführten Briefe erwähnt, hatten sich meist in der Kriegszeit gebildet, und Perthes hatte ihre Tätigkeit aufmerksam verfolgt. »Angeregt durch die schweren Leiden der Zeit des französischen Druckes und durch die kraftvolle Erhebung zur Zeit der Freiheitskriege, hatte das tiefere geistige Leben begonnen, mit neuer Stärke im Innern der Nation zu arbeiten und zu drängen«, schreibt Clemens Theodor Perthes, der Biograph seines Vaters. »In vielen einzelnen, in manchen Gemeinden und hier und da im Pfarramte war, ganz abgesehen von aller wissenschaftlichen Theologie, das Bedürfnis nach Erlösung von der Sünde und nach einem frommen, christlichen Leben erwacht. Da es seine Befriedigung in dem herrschenden Rationalismus nicht finden konnte, wandte es sich einem neuen oder vielmehr sehr alten Wege zu. In den verschiedensten Gegenden Deutschlands entstanden größere und kleinere Gemeinschaften von Menschen, welche Hilfe für ihre Seele suchten und diese Hilfe in dem alten Kirchenleben fanden; der frühere, das ganze protestantische Deutschland umfassende Zusammenhang des Rationalismus ward zerrissen, und dessen Geltung als allgemein protestantischer Kirchenglaube war tief erschüttert.« Man sah diese Bewegung schon damals als eine Erneuerung des Pietismus, der um die Wende des 17. zum 18. Jahrhundert anfangend den Protestantismus gefühlsmäßig und praktisch vertieft und später in Verbindung mit dem Einfluß Rousseaus neue Formen einer Religion des Gefühls hervorgebracht, an alte mystische Lehren angeknüpft und den Rationalismus bekämpft hatte, mit wichtigen Folgen für die neue Gefühlskultur überhaupt, wie wir schon sahen. Auch an Schwärmerei, Geistesenge und abergläubischen Begleiterscheinungen hat es nicht gefehlt, und das »Muckertum« hatte im Zeitalter der Humanität viel von seinem Einfluß eingebüßt. Bei mehreren Romantikern aber, namentlich bei Novalis und Schleiermacher, haben pietistische und mystische Strömungen sich mit den Ideen des Schlegelkreises verbinden können, und bald kam durch die Begeisterung für das Mittelalter die Wendung zum Katholizismus. In den 20er Jahren erfolgte die eigentliche Erweckungsbewegung, in welcher im Norden und Osten, vor allem in Pommern, Rittergutsbesitzer, mit der Unterstützung der Bewegung in Berlin, die führende Rolle spielten. Der Kronprinz und Nicolovius im Ministerium für Kultus und Unterricht verhalfen vielen Pietisten zu Macht und Einfluß, Hengstenberg mit seiner streng orthodoxen ›Evangelischen Kirchenzeitung‹ schloß sich ihnen an, und es kam ein Bund mit der Reaktion und der ständischen Bewegung zustande, der die Religion in der Folgezeit schwer schädigte. Die politischen Oppositionsparteien wandten sich gegen die Kirche und die Religion als Hilfsmittel der Herrschenden, und in Preußen wie in Rußland wurde vom treuen Diener des Staates erwartet, daß er sich wenigstens äußerlich wie auch in kirchlicher Beziehung vollkommen orthodox erzeige.

Schleiermacher hat einmal den Wunsch geäußert, daß »nie der Saum eines priesterlichen Gewands den Fußboden eines königlichen Gemaches möchte berührt und nie der Purpur den Staub am Altar möchte geküßt haben«. Die geschichtlichen Folgen des Prinzips von der Zusammengehörigkeit von Thron und Altar, das Novalis als erster proklamiert hatte, scheinen Schleiermacher vollkommen recht gegeben zu haben.

Schleiermachers ›Reden‹

Wenn freiheitsliebende, gebildete Menschen in Norddeutschland sich trotzdem im 19. Jahrhundet noch der Religion zuwandten, so war das großenteils Schleiermachers Verdienst. Er hat seine gebildeten Zeitgenossen, zu denen er in seinen ›Reden‹ (1799) sprach, mit voller Berechtigung zu den »Verächtern« der Religion gerechnet. Er hat aber mit diesem Buche viel Erfolg gehabt, weil er »unter allen Umständen – wir dürfen nicht entscheiden wollen, ob mit gleichem oder gar mit größerem, aber jedenfalls mit ähnlichem Ernst wie christlicher Theologe, so auch moderner Mensch sein wollte. Daß er sich mit seinem berühmten Erstlingswerk an die Gebildeten unter den Verächtern der Religion wandte, wäre für seinen eigenen Standort bezeichnend, auch wenn er nicht sofort in den ersten Zeilen dieses Buches betonen würde, daß hier ›jemand von denen, welche sich über das Gemeine erhoben und von der Weisheit des Jahrhunderts durchdrungen sind‹ von ihnen Gehör verlangt. Ihm ist seine Teilnahme am Kulturbewußtsein der Zeit und zwar an dessen möglichst tiefstem Inhalt, an dessen möglichst strengster Gestalt und lebendigster Äußerung ernsthaftestes, keinen Augenblick aussetzendes Anliegen. Aber nicht nur seine passive Teilnahme als Gebildeter, sondern seine Teilnahme als selbst Bildender, als Träger dieses Kulturbewußtseins . . . Er nimmt an der Philosophie, an der Wissenschaft, an der Politik, an der Geselligkeit, an der Kunst seiner Zeit teil als an seiner eigenen Sache, als in dem allem Verantwortlicher, Berufener, zur Leistung und zum Führen in der allgemeinen Leistung Berufener. Ganz und gar auch als Theologe und zwar auf der Kanzel ebensowohl, ja viel eher noch ausgesprochener als auf dem Katheder, will er sein und ist er dieser Mensch, der von diesem Anliegen bewegte Mensch. Erst in seiner Zeit, der Zeit, die die Aufklärung vollendete und überwand, überwand und vollendete, wurde das, wurde diese Personalunion möglich; jenseits der Ausbrüche Rousseaus, jenseits der Kämpfe Lessings, jenseits der Kritik Kants, in der Zeit, deren Wahrzeichen die synthetische Philosophie Hegels sein konnte. Eben damit hat Schleiermacher diese seine Zeit in so wunderbarer Weise erfüllt, daß er diese Möglichkeit realisierte, als Theologe mit gutem, nicht mit gebrochenem Gewissen zugleich ganz und gar moderner Mensch zu sein« (Karl Barth).

Als moderner Mensch zugleich mit gutem Gewissen Theologe zu sein, war vielleicht nicht so einfach. Seine apologetische Aufgabe in den ›Reden‹ faßte Schleiermacher so an, daß er das Phänomen Religion zunächst von außen betrachtete, als Wissenschaftler, als Psychologe, und die Religion als eine notwendige Manifestation des menschlichen Geisteslebens darstellte. Ihr Wesen sah er in dem »unmittelbaren Bewußtsein der Gottheit, wie wir sie finden, ebenso sehr in uns selbst als in der Welt«. »Der Mensch wird mit der religiösen Anlage geboren, wie mit jeder andern«, junge Gemüter haben eine Sehnsucht nach dem Wunderbaren und Übernatürlichen, die leicht durch »die verständigen und praktischen Menschen« unterdrückt wird. In seiner ›Glaubenslehre‹ nennt er diesen Kern der Religion »das Gefühl schlechthinniger Abhängigkeit«, eine »heilige Ehrfurcht« in den ›Reden‹, wo er von David Humes Theorie von dem Ursprung der Religion in der Furcht nichts wissen will. »Die Furcht ist nicht nur selbst nicht Religion, sondern sie vermag auch nicht einmal darauf vorzubereiten oder hinzuführen.« Schleiermacher gründet die Religion also wie Herder auf das unmittelbare Gefühl und die unmittelbare Erfahrung und überhört wie er Kants Einwände gegen Rousseaus ursprüngliche Einführung der Begriffe Erfahrung und Gefühl in die Religionslehre: »Gefühl hat jeder nur für sich und kann es anderen nicht zumuten, also auch nicht als einen Probierstein der Echtheit von Offenbarung anpreisen, denn es lehrt schlechterdings nichts, sondern enthält nur die Art, wie das Subjekt in Ansehung seiner Lust oder Unlust affiziert wird, worauf gar keine Erkenntnis begründet werden kann.« Auch dieser Romantiker wie die anderen liebt das Paradoxe und gibt alten Lehren gern ein neues Gesicht. »Jede heilige Schrift ist ein Denkmal, daß ein großer Genius, ein Virtuose der Religion da war, aber nicht mehr da ist, und Religion hat nicht der, der an die Bibel glaubt, sondern wer selbst eine machen könnte; Unsterblichkeit aber heißt nichts anderes als mitten in der Endlichkeit eins werden mit dem Unendlichen und ewig sein in jedem Augenblick. So werden die religiösen Begriffe ihres gewöhnlichen Sinnes und ihrer Unbegreiflichkeit beraubt und in einen neuen Sinn umgedeutet, der sie verständlich und den Gebildeten erträglich macht, sie werden verflüchtigt und vergeistigt, vermenschlicht und doch unendlich bereichert und vertieft, aus der schwindelnden Höhe der Transzendenz auf den realen Boden der Immanenz versetzt und damit vereinfacht und psychologisiert« (Th. Ziegler).

Schleiermachers ›Monologen‹

Sehr bezeichnend für den Romantiker, und nicht nur in Deutschland, ist sein Sinn für das Besondere, das Eigentümliche, im Gegensatz zur Vorliebe der Aufklärung für das Allgemeingültige und der Klassik für »dauernde Verhältnisse«. Wir haben schon bei der Besprechung von Wilhelm von Humboldts Individualismus auf die Steigerung des Individualismus als den roten Faden hingewiesen, der die ganze Goethezeit durchläuft. Sittlichkeit, Kunst und Wahrheit gehen für den Romantiker aus einer inneren, mystischen Vision des einzelnen hervor, deren Offenbarung man unbedingt und opferbereit treu sein muß. Nach Schleiermacher also ist es die Bestimmung und die sittliche Aufgabe des Menschen, zu werden, was man ist, seine angeborene Eigentümlichkeit auszubilden. In seinem kleinen Meisterstück ›Monologen‹ (1800) entwickelt er den Begriff der Individualität als höchsten Wert für den Menschen, den Begriff, der schon im Sturm und Drang und später, z. B. bei Goethe, Fichte und W. v. Humboldt aufgetaucht war. »Mir wollte nicht genügen, daß die Menschheit nur da sein sollte als eine gleichförmige Masse, die zwar äußerlich zerstückelt erschiene, doch so, daß alles innerlich dasselbe sei . . . So ist mir aufgegangen, was seitdem am meisten mich erhebt; so ist mir klar geworden, daß jeder Mensch auf eigne Art die Menschheit darstellen soll, in eigner Mischung ihrer Elemente, damit auf jede Weise sie sich offenbare, und alles wirklich werde in der Fülle des Raumes und der Zeit, was irgend verschiedenes aus ihrem Schoße hervorgehn kann. Mich hat vorzüglich dieser Gedanke emporgehoben und gesondert von dem geringeren und ungebildeten das mich umgibt; ich fühle mich durch ihn ein einzeln gewolltes also auserlesenes Werk der Gottheit, das besonderer Gestalt und Bildung sich erfreuen soll; und die freie Tat, zu der dieser Gedanke gehört, hat versammelt und innig verbunden zu einem eigentümlichen Dasein die Elemente der menschlichen Natur.« Schleiermacher verfolgt den Gedanken der Individualität noch weiter und wendet ihn auf Gemeinschaften, auf Völker, Kulturen, Religionen an, hier wieder Herdersche Einsichten weiterführend. Auch im Innern des Menschen gibt es individuelle Erlebnisse, Höhepunkte, die unwiederholbar und unschätzbar sind. Die Idee der Bildung und des Lebens in der Innerlichkeit, die wir bei so vielen gefunden haben, nehmen hier eine eigene Gestalt an und finden den beredtesten und zugleich intimsten Ausdruck. Als würdigen und charakteristischen Abschluß zu diesen Bildern aus der Goethezeit zitieren wir den letzten Absatz der ›Monologen‹:

»So frei und fröhlich bewegt sich mein inneres Leben. Wann und wie sollte wohl Zeit und Schicksal mich andere Weisheit lehren? Der Welt laß ich ihr Recht: nach Ordnung und Weisheit, nach Besonnenheit und Maß streb ich im äußern Tun. Warum sollt ich auch verschmähen was sich leicht und gern darbietet, und willig hervorgeht aus meinem innern Wesen und Handeln? Ohne Mühe gewinnt das alles in reichem Maße wer die Welt anschaut; aber durch das Anschauen seiner selbst gewinnt der Mensch daß sich ihm nicht nähern darf Mutlosigkeit und Schwäche: denn dem Bewußtsein der innern Freiheit und ihres Handelns entsprießt ewige Jugend und Freude. Dies hab ich ergriffen, und lasse es nimmer, und so seh ich lächelnd schwinden der Augen Licht, und keimen das weiße Haar zwischen den blonden Locken. Nichts was geschehen kann mag mir das Herz beklemmen: frisch bleibt der Puls des innern Lebens bis an den Tod.«

LITERATURVERZEICHNIS (AUSWAHL)

Zeitgenössische deutsche Quellen

(ohne Berücksichtigung der Werke und Briefe der bekannten Dichter der Goethezeit)

E. M. Arndt, Erinnerungen aus dem äußeren Leben. 1840. – *J. C. Brandes*, Meine Lebensgeschichte. Neu hrsg. v. *W. Francke*, München 1923. – Das Biedermeier im Spiegel seiner Zeit. Briefe, Tagebücher . . . gesammelt v. *S. Hermann*, Berlin 1913. – Briefe eines ehrlichen Mannes bey einem wiederholten Aufenthalt in Weimar. Deutschland 1800, neu hrsg. v. *P. Stapf*, Bern u. München 1962. – Briefe über Jena. Frankfurt a. M. u. Leipzig 1793. – *C. G. Carus*, Lebenserinnerungen und Denkwürdigkeiten. 4 Bde., Leipzig 1865. – *F. Eberty*, Jugenderinnerungen eines alten Berliners. Berlin 1878. – *G. Forster*, Ansichten vom Niederrhein. 1791–1794, Neudruck Reclam B. – *Friedrich II., König v. Preußen*, Anti-Machiavel. London u. Den Haag 1740. – *Chr. Garve*, Versuche. 5 Tle., Breslau 1792. – *Ders.*, Vermischte Aufsätze. Breslau 1796. – *F. v. Gentz*, Tagebücher. Leipzig 1861. – *K. Gerok*, Jugenderinnerungen. 6. Aufl. Bielefeld u. Leipzig 1898. – *F. Gräffer* in Alt-Wiener Guckkasten. Schilderungen eines Zeitgenossen. Hrsg. v. *P. Wertheimer*, Wien 1912. – *Chr. W. Hufeland*, Leibarzt und Volkserzieher. Selbstbiographie, hrsg. v. *W. v. Brunn*, 2. Aufl. Stuttgart 1937. – *K. Immermann*, Memorabilien. Hamburg 1840. – *F. Jacobs*, Autobiographie, 1836. – *J. H. Jung (-Stilling)*, Lebensgeschichte. 1777. – *J. Kerner*, Das Bilderbuch aus meiner Knabenzeit, 1849. – *K. F. v. Klöden*, Jugenderinnerungen. Leipzig 1874. – *F. Kohlrausch*, Erinnerungen aus meinem Leben. Hannover 1863. – *W. v. Kügelgen*, Jugenderinnerungen eines alten Mannes. Leipzig 1924. – *K. H. v. Lang*, Aus der bösen alten Zeit. 1842. – *H. Laube*, Erinnerungen 1810–1840. In Gesammelte Werke, hrsg. v. *H. H. Houben*, 40. Bd., Leipzig 1909. – *F. C. Laukhard*, Leben und Schicksale, von ihm selbst beschrieben. Hrsg. v. *V. Petersen*. Stuttgart o. J. (1908). – *J. M. v. Loen*, Der Adel. Ulm 1752. – *Ders.*, Freie Gedanken vom Hof. 3. Aufl. Frankfurt a. M. u. Leipzig 1768. – *Ders.*, Der redliche Mann am Hofe. Ulm 1771. – *K. v. Lyncker*, Am Weimarischen Hofe unter Amalien und Karl August. Hersg. v. *M. Scheller*. Berlin 1912. – *J. Chr. v. Mannlich*, Histoire de ma vie. 1813–1818. – *J. Möser*, Patriotische Phantasien. Berlin 1774. – *K. P. Moritz*, Anton Reiser, ein autobiographischer Roman. 1785 bis 1790. – *F. Nicolai*, Beschreibung einer Reise durch Deutschland und die Schweiz. 12 Bde., Berlin 1783–1797. – *G. Parthey*, Jugenderinnerungen. Neu hrsg. v. *E. Friedell*. Berlin 1907. – *Rabiosus der Jüngere* (A. Rebmann), Wanderungen und Kreuzzüge durch . . . Deutschland. Altona 1795. – *Elise v. d. Recke*, Mein Journal. Hrsg. v. *J. Werner*, Leipzig 1927. – *L. Richter*, Lebenserinnerungen eines deutschen Malers. München 1885. – *(K. Risbeck)*, Briefe eines reisenden Franzosen über Deutschland. 2 Bde., 2. Aufl. Zürich 1784. – *A. Ruge*, Aus früherer Zeit. 4 Bde., Berlin 1862. – *A. Schmitthenner*, Das Tagebuch meines Urgroß-

vaters. Freiburg i. B. 1922. – *Johanna Schopenhauer*, Jugend-
leben und Wanderbilder. 1839. – *J. Semler*, Lebensbeschrei-
bung. 2 Bde., Halle 1781. – *J. G. Seume*, Mein Leben. 1813. –
Ernestine Voß, Erinnerungen. In Kürschners Deutsche Na-
tionalliteratur Bd. 49. – *L. Frh. v. Wolzogen*, Memoiren.
Leipzig 1851.

Zeitgenössische ausländische Quellen

Charles Burney's continental travels 1770–1772. Ed. *C. H.
Glover*, London 1927. – *(C. E. Dodd)*, An autumm near the
Rhine. London 1818. – *G. A. H. Guibert*, Journal d'un
voyage en Allemagne fait en 1773. 2 v., Paris 1803. – *B. Haw-
kins*, Germany. The spirit of her history, literature, social
condition and national economy. London 1838. – *W. Howitt*,
The rural and domestic life of Germany. London 1842. –
W. Jacob, A view of the agriculture, manufactures, statistics
and state of society of Germany . . . London 1820. – *J. Moore*,
A view of society and manners in France, Switzerland and
Germany. 2 v., London 1779. – *H. G. Riquetti, Comte de
Mirabeau*, De la monarchie prussienne. 4th ed., London
1788. – *Crabb Robinson* in Germany. Ed. *E. Morley*, Oxford
1929. – *J. Russell*, A tour in Germany in 1820–1822. Edin-
burgh 1828. – *Mme. de Staël*, De l'Allemagne. London 1813.

Allgemeine Darstellungen

Max v. Boehn, Deutschland im 18. Jahrhundert. Berlin
1921. – *Ders.*, Biedermeier. Berlin 1923. – *K. Biedermann*,
Deutschland im 18. Jahrhundert. 5 Bde., Leipzig 1854–1880.
– *W. H. Bruford*, Die gesellschaftlichen Grundlagen der
Goethezeit (Literatur und Leben 9). Weimar 1936. – *Ders.*,
Culture and Society in Classical Weimar. Cambridge 1962. –
G. Freytag, Bilder aus der deutschen Vergangenheit. 5 Bde.,
neu hrsg. v. *A. E. Bogeng*, Leipzig o. J. – *F. Hertz*, The
development of the German public mind. V. II, The Age
of Enlightenment. London 1962. – *O. Hintze*, Die Hohenzollern und ihr Werk. 8. Aufl., Berlin 1916. – *Ders.*, Geist
und Epochen der preußischen Geschichte. Hrsg. v. *F. Hartung*, Leipzig 1943. – *F. Schnabel*, Deutsche Geschichte im
19. Jahrhundert. 4 Bde., 4. Aufl. 1948. – *G. Steinhausen*, Geschichte der deutschen Kultur. 3. Aufl., Leipzig 1929.

Sammelwerke

Deutscher Kulturatlas. Hrsg. v. *G. Lüdtke* u. *L. Mackensen*. Bd. IV, Berlin u. Leipzig 1928–1938. – Deutsche Philologie im Aufriß. Hrsg. v. *W. Stammler*, Berlin u. Bielefeld
1952–1959. – *B. Gebhardt*, Handbuch der deutschen Geschichte. 8. Aufl., hrsg. v. *H. Grundmann*. 2. Bd., Stuttgart
1955. – The New Cambridge Modern History. Vols. VII

bis IX, Cambridge 1957 ff. – *Dahlmann-Weitz*, Quellenkunde
zur deutschen Geschichte. 9. Aufl. 1931.

Zur Einleitung

N. Hartmann, Das Problem des geistigen Seins. Berlin
1933. – *R. Meister*, Handlungen, Taten, Werke als psychische Objektivationen. In: Erkenntnis und Wirklichkeit.
Innsbrucker Beiträge zur Kulturgeschichte 5. Innsbruck
1958.

Trennende Faktoren

R. Aris, History of political thought in Germany 1789
bis 1815. London 1936. – *H. Brunner*, Grundzüge der
Rechtsgeschichte. Leipzig 1901. – *H. Brunschwig*, La crise
de l'état prussien à la fin du 18e siècle et la genèse de la men-
talité romantique. Paris 1947. – *H. Eberhardt*, Goethes Um-
welt. Forschungen zur gesellschaftlichen Struktur Thürin-
gens. Weimar 1951. – *W. Fischer*, Das Fürstentum Hohen-
lohe im Zeitalter der Aufklärung. Tübingen 1958. – *G. P.
Gooch*, Germany and the French Revolution. London 1920. –
F. Hartung, Deutsche Verfassungsgeschichte vom 15. Jahrhundert bis zur Gegenwart. 2. Aufl., Leipzig u. Berlin 1922.
– *Ders.*, Das Großherzogtum Sachsen unter der Regierung
Karl Augusts. Weimar 1923. – *G. Kaiser*, Pietismus und Patriotismus im literarischen Deutschland. Wiesbaden 1961. –
R. Koser, Staat und Gesellschaft zur Höhezeit des Absolutismus. Berlin u. Leipzig 1908. – *F. Meinecke*, Weltbürgertum und Nationalstaat. München u. Berlin 1922. – *J. J.
Moser*, Von der Teutschen Unterthanen Rechten und Pflichten. Frankfurt a. M. u. Leipzig 1774. – *C. Th. Perthes*, Das
deutsche Staatsleben vor der Revolution. Hamburg u. Gotha
1845. – *N. v. Preradovich*, Die Führungsschichten in Österreich und Preußen, 1804–1918. Wiesbaden 1955. – *W. Wenck*,
Deutschland vor 100 Jahren. Politische Meinungen und
Stimmungen. 2 Bde., Leipzig 1887, 1890.

Wirtschaftsleben

J. H. Clapham, The economic development of France and
Germany 1815–1914. Cambridge 1921. – *W. Feldmann*,
J. J. Bertuch. Saarbrücken 1902. – *A. v. Heinemann*, Ein
Kaufmann der Goethezeit (Bertuch). Weimar 1955. –
J. Kulischer, Allgemeine Wirtschaftsgeschichte. 2 Bde.,
München u. Berlin 1928–1929. – *H. A. O. Reichard*, Guide
des voyageurs en Europe. Weimar 1793. – *Ders.*, Der Pas-
sagier auf der Reise in Deutschland. 2. Aufl., Weimar 1803. –
H. Sieveking, Grundzüge der neueren Wirtschaftsgeschichte.
2. Aufl., Leipzig u. Berlin 1915. – *Ders.*, Wirtschaftsge-
schichte II. Leipzig u. Berlin 1921. – *W. Sombart*, Der mo-

derne Kapitalismus. 3. Aufl., München u. Berlin 1919. – *Ders.*, Die deutsche Volkswirtschaft im 19. Jahrhundert. 5. Aufl., Berlin 1921.

Privatleben und Geselligkeit

G. Bianquis, La vie quotidienne en Allemagne à l'époque romantique (1795–1830). Paris 1958. – *Max v. Boehn*, Die Mode . . . im 18. Jahrhundert. 2. Aufl., München 1919. – *Ders.*, Die Mode . . . im 19. Jahrhundert. 4 Aufl., München 1920. -- *C. A. H. Burkhardt*, Aus Weimars Culturgeschichte. In: Die Grenzboten. Leipzig 1871–1872. – *J. v. Dissow*, Adel im Übergang. Stuttgart 1961. – *K. Fajkmajer*, Skizzen aus Alt-Wien. Wien u. Leipzig o. J. – *K. S. Baron v. Galéra*, Vom Reich zum Rheinbund. Weltgeschichte des 18. Jahrhundert in einer kleinen Residenz. Neustadt a. d. Aisch 1961. – *A. W. Holzmann*, Family relationships in the dramas of A. v. Kotzebues. Princeton 1935. – *R. Irmisch*, Geschichte der Stadt Itzehoe. Itzehoe 1960. – *P. Kluckhohn*, Die Auffassung der Liebe in der Literatur des 18. Jahrhundert und der deutschen Romantik. 2. Aufl., Halle 1931. – *W. Kawerau*, Kulturbilder aus der Zeit der Aufklärung. Halle 1886–1888. – *G. L. Kriegk*, Deutsche Kulturbilder aus dem 18. Jahrhundert. Frankfurt a. M. 1874. – *G. M. Ott*, Das Bürgertum der geistlichen Residenzstadt Passau in der Zeit des Barock und der Aufklärung. Passau 1961. – *O. K. Roller*, Die Einwohnerschaft der Stadt Durlach im 18. Jahrhundert. Karlsruhe 1907. – *P. E. Schramm*, Hamburg, Deutschland und die Welt. 2. Aufl., Hamburg 1952. – *A. Schultz*, Das häusliche Leben der europäischen Kulturvölker vom Mittelalter bis zur 2. Hälfte des 18. Jahrhunderts. München 1903. – *A. Stahr*, Weimar und Jena. 2 Bde., Oldenburg 1852. – *H. Voelcker*, Die Stadt Goethes. Frankfurt a. M. im 18. Jahrhunder . Frankfurt a. M. 1932.

Erziehung

J. B. Basedow, Elementarwerk. 3 Bde., 1774 (Neudruck Leipzig 1909). – *R. Lehmann*, Die deutschen Klassiker, Herder, Schiller, Goethe als Erzieher. Leipzig 1921. – *W. Lexis*, Die deutschen Universitäten. I. Bd., Berlin 1893. – *F. Paulsen*, Geschichte des gelehrten Unterrichts. 2 Bde., 2. Aufl., Berlin 1896. – *Ders.*, Das deutsche Bildungswesen in seiner geschichtlichen Entwicklung. 4. Aufl., Leipzig u. Berlin 1920. – *W. Rössler*, Die Entstehung des modernen Erziehungswesens in Deutschland. Stuttgart 1961. – *M. Steinitz* (Hrsg.), Geschichte der Universität Jena. Jena 1958.

Die gelehrten Berufe

P. Drews, Der Geistliche. Leipzig 1905. – Geist und Gestalt. Biographische Beiträge zur Geschichte der Bayeri-

schen Akademie der Wissenschaften, I., München 1959. – *Peters*, Arzt und Heilkunst. Leipzig 1900. – *Th. Puschmann*, Geschichte des medizinischen Unterrichts. Leipzig 1889. – *Th. Puschmann, M. Neuburger, J. Pagel*, Handbuch der Geschichte der Medizin. III, Jena 1905. – *E. Reicke*, Der Gelehrte. Leipzig 1900. – *Ders.*, Der Lehrer. Leipzig 1901.

Die objektive Kultur und die freien Berufe

Musik und Musiker: M. Braubach, Das musikalische Leben in Bonn und der Kurfürst Max Franz. In: Kurköln. Gestalten und Ereignisse aus zwei Jahrhunderten rheinischer Geschichte. Münster 1949. – *O. Fleischer*, Mozart. Berlin 1900. – *K. G. Just*, Musik und Dichtung. In: Deutsche Philologie im Umriß. III. – *A. W. Thayer*, L. van Beethovens Leben. Berlin 1866. – *D. F. Tovey*, German Music. In: German Culture. Ed. *W. P. Paterson*. London u. Edinburgh 1915.

Das gesprochene Wort – die Predigt: P. Drews, Die Predigt im 19. Jahrhundert. Gießen 1903. – *L. Stiebritz*, Zur Geschichte der Predigt in der evangelischen Kirche von Mosheim bis auf die Gegenwart. Gotha 1875.

Das geschriebene Wort – der Brief: G. Steinhausen, Geschichte des deutschen Briefes. Bd. II, Leipzig 1892. (Die Briefsammlungen der Goethezeit sind unübersehbar).

Das gedruckte Wort – Zeitung und Zeitschrift: K. d'Ester, Zeitung und Zeitschrift. In: Deutsche Philogie im Umriß. III. – *H. Diez*, Das Zeitungswesen. 2. Aufl., Leipzig u. Berlin 1919. – *F. Körner*, Das Zeitungswesen in Weimar 1734–1849. Leipzig 1920. – *L. Salomon*, Geschichte des deutschen Zeitungswesens. 3 Bde., Oldenburg u. Leipzig 1900 ff. – *H. Wahl*, Geschichte des ,Teutschen Merkur'. Berlin 1914.

Literatur und Gesellschaft im klassisch-romantischen Zeitalter: R. Benz, Die deutsche Romantik. Leipzig 1937. – *Ders.*, Lebenswelt der Romantik. München 1948. – *Ders.*, Die Zeit der deutschen Klassik. Stuttgart 1953. – *H. Grimm*, Beiträge zur deutschen Culturgeschichte. Berlin 1897. – *P. Kluckhohn*, Das Ideengut der deutschen Romantik. 3. Aufl., Tübingen 1953. – *Ders.*, Charakteristiken. Die Romantiker in Selbstzeugnissen und Äußerungen ihrer Zeitgenossen. Stuttgart 1950. – *E. Kohn-Bramstedt*, Aristocracy and the middle classes in Germany. London 1937. – *C. P. Magill*, The German author and his public in the middle of the 19th century. In: Modern Language Review XLIII, 1948. – *H. Schöffler*, Protestantismus und Literatur. Leipzig 1922. – *E. Staiger*, Goethe. 3 Bde., Zürich u. Freiburg 1952–1959.

Verlagswesen und Buchhandel: J. *Goldfriedrich*, Geschichte des deutschen Buchhandels. II, III, Leipzig 1908–1909. – *Viscount Göschen*, Life and times of G. J. Göschen. London 1908–1909. – *E. Kuhnert*, neu bearb. v. *H. Widmann*, Geschichte des Buchhandels. In: Handbuch der Bibliothekswissenschaft, I, Wiesbaden 1952. – *C. Th. Perthes*, Friedrich Perthes Leben. Gotha 1848–1855.

Bibliotheken und Lesegesellschaften: G. *Leyh*, Die deutschen Bibliotheken von der Aufklärung bis zur Gegenwart. In: Handbuch der Bibliothekswissenschaft, III, 2, Wiesbaden 1957. – *E. Mehl*, Deutsche Bibliotheksgeschichte. In: Deutsche Philologie im Aufriß, I.

Das Theater: W. *H. Bruford*, Theatre, Drama and Audience in Goethe's Germany. London 1950. – *W. Flemming*, Goethes Gestaltung des klassischen Theaters. Köln 1949. – *H. Kindermann*, Theatergeschichte der Goethezeit. Wien 1948. – *Ders.*, Europäische Theatergeschichte. IV, V, VI, Salzburg 1961–1964. – *H. Knudsen*, Goethes Welt des Theaters. Berlin 1949. – *R. Lothar*, Das Wiener Burgtheater. Leipzig, Berlin u. Wien 1899. – *G. Sichardt*, Das Weimarer Liebhabertheater unter Goethes Leitung. Weimar 1957. – *R. Weil*, Das Berliner Publikum unter Ifflands Direktion. Berlin 1932.

Die Baukunst und die bildenden Künste: K. *Andrews*, The Nazarenes. Oxford 1964. – *G. Dehio*, Geschichte der deutschen Kunst. III, Berlin u. Leipzig 1931. – *A. Feulner*, Skulptur und Malerei des 18. Jahrhunderts. In: Handbuch der Kunstwissenschaft. Potsdam 1929. – *W. Geese*, G. W. Klauer. Leipzig 1935. – *R. Hamann*, Geschichte der deutschen Kunst. Berlin 1933. – *A. Hauser*, The Social History of Art. London 1951. – *H. Hildebrandt*, Die Kunst des 19. u. 20. Jahrhunderts. In: Handbuch der Kunstwissenschaft. Potsdam 1924. – *W. Huschke u. W. Vulpius*, Park um Weimar. Weimar 1955. – *F. Novotny*, Painting and Sculpture in Europe 1780–1880 (Pelican History of Art), London 1960. – *G. Pauli (Dehios)*, Geschichte der deutschen Kunst. IV, Berlin u. Leipzig 1934. – *Ders.*, Die Kunst des Klassizismus und der Romantik (Propyläen-Kunstgeschichte, 14). 2. Aufl., Berlin 1925. – *W. Scheidig*, Das Schloß in Weimar. 3. Aufl., Weimar 1955. – *Ders.*, Goethes Preisaufgaben für bildende Künstler. Weimar 1959. – *H. Stöcker*, Zur Kunstanschauung des 18. Jahrhunderts von Winckelmann bis zu Wackenroder. Berlin 1904.

Wandel der Weltanschauung in der Goethezeit

K. *Aner*, Die Theologie der Lessingzeit. Halle 1929. – *Hannah Arendt*, Rahel Varnhagen, the Life of a Jewess. London 1957. – *K. Barth*, Die protestantische Theologie im 19. Jahrhundert. Ihre Vorgeschichte und ihre Geschichte, Zürich 1947. – *W. H. Bruford*, The idea of ‚Bildung‘ in W. v. Humboldt's letters. In: The Era of Goethe. Essays presented to J. *Boyd*. Oxford 1959. – *Ders.*, The idea of ‚Bildung‘ in W. v. Humboldt's ‚Briefe an eine Freundin‘. In: Stoffe, Formen, Strukturen. H. H. Borcherdt-Festschrift. München 1962. – *H. O. Burger*, Eine Idee, die noch in keines Menschen Sinn gekommen ist (Ästhetische Religion in der deutschen Klassik und Romantik). In: Stoffe, Formen, Strukturen. H. H. Borcherdt-Festschrift. München 1962. – *W. Dilthey*, Das Leben Schleiermachers. 2. Aufl. Berlin u. Leipzig 1922. – *E. Franz*, Goethe als religiöser Denker. Tübingen 1932. – *Ders.*, Deutsche Klassik und Reformation. Halle 1937. – *H. Hatfield*, Aesthetic Paganism in German Literature. Cambridge (Mass.) 1964. – *P. Kluckhohn*, Die Idee des Menschen in der Goethezeit. Stuttgart 1946. – *H. A. Korff*, Geist der Goethezeit. 4 Bde., Leipzig 1923–1957. – *F. Meinecke*, Die Entstehung des Historismus. München u. Berlin 1936. – *Th. Ziegler*, Die geistigen und sozialen Strömungen des 19. Jahrhunderts. Berlin 1899.

REGISTER

Die *kursiv* gesetzten Ziffern weisen auf die Abbildungen im Text hin.

TAFELN

INHALTSVERZEICHNIS